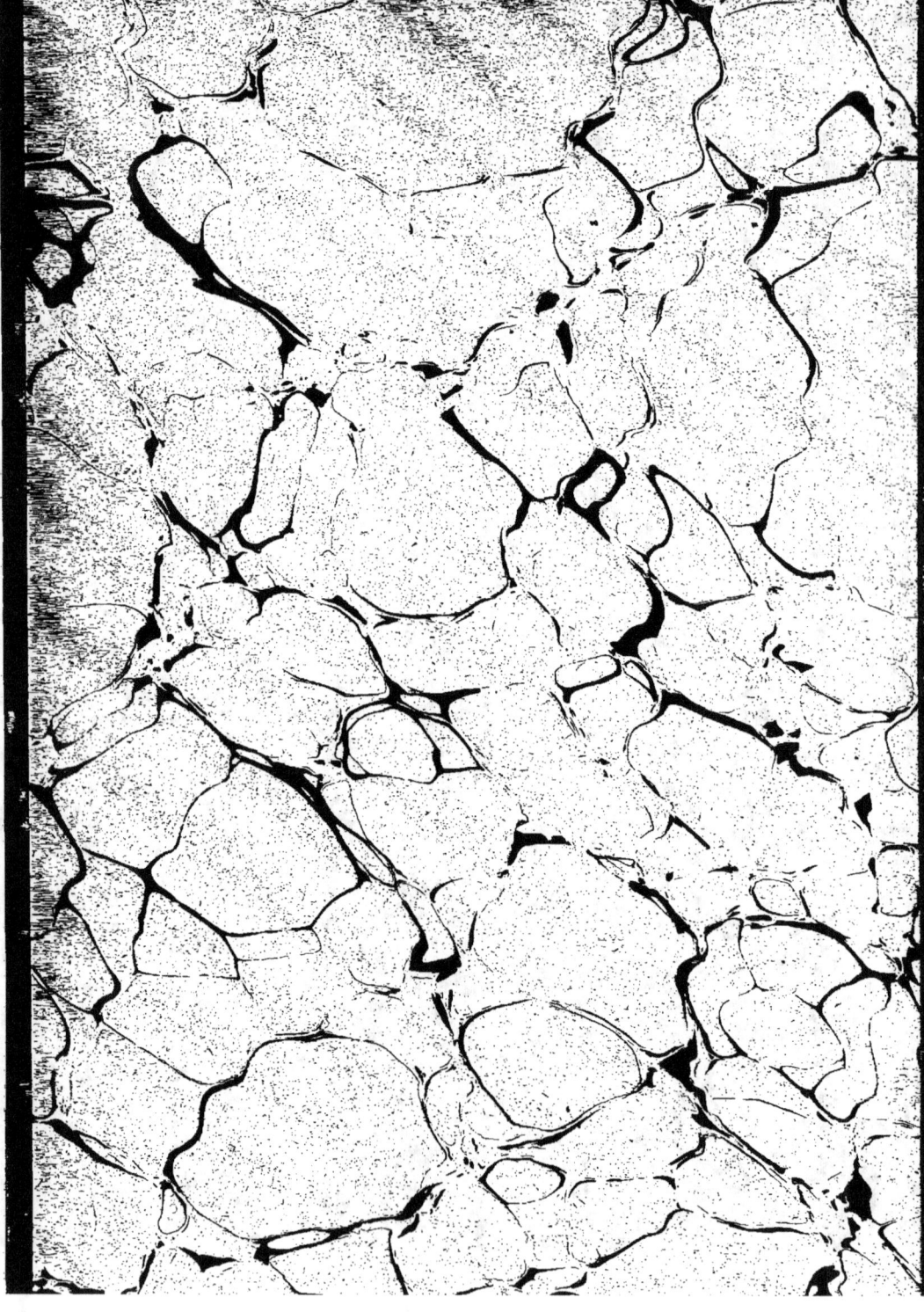

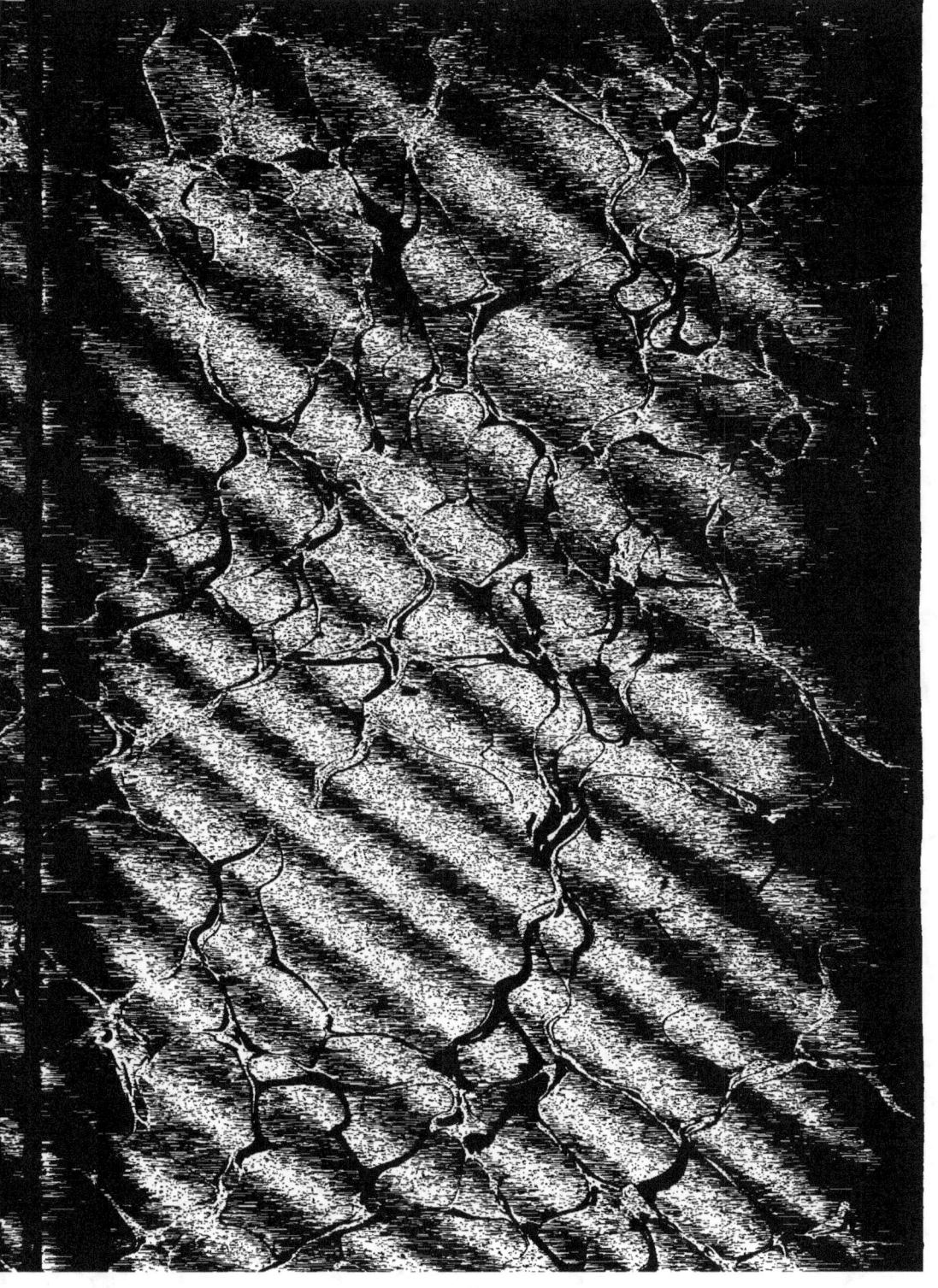

PH. STÖHR

Manuel technique

d'Histologie

TRADUIT SUR LA DERNIÈRE ÉDITION ALLEMANDE

PAR LES DOCTEURS

H. TOUPET   et   **CRITZMAN**

Médecin des hôpitaux
Préparateur d'anatomie pathologique
à la Faculté.

Ancien interne des hôpitaux.

AVEC UNE PRÉFACE DU PROFESSEUR **CORNIL**

DEUXIÈME ÉDITION FRANÇAISE

281 FIGURES

PARIS

G. STEINHEIL, ÉDITEUR

1898

MANUEL TECHNIQUE

D'HISTOLOGIE

PH. STÖHR

Manuel technique

d'Histologie

TRADUIT SUR LA DERNIÈRE ÉDITION ALLEMANDE

PAR LES DOCTEURS

H. TOUPET et **CRITZMAN**

Médecin des hôpitaux	Ancien interne des hôpitaux.
Préparateur d'anatomie pathologique	
à la Faculté.	

AVEC UNE PRÉFACE DU PROFESSEUR CORNIL

DEUXIÈME ÉDITION FRANÇAISE

281 FIGURES

PARIS

G. STEINHEIL, ÉDITEUR

1898

TABLE DES MATIÈRES

DEUXIÈME PARTIE
Anatomie microscopique et technique spéciale.

APPENDICE

Technique du microtome.

PRÉFACE

Le traité de M. le professeur Ph. Stöhr comprend à la fois la description histologique très exacte, concise autant qu'il est possible, et l'indication des meilleures méthodes techniques. L'outillage du laboratoire, la confection des liquides conservateurs, dissociants, fixateurs, colorants, l'art de faire les préparations, les divers modes d'examen exposés à propos de chacun des chapitres du livre, toute cette technique complexe, variée, délicate, est exposée avec une rigueur, une clarté parfaite. Ces deux parties parallèles, la description microscopique des tissus et des organes, et la technique sont imprimées dans un texte différent et se complètent l'une par l'autre. Ajoutons que toute l'histologie, tous les organes, sont décrits dans ce livre enrichi de 246 bons dessins et c'est merveille que tout puisse tenir dans un volume de 335 pages. C'est un manuel classique, complet et pratique d'histologie normale qui sera un guide excellent pour l'étudiant, pour le jeune docteur admis à travailler dans un laboratoire.

Pour arriver à ce résultat, M. le professeur Stöhr a naturellement éliminé tout ce qui est discussion, historique, théories, citation de noms d'auteurs, etc., pour ne conserver que les données nécessaires et fondamentales de la science qu'il enseigne. C'est l'histologie réduite à son expression la plus simple, la plus didactique, avec les plus récentes découvertes et les derniers perfectionnements apportés dans les modes de préparation.

MM. les docteurs Toupet et Critzman, en donnant cette tra-
duction qu'ils ont faite avec beaucoup de soin et de clarté (1),
rendent à ceux qui veulent étudier pratiquement l'histologie
un grand service. Ce n'est pas qu'il soit facile, même avec un
livre bien fait pour guide, d'apprendre seul toute la technique, de la mettre en usage et de comprendre les détails de
la structure des tissus. Le plus souvent l'étudiant est arrêté
par l'ignorance de choses d'une simplicité telle que l'auteur
ne juge pas à propos de les mentionner. Aussi est-il nécessaire aux jeunes travailleurs de se faire admettre dans un
des nombreux laboratoires ouverts aujourd'hui à toutes les
bonnes volontés ; mais avec un bon livre élémentaire, et
quelques conseils du personnel d'un laboratoire, l'étudiant
peut se tirer d'affaire presque seul.

Par la comparaison du manuel de Stöhr avec les livres de
microscopie publiés en français, nous sommes persuadé qu'il
prendra parmi eux une excellente place. Assurément les
méthodes sont loin d'y être exposées avec le même luxe de
renseignements que dans le *Traité technique* de Ranvier ou
que dans l'*Anatomie microscopique* de Lee et Henneguy. Il
ne faudrait pas non plus y chercher des descriptions, ni
des détails originaux personnels à l'auteur. Mais d'un autre
côté tous les tissus, tous les organes sont complètement décrits dans le manuel technique de Stöhr, avec d'excellents
dessins, et c'est là un avantage que l'on ne trouve dans aucun des livres analogues édités dans notre langue.

V. CORNIL.

(1) La deuxième édition française qui comprend 70 pages et 35 figures de plus que
la précédente a été préparée avec la collaboration de M. le Dr SEGALL. (*Note de
l'Éditeur.*)

PREMIÈRE PARTIE

TECHNIQUE GÉNÉRALE

I. — INSTALLATION DU LABORATOIRE

I. Instruments.

Du microscope. — Leitz et Seibert de Wetzlar, Zeiss d'Iéna fabriquent des microscopes dont j'ai pu apprécier souvent moi-même toutes les qualités. Avant d'acheter un microscope le débutant devra le faire examiner par un homme compétent. L'instrument doit être tenu à l'abri de la poussière, et, quand on s'en sert journellement, le mieux est de le protéger avec une cloche en verre, en évitant les rayons solaires. Quand les tubes s'encrassent on les nettoie avec du papier de soie. Pour entretenir les lentilles et le miroir on peut se servir de peau de chamois, mais parfois quand il s'agit d'enlever du baume, celle-ci ne suffit pas ; on doit recourir alors à un linge fin imbibé d'alcool, et dans ce cas, il faut procéder avec beaucoup de soin, pour empêcher le liquide de pénétrer dans la sertissure des lentilles où il pourrait dissoudre le baume qui les unit. On essuie rapidement avec la compresse humectée d'alcool la tache qui salit la lentille, et l'on sèche soigneusement.

Les vis du microscope seront nettoyées au pétrole.

Outre le microscope il faut à l'histologiste une série d'instruments :

Un bon *rasoir* avec un côté plan. Le tranchant devra toujours être bien affilé, et pour cela il faut le passer sur le cuir chaque fois que l'on s'en sert. L'aiguisage sur la pierre doit être réservé au fabricant ;

Une *pierre à repasser* ;

Des *ciseaux droits fins* ;

Une *petite pince à mors plats* ;

Deux paires d'aiguilles. On en chauffe une paire pour leur donner une courbure voulue, et on les retrempe en les plongeant dans un bloc de paraffine après les avoir chauffées à nouveau. Il importe que la seconde paire soit toujours très propre et très polie, et avant de procéder à une dissociation fine il est bon de les passer sur la pierre et sur le cuir. On peut se servir avantageusement des aiguilles à cataractes ;

Une *spatule en platine* ; elle n'est pas indispensable, mais elle est très utile pour transporter les coupes des liquides sur les porte-objet ;

Des *épingles*, des *plaques de liège*, un *pinceau fin* ;

Un *crayon jaune* pour écrire sur le verre (1) ;

Des *lames porte-objet* en verre très pur, d'une épaisseur de 1 mm. à 1 mm. 5. Les lamelles de 15 mm. de côté sont suffisantes pour les usages courants ; leur épaisseur ne doit pas dépasser 0,1 à 0,2 mm. ;

Une douzaine de *flacons* à large goulot d'une contenance d'environ 30 cent. cubes. Les flacons bouchés à l'émeri sont d'un prix trop élevé, et d'autre part les bouchons sont presque toujours irrégulièrement rodés ;

Quelques *bocaux* plus grands de 8 à 10 cent. de haut sur 6 à 10 cent. de large, avec couvercle de verre, et des pots de terre ;

Une *éprouvette* graduée de 100 à 150 cent. cubes. Un entonnoir en verre ;

Une *pipette* ; il est très facile de préparer de petites pipettes en prenant des tubes de verre de 1 cent. de large et en les effilant à la lampe ;

Une douzaine de *verres de montre* de 5 cent. de diamètre ;

Une douzaine de *petits tubes à essai* de 10 cent. de long sur 12 mm. de large ;

Des *baguettes de verre* à pointe effilée de 15 cent. de long et 3 mm. d'épaisseur.

Pour les réactifs on peut les conserver dans n'importe quels flacons pourvu qu'on ait pris soin de bien les nettoyer (2) ;

Quelques *godets* de 10 à 12 cent. de diamètre avec couvercle en verre ne sont pas inutiles ; mais on peut très bien les remplacer par des soucoupes ;

Du *papier filtre*, des étiquettes gommées de différentes dimensions, du vieux linge, des vieux mouchoirs, un essuie-mains, des brosses à bouteille et enfin un grand seau pour les déchets.

---

(1) Ces crayons pour écrire sur le verre sont fabriqués par A. W. Faber de Nüremberg. Il faut avant de s'en servir bien dégraisser la lame de verre au moyen d'un peu d'alcool.

(2) Pour le nettoyage des flacons l'eau simple suffit souvent ; dans d'autres cas, il faut les rincer successivement avec l'acide chlorhydrique, la lessive de potasse, l'eau simple, l'eau distillée et enfin l'alcool.

II. Réactifs.

Règles générales. — Beaucoup de réactifs s'altèrent rapidement ; il ne faut pas en faire de grandes provisions à la fois ; quelques-uns doivent même être préparés au moment de s'en servir. Chaque flacon doit porter une étiquette indiquant non seulement la formule du réactif, mais aussi son mode d'emploi. Tous les flacons seront bouchés hermétiquement et l'on veillera à ce que le liquide n'affleure jamais à la partie inférieure du bouchon.

1. — EAU DISTILLÉE, 3 à 6 litres.

2. — SOLUTION DE CHLORURE DE SODIUM à 0,75 0/0.

Eau distillée. . . . . 200 cent. cubes.
Chlorure de sodium. . . . . 1 gr. 5.

Le bouchon doit être muni d'une baguette de verre atteignant le fond du flacon. Cette solution saline s'altère facilement, il faut la renouveler souvent.

3. — ALCOOL. a) *Alcool absolu.* Il faut avoir 200 cent. cubes d'alcool absolu. Celui du commerce est à 96° ; en général il est suffisant. Si l'on veut enlever les dernières traces d'eau, on met dans le flacon quelques fragments de sulfate de cuivre calciné (15 gr. pour 100 cent. cubes d'alcool). Si le sulfate de cuivre bleuit, il faut le remplacer ou le calciner à nouveau.

La chaux vive est encore un excellent déshydratant, mais elle agit plus lentement.

b) *Alcool à 90°* de 3 à 5 litres.

c) *Alcool à 70°.* On l'obtient en mélangeant 300 cent. cubes d'alcool à 96° et 135 cent. cubes d'eau distillée.

d) *Alcool à 50°.* 260 cent. cubes d'alcool à 90° avec 240 cent. cubes d'eau distillée.

e) *Alcool au 1/3* de Ranvier. 35 cent. cubes d'alcool à 96° et 66 cent. cubes d'eau distillée.

4. — ACIDE ACÉTIQUE, 50 cent. cubes. L'acide acétique officinal est à 30 0/0.

5. — ACIDE ACÉTIQUE CRISTALLISÉ. Celui du commerce est à 96 0/0, il faut l'acheter au fur et à mesure des besoins, 10 cent. cubes environ.

6. — ACIDE AZOTIQUE. Il faut avoir 100 cent. cubes d'acide azotique concentré, marquant au densimètre 1,18 ; il contient 32 0/0 d'acide monohydraté.

7. — ACIDE CHLORHYDRIQUE PUR, 50 cent. cubes.

8. — ACIDE CHROMIQUE. Avec une solution mère à 10 0/0, on peut préparer soit une solution à 0,1 0/0 soit une solution à 0,5 0/0.

9. — BICHROMATE DE POTASSE.

a) 25 grammes dans 1000 cent. cubes d'eau distillée.

b) Pour le mélange de Golgi, il faut faire dissoudre 35 grammes dans 1000 cent. cubes. A la température de la chambre la solution ne se fait qu'en 3 à 6 jours. Dans l'eau chaude elle se fait instantanément.

10. — LIQUIDE DE MULLER.

Sulfate de soude.	30 grammes.
Bichromate de potasse.	60 »
Eau distillée.	3000 »

La solution doit être faite à chaud.

11. — LIQUIDE DE ZENKER.

Bichromate de potasse.	25 grammes.
Sulfate de soude	10 »
Sublimé.	50 »
Eau distillée.	1000 »

Faire dissoudre à chaud et ajouter 1 cent. cube d'acide acétique par 20 cent. cubes de la solution au moment de s'en servir.

12. — LE LIQUIDE DE GOLGI (acide osmique et bichromate) se prépare en mélangeant 54 cent. cubes de la solution de bichromate de potasse à 3,5 0/0 et 6 cent. cubes d'acide osmique à 2 0/0. Ce liquide ne se conserve pas. Il est employé pour fixer les pièces que l'on veut examiner par la méthode de Golgi.

13. — HYDROQUINONE QUINTUPLE. 5 grammes d'hydroquinone, 40 grammes de sulfure de sodium et 75 grammes de carbonate de potasse dans 250 grammes d'eau distillée ; de cette première solution on prend 20 cent. cubes auxquels on ajoute 230 cent. cubes d'eau distillée. On conserve à l'abri de la lumière dans un flacon bien bouché. Ce réactif peut se conserver pendant plusieurs semaines ; la couleur jaunâtre qui se développe avec le temps n'indique en aucune façon qu'il soit altéré.

14. — SOLUTION D'HYPOSULFITE DE SOUDE. 10 grammes dans 50 cent. cubes d'eau distillée. La solution se fait à froid.

15. — ACIDE PICRIQUE. Il faut avoir sous la main 50 grammes d'acide picrique cristallisé et environ 500 cent. cubes d'une solution saturée. Il faut laisser au fond du vase une couche d'acide picrique non dissous de 2 ou 3 cent. de haut. La solution se fait facilement.

16. — ACIDE SULFO-PICRIQUE DE KLEINENBERG. On verse 4 cent. cubes d'acide sulfurique dans 200 cent. cubes de solution aqueuse saturée d'acide picrique. Il se forme un précipité abondant. Au bout d'une heure on filtre et l'on ajoute 600 cent. cubes d'eau distillée. Le résidu resté sur le filtre est jeté.

17. — ACIDE ACÉTO-CHROMIQUE. On prend 50 cent. cubes d'une solution

d'acide chromique à 0,5 0/0, on ajoute 50 cent. cubes d'eau distillée et 3 à 5 gouttes d'acide acétique.

18. — ACIDE OSMIQUE. On achète 50 cent. cubes d'une solution aqueuse à 2 0/0. C'est un réactif cher. Il faut le conserver à l'abri de la lumière, dans un flacon en verre noir et hermétiquement bouché.

19. — ACIDE CHROMO-OSMIO-ACÉTIQUE. On prend 50 cent. cubes de solution d'acide chromique à 1 0/0, on ajoute 12 cent. cubes d'acide osmique à 2 0/0, et 3 cent. cubes d'acide acétique. Ce mélange peut se conserver longtemps même à la lumière.

20. — CHLORURE DE PLATINE. Cher ! On a une solution mère à 10 0/0, 2 grammes dans 20 grammes d'eau distillée.

21. —- ACIDE OSMIO-ACÉTIQUE ET CHLORURE DE PLATINE.

Eau distillée.	54 cent. cubes
Solution mère de chlorure de platine.	6 —
Solution d'acide osmique à 2 0/0	8 —
Acide acétique.	4 —

22. — NITRATE D'ARGENT.

Nitrate d'argent.	1 gramme
Eau distillée.	100 cent. cubes

à conserver dans un flacon noir à l'abri de la lumière.

23. — CHLORURE D'OR. Il faut préparer la solution au moment de s'en servir ; on la fait au centième, et on la conserve dans l'obscurité, dans un flacon noir ou jaune.

24. — ACIDE FORMIQUE. Pour l'imprégnation au chlorure d'or il faut 50 cent. cubes d'acide formique.

25. — POTASSE CONCENTRÉE, 35 0/0. 30 cent. cubes dans un flacon fermé avec un bouchon en caoutchouc non vulcanisé et muni d'une baguette de verre.

26. — GLYCÉRINE. Il faut avoir 100 cent. cubes de glycérine pure, plus une solution contenant 5 cent. cubes de glycérine pure pour 25 cent. cubes d'eau distillée. Pour empêcher le développement des champignons on peut ajouter 5 à 10 gouttes d'une solution à 1 0/0 d'acide phénique ou un cristal d'hydrate de chloral. Le bouchon sera également muni d'une baguette de verre.

27. — HUILE DE BERGAMOTE. 20 cent. cubes. Se méfier de l'essence de girofle qui empeste les laboratoires.

27 a. — XYLOL. Dans certains cas on remplace l'huile de bergamote par le xylol. Celui-ci éclaircit davantage les préparations, mais pour l'employer il faut que les préparations soient absolument déshydratées, c'est pourquoi il ne faut pas le conseiller aux débutants.

28. — Résine Damar. Se vend dans des tubes de peintres d'une contenance de 50 cent. cubes. Quand elle est trop épaisse on l'étend avec un peu d'essence de térébenthine purifiée. Elle est à consistance convenable, quand une goutte prise avec une baguette de verre ne s'étire pas en long fil. La résine Damar est préférable au baume de Canada dissous dans le chloroforme, celui-ci éclaircit trop ; cependant elle a l'inconvénient de sécher moins vite. Le bouchon du flacon doit être muni d'une baguette de verre.

28 a. — Baume au xylol. La solution de baume de Canada dans le xylol vaut la résine Damar.

29. — Mastic pour luter les lamelles. On prend pour cela de la térébenthine de Venise que l'on étend d'éther sulfurique jusqu'à consistance sirupeuse. On filtre, et l'on fait concentrer au bain de sable jusqu'à ce qu'une goutte déposée sur une lame porte-objet se modifie assez rapidement pour ne plus adhérer au doigt.

30. — Hématoxyline de Hansen. On prépare une première solution a. de 1 gramme d'hématoxyline cristallisée dans 10 cent. cubes d'alcool absolu. Cette solution est conservée dans un flacon bien fermé. Une seconde solution b. comprend 20 grammes d'alun de potasse dissous à chaud dans 200 cent. cubes d'eau distillée, on filtre après refroidissement ; on a enfin une solution c. formée de 1 gramme de permanganate de potasse et 16 cent. cubes d'eau distillée. Le lendemain la solution a. et la solution b. sont versées dans une capsule de porcelaine avec 3 cent. cubes de la solution c. ; on chauffe jusqu'à ébullition en agitant toujours ; on laisse bouillir une minute environ. On refroidit rapidement en faisant flotter la capsule dans l'eau froide. Après refroidissement le mélange est filtré et il est bon à employer. Il se forme des précipités et des moisissures qui n'enlèvent aucune des qualités du réactif.

31. — Hématoxyline de Delafield. On prend a. un gramme d'hématoxyline cristallisée dissoute dans 6 cent. cubes d'alcool absolu ; b. 15 grammes d'alun ammoniacal dissous à chaud dans 100 cent. cubes d'eau distillée et filtrée après refroidissement. On mélange les deux solutions, on laisse le mélange trois jours à la lumière dans un vase largement ouvert, on filtre et on ajoute 25 cent. cubes de glycérine pure et 25 cent. cubes d'alcool méthylique. Après trois jours on filtre de nouveau, et l'on a un réactif qui peut se conserver très longtemps.

32. — Hématoxyline de Weigert, pour mettre en évidence les fibres à myéline du cerveau et de la moelle épinière ; on la prépare au moment de s'en servir.

On dissout 1 gramme d'hématoxyline cristallisée dans 10 cent. cubes d'alcool absolu et 90 cent. cubes d'eau distillée, on fait bouillir et l'on filtre après refroidissement.

Pour employer l'hématoxyline de Weigert il est nécessaire de traiter les préparations par les solutions suivantes :

33. — Solution de carbonate de lithine. 3 à 4 grammes de carbonate de lithine dissous dans 100 cent. cubes d'eau distillée.

34. — Solution saturée de permanganate de potasse a 0, 25 0/0. 0,50 centigrammes de permanganate de potasse dans 200 grammes d'eau distillée.

35. — Mélange acide :

Acide oxalique pur. . . . .   1 gramme
Sulfure de potassium. . . . .   1 —
Eau distillée . . . .   200 cent. cubes

Ce mélange doit être préparé d'avance et conservé dans un flacon bien bouché.

36. — Carmin neutre. On dissout 1 gramme de bon carmin à froid dans 50 cent. cubes d'eau distillée additionnés de 5 cent. cubes d'ammoniaque. La solution d'un rouge intense reste exposée à l'air libre jusqu'à ce que toute odeur ammoniacale ait disparu, ce qui demande environ trois jours, et l'on filtre. Cette solution peut être préparée d'avance ; elle prend bientôt une odeur très désagréable, mais son pouvoir colorant n'est pas affaibli.

37. — Picro-carmin. On dissout 1 gramme de bon carmin dans un mélange de 50 cent. cubes d'eau distillée et de 5 cent. cubes d'ammoniaque, on agite avec une baguette de verre, et quand le carmin est complètement dissous, c'est-à-dire au bout de cinq minutes, on ajoute 50 cent. cubes d'une solution saturée d'acide picrique. Le tout est exposé à l'air libre pendant deux jours, après quoi on filtre. Les moisissures, même quand elles abondent dans la solution, n'altèrent pas cet excellent réactif.

38. — Carmin aluné. On fait dissoudre à chaud 5 grammes d'alun dans 100 cent. cubes d'eau distillée, puis on ajoute 2 grammes de carmin. On fait bouillir de 10 à 20 minutes et l'on filtre après refroidissement. Pour terminer, on verse dans le mélange qui est d'un beau rouge rubis, 2 ou 3 gouttes d'acide phénique liquéfié.

39. — Carmin boraté. On fait dissoudre à chaud 4 grammes de borax dans 100 cent. cubes d'eau distillée. Après refroidissement on ajoute en agitant continuellement 3 grammes de carmin pur, et ensuite 100 cent. cubes d'alcool à 70°. Au bout de 24 heures on filtre ; la filtration est lente, elle demande 24 heures et plus.

La coloration au carmin boraté exige un traitement complémentaire par l'alcool chlorhydrique que l'on obtient en ajoutant 4 à 6 gouttes d'acide chlorhydrique à 100 cent. cubes d'alcool à 70°.

40. — Carminate de soude. On dissout 2 grammes de matière colorante dans 200 cent. cubes d'eau distillée.

41. — Safranine. 2 grammes, dans 60 cent. cubes d'alcool à 50°.

42. — Éosine. 1 gramme dans 60 cent. cubes d'alcool à 50°.

43. — Rouge du Congo. On fait une solution mère, 1 gramme pour 100 cent. cubes d'eau distillée ; puis une seconde solution comprenant 3 cent. cubes de la première pour 100 cent. cubes d'eau distillée.

44. — Vésuvine ou

45. — Violet de méthyl β. On peut faire à l'avance des solutions aqueuses saturées, 1 gramme pour 50 cent. cubes d'eau distillée.

46. — Bleu de méthyl. 1 gramme dans 100 cent. cubes d'eau distillée.

47. — Acide picrique ammoniacal. 3 grammes pour 100 cent. cubes d'eau distillée, se conserve longtemps.

48. — Orcéine. On prend 1 gramme d'orcéine que l'on fait dissoudre dans 100 grammes d'alcool absolu, et l'on ajoute 1 gramme d'acide chlorhydrique.

49. — Dahlia au carmin d'alun de Westphal. On dissout 1 gramme de dahlia dans 25 cent. cubes d'alcool absolu, on ajoute 12 cent. cubes de glycérine pure, et 5 cent. cubes d'acide acétique, on verse enfin dans le mélange 25 cent. cubes de carmin aluné (38). Ce réactif doit être conservé dans un flacon bien bouché.

II. — DES PRÉPARATIONS MICROSCOPIQUES.

Peu de parties de l'organisme animal sont susceptibles d'être examinées au microscope sans préparation préalable. Elles doivent d'abord avoir un certain degré de transparence, on l'obtient en dissociant les organes, en isolant leurs éléments ou en les débitant en coupes minces. Mais pour pratiquer des coupes il faut que les organes aient une consistance déterminée ; peu la possèdent, ou ils sont trop mous et il faut les durcir ou ils sont trop durs et calcifiés, et alors il faut les décalcifier. Mais la décalcification et le durcissement ne peuvent se faire d'emblée, il faut auparavant fixer les tissus. Les coupes ne sont donc possibles en général qu'après fixation et durcissement et parfois décalcification. Les coupes elles-mêmes ne peuvent encore être examinées telles quelles ; il faut les éclaircir ou bien les colorer d'abord et les éclaircir ensuite. Les colorations sont d'un précieux secours pour l'histologiste, on peut les pratiquer sur les tissus frais et même sur les tissus vivants ; un grand nombre des découvertes les plus importantes sont dues à l'emploi des matières colorantes. L'injection de matières colorantes dans les vaisseaux montre leur distribution et leurs plus fines ramifications.

I. Matériaux pour l'étude microscopique.

Pour l'étude des éléments et des tissus il faut prendre des amphibies, la grenouille et surtout la salamandre tachetée dont les éléments sont très volumineux ; pour les organes il faut avoir recours aux mammifères. En général les animaux que nous avons autour de nous suffisent, on prend des lapins, des cochons d'Inde, des rats, des souris ou des jeunes chiens et des jeunes chats. Il ne faut cependant négliger aucune occasion d'avoir des organes humains ; on peut avoir des tissus absolument frais dans les services de chirurgie et en hiver un grand nombre de pièces sont encore utilisables deux ou trois jours après la mort.

Il est bon de fixer les organes quand ils sont encore chauds. Aussi avant de sacrifier un animal est-il bon de tenir prêts tous les flacons avec le liquide conservateur destiné à fixer les pièces que l'on doit enlever ; il faut avoir soin également de mettre sur les flacons une étiquette indiquant l'organe, le liquide et la date (1).

(1) C'est une cruauté inutile d'enlever les organes d'un animal vivant.

II. Mort et autopsie des animaux.

Pour tuer les amphibies on sectionne avec de gros ciseaux la colonne cervicale, puis au moyen d'un stylet introduit dans le canal rachidien et dans la cavité crânienne on détruit la moelle et le cerveau. Les mammifères peuvent être sacrifiés soit en pratiquant une section profonde au niveau du cou, soit en leur couvrant le museau d'un linge imbibé de chloroforme.

Les animaux qui n'ont pas plus de 4 cent. cubes et les embryons peuvent être mis entiers dans les liquides fixateurs. Après six heures on leur ouvre l'abdomen et le thorax. Quand on fait l'autopsie d'un animal il faut autant que possible confier les extrémités à un aide ; pour les petits animaux on les fixe à l'aide d'épingles sur une plaque de liège. Les organes doivent être enlevés avec précaution, à l'aide de pinces et de ciseaux ; il faut éviter surtout d'écraser les pièces et de les comprimer avec les doigts. Les pinces ne porteront que sur le bord des fragments, et pour les débarrasser du sang du mucus, ou du contenu intestinal qui pourrait les souiller on les lavera dans le liquide fixateur en se gardant bien de les gratter avec un scalpel.

Dans les différentes manipulations il est presque impossible de ne pas tremper les instruments (ciseaux, pinces, aiguilles), dans certains liquides qui les altèrent, les liquides acides par exemple ; il faut avoir soin de les passer à l'eau le plus tôt possible et de les bien essuyer. Avant tout il faut éviter de plonger dans un liquide un agitateur en verre souillé par exemple par un acide ou une matière colorante, c'est ainsi que les réactifs s'altèrent et que les préparations ne réussissent pas. Il en est de même des verres de montre, des cristallisoirs et autres petits récipients, il faut toujours les nettoyer immédiatement après s'en être servi.

Les récipients qui servent à dissocier, à fixer, à durcir, à colorer doivent toujours être couverts. Si une manipulation faite dans un verre de montre exige plus de dix minutes, il faut le recouvrir d'un autre verre de montre et le mettre à l'abri des rayons solaires.

III. Méthodes pour isoler les éléments.

On isole les éléments soit en dissociant les organes frais, soit après les avoir traités par un liquide dissolvant qui rend la dissociation plus facile sinon inutile. Une bonne dissociation est difficile. Il faut s'armer de beaucoup de patience et suivre exactement les préceptes suivants. Les aiguilles doivent être bien pointues et bien propres, on les polira sur la pierre avant de s'en servir. Le fragment aura 5 mm. de côté au plus, on le met sur une lame dans une goutte de liquide, si la pièce est incolore on pose la lame sur un fond noir, sur un fond blanc si elle est colorée. S'il s'agit d'un tissu fibrillaire, d'un faisceau musculaire par exemple, on place les deux aiguilles à une même extrémité et on partage le faisceau en deux suivant sa longueur. On recommence la même manœuvre sur l'un des faisceaux secondaires et ainsi de suite jusqu'à ce que l'on ait obtenu des fibres fines complètement isolées. L'examen à l'aide d'un faible grossissement sans lamelle permet de juger si la dissociation a été poussée assez loin (1).

LIQUIDES A EMPLOYER POUR ISOLER LES ÉLÉMENTS.

a) *Pour les épithéliums.*

L'alcool au tiers de Ranvier (voy. page 3) est un excellent milieu pour isoler les épithéliums. On prend un fragment de muqueuse, de muqueuse intestinale par exemple, de 5 à 10 mm. de côté ; et on le plonge dans 10 cent. cubes d'alcool au tiers. Après cinq heures s'il s'agit d'un épithélium cylindrique, 10 à 24 heures s'il s'agit d'une muqueuse à épithélium stratifié, on prend délicatement ce fragment avec une pince et on le place sur une lame dans une goutte du même alcool au tiers. On secoue un petit peu la pièce et beaucoup de cellules épithéliales isolées se détachent ; d'autres fois il y a de véritables amas qu'il est facile d'isoler avec les aiguilles. On recouvre d'une lamelle et l'on examine. Si l'on veut colorer les pièces, on porte les fragments à leur sortie de l'alcool dans 6 cent. cubes de picro-carmin (voy. page 7), 4 heures après on les passe dans 5 cent. cubes d'eau distillée environ cinq minutes, puis on procède à la dissociation sur la lame porte-objet.

La dissociation achevée on met une goutte de glycérine ; on recouvre d'une lamelle et la préparation peut être conservée.

b) *Pour les fibres musculaires et les glandes.*

La lessive de potasse à 35 0/0 est ce qui convient le mieux (page 5). Des fragments de 10 à 20 mm. de côté sont placés dans 10 à 20 cent. cubes de ce liquide ; au bout d'une heure on agite avec une pipette ou une aiguille et le fragment se trouve dissocié, on en met une parcelle ou une lame dans une goutte de la même solution de potasse, on recouvre d'une lamelle et l'on examine. La potasse diluée agit tout différemment ; elle détruit les éléments anatomiques, de sorte que si après les avoir dissociés par la potasse concentrée on les examinait dans l'eau, ils seraient immédiatement détruits. Lors-

---

(1) Les préparations dissociées dans peu de liquide sont souvent obscures au microscope, surtout lorsqu'elles ne sont pas recouvertes d'une lamelle ; il suffit pour les rendre claires d'ajouter une goutte de liquide et de mettre une lamelle.

qu'une solution concentrée de potasse ne donne pas de bonnes dissociations c'est qu'elle est trop vieille, il faut donc toujours employer des solutions fraîches. Les préparations faites par ce procédé ne se conservent pas.

Le mélange de chlorate de potasse et d'acide azotique donne également d'assez bons résultats. Pour le préparer on ajoute à 20 cent. cubes d'acide azotique 5 grammes environ de chlorate de potasse jusqu'à ce qu'il se forme un dépôt au fond du vase. Les fragments sont généralement dissociés par ce liquide au bout d'un temps variant de 1 à 6 heures, parfois il est nécessaire de les y laisser plus longtemps; on les met ensuite dans 20 cent. cubes d'eau distillée, où ils peuvent être utilisés après une heure, ou seulement au bout de huit jours. Pour cela on les place sur une lame dans une goutte de glycérine diluée, et la dissociation est des plus faciles. Quand l'acide azotique a été enlevé par des lavages répétés on peut monter la préparation et la colorer sous la lamelle. Il ne faut pas essayer de colorer au picro-carmin avant de dissocier comme on fait pour les épithéliums parce que les éléments deviennent trop friables.

c) Pour les canaux glandulaires.

De préférence il faut mettre de petits fragments de 1 cent. de côté dans 10 cent. cubes d'acide chlorhydrique pur. Au bout de 10 à 20 heures des parcelles sont portées dans 30 cent. cubes d'eau distillée. On les y laisse 24 heures en changeant l'eau plusieurs fois. La dissociation se fait alors facilement avec des aiguilles dans une goutte de glycérine diluée. Les préparations ainsi faites peuvent se conserver.

IV. Méthodes de fixation.

RÈGLES GÉNÉRALES. — 1. Pour fixer une pièce anatomique, il faut toujours employer une quantité de liquide fixateur égale au moins à 50 ou 100 fois le volume de la pièce.

2. — Le liquide doit toujours être clair; aussitôt qu'il est trouble il faut le changer, parfois c'est au bout d'une heure et même plus tôt.

3. — Les fragments à fixer doivent être petits et ne jamais dépasser deux centimètres. Si l'on veut conserver une pièce entière pour pouvoir plus tard choisir les portions à examiner, il faut avoir soin de pratiquer de larges incisions après qu'elle a séjourné 8 ou 10 heures dans le liquide. Les fragments doivent être suspendus ou isolés du fond du récipient par une couche d'ouate.

4. — L'ALCOOL ABSOLU convient très bien pour fixer les glandes, la peau et les vaisseaux. Il agit en même temps comme durcissant. Les pièces mises

dans l'alcool absolu peuvent déjà être coupées au bout de 24 heures (1). C'est donc la méthode de choix quand on veut pratiquer un examen rapide. L'emploi de l'alcool absolu exige certaines précautions : 1° il doit être renouvelé au bout de 3 ou 4 heures même quand il n'est pas troublé ; 2° il faut veiller attentivement à ce que les fragments ne touchent pas les parois du vase, pour cela on les suspend au moyen d'un fil, ou on les isole du fond par une mince couche d'ouate.

L'alcool à 90° agit autrement que l'alcool absolu, il fait rétracter les tissus ; il ne peut donc pas être employé à sa place.

2. — L'ACIDE CHROMIQUE s'emploie sous forme de solution aqueuse à deux titres différents.

a) La solution de 0,1 à 0,5 0/0 convient surtout pour les organes qui renferment beaucoup de tissu conjonctif lâche. Cette solution forte donne aux tissus conjonctifs une consistance ferme, mais elle a le désavantage de rendre les colorations difficiles ; par contre elle fixe très bien les noyaux en division. Les pièces y séjournent de 1 à 8 jours, au bout de ce temps elles sont lavées à l'eau courante 3 ou 4 heures, si l'on n'a pas d'eau courante on la change trois ou quatre fois, on passe ensuite quelques minutes à l'eau distillée, et l'on durcit à l'abri de la lumière dans l'alcool progressivement renforcé.

b) La solution à 0,05 0/0 s'obtient en ajoutant moitié eau distillée à la solution à 0,1 0/0. On s'en sert comme de la solution a. mais on n'y laisse les pièces que 24 heures.

Les solutions chromiques pénètrent lentement, les fragments qui n'y séjournent que 24 heures ne doivent avoir que 5 à 10 mm. de côté.

3. — LA SOLUTION D'ACIDE AZOTIQUE à 3 0/0 est, comme la solution chromique forte, un excellent fixateur pour les organes riches en tissu conjonctif. Les pièces y séjournent de 5 à 8 heures, et pour les durcir on les porte directement dans l'alcool sans les faire passer par l'eau.

4. — LIQUIDE SULFO-PICRIQUE DE KEINENBERG (page 4). Les pièces délicates comme les embryons ne doivent pas y séjourner plus de 5 heures, les pièces plus résistantes peuvent y rester de 12 à 20 heures. Pour les durcir il faut les mettre directement dans l'alcool sans les laver.

5. — LIQUIDE DE MULLER (page 4). Le liquide de Müller doit être employé par grande quantité, 400 cent. cubes ; les pièces y séjournent de une à six semaines (2) ; on les lave ensuite à l'eau courante pendant 4 à 8 heures, on les

(1) Il ne faut pas trop tarder à couper les pièces fixées par l'alcool absolu, car les éléments s'altèrent vite, le mieux est de les couper dans la semaine. Parfois quand les pièces n'ont séjourné que 24 heures dans l'alcool absolu les coupes se colorent mal.

(2) On peut même les y laisser bien plus longtemps, jusqu'à six mois ; dans ce cas on les coupe et on les colore sans les durcir par l'alcool.

passe à l'eau distillée quelques instants et on les durcit par l'alcool à l'abri de la lumière. Il faut suivre à la lettre les indications précédentes, sinon on échoue, c'est pour cela que le liquide de Müller a été abandonné même par des histologistes habiles.

6. — LIQUIDE DE ZENKER (page 4). Tous les instruments métalliques qui ont été en contact avec ce liquide doivent être essuyés le plus tôt possible. On en prend environ 60 cent. cubes et on y place pendant 24 à 48 heures des fragments de 1 cent. de côté, on les lave à l'eau courante si possible pendant le même laps de temps, puis on les passe rapidement dans l'eau distillée. Le durcissement se fait à l'abri de la lumière dans l'alcool progressivement concentré. Pour enlever aux tissus les dernières traces de sublimé on ajoute à l'alcool à 90° de la teinture d'iode jusqu'à ce que l'on ait obtenu la couleur du cognac. Les fragments restent de 8 à 14 jours dans cet alcool iodé ; quand celui-ci se décolore on ajoute à nouveau de l'iode. Au bout de huit jours on les met dans l'alcool pur à 90 0/0 et on change deux ou trois fois le liquide.

7. — ACIDE OSMIQUE (page 5). Cet acide irrite fortement les muqueuses, il faut le manier avec prudence. On peut fixer de petits fragments de 5 mm. de côté en les plongeant dans 6 cent. cubes d'une solution à 1 ou à 0,5 0/0, d'autres fois on se contente d'exposer les pièces aux vapeurs de cet acide. On procède alors de la façon suivante : Dans un tube de 5 cent. de haut on verse 1 cent. cube de la solution à 2 0/0 et on ajoute une partie d'eau distillée. On adapte au tube un bouchon en liège, à la partie inférieure duquel on a fixé le fragment au moyen d'une épingle. Au bout d'un temps qui varie de 10 à 60 minutes suivant la grosseur de la pièce, on détache le fragment et on le laisse plonger dans le liquide. Quelle que soit la méthode employée, on laisse les pièces 24 heures dans l'acide osmique, dans des flacons bouchés et tenus à l'abri de la lumière.

Passé ce temps, on les lave à l'eau courante pendant une demi-heure à une heure, on les passe à l'eau distillée et on les durcit par l'alcool.

8. — ACIDE CHROMO-ACÉTO-OSMIQUE (page 5). C'est le liquide fixateur par excellence pour les divisions karyokinétiques. De petits fragments de 3 à 5 mm. de côté, très frais, chauds encore si c'est possible, sont plongés dans 4 cent. cubes de ce liquide. On les y laisse de 1 à 2 jours ou plus, on les lave à l'eau courante pendant une heure, on les rince à l'eau distillée et on les durcit par l'alcool progressivement concentré.

9. — ACIDE OSMIO-ACÉTIQUE ET CHLORURE DE PLATINE (page 5). Ce réactif est très bon pour bien délimiter le contour des cellules. On l'emploie comme le précédent.

Les liquides fixateurs qui ont servi ne peuvent plus être employés, il faut les jeter.

V. Durcissement.

A l'exception de l'alcool absolu, tous les autres liquides fixateurs nécessitent un durcissement consécutif. Le meilleur durcissant est l'alcool progressivement concentré. Pour durcir comme pour fixer il faut employer du liquide en quantité suffisante, et le changer quand il se trouble ou qu'il se colore (1). Voici comment on procède. Quand les pièces ont été fixées par un des liquides énumérés plus haut, on les lave à l'eau (2), on les met 12 heures dans l'alcool à 50 0/0, 12 heures dans l'alcool à 70 0/0 et ensuite dans l'alcool à 90° où le durcissement est complet au bout de 24 à 48 heures, mais on peut y laisser les pièces pendant des mois.

L'alcool à 90° qui a déjà servi est recueilli dans un flacon, on peut l'utiliser pour les lampes, ou pour durcir des fragments de foie que l'on emploie pour les inclusions.

VI. Décalcification.

Les pièces ne doivent pas être mises à l'état frais dans les liquides à décalcifier, il faut d'abord les fixer et les durcir. Les petits os, ceux du métacarpe compris, les dents, des parcelles des os plus volumineux ayant 3 à 4 cent. de long, sont plongés dans 300 cent. cubes de liquide de Müller ; après 2 à 4 semaines on lave à l'eau, et l'on durcit dans l'alcool progressivement concentré. Quand l'os a séjourné environ 3 jours dans l'alcool à 90° il est placé dans le liquide à décalcifier, qui est généralement de l'acide chlorhydrique dilué (acide chlorhydrique 9 à 27 cent. cubes, eau distillée 300 cent. cubes). Il faut employer de grandes quantités de liquide, au moins 300 cent. cubes ; au début on le renouvelle tous les jours, plus tard tous les 4 jours jusqu'à ce que la décalcification soit complète. On s'en assure avec la pointe d'une aiguille ou d'un scalpel qu'il faut avoir bien soin de nettoyer immédiatement. L'os décalcifié est flexible, mou, et se laisse facilement couper. Les os du fœtus, les têtes

(1) Les pièces fixées dans l'acide chromique ou le liquide de Müller lorsqu'elles n'ont pas été lavées longtemps (ce qu'il faut d'ailleurs éviter), perdent dans l'alcool des substances qui précipitent à la lumière. Si l'on a soin de tenir le flacon dans l'obscurité, les précipités ne se forment pas, l'alcool jaunit tout en restant limpide. Il est donc essentiel de mettre les flacons à l'abri de la lumière, dans un coin obscur du laboratoire. L'alcool, même s'il est à 90°, doit être changé chaque jour tant qu'il se colore en jaune intense.

(2) Il faut faire une exception pour les pièces fixées dans l'acide azotique à 3 0/0 ou dans l'acide picrique. Celles-ci sont mises directement dans l'alcool à 70 0/0 ; mais le premier jour cet alcool doit être changé plusieurs fois.

d'embryons doivent être décalcifiés dans une solution d'acide chlorhydrique plus faible (acide chlorhydrique pur 1 cent. cube ; eau distillée 99 cent. cubes), on peut se servir ainsi de la solution saturée d'acide picrique (500 cent. cubes). Pour décalcifier des os d'adulte il faut plusieurs semaines, pour les petits os et les os de fœtus 3 à 12 jours suffisent.

Aussitôt que la décalcification est terminée, les os sont lavés à l'eau courante 6 à 12 heures, et durcis à nouveau dans l'alcool progressivement renforcé.

Il arrive parfois qu'on durcit une pièce qui n'est pas encore décalcifiée, on s'en aperçoit seulement lorsqu'on veut la couper, il faut alors recommencer la décalcification, tout en se rappelant qu'un trop long séjour dans les liquides à décalcifier altère complètement les tissus.

VII. Coupes.

Le rasoir doit être bien aiguisé (page 1) ; on ne peut faire de bonnes coupes qu'à cette condition. Lorsqu'on veut couper une pièce, on prépare dans un cristallisoir 30 cent. cubes d'alcool à 90°, toutes les 3 ou 4 coupes on y trempe le rasoir, et en même temps que l'on mouille la lame on dépose les coupes. Le rasoir doit être tenu d'une main légère, la lame horizontalement, le pouce du côté du tranchant, les autres doigts du côté du dos, le dos de la main tourné en haut. Avant de commencer les coupes on aplanit la pièce en enlevant d'une seule fois une tranche plus ou moins épaisse. Il faut procéder avec délicatesse, sans brusquerie, de cette façon on obtient des coupes d'une minceur et d'une régularité suffisantes. Il faut toujours en faire un assez grand nombre, 10 à 20, et au fur et à mesure qu'elles sont faites on les met dans le récipient d'alcool soit avec une aiguille soit en trempant la lame du rasoir comme nous avons dit plus haut. En plaçant le cristallisoir sur un fond noir il est facile de choisir les meilleures coupes. Les coupes les plus minces ne sont pas toujours les meilleures, si l'on veut par exemple avoir une vue d'ensemble des différentes tuniques de l'estomac il ne faut pas que les coupes soient trop minces. Pour les vues d'ensemble il est préférable d'avoir des coupes un peu épaisses et larges, quand il s'agit d'étudier des détails de structure il faut des coupes minces et déchiquetées.

Quand le fragment que l'on doit couper est trop petit pour être tenu avec les doigts, il faut l'inclure, dans du foie par exemple. On prend pour cela du foie de bœuf, ou mieux du foie gras ou amyloïde de l'homme que l'on trouve toujours facilement dans les laboratoires d'anatomie pathologique. On prend des fragments de 3 cent. de haut sur 2 cent. de large et 2 cent. d'épaisseur ; on les met immédiatement dans l'alcool à 90° que l'on renouvelle le lendemain. Au bout de 3 à 5 jours le foie a acquis une dureté suffisante. Pour inclure l'objet à couper on l'introduit simplement dans une fente plus ou moins profonde que l'on a faite dans le fragment hépatique. Si l'objet est un peu large on lui creuse une sorte de loge avec la pointe d'un scalpel, il est inutile de le maintenir avec un ou deux tours de fil.

J'ai pratiqué la plupart de mes coupes sur des fragments inclus dans du foie ; pour peu qu'on ait un peu d'habitude et d'exercice on obtient de cette façon des coupes très fines.

VIII. Méthodes de coloration.

Avant de se servir d'une matière colorante il faut toujours la filtrer. Pour confectionner un filtre on prend un carré de papier à filtre de 5 cent. de côté, on le plie de la façon que l'on connaît et on le fixe sur un cadre en liège au moyen de quatre épingles. Ce filtre peut servir longtemps mais à la condition qu'on ne l'utilise que pour la même couleur. Les coupes que l'on met dans le bain colorant ne doivent pas surnager, il faut les enfoncer avec l'aiguille.

1. — Coloration des noyaux par l'hématoxyline de Hansen (V. page 6). On filtre 3 à 4 cent. cubes de la solution colorante dans un verre de montre, et l'on y met les coupes. Le temps nécessaire à la coloration est très variable. Quand les pièces ont été fixées et durcies par l'alcool, 1 à 3 minutes suffisent. Si au contraire elles ont été fixées dans le liquide de Müller, il faut les laisser jusqu'à 5 minutes (1).

A la sortie du bain colorant, les coupes sont portées dans un petit cristallisoir rempli d'eau distillée, on les lave, c'est-à-dire on les agite avec l'aiguille pour les débarrasser de l'excès de matière colorante. Deux minutes après on les met dans un autre cristallisoir contenant 30 cent. cubes d'eau distillée. Dans ce second bain les coupes séjournent au moins 5 minutes ; de bleu-rouge elles deviennent bleu foncé, et cette couleur est d'autant plus nette qu'on les laisse plus longtemps dans l'eau distillée. On peut les y laisser jusqu'à 24 heures (2).

(1) Les coupes provenant de pièces fixées dans le liquide de Zenker ou l'acide chromique fort, celles qui sont encore légèrement acides ne se colorent que lentement et même pas du tout. Il faut alors laisser les fragments deux ou trois mois dans l'alcool à 90° en changeant souvent le liquide, ou bien on prend les coupes et avant de les mettre dans l'hématoxyline on les passe 5 à 10 minutes dans un verre de montre contenant 5 cent. cubes d'eau distillée additionnée de 5 à 7 gouttes de solution de potasse à 35 0/0. Avant de colorer ces coupes on les laisse 1 à 2 minutes dans l'eau distillée. La coloration se fait alors dans l'espace de 5 à 10 minutes.

(2) Au début les coupes sont d'un bleu uniforme ; le plus souvent au bout de

Il faut recommander aux débutants de laisser colorer certaines coupes pendant 1 minute et d'autres pendant 3 ou pendant 5 minutes, ils pourront ainsi juger du meilleur temps de coloration. Il faut surtout bien laver les coupes, et quand l'eau devient bleue il faut la remplacer. La matière colorante qui a déjà servi est filtrée et versée dans le flacon à hématoxyline. Les verres de montre doivent être immédiatement nettoyés.

2. — COLORATION DES NOYAUX AVEC LE CARMIN ALUNÉ (V. page 7). On filtre dans un verre de montre 3 à 4 cent. cubes de matière colorante et l'on y plonge les coupes qui doivent y rester 5 minutes. L'avantage du carmin aluné c'est qu'on peut y laisser les coupes longtemps sans les surcolorer, il n'en est pas de même pour l'hématoxyline ; par contre le carmin ne colore que les noyaux, tandis que l'hématoxyline colore également le protoplasma qui devient gris ou gris violet, de sorte qu'on arrive à le distinguer facilement.

3. — COLORATION DIFFUSE. Coloration du protoplasma et des substances intercellulaires.

a) *Coloration lente.* — Dans un récipient contenant 20 cent. cubes d'eau distillée on ajoute avec l'agitateur en verre une goutte de carmin neutre (V. page 7) ; au fond du vase on dispose une feuille de papier filtre. Les coupes restent dans ce liquide une nuit. Plus la solution ainsi préparée est faible, plus il faut de temps pour colorer les coupes, mais plus aussi le résultat est satisfaisant. Au début on craint toujours que le liquide ne soit trop pâle, il suffit d'attendre jusqu'au lendemain pour avoir une belle coloration rose foncé et même rouge. Cette coloration est rarement employée seule ; on la recommande pour les doubles colorations ; on commence par la solution carminée et l'on continue par l'hématoxyline.

b) *Coloration rapide.* — On verse 10 gouttes de la solution d'éosine (V. p. 8) dans 3 à 4 cent. cubes d'eau distillée. Les coupes restent dans ce bain de 1 à 5 minutes, elles sont ensuite lavées rapidement à l'eau distillée et laissées 10 minutes dans un récipient contenant 30 cent. cubes d'eau distillée. Cette coloration peut être employée simple ou combinée à l'hématoxyline ; dans ce dernier cas on commence par l'hématoxyline et l'on termine par l'éosine.

4. — COLORATION DE LA SUBSTANCE CHROMATIQUE (pour karyokinèse). On met les coupes pendant 5 à 10 minutes dans un cristallisoir contenant 10 cent. cubes d'eau distillée, et une goutte d'acide chlorhydrique, on lave pendant une minute à l'eau distillée et on laisse 5 minutes dans la solution de safranine (V. p. 8). On prend alors les coupes avec l'aiguille et on les met 5 mi-

5 minutes, mais parfois aussi au bout d'une heure seulement la différenciation se fait, et l'on voit déjà beaucoup de détails à l'œil nu.

nutes dans 5 cent. cubes d'alcool absolu pour les décolorer. Quand au bout
de 1 à 2 minutes la coupe ne laisse plus échapper qu'une petite quantité de
matière colorante, on renouvelle l'alcool, on attend une minute encore puis
on éclaircit la coupe et on la monte. Il ne faut pas laisser les coupes trop
longtemps dans l'alcool absolu au risque de trop décolorer. La plupart du
temps quand la coloration ne réussit pas c'est que le liquide acéto-chromo-
osmique qui a servi à fixer la pièce contenait trop peu d'acide acétique.

5. — COLORATION EN MASSE DES NOYAUX DANS UN FRAGMENT avant de pratiquer les coupes.

Les pièces fixées et durcies sont plongées dans 30 cent. cubes de carmin
boraté, elles y restent 24 heures si les fragments n'ont que 5 millimètres de
côté, et 2 ou 3 jours s'ils sont plus volumineux. De là on les porte directement dans 25 cent. cubes d'alcool chlorhydrique à 70 0/0. La solution de
carmin boraté qui a servi est remise dans le flacon. Quelques minutes après
l'alcool prend une teinte rouge, il faut le renouveler, et cela jusqu'à ce qu'il
ne devienne plus rouge.

On durcit finalement le fragment dans l'alcool à 90°, et dans l'alcool absolu
si l'alcool à 90° n'est pas suffisant.

6. — PICRO-CARMIN. Le picro-carmin donne une double coloration ; les
noyaux et le tissu conjonctif sont colorés en rouge et le protoplasma en jaune.

On filtre dans un verre de montre 5 cent. cubes de picro-carmin, et l'on
plonge les coupes dans le liquide. Le temps nécessaire à la coloration est des
plus variables ; on le donnera approximativement à propos de l'étude de chaque
organe. Quand les coupes sont colorées on verse le picro-carmin dans le flacon,
et l'on met les coupes dans 10 cent. cubes d'eau distillée où on les laisse de
10 à 30 minutes (ceci n'a pas lieu naturellement quand on colore sous la
lamelle). Si l'on veut déshydrater il ne faut pas laisser les coupes dans l'alcool absolu plus de 1 à 2 minutes sans quoi l'alcool dissout l'acide picrique
et enlève la coloration jaune (1).

Le picro-carmin s'emploie de préférence pour les pièces fraîches, quand il
est bon il donne de très jolies colorations, et l'élection est surtout très belle
quand on monte les coupes dans la glycérine acidifiée.

7. — COLORATION DES NOYAUX PAR LES COULEURS D'ANILINE. Les meilleures
couleurs d'aniline pour la coloration des noyaux, sont la vésuvine et le violet
de méthyl B (page 8). On filtre 5 cent. cubes de solution colorante dans un
verre de montre ; les coupes sont plongées dans ce bain 2 à 5 minutes, elles
se colorent d'une manière intense. On les lave rapidement dans 5 cent. cubes

(1) Cette décoloration peut être évitée en ajoutant à l'alcool absolu quelques cristaux d'acide picrique.

d'eau distillée, puis on les porte dans l'alcool absolu, où elles perdent beaucoup de matière colorante. Au bout de 3 à 5 minutes les coupes deviennent claires ; à l'œil nu on peut déjà reconnaître des détails de structure, les glandes de la peau par exemple ; on les met dans un second récipient contenant de l'alcool absolu, on les y laisse deux minutes et on les monte dans la résine Damar. Le procédé est excellent, il donne des colorations nucléaires très belles et très durables, seulement il a un inconvénient, c'est qu'il exige l'emploi d'une trop grande quantité d'alcool absolu.

La safranine peut s'employer de la même façon. On laisse les coupes à colorer 5 minutes, on les lave une 1/2 minute dans l'alcool à 96 0/0, et ensuite on les met dans un godet avec de l'alcool absolu. Aussitôt que l'alcool est rouge on le change. Après un temps qui varie de 5 à 15 minutes suivant l'épaisseur des coupes, celles-ci deviennent claires, on les éclaircit à l'huile de girofle et on les monte dans la résine Damar.

8. — COLORATION DES CYLINDRES-AXES AU BLEU DE MÉTHYLÈNE. Cette méthode n'est utilisable que pour les tissus absolument frais et même vivants. On prépare une solution diluée en versant 1 cent. cube de la solution à 1 0/0 dans 15 cent. cubes d'eau distillée. La pièce fraîche est placée sur une lame porte-objet, on verse dessus quelques gouttes de la solution et l'on recouvre d'un verre de montre. La réaction se fait au bout d'une heure à une heure et demie. Pour prévenir la dessiccation pendant ce temps-là, on ajoute de temps à autre une goutte de la solution colorante diluée, ou une goutte de solution de chlorure de sodium à 0,75 0/0. Après cela on recouvre d'une lamelle. Les cylindres-axes sont colorés en un beau bleu, mais il y a aussi d'autres éléments des noyaux et des fibres de tissu conjonctif qui sont colorés, et même la myéline si on laisse l'action se prolonger. Si l'on veut conserver la préparation, on remplace la matière colorante par une goutte de solution picriquée ammoniacale (V. page 8), la couleur bleu vire au violet et l'on dépose sur le bord de la lamelle une goutte de glycérine qui pénètre peu à peu sous la lamelle et se substitue à la solution colorante. Au bout de 18 à 20 heures on ajoute encore un peu de glycérine et on lute. Les préparations doivent être conservées à l'abri de la lumière solaire, sinon elles pâlissent très vite et perdent une grande partie de leurs qualités.

9. — COLORATION DE LA MUCINE PAR L'HÉMATOXYLINE DE DELAFIELD. On filtre 3 gouttes de cette hématoxyline (page 6) dans un petit cristallisoir contenant 25 cent. cubes d'eau distillée et l'on met dans cette solution les coupes à colorer pendant 2 à 3 heures. Il est bon que les pièces aient été fixées par le liquide osmio-chromo-acétique. Le mucus par exemple dans les cellules calciformes se colore en bleu intense, on peut s'en rendre compte en examinant les coupes avec de faibles grossissements. Il est parfois nécessaire de

les laisser à colorer plus longtemps. Quand la coloration est suffisante on lave les coupes pendant une minute et on les monte dans le baume. Les noyaux se colorent également en bleu. On peut obtenir de très belles préparations en combinant l'hématoxyline, la safranine et l'acide picrique. Voici comment l'on procède pour obtenir

10. — CETTE TRIPLE COLORATION. Les coupes après la coloration par l'hématoxyline de Delafield sont mises cinq minutes dans la safranine (p. 8), puis dans 5 cent. cubes d'alcool absolu où on les laisse un quart d'heure en ayant soin de changer l'alcool. On met alors dans l'alcool absolu 5 gouttes d'une solution alcoolique saturée d'acide picrique (1 gr. d'acide picrique pour 15 grammes d'alcool absolu), on laisse une minute, on lave à l'alcool absolu pendant une demi-minute et l'on monte dans le baume. Le mucus est en bleu, les noyaux en rouge, les protoplasmes et les fibres en jaune.

11. — COLORATION DES FIBRES ÉLASTIQUES. Les pièces peuvent être fixées par n'importe quel procédé ; on met les coupes dans 5 cent. cubes de la solution d'orcéine (page 8) et on les y laisse environ 15 heures. Pour la décoloration on se sert de l'alcool chlorhydrique, et suivant l'épaisseur des coupes on les laisse de 20 à 60 minutes. Si on les laisse trop longtemps, les petites fibres élastiques se décolorent, aussi faut-il surveiller l'opération avec beaucoup d'attention. Quand les préparations sont réussies les fibres élastiques sont en brun rouge sur fond clair.

12. — IMPRÉGNATION A L'ARGENT, pour la délimitation des cellules, et la coloration des ciments intercellulaires.

Il faut éviter les instruments métalliques, se servir de baguettes de verre, et de piquants de hérisson en place d'aiguilles.

On prépare une solution de 10 à 20 cent. cubes de nitrate d'argent au centième ou à un titre plus faible, suivant les indications (page 5), on y plonge les pièces pendant un laps de temps variant de 1/2 à 10 minutes. Le bain devient laiteux, on enlève les pièces à l'aide d'une baguette de verre, on les rince et on les place dans une assiette de porcelaine blanche contenant 100 cent. cubes environ d'eau distillée. Le tout est exposé à la lumière solaire. Quelques minutes après, une coloration brunâtre apparaît qui indique que la réduction est faite. Dès que la pièce est brun foncé (ce qui se produit en général au bout de 5 à 10 minutes), on la sort de l'eau distillée pour la porter dans un verre de montre contenant de l'eau distillée salée. On laisse 5 à 10 minutes et on la met ensuite dans 30 cent. cubes d'alcool à 70°. Le tout est conservé à l'abri de la lumière ; au bout de 3 à 10 heures on remplace l'alcool à 70° par de l'alcool à 90°. L'imprégnation doit se faire à l'abri de la lumière solaire, la réduction au contraire se fait au soleil. S'il n'y a pas de soleil on conserve la pièce imprégnée dans 30 cent. cubes d'alcool à 70° puis à 90°, et on l'expose au premier rayon solaire.

13. — Méthode de Golgi pour la préparation des éléments nerveux. Cette méthode comprend deux temps, un pour la fixation, l'autre pour la coloration. Autant que possible il faut des pièces fraîches et leur volume ne doit pas dépasser 4 mm. Il n'est pas toujours facile d'obtenir des morceaux frais de cerveau de cette grosseur sans froisser le tissu si délicat, on peut tourner la difficulté en prenant des fragments plus volumineux ayant jusqu'à 3 cent. de côté, on les met dans un cristallisoir rempli du mélange frais de Golgi (p. 4), on couvre et l'on conserve dans l'obscurité. L'hiver on met dans l'étuve à 25° C. Après une heure ou deux les morceaux peuvent se débiter en petits fragments de 4 mm. La quantité de Golgi qu'il faut employer est proportionnelle au nombre des fragments, chaque fragment demande à peu près 10 cent. cubes. Après 2 à 6 jours, plus rarement 15, on retire les pièces, on lave quelques secondes à l'eau distillée, et on sèche légèrement sur du buvard. On les met finalement dans la solution de nitrate d'argent à 0,75 0/0 (30 cent. cubes de la solution à 1 0/0 (p. 5), plus 10 cent. cubes d'eau distillée. Il faut pour chaque fragment 10 cent. cubes de mélange. Il se forme immédiatement autour des pièces un précipité brun. Il est inutile de mettre les flacons dans l'obscurité ou à l'étuve, on les laisse ainsi 2 jours, mais on peut sans inconvénient attendre six jours. Au bout de ce temps on met les fragments dans 20 cent. cubes d'alcool absolu 15 à 20 minutes, pas davantage, on les inclut soit dans la moelle de sureau soit dans la celloïdine et on fait des coupes épaisses.

On examine immédiatement chaque coupe sans lamelle avec un faible grossissement, si elle est bien imprégnée on la passe 1 à 2 minutes à l'alcool absolu, 2 minutes à la créosote et 2 minutes à l'huile de bergamote. De là on transporte la coupe dans le xylol et on la charge sur une lame, l'excès de xylol est enlevé au moyen de papier filtre et l'on met une goutte de baume au xylol. On ne recouvre pas la préparation d'une lamelle parce que celle-ci pourrait retenir un peu d'humidité et la préparation serait mauvaise. Il arrive assez fréquemment, surtout quand le xylol n'a pas été bien enlevé, que les préparations paraissent abîmées parce que le baume a disparu, il suffit de remettre une goutte de baume et tout est réparé. On examine d'abord à un faible grossissement, mais quand le baume est sec on peut employer les grossissements plus forts.

Quand les préparations sont réussies, les effets obtenus sont superbes. Les éléments nerveux isolés (pas tous cependant), quelquefois les vaisseaux sanguins et lymphatiques, les fibres conjonctives, les fibres musculaires, des cellules épithéliales apparaissent nettement délimitées en noir sur un fond clair.

Cette méthode présente pourtant certains inconvénients ; dans les meilleures coupes on trouve toujours des dépôts noirs, surtout vers les bords des préparations ; on a proposé pour les éviter d'enrober de sang coagulé les fragments frais. Assez souvent la réaction ne se produit pas, c'est que l'action du liquide de Golgi a été trop prolongée. Si l'on s'aperçoit que les premières coupes ne donnent rien, on les fait passer à nouveau 24 à 36 heures dans le liquide de Golgi, et un temps égal dans la solution de nitrate d'argent. On est parfois obligé de recommencer une troisième fois. Il faut, pour réussir la méthode de Golgi, une certaine habitude et de la patience.

On peut fixer les préparations ainsi argentées. Pour cela les coupes au sortir de l'alcool sont transportées dans un mélange de 10 cent. cubes d'alcool absolu et 20 cent. cubes de solution étendue d'hydroquinone, on les laisse 5 minutes, elles deviennent d'un gris foncé presque noir. Quand la réduction est faite on met les coupes dans un récipient contenant de l'alcool à 70 0/0 et on les y laisse de 10 à 15 minutes. Là elles deviennent plus claires ; on les met encore 5 minutes dans la solution de chlorure de sodium (p. 3) et enfin dans un grand cristallisoir rempli d'eau distillée où elles doivent rester au moins 24 heures et même davantage. Les préparations au Golgi ainsi fixées peuvent être, comme toutes les autres préparations, conservées sous une lamelle et on peut même les colorer au carmin aluné ou à l'hématoxyline.

14. — Imprégnation au chlorure d'or. Sert à mettre en évidence les terminaisons nerveuses.

Quand on use de la solution de chlorure d'or il faut proscrire tous les instruments métalliques, et prendre soit des baguettes de verre soit des épingles en bois. Dans un tube à essai on fait chauffer 8 cent. cubes de la solution de chlorure d'or à 1 0/0 additionnée de 2 cent. cubes d'acide formique. On porte jusqu'à l'ébullition trois fois. On laisse refroidir, puis on met dans ce mélange des petits fragments ayant au maximum 5 mm. de côté, on les y laisse une heure à l'abri de la lumière. On lave rapidement à l'eau distillée, puis on plonge les pièces dans un bain composé de 40 cent. cubes d'eau distillée et de 10 cent. cubes d'acide formique. On expose à la lumière ; mais il n'est pas indispensable de mettre au soleil. La réduction se fait très lentement ; les fragments prennent à leur surface une teinte violet foncé, et cela seulement au bout de 24 à 48 heures. La réduction faite on met les fragments dans 30 cent. cubes d'alcool à 70 0/0 et le lendemain dans une égale quantité à 90°. Pour empêcher que la réduction soit poussée trop loin, il est bon de garder les pièces à l'abri de la lumière au moins pendant huit jours.

IX. Injections.

L'injection des vaisseaux sanguins et lymphatiques par des masses colorantes constitue un art difficile. Les meilleures descriptions ne peuvent suppléer à la pratique ; comme ce livre est surtout destiné aux débutants nous croyons inutile d'insister sur cette technique longue et difficultueuse. Lorsqu'on veut pratiquer une injection il faut avoir une bonne seringue pourvue de canules de toutes les dimensions. Comme masse à injection je recommande le bleu de Berlin, de Grübler, 3 grammes pour 600 cent. cubes d'eau distillée. On choisit d'abord des organes isolés comme le foie par exemple, qui peut être utilisé même quand les vaisseaux n'ont été qu'incomplètement remplis. Les pièces injectées sont mises 2 à 4 semaines dans le liquide de Müller ; on les durcit ensuite par l'alcool progressivement renforcé. Les coupes ne doivent pas être trop minces.

X. Montage et conservation des préparations histologiques.

Les coupes destinées à l'examen histologique sont montées sur une lame et recouvertes d'une lamelle. On peut les examiner dans des milieux divers : 1° l'eau ; 2° lorsqu'on veut les éclaircir et les conserver on les monte dans la glycérine ou la résine Damar.

Pour monter une coupe sur une lame, on procède de la manière suivante : on dépose d'abord sur la lame une goutte du liquide dans lequel la coupe doit être montée, puis à l'aide d'une spatule on sort la coupe de son milieu et on l'étale avec une aiguille. Si la coupe est très fine il est préférable de la recueillir directement sur la lame dans son milieu avec une baguette de verre pointue. Quand la coupe est bien étalée on la recouvre d'une lamelle (1).

La lamelle doit être saisie par les bords, jamais par les faces. On la dépose doucement sur la lame en la prenant de la main gauche et en appuyant d'abord le bord gauche au delà de la préparation ; au moyen d'une aiguille tenue de la main droite et glissée sous la face inférieure de la lamelle on la laisse tomber progressivement. Il y a une façon plus simple encore d'opérer. On met sous la lamelle une goutte du liquide dans lequel la préparation doit être montée et on la laisse tomber d'un coup. Le liquide doit remplir exactement l'espace entre la lame et la lamelle ; s'il est en quantité insuffisante il y a des bulles d'air ; il faut alors soulever légèrement la lamelle avec une aiguille et déposer au bord une nouvelle goutte de liquide. Si le liquide est en excès, ce

(1) L'examen sans lamelle n'est possible qu'avec de faibles grossissements, pour voir si une coupe est bien orientée, ou si une dissociation est suffisante. Dans tous les autres cas une lamelle est indispensable surtout si l'on veut examiner avec de forts grossissements.

qui arrive fréquemment dans les débuts, on enlève le superflu avec de petits carrés de papier à filtrer déposés au bord de la lamelle. La face supérieure de la lamelle doit toujours être complètement desséchée. S'il reste des bulles d'air, on soulève et on abaisse alternativement la lamelle avec une aiguille et on arrive ainsi à s'en débarrasser.

REMARQUE 1. — Il faut toujours examiner les coupes colorées ou non colorées, dans une goutte d'eau ou d'eau salée. C'est le seul moyen de voir certains détails de structure, et certaines formations conjonctives qui ne se voient plus sur les coupes éclaircies par la glycérine ou la résine Damar Les coupes montées dans l'eau et dans l'eau salée ne peuvent pas se conserver.

REMARQUE 2. — Les coupes montées dans la glycérine peuvent se conserver. Pour éviter le déplacement de la lamelle on la fixe avec le lut (page 6). Les bords de la lamelle doivent être complètement desséchés, le lut n'adhère bien qu'à une surface sèche. On enlève l'excès de glycérine avec de petits morceaux de papier à filtrer, puis, le doigt garni d'un linge fin imbibé d'alcool à 90°, on essuie soigneusement tout le pourtour de la lamelle sans la déplacer. On chauffe une baguette de verre, on la plonge dans le bloc de lut, on en prélève aussi quelques gouttes que l'on dépose aux quatre coins de la lamelle, on chauffe à nouveau la baguette et l'on dessine un cadre qui empiète d'un côté de 1 à 3 millimètres sur la lamelle et d'une quantité égale sur la lame.

Les préparations conservées dans la glycérine deviennent le 2e ou le 3e jour très transparentes. L'hématoxyline et quelques autres matières colorantes pâlissent dans ce milieu assez rapidement, le carmin et le picro-carmin s'y conservent au contraire très bien.

REMARQUE 3. — Le montage dans la résine Damar constitue la méthode de choix. Elle conserve presque toutes les colorations, mais elle éclaircit beaucoup plus que la glycérine diluée, et elle a le désavantage de faire disparaître beaucoup de détails de structure.

Les coupes ayant séjourné dans l'eau ou l'alcool ne peuvent être montées au baume qu'*après avoir été soigneusement déshydratées.*

A cet effet avec l'aiguille ou avec la spatule et l'aiguille quand il s'agit de coupes très fines, on place les coupes dans un verre de montre contenant 5 cent. cubes d'alcool absolu. Il faut dès lors que les coupes soient le moins possible en contact avec l'eau, les instruments dont on se sert pour les transporter, la spatule et les aiguilles doivent être soigneusement desséchés. On laisse ces coupes dans l'alcool absolu 2 minutes si elles sont minces, 10 minutes et même davantage si elles sont plus épaisses (1).

(1) Je recommande aux débutants, quand ils sortent les coupes de l'eau, de les mettre d'abord dans l'alcool à 90° avant de les transporter dans l'alcool absolu.

On les met ensuite pour les éclaircir dans un verre de montre contenant 3 cent. cubes d'huile de bergamote (1).

Eu posant le petit cristallisoir sur un papier noir on peut voir les coupes s'éclaircir progressivement. Il faut éviter de souffler sur l'huile de bergamote, on pourrait la rendre trouble. Si, au bout de deux ou trois minutes, il reste encore sur les coupes quelques points obscurs (ces points sont blanchâtres à la lumière directe et d'un brun noirâtre à la lumière transmise), c'est que les coupes n'ont pas été complètement déshydratées, il faut les plonger encore une fois dans l'alcool absolu. Quand la coupe est bien éclaircie, on l'étale sur une lame, on enlève l'excès d'huile avec un papier de soie, ou avec l'index garni d'un linge fin, et l'on recouvre d'une lamelle à la face inférieure de laquelle on a mis une goutte de baume. Veut-on placer plusieurs coupes sous une même lamelle, on les range à côté l'une de l'autre, puis on étale soigneusement la goutte de baume sur la face inférieure de la lamelle et on l'applique sur les préparations. S'il reste de grosses bulles d'air, on s'en débarrasse en mettant une goutte de baume sur le bord de la lamelle ; les petites bulles d'air disparaissent d'elles-mêmes, il est inutile de s'en inquiéter.

Il arrive souvent aux débutants de voir le baume se troubler, et finalement une portion de la préparation reste opaque, parfois même la préparation entière. Cela tient à ce que la coupe n'a pas été suffisamment déshydratée. Quand le trouble est léger, il suffit pour le faire disparaître de chauffer un peu la préparation ; s'il est très prononcé, on plonge toute la préparation dans un bain d'essence de térébenthine ; au bout d'une demi-heure on soulève avec précaution la lamelle, et on laisse encore la coupe seule dans l'essence de térébenthine pendant deux minutes afin de la débarrasser du baume qui l'imprègne. On la déshydrate dans 4 cent. cubes d'alcool absolu que l'on renouvelle après cinq minutes, puis on la passe à l'huile de bergamote et on la monte au baume ou à la résine Damar.

La résine Damar sèche très difficilement, de sorte qu'il faut toujours placer les préparations horizontalement.

La série des manipulations qu'une pièce fraîche doit subir pour arriver à la coupe colorée et montée est longue : Fixer dans le liquide de Zenker, durcir dans l'alcool progressivement renforcé, colorer les coupes par le carmin

(1) Quand les coupes sont fines on peut au sortir de l'alcool charger immédiatement les coupes sur la lame, on enlève l'excès d'alcool et l'on met une goutte d'huile de bergamote. Au commencement l'huile fuit, et l'on est forcé de la ramener sur la coupe avec l'aiguille. Quand l'éclaircissement est complet, ce que l'on peut constater sous le microscope à l'aide d'un faible grossissement, on enlève l'excès d'huile et l'on met une lamelle avec une goutte de résine Damar. En examinant les coupes avant de mettre la lamelle on peut troubler l'huile avec l'haleine, il faut la remplacer par une goutte nouvelle.

ou l'hématoxyline, les monter dans le baume, telle est la série des opérations qu'il faut faire, et voici comment l'on procède :

Un fragment frais de 1 centimètre de côté est placé dans 60 cent. cubes de liquide de Zenker ;

Au bout de 24 heures on lave autant que possible à l'eau courante, et cela pendant 24 heures.

Puis successivement on met le fragment :

Dans 20 cent. cubes d'eau distillée, environ 15 minutes ;

Dans 50 cent. cubes d'alcool à 50°, et autant que possible dans l'obscurité environ 24 heures ;

Dans 50 cent. cubes d'alcool à 70°, 24 heures ;

Dans 50 cent. cubes d'alcool à 90° additionné de teinture d'iode, 8 à 14 jours en ajoutant chaque jour un peu d'iode ;

Enfin dans l'alcool pur à 90°, en changeant deux ou trois fois le liquide.

Le fragment est maintenant fixé et durci, on peut le conserver dans l'alcool à 90° aussi longtemps qu'on veut, à condition de changer l'alcool de temps à autre, il est dès lors bon à couper.

Les coupes sont recueillies dans un cristallisoir rempli d'alcool puis on les met :

Dans 20 cent. cubes de solution de carmin étendue, 24 heures ;

Dans 5 cent. cubes d'eau distillée, 10 minutes ;

Dans 5 cent. cubes d'hématoxyline, 5 minutes ;

Dans 30 cent. cubes d'eau distillée, de 10 à 20 minutes ;

Dans 5 cent. cubes d'alcool absolu, 10 minutes ;

Dans 3 cent. cubes d'essence de bergamote, 10 minutes ;

Enfin on monte dans la résine Damar.

XI. Examen des pièces fraîches.

. C'est à dessein que j'ai réservé cet examen pour la fin, car c'est le plus difficile et il suppose une certaine habileté. Ce n'est que lorsqu'on a étudié longuement et très attentivement des préparations durcies et colorées que l'on peut arriver à reconnaître quelque chose dans les préparations fraîches. Les détails sont toujours moins nets, mais on parvient pourtant à les retrouver. Voici comment il faut procéder.

La lame et la lamelle doivent être bien dégraissées, on les lave à l'alcool et on les essuie soigneusement. Sur la lame on dépose une goutte de solution saline à 0,75 0/0, et dans cette goutte on place un petit fragment de la pièce fraîche. En recouvrant la préparation d'une lamelle il faut éviter toute pression. Quand le fragment est délicat on dispose de chaque côté une mince lanière de papier et l'on dépose la lamelle dessus. Si la préparation ne doit plus être soumise à aucun autre traitement on la borde à la paraffine. Pour cela, on fait fondre sur un vieux scalpel ou un instrument analogue un morceau de paraffine de la grosseur d'une lentille et on le fait couler sur le bord de la lamelle non par la pointe du scalpel mais par le tranchant ; on complète la fermeture avec le scalpel chauffé à nouveau si c'est nécessaire. Le plus souvent on soumet la pièce sous le microscope à un certain nombre de réactifs (acide acétique, potasse, matière colorante). Il s'agit alors de substituer à la solution salée dans laquelle se trouve le fragment à examiner un autre liquide. Dans ce but on dépose sur le bord droit de la lamelle à l'aide d'une baguette de verre une goutte de picro-carmin par exemple. Si la goutte n'arrive pas jusqu'au bord de la lamelle, il ne faut pas pencher la préparation mais pousser la goutte avec l'aiguille. On voit alors la solution saline et la matière colorante se mélanger, mais celle-ci ne se répartit pas également sous la lamelle. Pour obtenir ce résultat on dépose sur le bord gauche un petit carré de papier à filtrer, et immédiatement la matière colorante se répand sous la lamelle entière. On enlève le papier à filtrer et on laisse la coloration se faire. Quand elle est complète, ce dont on s'assure sous le microscope, on place sur le bord droit de la lamelle une goutte de glycérine diluée et acidifiée, et on la fait pénétrer avec un carré de papier à filtrer placé sur le bord gauche. On peut introduire de cette façon sous la lamelle n'importe quel liquide et observer son action sur la pièce que l'on examine. Certains de ces liquides, le picro-carmin par exemple, doivent rester longtemps en contact avec les pièces fixées par l'acide osmique ; pour empêcher l'évaporation on place la préparation dans la chambre humide. Pour établir une chambre humide on prend une assiette en porcelaine et une cloche de verre d'au moins 9 cent. de diamètre. Dans l'assiette on verse 2 cent. cubes d'eau, puis on installe au milieu soit une soucoupe, soit une petite plaque de liège soutenue par quatre pieds en bois, et l'on place dessus la préparation. Le tout est recouvert avec la cloche dont les bords doivent plonger dans l'eau.

XII. Conservation des préparations.

Les préparations finies, on doit les étiqueter immédiatement ; il est préférable, au lieu d'étiquettes en papier gommé, d'employer des carrés de bristol que l'on colle sur chaque extrémité de la lame. De cette façon on peut mettre les préparations les unes sur les autres sans risquer de les écraser. Les étiquettes doivent être grandes, porter le nom de l'animal, de l'organe et autant que possible la technique employée. Il faut conserver les préparations dans des boîtes dans lesquelles elles sont à plat et non de champ.

III. — MANIEMENT DU MICROSCOPE.

Nous ne voulons pas entrer ici dans une description détaillée de l'appareil optique et mécanique du microscope, la figure 1 rappellera au lecteur les différentes parties qui le composent et le nom qu'on leur donne.

La première condition pour qu'un microscope fonctionne bien, est qu'il soit tenu très proprement. La surface du miroir, des objectifs et des oculaires ne doit jamais être touchée avec les doigts. En regardant au travers d'un objectif en face d'une fenêtre on se rend compte de sa propreté à la clarté de l'image réfléchie. Pour visser l'objectif au tube on tient l'objectif immobile et l'on visse sur lui le tube. On place l'oculaire et l'on voit s'il est propre en le faisant tourner dans le tube ; s'il y a des impuretés qui tiennent à l'oculaire elles tournent avec lui.

Le microscope monté on cherche un bon éclairage. Pour cela on enlève le tube de la douille et à travers la douille vide et le trou du diaphragme on regarde le miroir que l'on incline dans des sens différents jusqu'à ce qu'on ait obtenu la lumière désirée (1).

La meilleure source de lumière est la lumière blanche ; un nuage blanc éclairé par le soleil, la lumière solaire tamisée à travers des rideaux blancs, constituent de très bonnes sources ; le ciel bleu peut être utilisé mais il est moins bon. Il faut éviter la lumière directe du soleil. Si l'on travaille le soir on peut s'éclairer sur un abat-jour à fond blanc, mais pas directement sur la lampe, à moins que l'on n'interpose entre celle-ci et le microscope une plaque de verre colorée en vert. Celle-ci ne nuit en rien à la netteté de l'image. L'observateur ne se placera jamais au soleil et le microscope devra être éloigné de la fenêtre d'environ un mètre. Tout est prêt pour l'examen. On commence par des grossissements faibles, puis on emploie les grossissements plus forts ; il faut surtout éviter l'emploi des oculaires forts. En général il faut se servir de l'oculaire le plus faible du microscope, exceptionnellement on pourra avoir recours à l'oculaire moyen. Les oculaires forts diminuent le champ du microscope, l'obscurcissent et rendent l'examen plus difficile (2).

(1) La lumière transmise par le miroir dans cette position constitue ce qu'on appelle l'éclairage central ; pour reconnaître certaines nuances délicates, des différences de réseau, l'éclairage oblique ou latéral est préférable. Il faut pour cela enlever le diaphragme, le porte-diaphragme, et baisser l'orifice de la platine le plus largement possible.

(2) Toutes les figures de ce volume ont été dessinées avec un oculaire faible.

On peut se dispenser dans beaucoup de cas de tirer le tube. Pour les grossissements faibles on met le diaphragme à grande ouverture, pour les grossissements forts on met les petits diaphragmes. Pour les objectifs ordinaires nº 3
et nº 7, on se sert seulement du miroir concave. Pour commencer la mise au

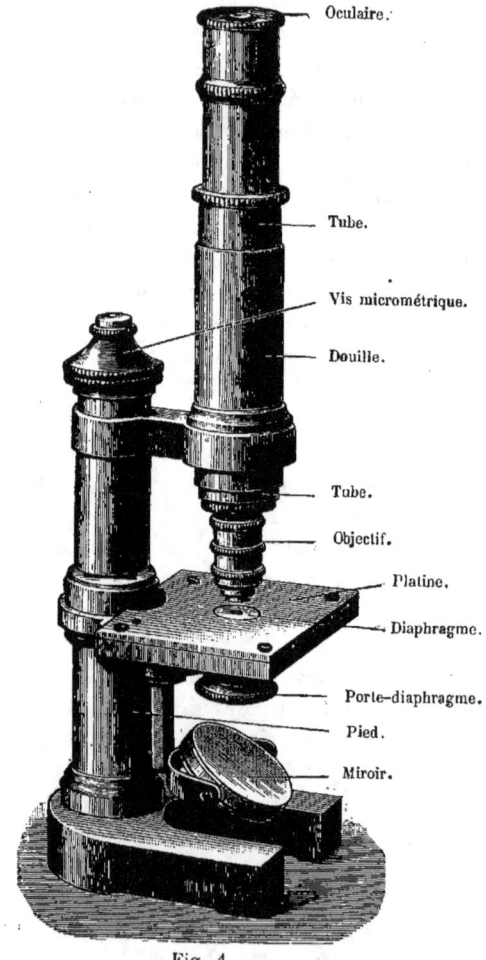

Fig. 1.

Microscope de Leitz. Nº III. 17, demi gr. nature.

point on abaisse le tube en lui imprimant un mouvement en spirale, jusqu'à
ce que l'on aperçoive les contours de la préparation. On achève la mise au
point en tournant la vis micrométrique de la main droite pendant que l'on
maintient la préparation de la main gauche. Les mouvements d'élévation et

d'abaissement imprimés au tube par la vis micrométrique permettront d'examiner les différents plans de chaque point de la préparation. Il faut s'accoutumer à faire du microscope les deux yeux ouverts.

Il ne faut jamais manquer d'examiner les préparations à la loupe. On peut se servir pour cela de l'oculaire III de Leitz. On met la préparation en face une fenêtre, la lamelle tournée du côté de la fenêtre, puis on applique la lentille supérieure de l'oculaire contre la préparation et l'on regarde par la lentille inférieure.

Dessin des préparations.

Le dessin est un aide précieux pour l'examen microscopique. L'observation devient plus nette, et l'on découvre des détails jusqu'alors inaperçus ; l'attention la plus soutenue ne remplace pas le dessin. Même quand on est peu exercé, il faut essayer de reproduire les préparations à un faible et à un fort grossissement. On place le papier à la hauteur de la platine du microscope, on examine de l'œil gauche et de l'œil droit, on fixe le crayon et le papier. Au début on éprouve bien quelques difficultés mais on acquiert très rapidement une pratique suffisante.

Mensuration.

Pour faire les mensurations il est nécessaire d'avoir un oculaire micromètre et un micromètre-objet. Le micromètre-objet est mis sur la platine puis on examine à travers l'oculaire micrométrique, et l'on compte le nombre des divisions du micromètre-objet correspondant à une ou plusieurs divisions du micromètre oculaire. Le rapport des divisions est connu, il est dès lors facile de mesurer avec un grossissement déterminé un élément qui recouvre une ou plusieurs divisions du micromètre oculaire. Prenons un exemple. Avec l'objectif 3 et l'oculaire 1 de Leitz, le tube n'étant pas tiré, 5 divisions de l'oculaire micromètre recouvrent une division du micromètre-objet. Chaque division du micromètre-objet représente cinq centièmes de millimètre, une division de l'oculaire micromètre représente donc un centième de millimètre. Si un élément quelconque, une fibre musculaire striée par exemple, dont on voudrait mesurer la largeur, occupe à ce grossissement quatre divisions du micromètre oculaire, cette fibre aura une largeur de quatre centièmes de millimètre.

Il est souvent difficile, surtout à de faibles grossissements, de compter les fines divisions du micromètre oculaire, ce travail est rendu facile par les grandes stries qui limitent les divisions de 5 en 5. Avec l'objectif 3 et l'ocu-

laire 1 de Leitz le tube tiré, 40 divisions de l'oculaire micromètre recouvrent 5 divisions du micromètre-objet. Ces 40 divisions correspondent à cinq
vingtièmes de millimètre ou 0,25 mm., et une division du micromètre oculaire à ce grossissement répond à 0,0062 mm. et deux divisions à 0,0124 mm.

Avec l'objectif 7 et l'oculaire 1 de Leitz le tube n'étant pas tiré, 30 divisions de l'oculaire micromètre correspondent à une division du micromètre-
objet. Ces trente divisions représentent 0,05 mm., une division 0,0017 mm.
ou 17 μ. Enfin avec l'objectif 7 et l'oculaire 1 de Leitz le tube étant tiré,
40 divisions de l'oculaire micromètre correspondent à une partie du micromètre-objet. Quarante divisions valent 0,05 mm., 1 division vaut 0,0012 mm.
ou 12 μ.

Si l'on veut faire un grand nombre de mensurations, il est bon de dresser
une table sur laquelle on trouve les dimensions correspondant aux divisions
de 1 à 20, puis de 10 en 10 jusqu'à cent. Tout ce que nous venons de dire ne
s'applique qu'aux instruments venant de chez Leitz ; mais il est facile d'é-
tablir des calculs analogues pour tout autre microscope.

En somme pour faire du microscope il faut de la patience, beaucoup de patience ; s'il arrive des insuccès il ne faut pas s'en prendre au procédé qui
souvent a fait ses preuves, mais à l'opérateur. Celui qui ne veut pas s'as-
treindre à suivre à la lettre les prescriptions énoncées précédemment tant
pour le durcissement que pour la coloration des fragments, celui-là n'a pas
le droit de se plaindre si son travail n'est pas fructueux.

DEUXIÈME PARTIE

ANATOMIE MICROSCOPIQUE ET TECHNIQUE SPÉCIALE

L'organisme animal se compose de cellules provenant de la division successive d'une cellule unique. Au début du développement, les cellules offrent un aspect identique, toutes ont une forme arrondie, elles ne présentent pas de caractères particuliers qui les distinguent les unes des autres : les cellules sont encore indifférentes. Dans la suite du développement, elles se disposent en couches plates superposées, ce sont les feuillets du blastoderme. Les feuillets blastodermiques se séparent ; les organes qui en dérivent se forment, les cellules deviennent alors différentes les unes des autres ; elles se différencient.

Les cellules développées dans un même sens sont réunies en un complexus, sans délimitation nette, et forment ainsi un tissu. Le tissu est donc un complexus de cellules différenciées de la même façon. Nous distinguons 4 tissus principaux : 1º le tissu épithélial, 2º le tissu conjonctif, 3º le tissu musculaire, 4º le tissu nerveux. Tant que ces tissus sont encore jeunes, ils se composent d'éléments identiques, de cellules ; plus tard, des modifications s'opèrent de deux façons. Les cellules produisent d'abord des substances particulières lesquelles, situées entre les cellules, portent le nom de substances intercellulaires. De ce fait le caractère des tissus n'est pas essentiellement altéré, la définition du tissu, donnée plus haut, doit être seulement élargie en ce sens qu'il faut entendre par tissu un complexus de cellules différenciées de la même façon et leurs dérivés. Plus essentielle est la seconde modification qui consiste dans la pénétration d'une variété de tissu dans une autre ; ce mélange est très variable ; le tissu épithélial est celui qui se conserve le plus pur, le tissu conjonctif vient en seconde ligne. Le tissu musculaire et le tissu nerveux à l'état de développement complet sont tellement mêlés à d'autres tissus, que même lorsque les éléments différenciés, muscles et nerfs y prédominent, on ne peut guère leur appliquer le terme de tissus, dans le sens de la définition donnée plus haut (1). Les tissus n'ont donc pas une égale valeur, le tissu épithélial et le tissu conjonctif occupent le dernier rang ; tous les deux différents tant au point de vue de leur forme qu'au point de vue de leur fonction, se retrouvent dans le règne végétal ; nous pouvons donc les considérer comme des tissus végétatifs. Le tissu musculaire et le tissu nerveux, propres au corps animal seulement, occupent le premier rang tant au point de vue morphologique qu'au point de vue physiologique ; on les a nommés tissus animaux.

Quand les différents tissus entrant dans la constitution du corps ont une structure interne et une forme (2) extérieure déterminées, ils constituent un organe.

Nous aurons donc à envisager : 1° l'étude des cellules et des tissus ; 2° l'étude des organes.

L'étude des cellules et des tissus appartient à l'histologie.

L'histologie est une partie de l'anatomie fine, portant le nom d'anatomie microscopique, d'après l'instrument qui facilite son étude. L'étude des organes ressortit également pour une grande part à l'anatomie microscopique.

(1) C'est à cause de cela qu'on a proposé de renoncer à la division en tissus, et de considérer seulement des éléments et des organes.

(2) Quand on définit un organe, on ajoute d'ordinaire *sa fonction déterminée* ; mais celle-ci ne rentre pas dans le cadre d'une définition morphologique ; elle n'est pas non plus une particularité spéciale de l'organe ; elle peut appartenir tout aussi bien à une cellule qu'à un organe.

I. HISTOLOGIE

Anatomie microscopique des cellules et des tissus.

A. — LES CELLULES

On entend par cellule, *cellula*, un élément figuré délimité, susceptible dans certaines conditions de se nourrir, de croître et de se multiplier. A cause de ces propriétés, la cellule porte le nom d'*organisme élémentaire*.

Les parties essentielles d'une cellule sont :

1° Le *protoplasma* (*substance cellulaire*) ; c'est une substance à réaction alcaline, molle, visqueuse, insoluble dans l'eau, capable de se gonfler légèrement ; elle est composée principalement d'albuminoïdes, de beaucoup d'eau, et de sels ; elle contient un corps protéique particulier riche en sodium, la plastine. Dans le protoplasma se trouvent en quantité variable des petites granulations, les microsomes ; elles peuvent quand elles sont nombreuses donner au protoplasma un aspect sombre, elles sont inégalement réparties ; elles manquent dans la couche superficielle (*couche tégumentaire, exoplasma*) qui est plus résistante, et possède peut-être une fonction spéciale. A l'aide de très forts grossissements, on reconnaît que le protoplasma possède une structure : un système de filaments (*masse filamenteuse*) inclus dans une substance fondamentale amorphe (*masse interfilamenteuse*) (Flemming) (1).

2° Le *noyau* (nucleus), corps situé au milieu de la cellule, plutôt vésiculeux, clair, bien délimité ; il est composé de plusieurs substances protéiques, la *nucléine* (chromatine), la *paranucléine* (pyrénine), la *linine*, le *suc nucléaire* et l'*amphipyrénine* (fig. 2). La nucléine et la paranucléine se distinguent par leur affinité pour les matières colorantes des trois autres substances que l'on nomme pour cela achromatiques ; elles diffèrent l'une de l'autre au point de vue chimique ; ainsi par l'addition d'eau distillée les parties formées de nucléine disparaissent, tandis que les parties composées de paranucléine se conservent. Dans le cas le plus simple (comme les éléments du sperme) le noyau

---

(1) Les opinions sur la structure du protoplasma ne concordent pas ; ainsi d'après Butschli la structure du protoplasma est celle d'une écume, c'est-à-dire qu'elle contient des petits espaces qui ne communiquent pas les uns avec les autres.

est une masse compacte de nucléine qu'enserre la paranucléine ; mais d'ordinaire le noyau se compose d'un réseau très fin de linine, et de filaments plus gros de nucléine (1) de calibre inégal, lesquels s'épaississent en certains endroits sous forme de nodules, les nodules du réticulum, qu'il ne faut pas confondre avec le nucléole.

La linine et la nucléine forment la charpente du noyau dans les mailles duquel se trouvent un ou plusieurs corpuscules nucléaires (nucléoles) formés de paranucléine, et de suc nucléaire (2). La membrane nucléaire, dont l'existence n'est pas constante, se compose d'amphipyrénine ; assez souvent on confond la membrane nucléaire avec une fine couche superficielle de nucléine.

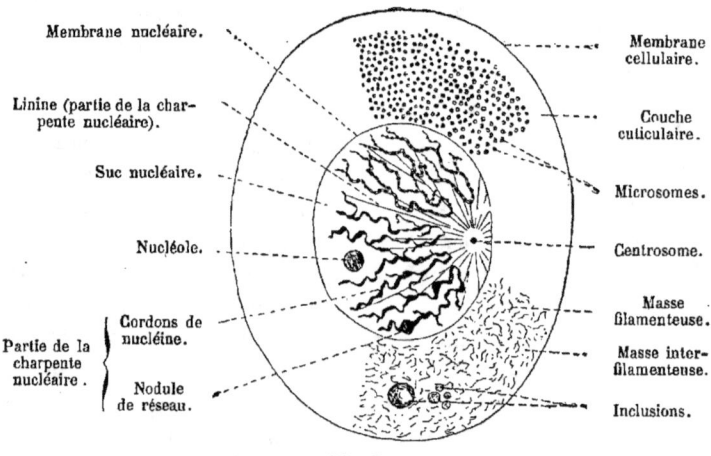

Membrane nucléaire.

Membrane cellulaire.

Linine (partie de la charpente nucléaire).

Couche cuticulaire.

Suc nucléaire.

Microsomes.

Nucléole.

Centrosome.

Masse filamenteuse.

Cordons de nucléine.

Partie de la charpente nucléaire .

Masse inter-filamenteuse.

Nodule de réseau.

Inclusions.

Fig. 2.

Schéma d'une cellule. Microsomes et masse filamenteuse dessinés en partie.

La charpente nucléaire, et les corpuscules nucléaires subissent des altérations remarquables suivant l'âge de la cellule.

3° Le *centrosoma* est un corpuscule, beaucoup plus petit, duquel partent de fins filaments qui s'étendent vers les cordons de nucléine et vers la membrane nucléaire. A cause de sa petitesse il n'est visible dans le noyau que sur des préparations favorables (dans les spermatocytes de l'ascaris megalocephale univalens, dans les cellules du cancer) ; il devient plus distinct quand il migre du noyau dans le protoplasma, ce qui arrive dans la division de la

(1) Sur des préparations favorables on peut voir que les cordons de nucléine se composent de rangées de granulations déposées sur les filaments de linine ; semblable disposition se voit sur la moitié supérieure de la figure 2 schématique.

(2) Le *suc nucléaire* posséderait, d'après les descriptions récentes, une structure particulière, formée par une substance en forme de charpente contenant des granulations capables de se gonfler et un liquide.

cellule. Dans le protoplasma, le centrosoma peut résister plus longtemps ; c'est même là qu'il a été découvert pour la première fois (fig. 3).

La plupart des cellules contiennent un seul noyau ; quelques cellules seulement en possèdent plusieurs ; telles sont les cellules migratrices et les cellules géantes. Celles qui n'ont pas de noyau comme les cellules cornées de l'épiderme et les globules rouges du sang des mammifères en renfermaient un à leur origine ; elles l'ont perdu dans le cours de leur développement.

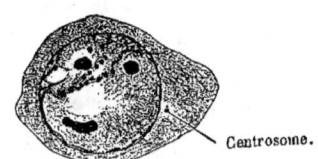

Centrosome.

Fig. 3.
Cellule de la moelle osseuse d'un lapin (Gross. 1500). Le centrosome occupe un champ clair de l'astrosphère.

On peut considérer comme parties accessoires des cellules : 1° la membrane cellulaire, qui manque dans beaucoup de cellules. Là où elle existe, elle apparaît comme une pellicule amorphe provenant soit d'une transformation de la couche périphérique du protoplasma, soit d'une sécrétion de celui-ci ; 2° les inclusions qui se trouvent dans le protoplasma de certaines cellules comme le pigment, le glycogène, et les gouttelettes de graisse, des liquides aqueux et muqueux.

On a désigné sous le nom de *noyaux accessoires* des formations très différentes, dont la signification n'est pas encore bien établie ; assez souvent ce sont des restes de cellules détruites, englobées par les cellules vivantes ; d'autres fois on a confondu les noyaux accessoires avec le centrosoma.

La forme des cellules est très variable ; les unes sont *sphériques*, c'est la forme commune des cellules pendant la vie embryonnaire, chez l'adulte il n'y a guère que les leucocytes au repos qui soient sphériques ; d'autres sont *discoïdes*, tels sont les globules rouges du sang ; d'autres sont *polyédriques* comme les cellules hépatiques ; on en trouve de *cylindriques*, cellules épithéliales de l'intestin ; de *cubiques* (cellules pavimenteuses), telles sont les cellules épithéliales de la capsule du cristallin ; d'*aplaties* à la surface des vaisseaux. Certaines cellules sont *fusiformes* ; beaucoup de cellules conjonctives par exemple ; quelques-unes sont *étirées en longues fibres* comme les cellules musculaires lisses ; certaines enfin sont *étoilées* ; c'est sous cette forme que se présentent les cellules nerveuses.

La forme du noyau correspond généralement à celle de la cellule ; il est elliptique dans les cellules cylindriques, fusiformes et étoilées ; il est arrondi dans les cellules sphériques et cubiques. Les noyaux lobulés ou polymorphes se rencontrent dans les cellules géantes et les leucocytes. Ces formes ne sont qu'une expression de l'activité cellulaire, correspondant à un changement de forme ou de siège de la cellule ou indiquant un commencement de multiplication.

La dimension des cellules varie entre 4 μ (1), grosseur des globules rouges, et le volume des œufs d'oiseaux ou d'amphibies. Les dimensions du noyau correspondent en général à celles du corps protoplasmique, cependant les œufs au moment de leur maturité ont un noyau petit avec une quantité considérable de substance enveloppante.

Les propriétés vitales des cellules ne nous occuperont qu'autant qu'elles sont visibles au microscope; le reste rentre dans le domaine de la physiologie. Nous envisagerons les phénomènes de motilité, de reproduction et de sécrétion que l'on peut suivre sous le microscope.

a) Les PHÉNOMÈNES DE MOTILITÉ se manifestent soit sous la forme de mouvements amiboïdes (2), soit sous la forme de mouvements vibratiles (cils vibratiles), soit enfin sous la forme de contraction de certaines fibres (fibres musculaires). Les mouvements amiboïdes sont les plus importants. Très fréquents, ces mouvements ont été observés sur presque toutes les variétés de cellules de l'organisme animal. Sur les leucocytes, où les mouvements amiboïdes sont bien accusés, on voit le protoplasma cellulaire émettre des prolongements plus ou moins fins, qui se divisent pour se réunir à nouveau, et engendrent les figures les plus variées. Les prolongements peuvent rentrer dans le corps cellulaire; d'autres fois ils se fixent en un point quelconque, et déterminent ainsi une progression de la

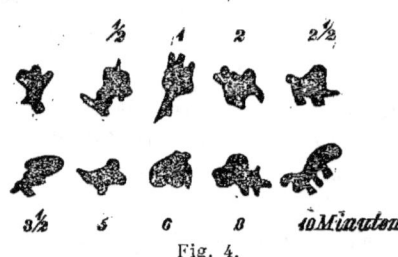

Fig. 4.

Leucocyte d'une grenouille (Gross. 500). Changements de forme survenus dans l'espace de 10 minutes. Observation continuée toutes les demi-minutes d'abord, puis toutes les minutes et toutes les deux minutes (**Technique n° 71**).

cellule entière, réalisant ainsi le phénomène de la *migration cellulaire* qui joue un si grand rôle dans l'économie animale. Ces prolongements peuvent entourer des granulations ou de petites cellules et les faire passer dans le corps de la cellule. Ce phénomène est connu sous le nom d'*intussusception de la cellule* (3). Les mouvements amiboïdes sont très lents ; chez les animaux à

(1) 1 μ ou micron = 0.001 m. m.

(2) Les amibes sont des organismes unicellulaires qui présentent à un haut degré les mouvements décrits dans le texte.

(3) Il ne faut pas confondre l'intussusception de la cellule avec sa *nutrition* qui, elle, est un phénomène provoqué par une série de processus très compliqués, processus chimiques à l'intérieur de la cellule, courants osmotiques, imbibition, compression, etc.

sang chaud on ne les reproduit qu'en employant la chaleur artificielle. Pour les mouvements vibratiles et contractiles voir pages 45 et 73.

Il y a encore certains phénomènes de motilité qu'on observe aussi bien sur des cellules vivantes que sur des cellules mortes ; ce sont les mouvements moléculaires ; ils sont dus à l'oscillation des plus petites granulations de la cellule à la suite de courants de liquides. On peut souvent les observer dans les corpuscules de la salive.

b) Formation et reproduction des cellules. — Jadis on distinguait deux modes de formation cellulaire : la genèse libre de la cellule ou génération équivoque et la genèse par division cellulaire ; suivant la doctrine de la genèse spontanée, les cellules pourraient naître dans un liquide approprié, le *cytoblastème*. Cette théorie est à l'heure actuelle complètement abandonnée ; aujourd'hui on ne reconnaît qu'un seul mode de formation cellulaire, la formation par la division de cellules préexistantes. *Omnis cellula e cellula* (1). Lorsque la cellule se divise, le noyau se divise d'abord, puis le protoplasma ; et la division se fait en deux parties sensiblement égales. Dans ce processus, il y a une augmentation et un groupement déterminé du réseau nucléaire. Ce groupement n'est irrégulier que *dans un petit nombre de cas*, souvent dans les leucocytes. La division du noyau en deux parties précède celle du protoplasma. Ce mode de division porte le nom de *division cellulaire directe*.

Dans la plupart des cas le groupement des filaments nucléaires est soumis à des lois déterminées. Cette sorte de division porte le nom de division indirecte, division par mitose (2). Elle comprend ordinairement trois stades qui sont les suivants :

1er Stade. — *Prophase*. — Le centrosome s'accroît, et migre du noyau dans le protoplasma, là il se trouve très voisin de la membrane nucléaire, entouré d'une zone claire, de laquelle des filaments fins s'irradient : la tota-

---

(1) De même un nouveau noyau ne peut se former que par la division d'un noyau préexistant. La genèse directe du noyau aux dépens du protoplasma, indépendamment de tout noyau préexistant, est une opinion qui ne s'appuie sur aucune preuve sérieuse.

(2) Ainsi nommé de μιτος parce que dans ce processus on voit des filaments dans le noyau. Il existe en outre un second mode de division en vertu duquel le noyau s'étrangle simplement sans que les granulations nucléaires se groupent d'une façon particulière ; c'est ce que l'on appelle la *division directe ou amitosique*. Il est très vraisemblable que ce mode de division n'est pas chez les vertébrés un mode de multiplication ou de néoformation cellulaires physiologiques; très souvent d'ailleurs le noyau s'étrangle et la division du protoplasma ne se produit pas, de sorte qu'il n'y a qu'une division nucléaire. C'est aussi un mode de mortification des cellules. Ce mode de division se rencontre fréquemment dans les leucocytes, on le trouve aussi dans certaines cellules épithéliales, par exemple à la surface de la vessie chez les jeunes animaux.

lité de ces filaments s'appelle, astrosphère. Le centrosome se divise en deux moitiés entourées chacune d'une astrosphère. Le noyau augmente alors ; la charpente nucléaire devient plus riche en chromatine, et ses cordons de nucléine apparaissent bientôt sous forme de bâtonnets (**1**) sinueux dont le nombre est constant pour chaque espèce animale (chromosomes), qui sont placés perpendiculairement au grand axe du noyau. L'aspect de ces bâtonnets est le plus souvent celui d'anses dont la coudure est dirigée vers la partie regardant le centrosome (*face polaire, champ polaire*) et dont les extrémités libres se trouvent vers la partie opposée (*partie opposée au pôle*).

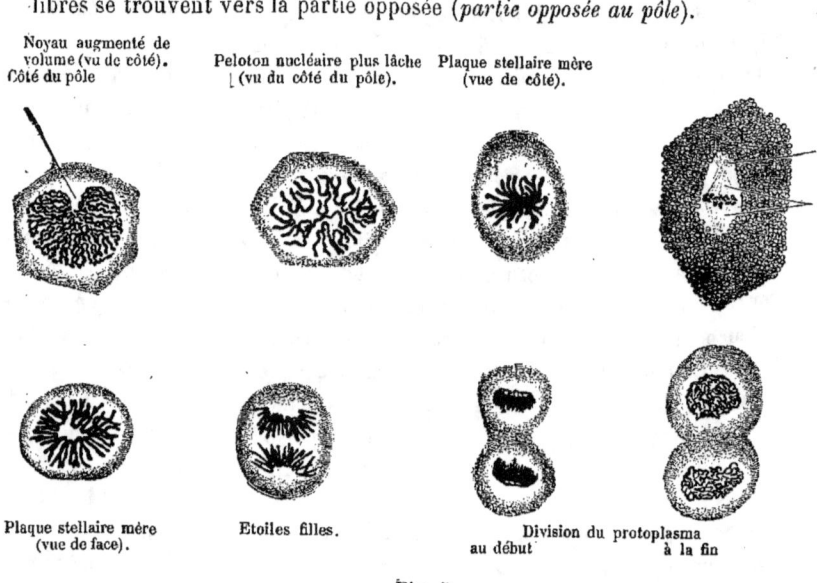

Fig. 5.

Division nucléaire de l'épithélium buccal du triton alpestre. Les centrosomes ainsi que les premiers stades de la formation du fuseau ne sont pas visibles à ce grossissement (**Technique n° 16**).

Les bâtonnets forment dans ce stade un *peloton épais* ; ils s'épaississent de plus en plus et deviennent plus rectilignes ; par ce fait le peloton dense d'abord devient un *peloton lâche*. Dans celui-ci on peut apercevoir les coudures des anses même à la partie opposée au pôle.

Pendant ce temps les deux centrosomes s'éloignent l'un de l'autre et mi-

(1) Ces bâtonnets existent dans beaucoup de noyaux à l'état de repos, mais ils ne peuvent pas être facilement distingués à cause des nombreuses ramifications latérales qui les unissent aux voisins, et forment un réseau. Au commencement de la division, les ramifications latérales se rétractent, ils deviennent par ce fait plus épais et paraissent plus clairs. Dans d'autres noyaux la chromatine se range en un seul filament, qui plus tard commence par se décomposer en chrosomomes par division transversale.

grent le long de la membrane nucléaire vers un point éloigné de 90° de l'endroit d'abord occupé par le centrosome primitif. De fins filaments se tendent entre les centrosomes écartés et forment le *fuseau central*. A ce fuseau s'attachent les filaments tendus des centrosomes aux cordons de nucléine décomposés en chromosomes. Vers la fin de la prophase la membrane nucléaire a disparu, et le nucléole est devenu invisible.

2ᵉ STADE. — *Métaphase.* — Les centrosomes ont atteint (1) des points opposés, leurs filaments dirigés vers les chromosomes, auxquels se sont peut-être associées des parties de la membrane nucléaire, apparaissent maintenant sous forme de fuseau, le *fuseau nucléaire*, à chaque sommet duquel se trouve un centrosome, qui est entouré (2) par l'astrosphère, nommée dans ce stade *radiation polaire*. Les anses des chromosomes avancent vers l'équateur du fuseau dans le plan futur de division du noyau, et bientôt elles se trouvent placées de telle façon que leurs coudures sont dirigées vers l'axe du fuseau, et leurs extrémités libres vers l'équateur. Vu par le sommet du fuseau ce groupement apparaît sous l'image d'une étoile, l'étoile mère (Monaste).

Pendant la formation de l'étoile mère, quelquefois déjà avant, dans les premiers stades de la prophase, les anses des chromosomes se fendent dans le sens de la longueur de sorte qu'il résulte de chaque anse *deux anses sœurs*. A ce moment le noyau se trouve divisé exactement en deux moitiés ; les filaments du fuseau attirent une anse sœur vers un pôle, l'autre vers l'autre pôle. Ce processus est nommé métakinèse. Les segments nucléaires apparaissent dans ce stade sous la forme de *deux étoiles filles*, ils forment le *Dyaster*. Chaque étoile fille présente une partie qui regarde le pôle et une partie qui regarde le côté opposé.

3ᵉ STADE. — *Anaphase.* — Bientôt cet aspect se modifie, les chromosomes envoient des prolongements latéraux qni s'unissent à des prolongements venus des chromosomes voisins ; ils reproduisent ainsi la charpente du noyau à l'état de repos. Pendant ce temps le fuseau et la plus grande partie de la radiation polaire sont devenus invisibles ; une nouvelle membrane nucléaire (commençant au point opposé au pôle) est apparue ; le noyau se gonfle par l'absorption du suc nucléaire, et devient globuleux ; des granulations nucléaires apparaissent ; en même temps une division du protoplasma, simple jusqu'alors, commence à l'équateur de la cellule, et se continue jusqu'à la complète séparation en deux moitiés.

(1) Ce que nous venons de dire des centrosomes n'a pas une valeur générale ; ainsi par exemple chez l'ascaris megalocephale univalens, le centrosome se divise à l'intérieur du noyau qui se gonfle et laisse sortir à chacune de ses extrémités un centrosome. Il se forme alors un fuseau nucléaire. A partir de ce moment l'évolution est la même.

(2) Dans l'axe du fuseau nucléaire on trouve encore des restes du fuseau central.

La division cellulaire d'après le type que nous venons de décrire ne donne naissance qu'à deux noyaux, exceptionnellement et surtout dans les cas pathologiques il peut s'en former plus de deux.

La durée d'une division cellulaire oscille entre une demi-heure chez l'homme (1) et cinq heures chez les amphibies. La multiplication cellulaire peut encore se faire par endogénèse ou par bourgeonnement ; la multiplication endogène s'observe sur des cellules pourvues d'une enveloppe résistante (œuf, cellules cartilagineuses). Le processus est le même que celui décrit plus haut, mais les deux cellules filles restent dans la même enveloppe. Le bourgeonnement consiste dans l'émission, par la périphérie de la cellule, de bourgeons de grosseurs diverses qui se séparent et forment des cellules indépendantes. C'est ainsi que se divisent les cellules de la moelle osseuse. Les cellules filles présentent toujours les caractères des cellules mères, jamais par exemple on n'a vu deux cellules conjonctives résulter de la division d'une cellule épithéliale.

c) Phénomènes de sécrétion ; activité sécrétoire du tissu épithélial. — La durée de vie des cellules est limitée ; les vieux éléments se détruisent ; de nouveaux les remplacent.

Pendant longtemps on confondit la mortification et la sécrétion, et l'on était arrivé à cette conception erronée que l'acte de la sécrétion finit avec la disparition de la cellule sécrétante. Les cellules en voie de mortification se distinguent par la diminution de volume de leur noyau, et de leur protoplasma ; ce dernier est souvent crénelé sur les bords, souvent il se colore plus fortement ; dans le noyau au contraire la substance chromatique diminue ou elle apparaît sous forme de grumeaux irréguliers se colorant d'une façon homogène. Les vacuoles dans le protoplasma ou dans le noyau sont des indices de mort des cellules. On peut observer beaucoup de cellules en voie de mortification dans les épithéliums, où on les considérait auparavant comme des variétés particulières de cellules (Voy. fig. 16).

Accroissement des cellules. — Dans les cellules c'est de préférence le protoplasma qui s'allonge ; rarement cet allongement s'effectue dans tous les sens, auquel cas la forme primitive de la cellule est conservée (par exemple dans l'œuf) ; en règle générale il est irrégulier.

La forme primitive de la cellule change naturellement ; elle devient allongée, aplatie, ou ramifiée, etc. La plupart des cellules sont molles, capables de changer de forme sous des influences mécaniques ; ainsi par exemple les cellules épithéliales cylindriques de la vessie vide prennent des formes aplaties dans la vessie pleine. Les cellules épithéliales du péritoine peuvent, en se distendant, tripler de largeur.

(1) Les mitoses disparaissent au bout de 48 heures sur le cadavre humain.

Excrétions des cellules. — Les substances excrétées sont tantôt complètement rejetées (comme la plupart des sécrétions glandulaires) ou d'autres fois elles restent dans les cellules. Il en est ainsi pour certaines substances intercellulaires dont beaucoup sont une excrétion des cellules, d'autres sont produites par une transformation des couches périphériques du protoplasma cellulaire ; d'autres encore par une transformation totale des cellules mêmes. Il est très difficile de distinguer si les substances intercellulaires se sont formées de cette façon ou d'une autre ; il y a là encore beaucoup de points très controversés.

Les substances intercellulaires existent soit en petite quantité, il s'agit alors de *ciment*, lequel est amorphe, mou (quelquefois liquide) et se trouve entre les cellules épithéliales, conjonctives, etc., d'autres fois les substances intercellulaires dépassent la masse des cellules, on les appelle alors substances fondamentales. Les substances fondamentales sont soit amorphes (homogènes) ou figurées ; dans ce dernier cas elles sont en grande partie transformées en fibres ou en granulations de nature différente ; le reste de substance fondamentale amorphe qui se trouve entre les fibres se nomme également *ciment.*

TECHNIQUE.

N° **1.** — Ce sont les larves d'amphibie qui se prêtent le mieux à l'étude de la structure du noyau et de ses modes de division. Les larves de salamandre si abondantes dans nos mares pendant les mois de juin et de juillet sont faciles à trouver. On prend des larves de 3 à 4 centimètres de longueur et on les met vivantes dans 100 centimètres cubes de liquide chromo-acétique (Voy. p. 5), elles y meurent rapidement. Au bout de trois heures, on les lave à l'eau courante pendant huit heures et on les durcit à l'alcool à 70°. Après quatre heures de séjour dans l'alcool on peut les utiliser.

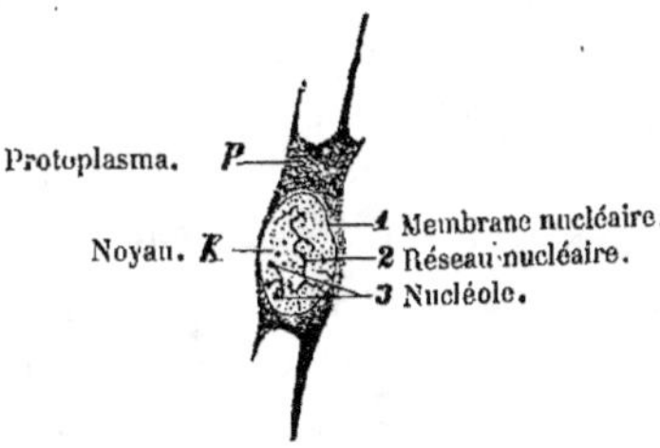

Fig. 6.

Cellule conjonctive de la peau du triton (Gross. 560). Les gros filaments du réseau nucléaire sont seuls apparents. A ce grossissement, les fins filaments apparaissent comme des points, et les nucléoles semblent faire partie du réseau nucléaire.

d) Pour la structure des noyaux il faut gratter avec précaution à l'aide d'un scalpel l'épithélium de la peau de l'abdomen, puis on enlève le reste du chorion mince, à l'aide de 2 pinces pointues ; on colore de 1-3 minutes dans 5 cent. cubes d'hématoxyline de Hansen (page 6) et on conserve dans la résine Damar. On voit encore en partie les glandes arrondies, et entre celles-ci de belles cellules conjonctives à gros noyaux. La structure filamenteuse du protoplasma, le centrosome, et la sphère d'attraction, ainsi que la

structure finè des noyaux ne peuvent être reconnues qu'à l'aide de forts grossissements et par des méthodes plus compliquées. Les moyens dout dispose
l'étudiant fournissent des images comme dans la figure 6.

Les muscles striés de la queue, et les membranes à fibres lisses qu'on peut
obtenir en enlevant la musculeuse de l'intestin, fournissent de belles images.

e) Pour les divisions nucléaires, qu'on peut déjà observer par la méthode
précédente, on n'a qu'à inciser circulairement à l'aide de ciseaux, le bord de
la cornée, on enlève avec une pince fine un mince disque de cornée ; on colore, et on conserve comme pour *a*. La préparation doit être montée de telle
sorte que la face convexe de la cornée se trouve à la partie supérieure ; on
voit déjà à un faible grossissement beaucoup de divisions nucléaires dans
l'épithélium ; elles attirent l'attention par leur coloration intense : à un fort
grossissement on perçoit des images comme dans la figure 5.

Par cette méthode le fuseau nucléaire et les radiations polaires ne s'observent que sur des préparations tout à fait réussies comme par exemple sur les
œufs d'amphibies et de truites.

Les minces lamelles qui pendent à la face convexe de la voûte palatine
cartilagineuse ainsi que l'épithélium du plancher buccal, fournissent de très
bonnes préparations. Quelquefois chez un animal on ne trouve pas une seule
division nucléaire.

B. — TISSUS.

I. — Tissu épithélial.

Les cellules épithéliales sont des éléments à protoplasma délimité nettement ;
elles sont pourvues d'un noyau. Souvent elles manquent de membrane d'enveloppe, celle-ci est remplacée par une condensation de la couche périphérique du protoplasma cellulaire.

Molles et dépressibles elles se moulent sur les éléments contigus, de là une
grande diversité dans leur conformation extérieure. On peut cependant en
distinguer deux formes principales : la forme plate et la forme cylindrique ou
mieux prismatique. Ces deux formes extrêmes se trouvent reliées entre elles
par de nombreuses formes de transition.

Les cellules épithéliales aplaties, cellules *plates*, cellules *pavimenteuses*, sont
rarement régulières ; il faut faire une exception pourtant pour les cellules
pigmentées de la rétine qui sont hexagonales (voy. *rétine*).

Les cellules épithéliales *cylindriques* vues de côté sont des éléments allongés dont la hauteur dépasse de beaucoup la largeur ; vues de champ, elles
sont hexagonales, en réalité elles sont prismatiques. Quand les cellules sont
aussi hautes que larges, l'épithélium est *cubique* (1).

Un grand nombre de cellules cylindriques sont pourvues à leur surface

_____

(1) Ces cellules portent encore le nom de cellules pavimenteuses.

libre d'une sorte de plateau homogène (voir fig. 7, *3, s*) ou strie (1) qui n'est qu'une production cellulaire, une formation cuticulaire. Quelquefois ce plateau porte des filaments très mobiles, se mouvant toujours dans la même direc-

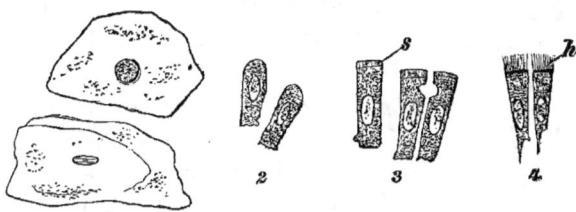

Fig. 7.

Cellules épithéliales du lapin (Gross. 560). — 1. Cellules plates (épithélium de la muqueuse buccale). — 2. Cellules cylindriques (épithélium cornéen). — 3. Cellules cylindriques à plateau, *s.* (épithélium intestinal). — 4. Cellules à cils vibratiles, *h.* (Épithélium bronchique) (**Technique** n° **11**, *a*).

tion. Ainsi constituées, ces cellules portent le nom de cellules *cylindriques à cils vibratiles*.

Les cellules épithéliales *sensorielles*, très différenciées, seront décrites avec les organes des sens.

Une couche continue de cellules épithéliales, recouvrant une surface interne ou une surface externe, porte le nom d'*épithélium*. Cette couche est tantôt simple, tantôt formée de plusieurs rangées superposées, c'est là ce qui nous permet de distinguer :

1° *Épithélium pavimenteux simple* (fig. 8). — Epithélium pigmentaire de la rétine, épithélium des alvéoles pulmonaires, du péritoine, des réseaux vasculaires de Haller, du labyrinthe membraneux, enfin l'épithélium des cavités articulaires ; des gaînes tendineuses, des bourses séreuses, des voies sanguines et lymphatiques (2).

A cette classe appartient également l'épithélium cubique constitué par une seule rangée de cellules. Un revêtement épithélial de cette nature se rencontre sur le plexus choroïde, sur la face interne de la cristalloïde, dans le corps thyroïde, et dans la plupart des glandes de l'économie.

Fig. 8.

Épithélium pavimenteux disposé sur une seule couche. Épithélium pigmentaire de la rétine humaine (Gross. 560). (**Technique** n° **179**).

(1) Les stries représentent de fins bâtonnets qui peuvent être visibles même avec des grossissements moyens. Ces bâtonnets correspondent à des prolongements protoplasmiques qui sont de longueur variable et pénètrent dans la masse homogène du plateau.

(2) Ces cinq dernières enveloppes épithéliales ont été désignées (pour des raisons embryogéniques) sous le nom d'endothélium ; et leurs cellules sous le nom de cellules endothéliale .

2° *Epithélium cylindrique simple* (fig. 9). — Epithélium du tube intestinal et d'un grand nombre de conduits excréteurs des glandes.

Fig. 9.
Épithélium cylindrique disposé sur une seule couche. Intestin humain (Gross. 560). *c.* Plateau strié. *z.* Cellules cylindriques. *tp.* Tunique propre **(Technique n° 107).**

3° *Epithélium vibratile simple.* — Dans les fines ramifications bronchiques, dans l'utérus, les trompes, dans les sinus du nez, dans le canal central de la moelle.

4° *Epithélium pavimenteux stratifié.* — Les couches successives de cet épithélium ne sont pas toutes constituées par des cellules aplaties. La couche la plus inférieure se compose de cellules cylindriques ; les couches immédiatement supérieures ne possèdent que des cellules dentelées, irrégulièrement polygonales et à forme extrêmement variée. Ce n'est qu'à mesure que l'on se rapproche de la surface que les cellules s'aplatissent de plus en plus (fig. 10).

L'épithélium pavimenteux stratifié se trouve dans la bouche, le pharynx, l'œsophage ; on le rencontre également sur les cordes vocales, sur la conjonctive oculaire, dans le vagin et dans l'urèthre de la femme.

Le tégument externe possède lui aussi un épithélium pavimenteux stratifié, mais avec cette modification que les cellules des couches les plus superficielles sont représentées par de petites écailles cornées complètement dépourvues de noyau.

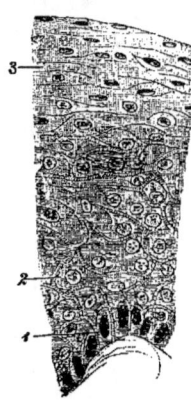

Fig. 10.
Épithélium pavimenteux stratifié, larynx humain (Gross. 240).— 1. Cellules cylindriques. — 2. Cellules dentelées. — 3. Cellules plates **(Technique n° 126).**

Dans les ongles et les poils nous trouvons les mêmes cellules écailleuses, mais ici elles ont conservé leur noyau.

5° *Epithélium cylindrique stratifié.* — N'existe chez l'homme que sur la conjonctive palpébrale. La disposition des cellules est celle que nous allons décrire dans le paragraphe qui suit.

6° *Epithélium vibratile stratifié.* — Seules les couches superficielles sont cylindriques et pourvues de cils vibratiles ; les couches profondes sont constituées par des cellules rondes et les couches moyennes par des éléments fusiformes (fig. 11).

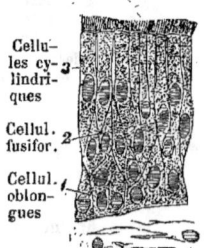

Cellules cylindriques

Cellul. fusifor.

Cellul. oblongues

Fig. 11.
Épithélium cilié stratifié (Gross. 560). Muqueuse nasale de l'homme, région respiratoire **(Technique n° 199).**

Cette variété d'épithélium tapisse le larynx, la trachée et les grosses bronches, les fosses nasales et la partie supérieure du pharynx ; la trompe d'Eustache et l'épididyme.

On trouve assez souvent entre les cellules épithéliales des fentes étroites, des espaces intercellulaires remplis par une substance intercellulaire molle, peut-être même liquide (1).

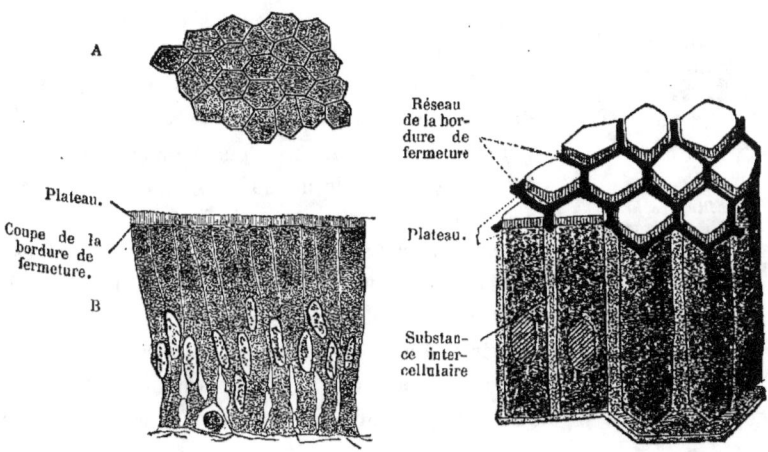

Fig. 12.

Épithélium cylindrique d'une villosité intestinale de l'homme (Gross. 600). Bordure de fermeture. A. vue de face. B. vue de côté. On voit à gauche, la coupe transversale de la bordure, à droite la coupe longitudinale.

Fig. 13.

Schéma d'un réseau de bordure de fermeture. Les deux cellules cylindriques représentées à gauche sont divisées suivant leur longueur. Celles de droite sont entières.

Dans beaucoup d'épithéliums (dans tous les épithéliums cylindriques des muqueuses, et dans la plupart des épithéliums glandulaires) les espaces intercellulaires sont fermés vers la surface libre par des fines bandes d'un ciment particulier ; ces bandes, *bordures de fermeture*, forment par leur union un *réseau* dans les mailles duquel sont comprises les extrémités des cellules épithéliales, tournées vers la surface libre.

Les cellules épithéliales s'unissent soit par des surfaces plates (c'est-à-dire par l'intermédiaire de la substance intercellulaire), ou elles s'engrènent par des prolongements variés (effets de pression), telles sont les fines crêtes et les bordures qu'on peut voir à la surface de beaucoup de cellules épithéliales, tels sont aussi les filaments d'union (2) qui traversent la substance intercellulaire

(1) L'injection de ces espaces intercellulaires par les vaisseaux lymphatiques dans la peau humaine, a fait croire à une identification de cette substance avec la lymphe ordinaire, ce qui n'est pas exact, car la substance intercellulaire de l'épithélium réagit autrement ; elle noircit par les solutions de nitrate d'argent.

(2) Ces filaments, visibles même dans l'intérieur des cellules (masse filamenteuse), ont fait considérer de telles cellules épithéliales comme ayant une structure fibrillaire ; ce qui prête à confusion avec la structure fibrillaire du tissu conjonctif qui est tout à fait autre chose.

et établissent une connexion intime entre les cellules épithéliales voisines. Les cellules pourvues de telles crêtes et bordures sont nommées *cellules à crêtes* ou cellules dentelées ; on désigne plus volontiers les crêtes par le nom de

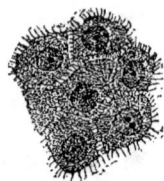

ponts *intercellulaires* (fig. 14). Ces prolongements ont d'abord été vus sur les cellules polygonales de l'épithélium pavimenteux stratifié (1) ; mais on les retrouve dans les cellules de l'épithélium pavimenteux et cylindrique simple, dans l'épithélium de l'estomac et de l'intestin : ici ils sont très fins et ne peuvent être observés qu'à l'aide de méthodes spéciales. La longueur des ponts intercellulaires ainsi que le diamètre des *lacunes intercellulaires* varient dans les différentes variétés d'épithélium et surtout dans les différents états physiologiques de l'épithélium.

Fig. 14.

Épithélium pavimenteux stratifié. Coupe perpendiculaire passant par le corps muqueux de l'épiderme (Gross. 560). Sept cellules réunies par les ponts intercellulaires (**Technique n° 88**).

L'épithélium ne possède ni vaisseaux sanguins, ni lymphatiques ; par contre on a trouvé des nerfs dans divers endroits, dans l'épithélium du tégument externe par exemple, et dans beaucoup de muqueuses.

Activité sécrétoire du tissu épithélial. — Beaucoup de cellules épithéliales possèdent la faculté de former et de sécréter des substances qui n'entrent pas dans la constitution du tissu. Ces cellules sont appelées cellules glandulaires ; les substances qu'elles sécrètent sont tantôt utilisées dans l'organisme (sécrétions), tantôt elles sont éliminées du corps (excrétions). Les phénomènes qui accompagnent la formation et l'élimination du produit sécrété (ou excrété) se manifestent par certaines particularités dans la forme et le contenu de la cellule glandulaire, qui dénotent son état d'activité ou son état de repos. Souvent par exemple dans les cellules glandulaires séreuses, le noyau qui est petit, et a un aspect sombre à l'état de repos, augmente de volume et a un aspect clair à l'état d'activité sécrétoire. Dans d'autres cellules glandulaires, par exemple dans beaucoup de cellules des glandes muqueuses, la formation de la sécrétion peut être suivie de plus près. Voyons d'abord la cellule à l'état de repos. C'est une cellule cylindrique caractérisée par un protoplasma granuleux, et un noyau rond, plutôt allongé, placé au milieu (fig. 15, *a*).

Le phénomène de la sécrétion commence dans la lumière de la glande ; la partie de la cellule tournée vers la surface libre, au lieu d'un protoplasma granuleux offre un protoplasma clair (*b. s.*) qui tranche d'une façon plus ou

(1) Les surfaces basales des cellules cylindriques de l'épithélium pavimenteux stratifié sont pourvues de prolongements dirigés vers le tissu conjonctif sous-jacent des filaments d'union qui ne sont visibles que par l'emploi de méthodes compliquées.

moins nette sur le protoplasma non encore transformé (*b. p.*) La sécrétion

continue (*c*), des quan-
tités de protoplasma de
plus en plus grandes
sont transformées, le
noyau et le protoplas-
ma sont refoulés vers
la base de la cellule ;
le noyau devient suc-
cessivement rond et
même aplati (*d*). La cellule
en pleine activité sécrétoire
est devenue beaucoup plus
volumineuse. Finalement la
paroi cellulaire éclate à la
surface libre. La sécrétion
s'élimine peu à peu ; en même
temps le protoplasma se régé-
nère ainsi que le noyau ; celui-
ci se relève dans la cellule
dont le volume diminue et
bientôt l'élément revient à
l'état de repos. La plupart
des cellules glandulaires ne
sont pas détruites dans l'acte
de la sécrétion : elles sont au
contraire capables de répéter
ce processus plusieurs fois ;
les glandes sébacées dont la
sécrétion est formée (**1**) par
des cellules en destruction,
font exception à cette règle
ainsi que les cellules caliciformes. Dans ces dernières
le processus de la formation

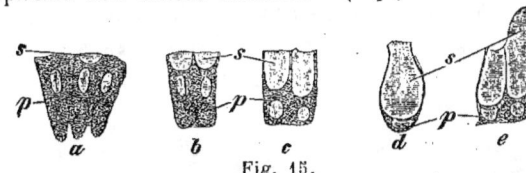

Fig. 15.

*Cellules épithéliales dissociées, provenant de la muqueuse gastrique
de l'homme* (Gross. 560). — *p*. Protoplasma. — *s*. Substance sécrétée. —
a. Deux cellules à l'état de repos ; la cellule du milieu montre un commencement de métamorphose muqueuse. — *e*. La paroi supérieure de la
cellule placée à droite est aplatie, le contenu s'est échappé ; le protoplasma granuleux se multiplie à nouveau, et le noyau redevient rond
(**Technique n° 107**).

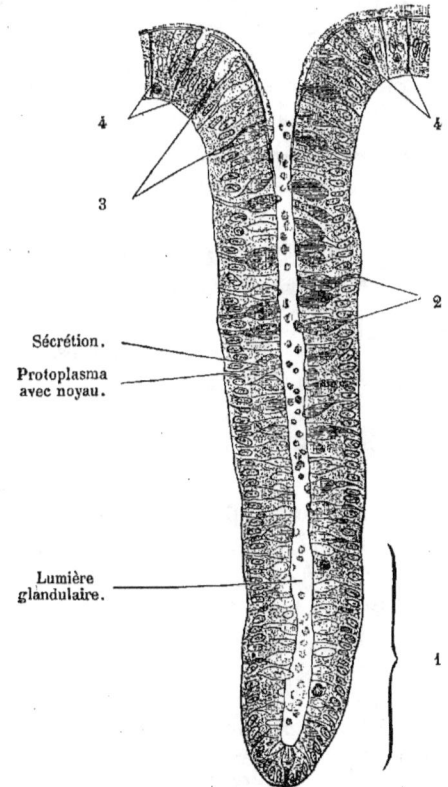

Sécrétion.

Protoplasma
avec noyau.

Lumière
glandulaire.

Fig. 16

Glande de Lieberkühn du gros intestin de l'homme (Gross.
165). La sécrétion formée dans les cellules caliciformes se
colore en sombre. Dans la zone 1 on voit les cellules caliciformes au début de la sécrétion ; l'élimination de la sécrétion se
fait déjà, ce qui se reconnaît à la présence de gouttelettes de
sécrétion dans la lumière de la glande. — 2. Cellules caliciformes
avec beaucoup de sécrétion. — 3. Cellules caliciformes ayant déjà
moins de sécrétion. — 4. Cellules caliciformes en mortification
contenant encore un dernier reste de sécrétion (**Technique,
page 24, 10**.

(**1**) Le testicule et l'ovaire forment un groupe spécial, car
leurs cellules glandulaires après
avoir été excrétées sont appelées à un développement ultérieur.

de la sécrétion et de l'élimination de la sécrétion s'effectuent parallèlement (fig. 16) ; au commencement l'élimination est dépassée par la production ; la masse de la sécrétion accumulée dans la cellule augmente, finalement c'est l'élimination qui l'emporte, la cellule se vide petit à petit totalement et meurt.

Les cellules glandulaires se rencontrent à l'état isolé entre d'autres cellules épithéliales (1), ou bien elles sont réunies en groupes et forment alors le tissu glandulaire.

Glandes.

Les glandes ont tantôt une forme cylindrique, glandes tubuleuses, tantôt la forme d'un sac renflé à son extrémité profonde (glandes alvéolaires) ; de là les deux variétés principales de glandes : les glandes tubuleuses et les glandes alvéolaires (2).

Les glandes tubuleuses elles-mêmes sont isolées ou groupées, de là deux variétés :

1° Glandes tubuleuses isolées : elles sont en tubes simples ou ramifiés (fig. 17) ; dans ce dernier cas elles peuvent former un système canaliculaire (3) ;

2° Glandes tubuleuses composées : elles sont constituées par un nombre plus ou moins grand de systèmes canaliculaires (fig. 17).

La même classification peut s'appliquer aux glandes alvéolaires ; ici nous pouvons également distinguer :

1° Des glandes alvéolaires isolées qui sont constituées par un conduit excréteur avec des renflements sacciformes simples ou ramifiés ; si les renflements sont ramifiés, on a un système alvéolaire ;

2° Des glandes alvéolaires composées qui sont formées par plusieurs systèmes alvéolaires (fig. 17).

Les glandes tubuleuses isolées non ramifiées comprennent : les glandes du

(1) On les nomme alors *glandes unicellulaires* ; elles sont assez abondantes chez les invertébrés, on les rencontre aussi chez l'homme, telles sont les cellules caliciformes (voir Organes digestifs).

(2) Les glandes se composent presque exclusivement d'épithélium ; le tissu conjonctif et les vaisseaux qui entrent dans leur constitution jouent un grand rôle au point de vue physiologique ; mais au point de vue morphologique ils sont accessoires, c'est pourquoi on décrit les glandes avec les épithéliums.

(3) Il faut un examen attentif pour reconnaître la véritable forme de telles glandes parce que les tubes ramifiés se contournent souvent et se présentent sous la forme d'un peloton. On les décrivait jadis sous le nom de *glandes en grappe*.

grand cul-de-sac de l'estomac, les glandes sudoripares et les glandes de Lieberkühn de l'intestin (pour ces dernières voir le chapitre Intestin).

Les glandes tubuleuses uniques ramifiées comprennent : les glandes pyloriques, les glandes de Brünner du duodénum, les plus petites glandes de la cavité buccale. les glandes de la langue et les glandes utérines.

Parmi les glandes tubuleuses composées, on range les glandes lactées, les glandes muqueuses plus grandes, les glandes salivaires et les glandes lacrymales. On doit en outre faire rentrer dans cette classe les reins, les glandes bulbo-uréthrales (de Cooper), les glandes des grandes lèvres (de Bartholin), la prostate, la glande thyroïde, les testicules et le foie. Les ramifications de

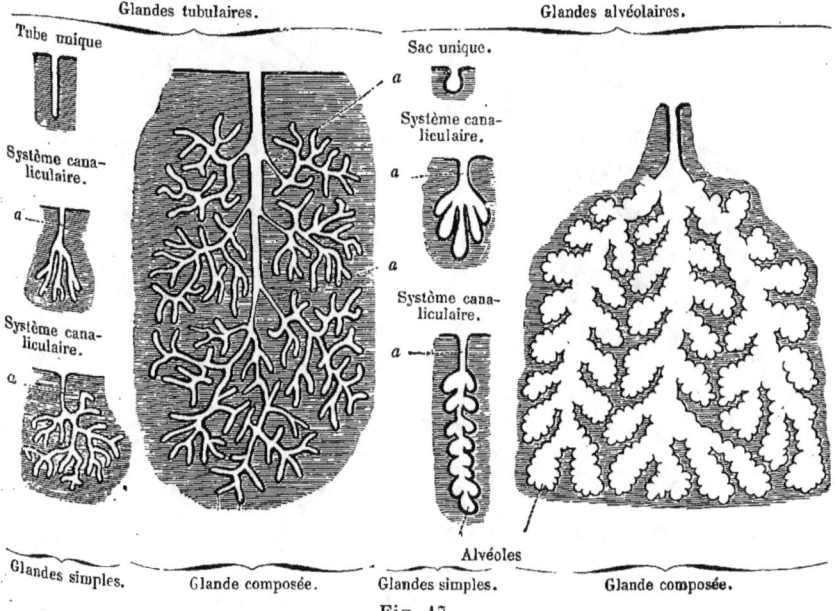

Fig. 17.
Schéma des formes de glandes. a, Conduit excréteur.

ces deux dernières glandes s'anastomosent et forment des réseaux ; d'où le nom de *glandes réticulaires* donné parfois au testicule et au foie.

Les glandes alvéolaires uniques comprennent les plus petites glandes sébacées, et les follicules de l'ovaire. Les glandes alvéolaires ramifiées comprennent les glandes sébacées plus grandes, et les glandes de Meibomius. Les poumons sont des glandes alvéolaires composées.

Presque toujours, surtout quand il s'agit de glandes visibles à l'œil nu, le tissu conjonctif voisin leur forme une enveloppe. Cette enveloppe envoie des cloisons, *septa*, dans l'intérieur de la glande ; celle-ci se trouve ainsi divisée en départements plus ou moins grands, les lobules glandulaires. Les cloisons contiennent les vaisseaux sanguins plus gros, et les nerfs. Les glandes peuvent sécréter dans toute leur étendue, mais le plus souvent c'est le corps de la glande, la partie la plus voisine de l'extrémité du cul-de-sac, qui assure la sécrétion, tandis que la portion qui établit la communication avec la surface et qui sert à conduire au dehors le produit de sécrétion porte le nom de conduit excréteur.

Le corps thyroïde et l'ovaire sont des glandes sans conduit excréteur. Chez l'embryon le corps thyroïde est pourvu d'un conduit excréteur, qui finit par disparaître à une période plus avancée du développement.

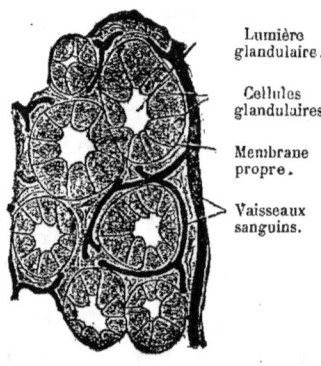

Lumière glandulaire.

Cellules glandulaires.

Membrane propre.

Vaisseaux sanguins.

Fig. 18.

Portion d'une coupe transversale d'une glande muqueuse linguale du lapin. — Vaisseaux sanguins injectés. Les noyaux des cellules glandulaires ne sont pas bien nets sur la préparation (Gross. 180. **Technique n° 123,** *b*).

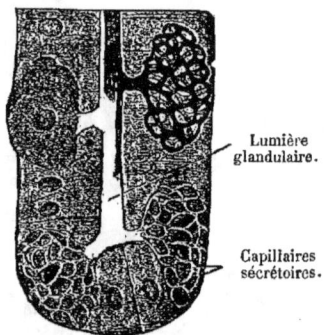

Lumière glandulaire.

Capillaires sécrétoires.

Fig. 19.

Fragment de glande de la grande courbure de la souris. — La moitié supérieure gauche est dessinée d'après une préparation faite après durcissement par l'alcool (**Technique n° 107**). La moitié droite d'après une préparation obtenue par la méthode de Golgi (**Technique n° 124**). Pour le fond les deux méthodes sont combinées. Figure schématique.

Les vésicules glandulaires (follicules) de l'ovaire se trouvent également chez l'embryon en communication avec l'épithélium superficiel. Ces communications, que l'on pourrait également nommer conduits excréteurs, disparaissent ; l'évacuation des produits formés dans l'ovaire (c'est-à-dire les ovules) s'effectue alors par l'éclatement (la déhiscence) des vésicules ; l'ovaire est donc une glande déhiscente.

L'ensemble d'un corps glandulaire est formé par une couche (le plus souvent simple) de cellules glandulaires, qui entourent la lumière de la glande ; ces cellules se trouvent elles-mêmes entourées (1) d'une membrane propre, provenant d'une modification spéciale du tissu conjonctif. Autour de cette membrane propre, se trouvent les vaisseaux sanguins (fig. 18). Les cellules glandulaires sont ainsi enclavées entre la lumière de la glande et les vaisseaux

(1) Quelquefois on trouve à la place de celle-ci des cellules étoilées, à noyau (*cellules en panier*) qui entourent les tubes glandulaires.

sanguins. C'est par leur côté externe (périphérique) qu'elles reçoivent des vaisseaux sanguins et des vaisseaux lymphatiques avoisinant ceux-ci, les éléments nécessaires à la formation des sécrétions, et par leur partie centrale (lumière) elles éliminent les substances élaborées.

Dans beaucoup de glandes, dans les glandes muqueuses et albumineuses de la cavité buccale, dans les glandes de l'estomac, du duodénum et du pancréas, la sécrétion n'est pas éliminée seulement par la partie de la cellule voisine de la lumière glandulaire, elle s'échappe dans diverses directions. Les produits de sécrétion arrivent dans des canalicules très fins, simples ou ramifiés, tantôt sans anastomoses, tantôt formant un réseau qui entoure la cellule glandulaire (1). Ces fins canalicules, *capillaires de sécrétion*, aboutissent soit isolément, soit réunis en un tronc plus épais dans la lumière de la glande ; il n'est pas encore bien établi s'ils existent à l'état constant ou temporaire seulement. L'aspect microscopique des glandes varie suivant leur état de fonction. Dans quelques glandes les cellules glandulaires présentent dans un même temps un aspect identique ; dans d'autres glandes on peut voir simultanément dans l'intérieur d'un tube ou d'un alvéole divers états fonctionnels. C'est le cas de beaucoup de glandes muqueuses, dont les cellules ont des parois minces. On y rencontre des tubes qui renferment des cellules glandulaires pleines de produits de sécrétion, d'autres qui sont vides. Les cellules pleines repoussent les cellules vides loin de la lumière de la glande ; ainsi refoulées jusqu'à la périphérie du tube les cellules vides représentent sous cette forme ce que l'on appelle *croissants de Gianuzzi* (fig. 20) ou complexus cellulaire marginal (2).

Les noyaux de beaucoup de cellules glandulaires varient d'aspect suivant leurs divers états fonctionnels ; dans les cellules vides, le noyau apparaît avec une trame fine de chromatine, et un nucléole net (fig. 20, I *b*), tandis que dans le noyau des cellules en activité sécrétoire, le nucléole manque, et la trame de chromatine apparaît sous forme de gros grumeaux (fig. 20, I *a*).

Il faut rattacher aux corps glandulaires les fines ramifications des conduits excréteurs de quelques glandes tubuleuses, remarquables par la forme et la structure de leurs cellules épithéliales. Ces ramifications ne sont pas seule-

(1) Des petites portions de ces canalicules existent peut-être aussi dans l'intérieur des cellules glandulaires.

(2) Il faut remarquer que le complexus marginal est considéré par certains auteurs comme élément jeune servant à remplacer les cellules glandulaires détruites au moment de la sécrétion. On peut leur objecter qu'on ne trouve pas trace des cellules mortes, et qu'il n'est pas possible de prouver la présence de figures mitosiques à laquelle est toujours liée la formation de nouvelles cellules. Les croissants ne constituent pas non plus une variété spéciale de cellules, car sur des glandes fortement excitées elles ressemblent complètement aux autres cellules glandulaires.

ment des conduits excréteurs, elles servent encore à l'élimination de certaines substances (des sels) ; elles appartiennent par suite aux parties sécrétantes de la glande. Leur structure permet de les diviser en deux parties : la première portion, la plus rapprochée du cul-de-sac terminal (1), est étroite, revêtue de cellules tantôt plates, tantôt cubiques, on l'appelle portion intermédiaire (fig. 164) ; la portion suivante est plus large et revêtue de cellules cylindriques hautes, dont la base est striée longitudinalement par des séries de granulations (fig. 163, *A*), on la nomme tube sécrétant (salivaire ou muqueux) ; les rapports de longueur entre les portions intermédiaires et les tubes sécréteurs sont très variables suivant les diverses glandes.

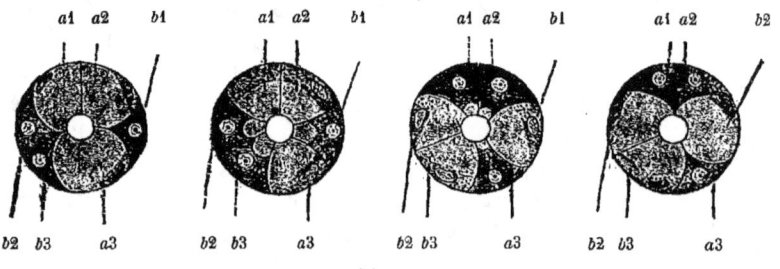

Fig. 20.

Schéma de la production des croissants. Protoplasma granuleux, la sécrétion est dessinée en clair.

I. Coupe transversale d'une glande muqueuse. Tube avec 6 cellules glandulaires. Trois (*a1 a2 a3*) sont pleines de sécrétion et ont repoussé de la lumière glandulaire les trois vides de sécrétion (*b1 b2 b3*). Comparez fig. 161.	II. La même coupe transversale à une période un peu plus avancée. Les cellules *a1 a2 a3* ont vidé en partie leur sécrétion, elles sont devenues plus petites. Les cellules *b1 b2 b3* arrivent de nouveau jusqu'à la lumière et commencent de ce côté à former la sécrétion.	III. La même coupe plus tard. Les cellules *a1 a2 a3* ayant vidé la plus grande partie de leur sécrétion, sont devenues plus petites encore. Dans les cellules *b1 b2 b3* la sécrétion a augmenté de sorte que ces cellules sont plus volumineuses et compriment leurs voisines *a1 a2 a3*.	IV. La même coupe encore plus tard. Les cellules *a1 a2 a3* sont à présent complètement vidées et sont repoussées de la lumière glandulaire par les cellules *b1 b2 b3* complètement remplies de sécrétion.

Les conduits excréteurs sont constitués par un épithélium cylindrique simple, ou stratifié, et par une enveloppe conjonctive entremêlée de fibres élastiques.

Dans les cas les plus compliqués les glandes sont donc formées des parties suivantes : d'un *canal excréteur* qui par sa division aboutit aux tubes sécréteurs ; ceux-ci se continuent par les *pièces intermédiaires* et mènent aux *culs-de-sac terminaux*, lesquels reçoivent finalement les *capillaires de sécrétion*.

TECHNIQUE

Nº 2. Cellules épithéliales à cils vibratiles. — Pour avoir à

(1) On nomme ainsi les extrémités terminales des tubuli, qui reçoivent les capillaires de sécrétion.

l'état vivant des cellules épithéliales à cils vibratiles, on procède de la façon suivante. On tue une grenouille ; on la place sur le dos, et d'un coup de ciseaux on enlève la mâchoire inférieure. La voûte palatine se trouve ainsi mise à nu. On excise de la muqueuse de cette voûte mise à nu une étroite bandelette de 5 mm. de longueur environ ; on la place sur le porte-objet dans quelques gouttes d'eau salée, et on recouvre d'une lamelle. A un faible grossissement le débutant ne distinguera que des courants entraînant de gros corpuscules sanguins (fig. 61, *B*) qui attireront son attention. Le mieux est d'employer de forts grossissements en ayant soin de faire porter l'examen surtout sur les bords de la préparation. Au commencement le mouvement uniforme dont les cils sont agités empêche de les voir isolément ; on les a justement comparés à un champ de blé battu par le vent ; mais au bout de quelques minutes le mouvement se ralentit, et les cils deviennent visibles. Si le mouvement a complètement cessé, il suffit pour le ranimer d'ajouter à la préparation une goutte d'une solution de potasse concentrée ; mais ainsi réveillé il dure fort peu ; c'est pourquoi il faut avoir continuellement l'œil fixé sur l'oculaire du microscope. Lorsqu'on ajoute à la préparation de l'eau simple, le mouvement cesse immédiatement.

II. — Tissu de soutènement.

Dans le tissu épithélial les cellules forment la masse principale ; dans le tissu de soutènement les cellules viennent au second rang, mais en revanche la substance intercellulaire (substance fondamentale) est très développée, et de diverses façons. La prédominance de la substance intercellulaire, qui joue même au point de vue fonctionnel le rôle principal, est caractéristique du tissu de soutènement.

Suivant la constitution de la substance intercellulaire, le tissu de soutènement se divise en :

1° Tissu conjonctif ;

2° Tissu cartilagineux ;

3° Tissu osseux.

1. — Le tissu conjonctif.

La substance fondamentale du tissu conjonctif est plus ou moins molle, les cellules sont rares. On distingue plusieurs variétés : *a*) le tissu conjonctif muqueux, *b*) le tissu conjonctif fibrillaire et *c*) le tissu conjonctif réticulé.

a) *Tissu conjonctif muqueux*. — Ce tissu est constitué par une grande quantité de substance fondamentale, sans forme définie, riche en mucine, contenant dans son intérieur des faisceaux conjonctifs très fins, et des cellules arrondies, ou étoilées. Ce tissu, qui est très répandu chez les animaux inférieurs, ne se trouve dans les classes animales plus élevées que dans le cordon ombilical des embryons très jeunes (1).

b) Tissu conjonctif fibrillaire. — Ce tissu est constitué par une substance fondamentale abondante, et par des cellules.

La substance fondamentale est constituée par des fibrilles conjonctives (fibres du tissu conjonctif) (2) provenant, d'après les uns, d'une transformation de la substance fondamentale, d'après les autres d'une transformation directe de la substance cellulaire. Les fibrilles sont des filaments très fins $(0,6\,\mu)$,

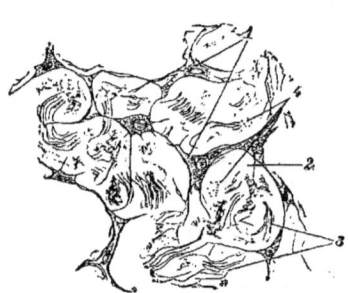

Fig. 21.

Coupe transversale du cordon d'un embryon humain d'environ 4 mois (Gross.240). — 1. Cellules. — 2. Substance intermédiaire. — 3. Faisceaux conjonctifs coupés obliquement. — 4. Faisceaux coupés perpendiculairement (**Technique n° 3**).

Fig. 22.

Faisceaux conjonctifs de différentes grosseurs, provenant du tissu conjonctif intermusculaire de l'homme (Gross. 240. Technique n° 4).

elles se réunissent par l'intermédiaire d'une petite quantité de ciment amorphe et constituent les faisceaux conjonctifs. Ces faisceaux sont mous, flexibles, peu extensibles, caractérisés par leurs contours pâles, par leur striation longitudinale, leur trajet onduleux (3), et par leurs réactions chimiques ; ils se décomposent en fibrilles sous l'influence de l'acide picrique, gonflent par l'addition d'acides dilués comme l'acide acétique, jusqu'à complète transparence ; ils se détruisent par les liquides alcalins, et donnent par l'ébullition de la gélatine (Glutin).

La substance fondamentale du tissu conjonctif fibrillaire contient constamment, mais en quantité variable, des fibres élastiques (fig. 23) caractérisées par leurs contours nets et foncés et par leur forte réfringence. Contrairement aux faisceaux conjonctifs, elles résistent fortement aux acides et aux alcalins.

(1) En ce qui concerne le corps vitré qui y est rattaché par certains auteurs, voy. au corps vitré.

(2) Les fibrilles et les fibres ont ici la même signification, tandis que dans les muscles striés, un système de fibrilles constitue une fibre.

(3) D'où le nom de *tissu conjonctif onduleux ou lâche.*

Les fibres élastiques sont d'une épaisseur très variable. Les unes sont si fines qu'on ne peut les mesurer, d'autres atteignent jusqu'à 11 μ ; elles se dispo-

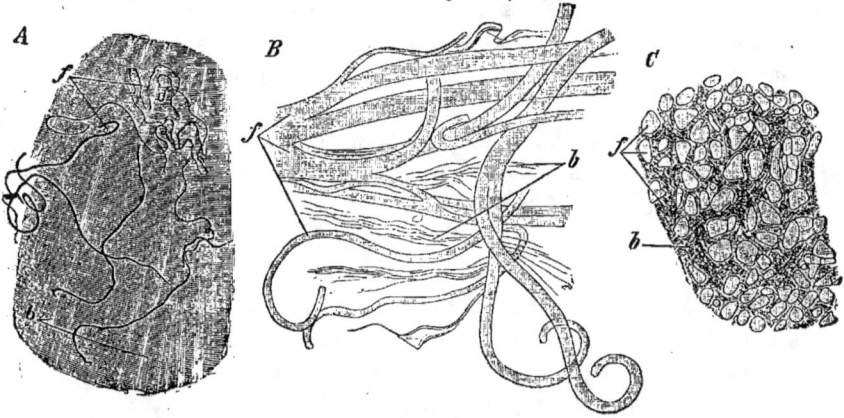

Fig. 23.

Fibres élastiques (Gross. 560). — A : *f*, Fibres élastiques fines provenant du tissu conjonctif intermusculaire de l'homme. *b*. Faisceaux de tissu conjonctif dissous dans l'acide acétique (**Technique n° 11**). — B : *f*, Fibres élastiques très larges provenant du ligament cervical du bœuf. *b*. Faisceaux conjonctifs (**Technique n° 12**).— C : Fibres élastiques *f*, sur une coupe transversale du ligament cervical du bœuf (**Technique n° 13**).

sent généralement en réseaux plus ou moins fins, à mailles plus ou moins larges.

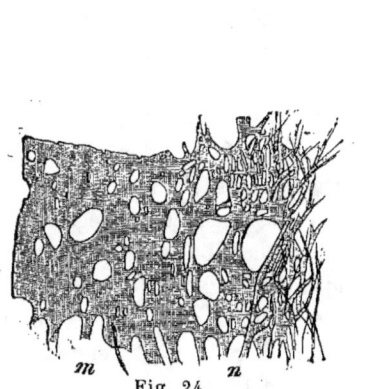

Fig. 24.

Réseau de fibres élastiques larges provenant de la membrane fenêtrée de l'endocarde gauche de l'homme (Gross. 560. **Technique n° 14**).

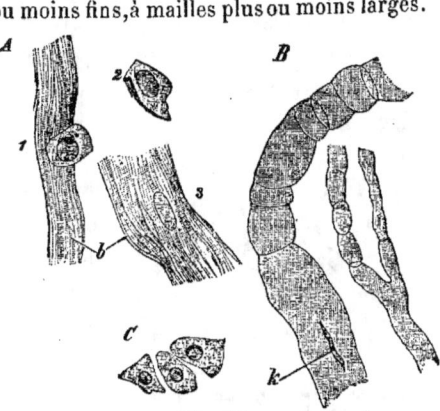

Fig. 25.

A. *Cellules conjonctives du tissu conjonctif intermusculaire* (Gross.560). — 1. Cellules plates adhérant en partie à un faisceau conjonctif. — 2. Cellule coudée. — 3. Cellule dont le protoplasma n'est pas visible. *b*, faisceaux conjonctifs. (**Technique n° 5**).
B. *Faisceau conjonctif, entouré par des prolongements cellulaires. K.* noyau (**Technique n° 8**).
C. *Cellules plasmatiques de la paupière d'un enfant* (**Technique n° 190**).

Les réseaux élastiques à mailles étroites et à grosses fibres se rapprochent des membranes élastiques (fig. 24) qui sont tantôt homogènes, tantôt finement striées, percées d'un plus ou moins grand nombre d'orifices (d'où le nom de membranes fenêtrées). Les membranes élastiques doivent probablement leur formation à la fusion des fibres élastiques larges.

Si la quantité des fibres élastiques dépasse le nombre des faisceaux de tissu conjonctif, on a le *tissu élastique*. Les fibres élastiques ne proviennent ni de cellules, ni de noyaux, mais peuvent être considérées comme des transformations de la substance fondamentale, peut-être des faisceaux conjonctifs déjà existants ; minces au commencement, elles augmentent d'épaisseur au fur et à mesure de la croissance.

Les cellules conjonctives (fig. 25) sont irrégulières, polygonales ou étoilées, fortement aplaties, incurvées, et pliées en divers sens. L'aplatissement et l'incurvation s'expliquent par l'adaptation de ces cellules conjonctives aux espaces étroits existant entre les faisceaux conjonctifs. Il n'est pas rare de voir les cellules conjonctives plates former des gaines complètes aux faisceaux du tissu conjonctif. Si l'on soumet un de ces faisceaux à l'action de l'acide acétique, on le voit se gonfler, écarter les cellules enveloppantes, dont les débris en forme d'anneau restent, et étranglent le faisceau gonflé : on considérait autrefois ces débris comme des fibres spéciales, d'où le nom de *fibres annulaires* (fig. 25, *B*). D'autres cellules conjonctives sont arrondies, à protoplasma abondant, à grosses granulations ; de volume relativement considérable, ces cellules portent le nom de cellules plasmatiques ; elles se rencontrent souvent dans le voisinage des petits vaisseaux sanguins (fig. 25, *C*).

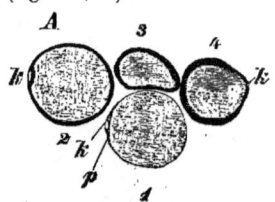

Fig. 26.

Cellules graisseuses du creux axillaire de l'homme (Gross.240). — 1. Mise au point au niveau de l'équateur de la cellule.— 2. Cellule vue sur un plan plus élevé.— 3 et 4. Cellules déformées par la pression *p*. Traces de protoplasma autour du noyau aplati (**Technique n° 9**).

D'autres cellules, les *Mastzellen,* qui se distinguent par la grande affinité de leur protoplasma pour certaines couleurs d'aniline (par ex. le Dahlia), appartiennent à la même catégorie que les cellules plasmatiques. Le corps plasmatique des cellules conjonctives qui enveloppe le noyau peut contenir des granulations de matière colorante : il s'agit alors de cellules pigmentées. Les cellules pigmentées sont très répandues chez les animaux inférieurs ; chez l'homme on ne les trouve que dans certains endroits de la peau, et dans l'œil. D'autres cellules conjonctives peuvent contenir des gouttelettes de graisse ; quand ces gouttelettes sont grosses et se fusionnent elles donnent à la cellule un aspect sphérique ; c'est la *cellule graisseuse* (fig. 26). Dans ces cellules graisseuses le protoplasma forme seulement une bordure étroite, périphérique, dans laquelle se trouve le noyau fortement aplati.

Le noyau des cellules graisseuses bien développées et non atrophiées possède régulièrement une ou plusieurs vacuoles bien délimitées (fig. 27). La

Vue de face de cellules adipeuses, dont les noyaux présentent des vacuoles.

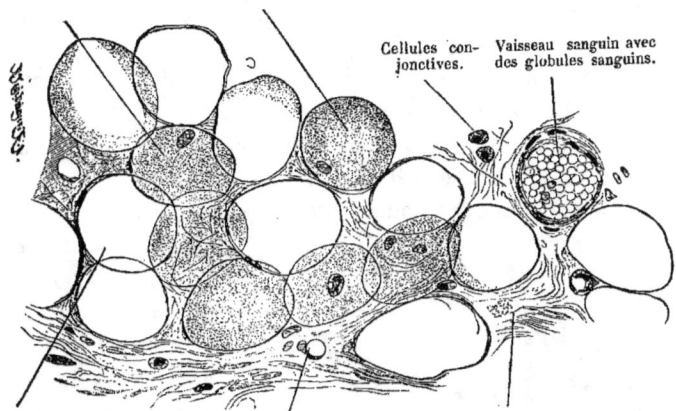

Cellules con-   Vaisseau sanguin avec
jonctives.   des globules sanguins.

Cellule adipeuse et son   Vaisseaux   Tissu conjonctif fibrillaire.
noyau, vu de côté.   capillaires.

Fig. 27.

Portion de tissu adipeux du cuir chevelu chez l'homme (Gross 240. **Technique n° 10**).

vacuole pénètre finalement dans l'intérieur de la cellule graisseuse, et une vacuole nouvelle se forme dans le noyau. La bordure protoplasmique est assez souvent tellement mince, qu'elle est presque invisible. La réunion de cellules graisseuses, de vaisseaux sanguins et lymphatiques et de nerfs constitue un tissu, *le tissu adipeux*, qui joue un rôle important au point de vue physiologique (échanges nutritifs).

Chez les individus fortement amaigris, la graisse, à quelques gouttelettes près, disparaît complètement des cellules ; et à sa place on voit apparaître un protoplasma pâle, mêlé à un liquide muqueux ; de sphérique qu'elle était, la cellule devient aplatie. Ce sont les cellules séro-adipeuses (fig. 28). Dans beaucoup de cellules adipeuses on trouve souvent après la mort des amas sphériques de cristaux aciculaires, en aiguilles, ce sont des cristaux de margarine.

Dans le tissu conjonctif, on trouve encore des leucocytes qui ne sont pas des cellules conjonctives, et qui proviennent des vaisseaux, ils sont désignés sous le nom de cellules migratrices, pour les

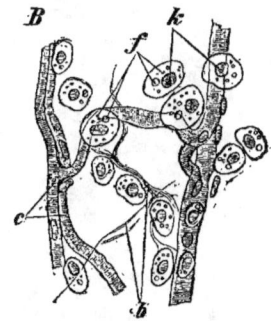

Fig. 28.

Cellules séro-adipeuses provenant du creux axillaire d'un individu ayant considérablement maigri (Gross. 240).— *k*. Noyau.— *f*. Gouttelette de graisse.— *c*. Capillaires sanguins.— *b*. Tissu conjonctif (**Technique n° 9**).

distinguer des cellules conjonctives qui sont fixes. Cette division n'est pas tout à fait rigoureuse, car dans certaines conditions (pathologiques) les cellules conjonctives peuvent également subir une migration (1); il serait préférable de désigner les leucocytes migrateurs sous le nom de cellules migratrices *hématogènes*, en opposition avec les cellules conjonctives migratrices *histiogènes*.

La quantité et la répartition des diverses variétés de cellules conjonctives sont soumises à de grandes oscillations.

Les divers éléments du tissu conjonctif fibrillaire s'unissent pour former soit des masses sans forme déterminée, *tissu conjonctif amorphe*, soit des masses ayant une forme déterminée, *tissu conjonctif figuré*.

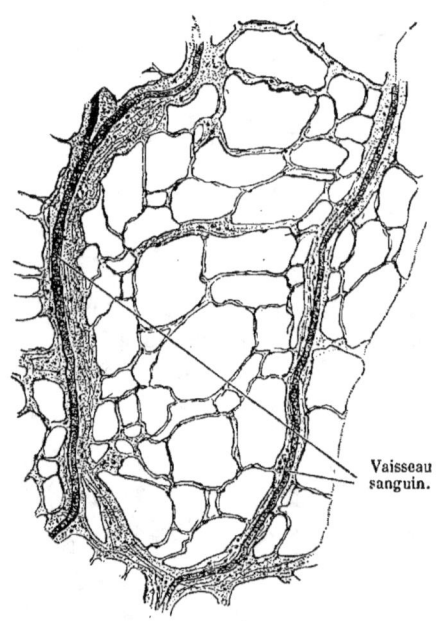

Vaisseau sanguin.

Fig. 29.

Tissu conjonctif figuré. Portion du grand épiploon de l'homme (Gross. 60. **Technique n° 15**).
La fig.29 est dessinée à un faible grossissement, la fig.30 à un fort.

Le tissu conjonctif amorphe se distingue par la laxité et la direction irrégulière des faisceaux, il sert de moyen d'union entre les organes voisins en même temps qu'il les sépare les uns des autres. C'est pour cela qu'on lui donne le nom de *tissu interstitiel*. Il n'est pas rare de rencontrer de la graisse dans les cellules de ce tissu conjonctif amorphe.

Le tissu conjonctif à forme définie se distingue par l'union plus intime et le trajet plus régulier de ses faisceaux. A cette variété appartiennent le derme, les membranes muqueuses, les séreuses, les enveloppes résistantes du système nerveux, des vaisseaux sanguins, de l'œil, d'un grand nombre de glandes, le périoste, le périchondre, les tendons, les aponévroses et les ligaments.

Là où le tissu conjonctif fibrillaire arrive en contact avec l'épithélium, il

(1) Les cellules épithéliales, et les cellules glandulaires peuvent également migrer dans les mêmes conditions; il ne faut pas pourtant les placer dans la même catégorie que les leucocytes.

se forme souvent une membrane amorphe décrite (1) comme une membrane fondamentale (membrane basale), comme une membrane propre et comme une membrane vitrée. Ce sont des modifications du tissu conjonctif.

c) Tissu conjonctif réticulé. — Les opinions émises sur la structure de ce tissu sont très variées ; c'est ainsi que certains auteurs n'y voient qu'un fin réseau constitué par les anastomoses des cellules étoilées.

C'est à cette conception que répond le nom de *cytogène* (2) donné à ce tissu, c'est-à-dire formé de cellules. Il n'est pas douteux que de tels réseaux cellulaires existent chez les animaux inférieurs, et dans les périodes embryonnaires chez les animaux supérieurs. Chez les vertébrés supérieurs les rapports changent ; le réseau (fig. 30) est formé par des faisceaux conjonctifs fins, auxquels seraient accolées des cellules plates et nucléées. Il est possible, en effet,

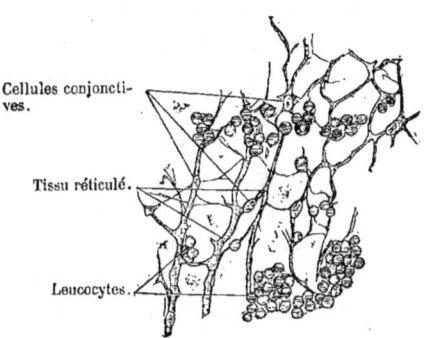

Cellules conjoncti-ves.

Tissu réticulé.

Leucocytes.

Fig. 30.

Tissu conjonctif réticulé. Coupe d'un ganglion lymphatique humain traité par le pinceau (Gross. 560. **Technique n° 53**).

à l'aide de méthodes compliquées, de mettre en évidence les contours des cellules plates sur les fibres mêmes, chose exceptionnelle dans le tissu conjonctif fibrillaire. D'ailleurs le fait que le tissu conjonctif fibrillaire peut se transformer chez l'adulte en tissu réticulé, ne peut être compris qu'en considérant ce dernier comme un réseau de fibres fines. Le tissu conjonctif réticulé n'est donc qu'une variété du tissu conjonctif fibrillaire. Les mailles du tissu conjonctif réticulé sont ordinairement remplies de leucocytes.

Le tissu conjonctif réticulé, rempli de leucocytes, se rencontre principalement dans les ganglions lymphatiques (ou mieux dans les nodules lymphatiques), c'est pour rappeler cette apparence glandulaire qu'on l'appelle aussi tissu adénoïde.

2. — Cartilage.

Le cartilage est résistant, élastique, se coupant facilement, de coloration

(1) Les membranes propres de beaucoup de glandes, par exemple des glandes salivaires, sont formées au contraire par des cellules aplaties, souvent étoilées, qui entourent les conduits glandulaires à la façon d'un panier.

(2) Le tissu conjonctif muqueux pourrait de cette façon être considéré comme tissu cytogène.

laiteuse ou jaunâtre ; il est constitué par des cellules et par une *substance fondamentale*. La forme des cellules est peu caractéristique. Les formes arrondies ou aplaties latéralement sont les plus communes. Elles siègent dans des excavations de la substance fondamentale, qu'elles remplissent complètement. Une capsule fortement réfringente, souvent concentriquement striée, entoure ces cellules ; c'est la *capsule des cellules cartilagineuses*. La substance fondamentale comprend les interstices qui séparent les cellules et les capsules cartilagineuses qui se confondent en une masse commune (1).

Les parties des capsules qui avoisinent les cellules cartilagineuses sont les plus jeunes ; elles n'ont pas une existence de longue durée ; quand la cellule se divise, elles sont résorbées. La substance fondamentale offre des aspects divers. Elle est soit libre de tout mélange fibrillaire, soit fibrillaire, soit traversée par des fibres élastiques, ou par du tissu conjonctif fibrillaire, ce qui permet de distinguer : *a*) le cartilage hyalin ; *b*) le cartilage élastique; *c*) le cartilage fibreux.

a) Le *cartilage hyalin* a la coloration légèrement bleuâtre du verre opale. On le rencontre dans l'appareil respiratoire, dans le nez, les côtes, les articulations ; il se trouve en outre dans les synchondroses, et chez l'embryon dans un certain nombre de points où il sera remplacé plus tard par du tissu osseux. Il est caractérisé par une substance fondamentale absolument *uniforme* (2). Celle-ci peut subir dans certains cas spéciaux des modifications particulières ; c'est ainsi que dans quelques points la substance fondamentale des cartilages du larynx et des côtes se transforme en fibres rigides. Cette transformation donne au cartilage un aspect brillant tout particulier, quand on l'examine à l'œil nu. Avec l'âge la substance fondamentale du cartilage hyalin s'incruste de sels calcaires, qui apparaissent d'abord sous la forme de petites granulations, pour prendre à la fin la disposition d'une capsule entourant complètement la cellule cartilagineuse.

Les cellules du cartilage hyalin présentent des formes très diverses, qui sont en rapport avec la croissance. C'est ainsi que dans une capsule cartilagineuse on peut voir deux cellules (fig. 31, *B*, *1*) représentant le résultat de la division indirecte d'une cellule primitive ; dans d'autres cas, les deux cellules

(1) On n'est pas encore fixé sur le point de savoir si les cavités sont réunies entre elles par un système canaliculaire creusé dans la substance fondamentale comme pour le tissu osseux ; cette opinion a été controversée. Les canalicules supposés seraient dus à la rétraction produite par l'alcool absolu ou l'éther sur le cartilage.

(2) A la suite de certains modes de préparation, en particulier après la digestion artificielle, cette substance est décomposée en faisceaux de fibres. Cette structure fibrillaire devient également évidente quand on pratique l'examen à la lumière polarisée. La substance hyaline est solide, très élastique et donne par la coction de la chondrine.

sont déjà séparées par une mince cloison de substance hyaline ; cette cloison d'ailleurs, ne tarde pas à devenir complète, chacune des deux cellules se divise à son tour, et l'on voit alors une seule capsule contenir des groupes de 4 à 8 et plus, de cellules cartilagineuses (fig. 31, *B*, *2*). Ces apparences s'expliquent par un mode de division spécial, la division endogène. Les cellules cartilagineuses des adultes contiennent fréquemment des gouttelettes graisseuses.

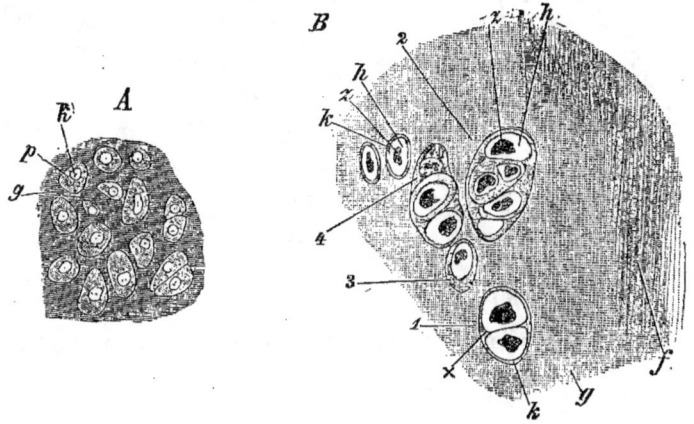

Fig. 31.

Cartilage hyalin (Gross. 240). — **A**. Appendice xyphoïde de la grenouille à l'état frais et vu de face.— *k*. Noyau. — *p*. Protoplasma de la cellule cartilagineuse, remplissant complètement la loge cartilagineuse. — *g*. Substance fondamentale hyaline (**Technique n° 16**).
B. *Coupe transversale d'un cartilage* costal de l'homme, enlevé plusieurs jours après la mort et examiné dans l'eau. Le protoplasma des cellules cartilagineuses *z* s'est détaché de la capsule cartilagineuse *h* ; le noyau de la cellule cartilagineuse n'est pas visible. — *1*. Deux cellules dans une seule capsule, *k*. — En X commence à se développer une cloison de séparation. — *2*. Cinq cellules entourées d'une seule capsule. La cellule la plus basse est tombée, de sorte qu'on voit la capsule vide. — *3*. Capsule cartilagineuse coupée obliquement; c'est pour cela que cette capsule paraît plus large d'un côté. — *4*. La capsule cartilagineuse est à peine coupée, on aperçoit la cellule par transparence. — *g*. Substance intermédiaire hyaline, enveloppée en *f* par des fibres solides (**Technique n₀ 17**).

b) Le *cartilage élastique* est d'une coloration légèrement jaunâtre. On ne le trouve que dans l'oreille, l'épiglotte, dans les cartilages de Wrisberg et Santorini, et dans les éminences vocales des cartilages aryténoïdes. La structure est la même que celle du cartilage hyalin, avec cette différence que la substance fondamentale est traversée de réseaux plus ou moins serrés, de fibres élastiques tantôt fines, tantôt assez volumineuses. Les fibres élastiques ne procèdent pas directement des cellules. C'est la substance fondamentale qui, en se transformant, leur donne naissance. Elles apparaissent d'abord au voisinage des cellules cartilagineuses sous forme de granulations ; plus tard les granulations se disposent en séries longitudinales et donnent naissance aux fibres (fig. 32).

Certains auteurs voient dans ces fibres élastiques le résultat d'une transformation du protoplasma cellulaire, d'autres vont même plus loin et les font provenir des noyaux.

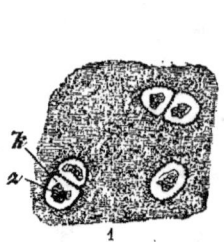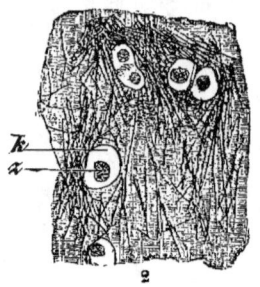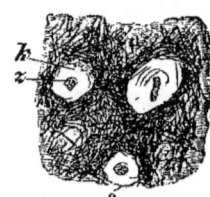

Fig. 32.

Cartilage élastique (Gross. 240).— *z*. Cellule cartilagineuse, le noyau n'est pas visible.— *k*. Capsule cartilagineuse. — **1**. Coupe de l'apophyse vocale d'un cartilage aryténoïde d'une femme de 30 ans. Substance élastique sous forme de grains.— **2 et 3**. Coupes de l'épiglotte d'une femme de 60 ans.— **2**. Réseau élastique fin.— **3**. Réseau élastique plus large (**Technique n° 18**).

c) Le *cartilage fibreux* se rencontre dans les disques intervertébraux, dans les sourcils glénoïdiens des articulations et dans les cartilages inter-articulai-

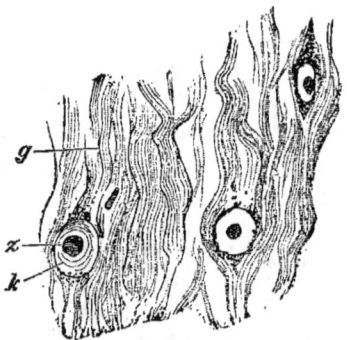

Fig. 33.

Coupe horizontale d'un ligament intervertébral de l'homme (Gross. 240). — *g*. Substance fondamentale conjonctive. — *z*. Cellule cartilagineuse; on ne distingue pas le noyau. — *k*. Capsule cartilagineuse entourée de grains calcaires (**Technique n° 19**).

res. La substance fondamentale de cette sorte de cartilage est constituée par des faisceaux fibreux lâches (fig. 33, *g*) affectant des directions très variées. Les cellules cartilagineuses en très petit nombre (*z*) et à parois épaisses sont disposées en petits groupes ou en traînées à des distances assez notables les unes des autres.

3. — Tissu osseux.

La substance fondamentale du tissu osseux est caractérisée par sa dureté, sa solidité, son élasticité, propriétés qui sont dues à un mélange intime de substances organiques et inorganiques (1).

Elle est composée de sels calcaires (de préférence le phosphate basique de chaux) et de fibrilles gélatineuses, réunies en faisceaux plus ou moins épais par l'intermédiaire d'une petite quantité de ciment. La substance fondamentale de l'os est tantôt finement fibrillaire (lamellaire), tantôt à grosses fibres

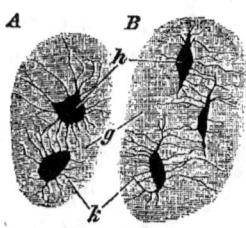

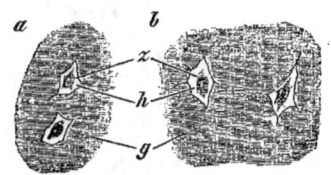

Fig. 34.

Fig. 35.

Os humain desséché et usé à la pierre (Gross. 560).— *h.*Cavités osseuses.A.vues de face.B.vues de profil.— *k.*Canalicules osseux. — *g.* Substance osseuse fondamentale (**Technique n° 60**).

a. Coupe de l'humérus d'un embryon humain de 4 mois. — *b.* Coupe de l'écaille du temporal d'un homme adulte (Gross.560).— *z.* Cellules osseuses siégeant dans les cavités osseuses.—*h.* Les canalicules osseux sont à peine visibles.— *g.* Substance fondamentale (**Technique n° 66**).

(en forme de réseaux) (2). Elle paraît homogène ou finement striée, et contient un grand nombre de cavités osseuses (autrefois *corpuscules osseux*) (fig. 34, *h*). Ces cavités communiquent entre elles par de fins et nombreux prolongements ramifiés, les canalicules osseux (*k*). Ainsi se trouve constitué tout un système de canalicules, qui traversent la substance fondamentale

(1) Le mélange des deux parties est tel qu'on peut les séparer sans détruire la structure du tissu. Par l'action des acides (voir décalcification, p. 15), on extrait les sels calcaires, le tissu devient ainsi mou, se coupant comme le cartilage ; l'os décalcifié est nommé à cause de cela *os cartilagineux*. On peut réciproquement se débarrasser des parties organiques par la calcination ; l'os ainsi traité est nommé *os calciné*. Les os fossiles sont également dépourvus de parties organiques (à cause de l'action prolongée de l'humidité).

(2) La substance fondamentale de l'os finement fibrillaire forme presque tout le squelette de l'adulte et se caractérise par des lamelles nettes (voir chap. *Système du squelette*) ; elle contient des fibres élastiques. La substance fondamentale de l'os à grosses fibres existe pendant la période fœtale dans les os périchondraux et dans les os secondaires (Voir chap. *Développement de l'os*), et se trouve chez l'adulte seulement dans les sutures, et au niveau des insertions des tendons ; on y trouve constamment des faisceaux conjonctifs en partie calcifiés, et en partie non calcifiés : ce sont les *fibres de Sharpey* qui se trouvent également dans la substance fondamentale osseuse finement fibrillaire, et notamment dans les lamelles fondamentales externes, et les voisines (Voir chap. *Système du squelette*).

dans toute son étendue. Les cavités osseuses contiennent les cellules osseuses nucléées (fig. 35, *z*) aplaties et de forme ovalaire.

On ignore si, chez l'adulte, ces cellules envoient des prolongements dans les canalicules osseux, si elles sont en connexité les unes avec les autres ; sur l'os embryonnaire la chose n'est pas douteuse (fig. 36).

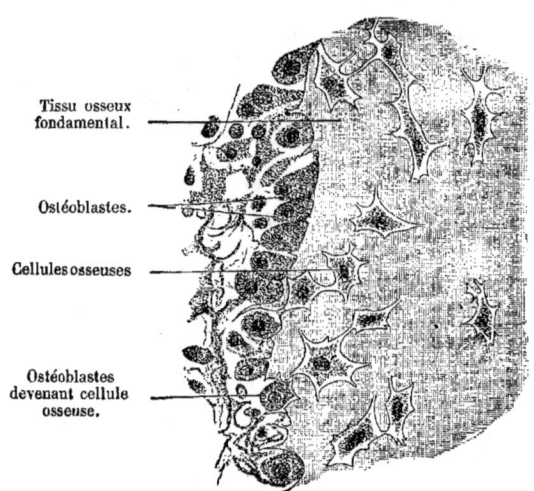

Tissu osseux fondamental.

Ostéoblastes.

Cellules osseuses

Ostéoblastes devenant cellule osseuse.

Fig. 36.

Fragment d'une coupe de la diaphyse humérale d'un embryon humain de 4 mois (Gross. 560. Technique n. 66).

Le tissu conjonctif fibrillaire, et le tissu cartilagineux peuvent se transformer directement en tissu osseux par la calcification de leur substance fondamentale et par la transformation soit des cellules de tissu conjonctif, soit des cellules cartilagineuses en cellules osseuses.

Ce processus est cependant rare ; le plus ordinairement le tissu osseux se forme de la façon suivante : dans la période embryonnaire, la substance fondamentale du tissu conjonctif ou du tissu cartilagineux se calcifie ; autour des cordons de la substance fondamentale calcifiée se déposent de nombreuses cellules conjonctives, jeunes, indifférentes encore, qui produisent la substance fondamentale osseuse, molle d'abord, et se calcifiant plus tard. Au début ces cellules, nommées ostéoblastes, se trouvent encore situées sur la substance fondamentale osseuse qu'elles forment, mais plus tard elles sont englobées et petit à petit les prolongements apparaissent et elles se transforment en cellules osseuses étoilées.

Le tissu dentaire est une modification du tissu osseux. Il se distingue de celui-ci au point de vue du développement ; les cellules qui lui donnent naissance, *les odontoblastes*, ne sont pas englobées par la substance fondamentale ; ce sont au contraire ces cellules qui envoient des prolongements dans son intérieur (Voir plus loin *les dents*).

VAISSEAUX SANGUINS, LYMPHATIQUES ET NERFS DU TISSU DE SOUTÈNEMENT. — Les organes formés par le tissu de soutènement sont en général pauvres en vaisseaux sanguins (1), lymphatiques et en nerfs. Le tissu de soutènement

(1) Le tissu adipeux fait exception.

joue cependant un rôle important comme milieu conducteur des liquides nutritifs passant des vaisseaux sanguins dans les tissus. Les sucs nutritifs circulent dans la substance fondamentale, soit dans toute la masse quand elle est molle (comme dans les tissus conjonctifs muqueux) ; ou bien quand la substance fondamentale est plus résistante, ils circulent dans un système spécial de conduits, le *système des canaux nutritifs*. Il se compose de lacunes plus grandes, *lacunes nutritives*, contenues entre les cellules et de canalicules de communication, *les canalicules nutritifs* (voir chapitre *Cornée*). Cette disposition se rencontre dans le tissu conjonctif figuré, plus résistant (1), et dans le tissu osseux. En ce qui concerne le cartilage hyalin, on ne sait pas encore exactement si la circulation du suc nutritif est diffuse ou se fait par des canaux creusés dans la substance fondamentale.

TECHNIQUE

Nᵒ 3. Tissu conjonctif gélatiniforme. — On prend le cordon ombilical d'un embryon humain de 2 à 4 mois, ou celui d'un embryon de porc de 3 à 6 cent. de longueur et on le plonge dans le liquide de Müller dans lequel il séjournera de 3 à 4 semaines. On le durcit ensuite dans environ 30 cent. cubes d'alcool progressivement renforcé. Le cordon sera encore assez mou. Pour y faire des coupes transversales il faudra donc l'inclure dans un fragment de foie, et le comprimer assez fortement pendant qu'on fera les coupes. Celles-ci seront colorées au picro-carmin (12 heures de séjour) ou à l'hématoxyline (cinq minutes de séjour). La préparation ainsi colorée sera examinée dans une goutte d'eau distillée (fig. 21) ; les fins prolongements cellulaires et les faisceaux conjonctifs ne sont pas visibles dans la glycérine ou dans le baume.

Les réseaux cellulaires ne se voient pas bien au voisinage des coupes des vaisseaux, on choisira donc pour l'examen de la préparation des points assez éloignés des vaisseaux. Plus l'embryon est âgé, plus le nombre des faisceaux conjonctifs est grand. Pour conserver les préparations on les montera dans la glycérine étendue d'eau.

Nᵒ 4. Tissu conjonctif fibrillaire, tissu conjonctif fasciculé. — Le tissu conjonctif intermusculaire, par exemple celui qui se trouve étalé en mince feuillet entre le grand dentelé et les intercostaux, est découpé en petites bandelettes de 1 à 2 cent. de longueur. On prend un de ces fragments que l'on dissocie légèrement à l'aide des aiguilles et on le transporte sur une lame sèche (Voy. demi-dessiccation nᵒ 30, *a*). On recouvre avec une lamelle après avoir ajouté une goutte d'une solution de chlorure de sodium. Sur cette préparation on voit les faisceaux conjonctifs pâles avec leur trajet si-

(1) Les canalicules nutritifs y existant se trouvent en communication directe avec la substance intercellulaire (ciment) du tissu épithélial, que nous devons considérer également comme traversée par le liquide nutritif.

nueux (fig. 22) ; avec un peu d'attention on y distingue les fibres élastiques à contours nets et à aspect brillant, et même en certains points favorables, le noyau des cellules conjonctives.

Nᵒ 5. Cellules du tissu conjonctif fibrillaire. — Pour voir apparaître ces cellules, il suffit d'ajouter à la préparation une goutte de picro-carmin (page 7). Dans la plupart des cas on n'apercevra que le noyau de la cellule coloré en rouge, surtout lorsque la cellule adhère dans toute son étendue au faisceau conjonctif (fig. 25, *A, 3*). Dans quelques cas rares on peut également voir le corps cellulaire pâle et de forme variée (fig. 25, *A, 1 et 2*).

Nᵒ 6. Mastzellen. — Des gros morceaux de muqueuse de 1-2 centimètres (par exemple de la cavité buccale, du pharynx, ou de l'intestin) sont fixés dans l'alcool absolu. Après 3-8 jours, on fait des coupes fines qu'on colore pendant 24 heures dans 10 cent. cubes de carmin aluné dahlia. Les coupes sont placées ensuite dans 10 cent. cubes d'alcool absolu qui est renouvelé pendant ce temps, une ou deux fois. Inclusion dans la résine Damar (page 25). Le protoplasma des *Mastzellen* montre alors des granulations colorées en bleu intense.

Nᵒ 7. Fibrilles. — On plonge un fragment tendineux de 2 centimètres de longueur dans 100 cent. cubes d'une solution aqueuse saturée d'acide picrique. Le lendemain on dissocie le tendon dans le sens longitudinal à l'aide de deux pinces. On enlève de l'intérieur du tendon un faisceau de 5 millimètres de longueur environ. On dissocie ce faisceau sur une lame sèche (voy. nᵒ 39, *a)*; on y ajoute une goutte d'eau distillée et on recouvre le tout d'une lamelle. A un fort grossissement, qu'il faut toujours employer, on voit les fibrilles sous la forme de filaments pâles et très fins.

Nᵒ 8. Cellules enveloppantes (fibres en spirale). — On prend à l'aide de ciseaux un centimètre carré environ de la lame conjonctive qui soustend le cercle artériel de Willis. On lave un instant dans un verre de montre rempli d'une solution de chlorure de sodium, et à l'aide d'aiguilles on porte sur une lame dans une goutte de la même solution et l'on recouvre d'une lamelle.

Déjà à un fort grossissement en dehors des nombreux capillaires sanguins et des faisceaux conjonctifs ordinaires, nettement limités, on voit d'autres faisceaux brillants, distincts du reste du tissu conjonctif ; un plus fort grossissement et l'emploi d'un diaphragme plus étroit permettent de reconnaître la nature fibrillaire de ces faisceaux. Si, après avoir mis l'un de ces faisceaux dans le champ du microscope, on insinue sous la lamelle quelques gouttes d'acide acétique, l'acide arrivant à son contact liquéfie pour ainsi dire le faisceau, la striation longitudinale disparaît et fait place à des noyaux allongés. Cette sorte de liquéfaction n'est pas régulière ; de distance en distance on voit des étranglements. Avec un éclairage faible, on distingue la fibre (prolongement cellulaire) qui donne naissance à l'étranglement (fig. 25, *B*). Pour mettre en évidence la cellule elle-même, il faut prendre du tissu provenant de jeunes enfants, et suivre d'ailleurs la technique que nous venons d'indiquer.

Nᵒ 9. Cellules du tissu fibreux. — On excise du creux axillaire d'un individu amaigri un petit fragment de cette graisse à apparence gélatineuse, d'un rouge jaunâtre ; on l'étale rapidement en couche très mince sur une lame sèche ; on ajoute aussitôt une goutte d'eau salée et l'on recouvre d'une lamelle. Là où la couche est très mince, on voit des images analogues à celles de la figure 28, *b* ; on peut colorer les cellules en mettant sur les bords de la lamelle une goutte de picro-carmin, et conserver dans la glycérine étendue d'eau. On peut prendre des cellules graisseuses dans un point quelconque de l'organisme et les examiner de la même façon. On peut en variant la mise au point se rendre compte de la forme sphérique des cellules (voy. fig. 26).

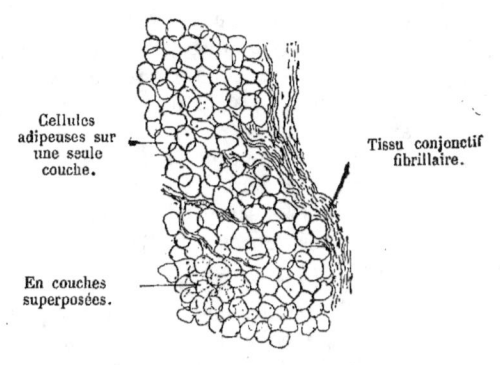

Cellules adipeuses sur une seule couche.

Tissu conjonctif fibrillaire.

En couches superposées.

Fig. 37.

Tissu adipeux sur une coupe du cuir chevelu de l'homme
(Gross. 50: **Technique nᵒ 167**).

Nᵒ 10. Tissu graisseux. — On voit du tissu graisseux dans beaucoup de préparations fixées de diverses façons ; dans les préparations de peau surtout (voy. fig. 227 et 232). Par l'action de l'alcool la graisse est dissoute, la masse des enveloppes vides offre alors un aspect difficile à comprendre pour le débutant (fig. 37).

Nᵒ 11. Fibres élastiques fines. — On fait la préparation indiquée au nᵒ 4 et l'on ajoute sous la lamelle une goutte d'acide acétique. Les faisceaux conjonctifs se gonflent jusqu'à devenir transparents : les fibres élastiques au contraire ne se modifient aucunement, et leurs contours ressortent nettement (fig. 23, *A*).

Nᵒ 12. Fibres élastiques plus volumineuses. — Un fragment de 1 cent. environ du ligament cervical postérieur du bœuf est dissocié dans une goutte d'eau salée (fig. 23, *B*). On peut colorer la préparation ainsi faite par le picro-carmin et monter ensuite dans la glycérine étendue d'eau.

Nᵒ 13. Coupes transversales de fibres élastiques volumineuses. — On laisse dessécher de 4 à 6 jours un fragment de ligament cervical postérieur de 10 cent. environ de longueur, et l'on traite comme il est indiqué au nᵒ 68.

Nᵒ 14. Membranes fenêtrées. — Un fragment de l'endocarde, de 5 mm. de côté environ, est porté sur une lame dans une goutte d'eau. On recouvre d'une lamelle et sur le bord de celle-ci on laisse tomber une à

deux gouttes de lessive de potasse. L'examen portera surtout sur les bords
de la préparation (fig. 24).

L'artère basilaire donne également de bonnes membranes fenêtrées ; on
excise environ un centimètre de l'artère ; on porte ce fragment sur la lame,
et d'un coup de ciseaux on l'ouvre longitudinalement. On y ajoute ensuite
une goutte d'eau, et l'on dissocie l'artère en fragments ténus à l'aide d'un
scalpel, ce qui est très facile. On recouvre d'une lamelle et on pose une goutte
de lessive de potasse. Les petits orifices de la membrane apparaissent comme
des noyaux brillants.

On reconnaît la membrane à son contour sombre, à un faible grossissement.
On peut conserver dans la résine Damar des membranes lavées d'abord
dans 10 cent. cubes d'eau pendant 5 minutes, et colorées de 12 à 20 minutes
dans 3 cent. cubes de rouge du Congo.

Nᵒ 15. Pour préparer les **mailles de tissu conjonctif**, on étale l'épiploon frais de l'homme dans une goutte de picro-carmin, et l'on conserve dans
la glycérine étendue d'eau et non acidifiée. Des fragments de mésentère fixés
par l'alcool absolu et colorés avec l'éosine et l'hématoxyline peuvent être conservés dans la résine Damar.

Nᵒ 16. **Cartilage hyalin.** — On excise l'appendice xyphoïde d'une
grenouille ; on porte cet appendice toujours très mince sur une lame sèche,
on recouvre d'une lamelle et on examine rapidement avec de forts grossissements. La cellule cartilagineuse remplit complètement la cavité cartilagineuse (fig. 31, *A*). Pour observer plus longtemps il faut ajouter une goutte
d'eau salée.

Nᵒ 17. **Cartilage hyalin des côtes.** — Sans autre préparation on fait
à sec avec un rasoir des coupes fines que l'on monte sur une lame dans une
goutte d'eau. On choisit de préférence les points du cartilage qui apparaissent
brillants à la coupe. Ces points contiennent des fibres rigides (fig. 31, *B*). Si
l'on veut conserver la préparation, il suffit d'ajouter une goutte de glycérine
étendue d'eau.

Quand on veut obtenir des préparations colorées, il ne faut pas prendre
du cartilage frais ; on le fixe au préalable dans la solution picriquée de Kleinenberg, dans le liquide de Müller et dans l'alcool, et on le colore finalement
avec l'hématoxyline de Hansen. Le montage dans la résine Damar éclaircit
trop la préparation et fait disparaître la finesse des détails.

Nᵒ 18. **Cartilage élastique.** — On prend un cartilage aryténoïde de
l'homme (mieux encore du bœuf) ; la teinte jaunâtre de l'éminence vocale
indique le point où se trouve le cartilage élastique. Il faut faire en sorte que
la limite du cartilage hyalin et du cartilage élastique soit prise dans la
coupe ; on examine les coupes dans l'eau. Pour conserver, voyez **nᵒ 17**. Le
développement des fibres élastiques peut souvent être étudié sur les cartilages des adultes, notamment sur le cartilage de l'épiglotte et les éminences
vocales des cartilages aryténoïdes (fig. 32, *1*).

Nᵒ 19. **Fibro-cartilage.** — Les disques intervertébraux d'un homme
adulte sont découpés en fragments de 1 à 2 cent. de côté. On les fixe

pendant 24 heures dans 100 cent. cubes de la solution picro-sulfurique de Kleinenberg et on les durcit ensuite dans 50 cent. cubes d'alcool progressivement renforcé. Après avoir séjourné pendant trois jours dans l'alcool à 90°, ils sont colorés *in toto* au carmin boraté, de nouveau durcis dans l'alcool et coupés ensuite. On monte dans le baume (fig. 33). Les coupes qui passent par les bords des disques donnent également du cartilage hyalin. Les coupes portant sur les parties centrales du disque montrent des groupes de cellules cartilagineuses.

III. — Tissu musculaire.

Les fibres musculaires affectent dans l'économie animale deux formes essentiellement différentes ; on distingue en effet des fibres musculaires striées et des fibres musculaires lisses. Les unes et les autres ont un corps cellulaire très allongé.

Fig. 38.

Deux cellules musculaires lisses provenant de l'intestin grêle de la grenouille, isolées par la solution de potasse à 35 0/0 (Gross. 240). Les noyaux ont perdu leur forme caractéristique sous l'influence de la potasse **(Technique n° 21, a).**

a) Les *fibres musculaires lisses* (fibres-cellules contractiles) (fig. 38) sont des cellules fusiformes, cylindriques ou bien légèrement aplaties, aux extrémités effilées. Leur longueur varie entre 45 μ et 225 μ, leur largeur entre 4 μ et 7 μ. On a trouvé dans l'utérus gravide des fibres musculaires lisses mesurant un demi-millimètre et même plus. Les fibres-cellules sont constituées par un protoplasma (1) homogène pourvu d'un noyau allongé en bâ-

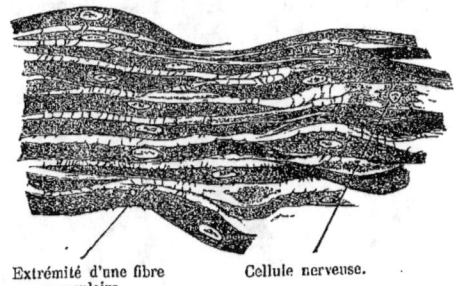

Extrémité d'une fibre   Cellule nerveuse.
musculaire.
Fig. 39.

Ponts intercellulaires des fibres musculaires lisses. Portion d'une coupe longitudinale de la couche circulaire de l'intestin grêle d'un cobaye (Gross. 420. **Technique n° 21, b).**

tonnet. Ce noyau est caractéristique de la fibre musculaire lisse. Les fibres-cellules sont intimement unies les unes aux autres et forment généralement des

(1) Quelques auteurs ont décrit une striation longitudinale de ce protoplasma. La fibre musculaire lisse serait donc constituée par des fibrilles. Chez les poissons et les amphibies, on a trouvé dans l'iris des fibres musculaires pigmentées.

enveloppes membraneuses. Tantôt elles forment une membrane à fibres parallèles comme dans l'intestin ; tantôt les faisceaux sont intriqués et entrecroisés comme dans la vessie et l'uté-
rus. Dans les gros vaisseaux la tunique
musculaire est comprise entre deux
tuniques conjonctives ; dans les capillaires au contraire, on ne rencontre
que la tunique musculaire formant un
réseau à mailles allongées. La même
disposition se rencontre sur les gros
vaisseaux lymphatiques.

On trouve le tissu musculaire lisse
dans le tube digestif, dans les voies
respiratoires, dans la vésicule biliaire,
dans les bassinets, uretère, vessie, dans
les organes génitaux, dans les vaisseaux
sanguins et lymphatiques, dans l'œil
et dans le tégument externe. Elles se
contractent lentement et ne sont pas
soumises à l'influence de la volonté.

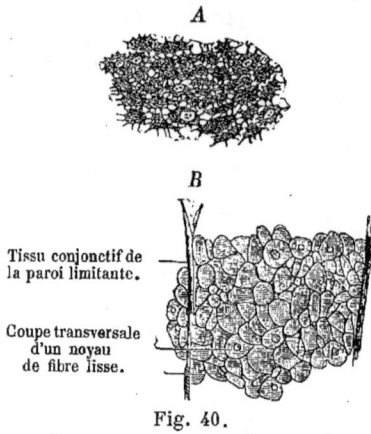

A

B

Tissu conjonctif de
la paroi limitante.

Coupe transversale
d'un noyau
de fibre lisse.

Fig. 40.

A. *Ponts intercellulaires.* Portion d'une coupe
transversale de la couche musculaire longitudinale du gros intestin du lapin (Gross. 600.
Technique n° 21, *b*).

B. *Coupe transversale de la couche circulaire
de l'intestin humain* (Gross. 560. **Technique
n° 108**).

Les *fibres musculaires du cœur* occupent une place à part. Elles sont striées,
il est vrai, mais de par leur développement et de par leur aspect microscopique, elles ne sont que des fibres-cellules contractiles modifiées. Chez les animaux inférieurs, les grenouilles par exemple, elles sont fusiformes, à noyau

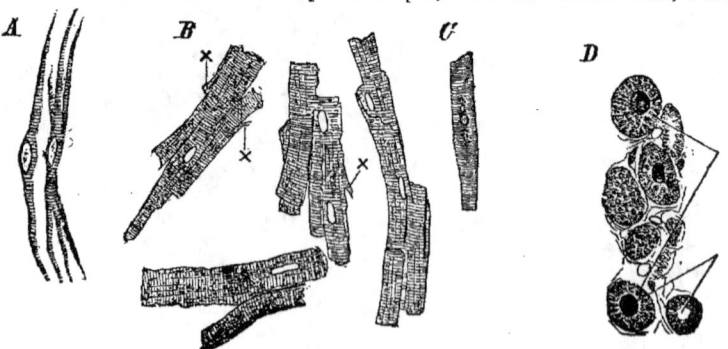

Fig. 41.

Fibres musculaires cardiaques isolées par la potasse (Gross. 240). — A. Cœur de grenouille. — B.
Cœur de lapin.— X. Ramifications transversales (**Tech. n° 25**).— C. Fibres vues sur une coupe longitudinale d'un muscle papillaire du cœur humain. Granulations graisseuses aux pôles du noyau (**Tech. n° 36**).

allongé, et à protoplasma strié surtout dans le sens transversal (fig. 41, A).
Chez les mammifères les fibres myocardiques affectent la forme de courts

cylindres se terminant souvent en forme de gradins (fig. 41, B). Le protoplasma de ces cellules s'est différencié en fines fibrilles transversales, entre lesquelles on retrouve des traces du protoplasma primitif non différencié. Cette disposition permet de reconnaître une striation longitudinale souvent très nette. Autour du noyau ovalaire, siégeant dans l'axe du sarcoplasme, on voit une couche de protoplasma homogène et souvent aussi des granulations graisseuses et pigmentaires. Les fibres myocardiques sont dépourvues de sarcolemme. Elles présentent en outre comme caractère différentiel, chez les animaux supérieurs notamment, leurs anastomoses obliques ou transversales (fig. 41, B).

b) *Fibres musculaires striées.* — La nature de cette sorte de fibres n'est prouvée que par l'embryogénie ; l'allongement extraordinaire qu'elles subissent, les divisions répétées de leur noyau, la différenciation particulière de leur protoplasma font que ces éléments cellulaires se présentent à nous comme des unités anatomiques d'une grande complexité. Elles affectent la forme de longues fibres cylindriques arrondies ou émoussées à leurs extrémités ; dans quelques cas ces fibres se ramifient (muscles de l'œil, de la langue, du tégument externe) (fig. 43, 4). Leur longueur varie entre 5 cent. 3 et 12 cent. 2 (1), leur épaisseur entre 15 et 20 μ. Les muscles de la face sont constitués par des fibres plus délicates que celles des muscles du tronc. Chez l'embryon toutes les fibres musculaires striées ont la même épaisseur ou à peu près. Après la naissance l'épaisseur varie avec la fonction du muscle ; l'état de nutrition peut chez l'adulte faire varier cette épaisseur du simple au triple. Au microscope la fibre musculaire striée présente alternativement des stries transversales foncées plus larges et des stries claires plus étroites. La substance des stries transversales foncées est biréfringente (*substance anisotrope*), celle des stries claires est uniréfringente (*isotrope*). A un plus fort grossissement chaque strie transversale se subdivise en stries secondaires de même direction ; c'est ainsi

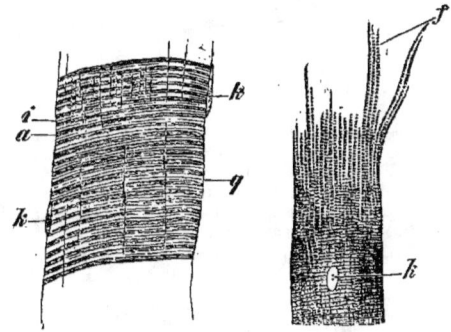

Fig. 42.

Fragment d'un faisceau musculaire humain. — a. strie anisotrope ; i. strie isotrope ; q. disque mince ; k. noyau (**Technique n° 21**, b).
Faisceau musculaire de la grenouille (Gross. **240**). Divisions en fibrilles f ; k. noyau (**Technique n° 24**).

(1) Il est probable que les fibres peuvent atteindre une plus grande longueur ; il est difficile pourtant de le démontrer, l'isolement sur toute leur longueur étant à peu près impossible.

que chaque strie isotrope présente une ligne transversale (fig. 42, *q*) et foncée (*disque mince*) au-dessous de laquelle on voit l'*espace clair*. Dans la strie foncée anisotrope, quelques auteurs ont pu observer une ligne transversale claire, *strie intermédiaire*. Les disques minces et la strie intermédiaire manquent souvent.

En dehors de cette striation transversale, les fibres musculaires striées présentent encore une striation longitudinale plus ou moins accusée. Certains réactifs (les solutions d'acide chromique par exemple) mettent en évidence cette dernière striation ; ils peuvent même déterminer la segmentation de la fibre musculaire dans le sens de la longueur, en fibres striées secondaires, décrites sous le nom de fibrilles. La fibrille striée représente l'état primitif de la fibre musculaire (1) ; pour former celle-ci les fibrilles s'unissent en s'accolant parallèlement les unes aux autres et constituent le faisceau

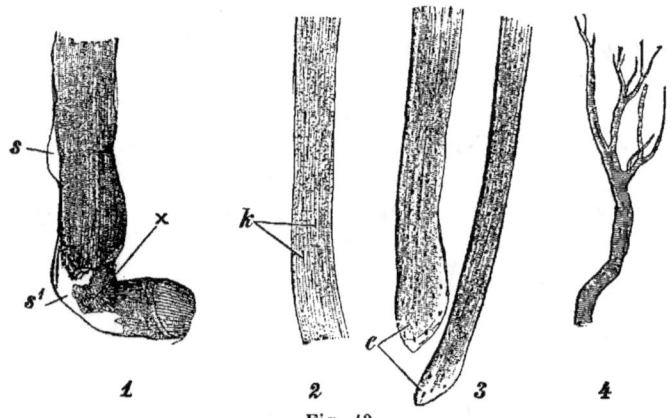

Fig. 43.

Fragments d'un faisceau de muscle strié de la grenouille (Gross. 50). — 1. Faisceau soumis à l'action de l'eau ; *s*. Sarcolemme. En *x* la substance musculaire a été brisée. La striation transversale n'est pas apparente, la striation longitudinale est au contraire très nette. — 2. Faisceau soumis à l'action de l'acide acétique ; *k*. Noyaux. La fine ponctuation correspond aux granulations interstitielles. — 3. Faisceau traité par la solution de potasse concentrée ; *e*. Extrémité arrondie d'un faisceau. Les nombreux noyaux sont gonflés, vésiculeux. Dans les figures 2 et 3, le grossissement ne permet pas de voir la striation transversale (**Technique n⁰ˢ 22, 23, 25**). — 4. Fibres musculaires ramifiées de la langue de la grenouille (**Technique n⁰ 26**).

fibrillaire primitif, la colonnette musculaire. Cette union est assurée par le sarcoplasme, qui les unit en même temps aux faisceaux fibrillaires avoisinants. Le *sarcoplasme* n'est que le restant du protoplasma cellulaire originel, qui ne s'est pas différencié en fibrilles. La disposition de cette enveloppe sar-

(1) Chez beaucoup d'animaux, sous l'influence de certains réactifs (acide acétique, acide chlorhydrique, etc.), la fibre musculaire au lieu de se décomposer en fibrilles se décompose en *disques*. Fibrilles et disques peuvent être encore réduits en disques plus petits anisotropes (sarcous elements), considérés par quelques auteurs comme les éléments primitifs de la fibre musculaire.

coplastique ne peut être étudiée que sur des coupes transversales. Elle apparaît aussi sous la forme d'un réseau transparent dont les mailles sont occupées par les coupes transversales des faisceaux primitifs. C'est l'apparence de ces derniers sur une coupe transversale qu'on désigne sous le nom de *champ de Cohnheim*. Le sarcoplasme renferme des amas granuleux (*granulations interstitielles*) et des noyaux. Ces noyaux sont de forme ovale à grand axe parallèle à la direction de la fibre musculaire. Chez les mammifères ces noyaux se trouvent à la surface de la fibre musculaire sous le *sarcolemme*, chez les autres vertébrés les noyaux sont dans la fibre musculaire elle-même.

Chaque fibre musculaire est enveloppée d'une gaîne homogène, le sarcolemme ; la fibre striée se compose ainsi de fibrilles, de sarcoplasme et de sarcolemme.

Les fibres musculaires striées se trouvent dans les muscles du tronc et des extrémités, dans les muscles de l'œil, de l'oreille, de la langue, du pharynx, de la moitié supérieure de l'œsophage, et dans presque tous les muscles du larynx, les organes génitaux et le rectum en possèdent également. Chez quelques animaux, le lapin par exemple, on distingue deux sortes de muscles striés : 1ᵒ les muscles rouges, le demi-tendineux, le soléaire par exemple ; 2ᵒ les muscles blancs, comme le grand adducteur. En présence de l'électricité, ces deux variétés de muscles striés se comportent différemment : les muscles rouges se contractent progressivement, les fibres blanches se contractent brusquement. Au microscope, la fibre rouge est d'une striation transversale moins régulière ; sa striation longitudinale est plus nette ; elle renferme en même temps un plus grand nombre de noyaux arrondis. Ces deux sortes de fibres striées se retrouvent également chez l'homme ; mais, au lieu d'être isolées, elles se trouvent intimement mélangées dans les mêmes muscles. La contraction des fibres striées, contrairement à celle des fibres lisses , est rapide et soumise à l'influence de la volonté. Pour former le tissu musculaire, les fibres striées sont réunies par du tissu conjonctif fibrillaire qui sert de passage pour les vaisseaux sanguins et des divisions nerveuses. Les vaisseaux lymphatiques sont peu nombreux dans les muscles striés.

TECHNIQUE

Nᵒ 21. Fibres musculaires striées. — *a) Muscles de la grenouille.* Du muscle adducteur d'une grenouille qu'on vient de tuer, on excise dans la direction des fibres un fragment de 1 cent. de long environ. On prélève un petit morceau sur la face interne de ce fragment et on le dissocie dans une goutte d'eau salée. On ajoute ensuite une seconde goutte d'eau salée et l'on recouvre d'une lamelle sans exercer la moindre pression. A un faible grossissement (50 diamètres) on aperçoit la forme cylindrique (fig. 43), l'épaisseur variable, et quelquefois la striation transversale des fibres musculai-res isolées. A un plus fort grossissement (240 diamètres) on voit nettement la striation, parfois aussi des noyaux pâles et des granulations brillantes. Les fibres musculaires qui contiennent un très grand nombre de granu-lations doivent être considérées comme pathologiques. Au niveau des points où les fibres musculaires ont été sectionnées transversalement, il n'est pas rare de voir la substance musculaire faire hernie à travers le sarcolemme sous forme de champignon.

b) Muscles de l'homme. J'ai trouvé une très belle striation transversale sur des muscles provenant de la salle de dissection (fig. 42,*1*). Les cadavres étaient injectés à l'acide phénique.

Veut-on conserver les préparations, on les colore au picro-carmin sous la lamelle (5 minutes environ), et on ajoute une ou deux gouttes de glycérine étendue d'eau.

N° 22. Sarcolemme. — On ajoute à la préparation faite suivant la tech-nique décrite **n° 21** quelques gouttes d'eau. Au bout de 2 à 5 minutes on voit à un faible grossissement (50 diamètres) le sarcolemme se détacher sous forme de vésicules transparentes (fig. 43,*5*) ; là où la substance musculaire déchirée se rétracte, le sarcolemme a une apparence finement striée.

N° 23. Noyaux. — On fait une préparation comme il est indiqué au **n° 21** *a*, et on ajoute ensuite une goutte d'acide acétique. Déjà à un faible grossissement on voit les noyaux ratatinés, mais à contour très net. Ils affec-tent la forme de minces tractus fusiformes (fig. 43, *2*).

N° 24. Fibrilles. — On prend un muscle frais de grenouille et on le met dans 20 cent. cubes d'une solution d'acide chromique à 0,1 pour cent.

Environ 24 heures après, en dissociant les fibres musculaires dans l'eau on peut voir leurs parties terminales se décomposer en fibrilles (fig. 42,*2*). Veut-on conserver la préparation, il suffit de placer le muscle dans de l'eau (une heure environ), ensuite dans 20 cent. cubes d'alcool à 33° pendant 10 à 20 heures. On dissocie et l'on remet le muscle ainsi dissocié dans l'alcool à 70°. Lorsque, après un séjour de plusieurs semaines dans l'alcool souvent renouvelé, les pièces ont perdu l'acide chromique dont elles étaient impré-gnées, on peut colorer au picro-carmin la préparation faite par dissociation et après coloration complète (dans une chambre humide) on monte dans la glycérine étendue d'eau.

N° 25. Terminaisons des fibres musculaires. — Le gastro-cnémien frais d'une grenouille est placé dans 20 cent. cubes de potasse concen-trée (recouvrir le vase). 30 ou 60 minutes après (plus, lorsque la température ambiante est basse) le muscle touché avec une baguette de verre, se décom-pose en fibres, sinon, c'est que la lessive est trop diluée. Un certain nombre de ces fibres sont portées sur la lame et examinées dans l'eau ou la glycérine ; car, en diluant ainsi la lessive, on ne tarderait pas à détruire les fibres mus-culaires. Le tout est recouvert d'une lamelle. A un faible grossissement on voit les extrémités des fibres musculaires et un grand nombre de noyaux bril-lants vésiculaires (fig. 43, *3*).

N° 26. Fibres musculaires ramifiées. — On prend une grenouille et après l'avoir tuée on lui excise la langue. On porte celle-ci dans 20 cent. cubes d'acide azotique pur auxquels on ajoute environ 5 grammes de chlorate de potasse (1). Une heure après on retire à l'aide de deux baguettes de verre la langue de cette solution et on la met dans 30 cent. cubes d'eau distillée qu'on renouvelle plusieurs fois. La langue peut rester dans l'eau pendant 8 jours, mais après 24 heures on peut déjà l'utiliser.

Pour faire la préparation, on transporte la langue dans un verre à expérience rempli à moitié d'eau et l'on agite vivement, pendant quelques minutes ; cette manœuvre désagrège complètement la langue.

On verse dans un verre de montre, et on laisse déposer. Du dépôt formé on prélève une parcelle qu'on examine dans une goutte d'eau. On peut isoler encore sur la lame, mais en général cette dissociation est superflue.

L'examen se fera à un faible grossissement. On colore au picro-carmin sous la lamelle et l'on monte dans la glycérine étendue d'eau.

N° 27. Fibres musculaires lisses. — Le meilleur mode de préparation consiste à prendre l'estomac ou l'intestin d'une grenouille qu'on vient de tuer, puis à mettre un fragment de ces organes dans 20 cent. cubes de lessive de potasse. On traite ensuite comme il a été indiqué **n° 25** (fig. 38).

IV. — Tissu nerveux.

Dans la première phase de la période embryonnaire le tissu nerveux est formé exclusivement par des cellules de forme arrondie nommées *neuroblastes*. Au cours du développement elles deviennent piriformes, la queue de la poire s'étire en un mince prolongement qui peut atteindre jusqu'à 1 mètre ; c'est le *prolongement nerveux*, qui se termine par des ramifications libres. Le corps de la cellule que nous pourrons dès à présent nommer *cellule nerveuse* peut donner naissance à d'autres prolongements qui sont courts cependant et qui se ramifient comme les branches d'un arbre ; ils portent le nom de *dendrites* ; les prolongements nerveux peuvent également pousser de fines ramifications latérales, des collatérales.

La cellule nerveuse et son prolongement forment ensemble une individualité, le neurone (neurodendron) ; les dendrites et les collatérales doivent être considérées comme des prolongements secondaires du neurone. Le prolongement nerveux peut rester nu sur tout son trajet, d'autres fois il se recouvre de diverses enveloppes.

1° Le névrilemme (gaîne de Schwann).

2° La gaîne de myéline (2).

(1) Il faut un excès de potasse. Avec 5 grammes il en reste au fond du vase non dissous.

(2) Le névrilemme est d'origine conjonctive, l'origine de la gaîne de myéline demande encore des recherches ; il est probable que le prolongement nerveux et les liquides nutritifs qui l'entourent jouent un certain rôle dans sa formation.

Toutes deux ne recouvrent pas le prolongement nerveux sur tout son trajet, il y a des endroits où il est nu (fig. 44, *a*), d'autres où il est recouvert du névrilemme (fig. 44, *b*), ou de la gaine de myéline seulement (fig. 44, *c*), il y a enfin des endroits où les deux enveloppes existent (fig. 44, *d*), la gaîne de myéline est dans ce dernier cas appliquée directement sur le prolongement nerveux cylindrique et elle est elle-même recouverte par le névrilemme.

Le prolongement nerveux occupe donc toujours l'axe longitudinal, et s'appelle à cause de cela *cylindre-axe*. Il n'est pas possible d'examiner le neurone dans son entier à cause de la longueur considérable du prolongement nerveux.

Nous n'avons souvent devant nous que des portions, soit la cellule nerveuse soit le prolongement nerveux. Ceci explique la division antérieure en cellules nerveuses et fibres nerveuses, ces dernières comprenaient les prolongements nerveux pourvus d'enveloppes. Il n'existe pas de fibres nerveuses séparées, chaque fibre n'est que le prolongement d'une cellule ganglionnaire; la connexion entre la fibre et la cellule étant interrompue la fibre meurt dans la direction centrifuge à partir de la section.

Pour des raisons pratiques nous conservons l'ancienne division en cellules nerveuses et fibres nerveuses.

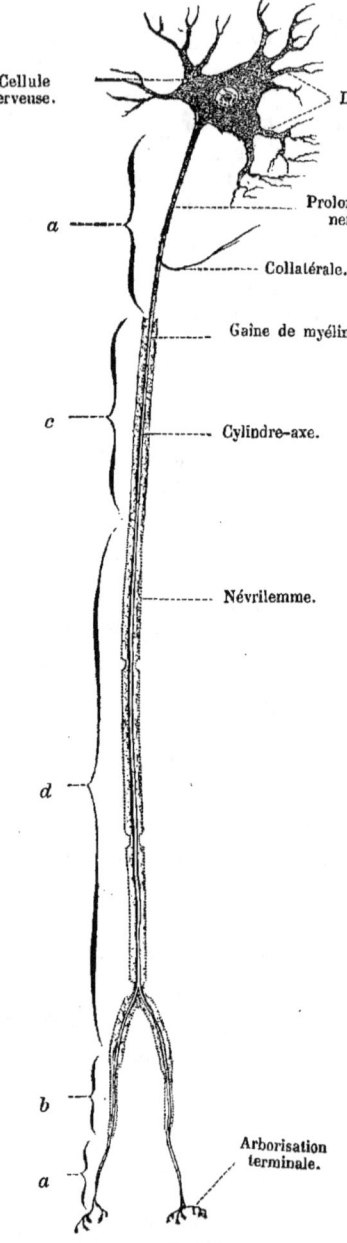

Cellule nerveuse.

Dendrites

Prolongement nerveux.

Collatérale.

Gaine de myéline.

Cylindre-axe.

Névrilemme.

Arborisation terminale.

Fig. 44.

Figure schématique d'un neurone.

A. — Cellules nerveuses.

Les cellules nerveuses (cellules ganglionnaires) se trouvent dans les ganglions, dans les organes des sens, sur le trajet des nerfs cérébro-spinaux et sympathiques, mais principalement dans le système nerveux central. Leurs dimensions (de 4 à 135 μ, et plus), leurs formes sont très variables. Il y a des cellules ganglionnaires sphériques ou fusiformes ; plus souvent elles sont étoilées, irrégulières, leur protoplasma émet plusieurs prolongements. Les cellules ganglionnaires à deux prolongements sont nommées bipolaires, celles à plusieurs prolongements, multipolaires (fig. 45) ; il y a aussi des cellules ganglionnaires unipolaires ; on les trouve dans le sympathique des amphibiens, et en général dans la muqueuse olfactive (fig. 274) ; elles n'ont qu'un seul prolongement. Les cellules nerveuses des ganglions spinaux sont en apparence unipolaires, elles sont bipolaires à l'époque de leur développement ; elles deviennent unipolaires parce que la partie de la cellule qui entoure les origines des deux prolongements s'allonge en un mince prolongement d'où partent deux ramifications qui forment un angle oblique ou droit.

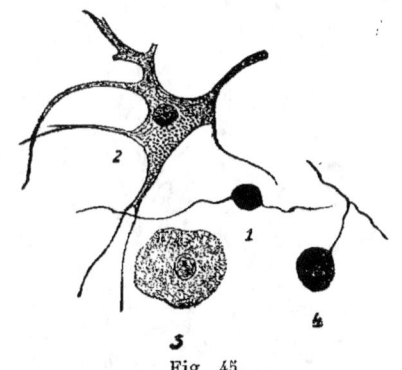

Fig. 45.

Formes diverses des cellules nerveuses (Gross. 240). — 1. Cellule bipolaire du ganglion acoustique d'un embryon de rat (**Technique n° 195**). — 2. Cellule multipolaire de la moelle de l'homme (**Technique n° 29**). — 3. Cellule du ganglion de Gasser de l'homme (**Technique n° 28**). — 4. Cellule en T d'un ganglion spinal d'un jeune rat (**Technique n° 75**).

On a ainsi des cellules avec des fibres en T ou en Y. Les cellules nerveuses apolaires, sans prolongements, sont des formes jeunes, ou des produits artificiels résultant de la déchirure des prolongements par la dissociation.

Chaque cellule nerveuse possède un protoplasma (1) granuleux ou finement strié contenant souvent des granulations de pigment jaune, et un noyau vésiculeux, pauvre en chromatine (fig. 45), qui renferme un nucléole. Ce noyau est caractéristique pour les cellules ganglionnaires. Il n'y a pas de membrane cellulaire.

(1) La structure fine du protoplasma varie suivant les différentes variétés des cellules nerveuses ; ainsi, les cellules motrices des cornes antérieures de la moelle possèdent en dehors du pigment une quantité de grumeaux colorables par des méthodes déterminées, lesquels s'étendent même jusque dans les premières portions des dendrites, et font défaut dans le prolongement nerveux. Le protoplasma des cellules ganglionnaires spinales montre des filaments minces, mélangés à des granulations.

Les prolongements des cellules nerveuses sont de deux ordres : on distingue — surtout aux cellules nerveuses multipolaires : — 1° un prolongement : le prolongement nerveux (cylindre-axe, Axon) (fig. 46) ; unique de son espèce (1) ; il émane le premier de la cellule nerveuse arrondie à l'origine ; et se caractérise par son aspect hyalin, ses bords nets ; il est *cellulifuge* ; — 2° des prolongements nombreux, les dendrites (prolongements protoplasmi-

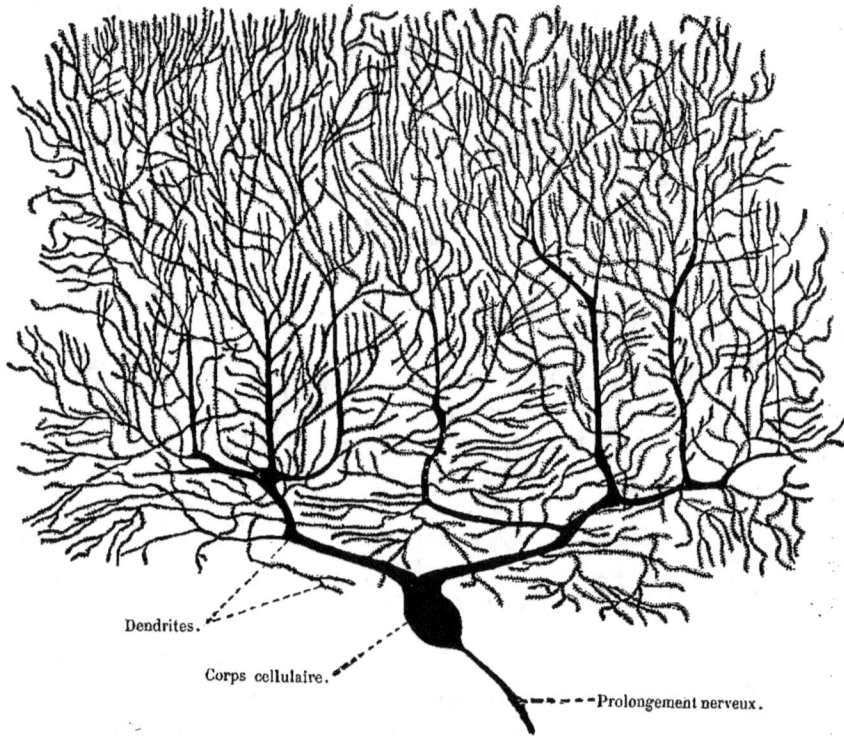

Dendrites.

Corps cellulaire.

Prolongement nerveux.

Fig. 46.
Cellules nerveuses (*Cellules de Purkinje*) prises sur une coupe de l'écorce du cervelet de l'homme (Gross. 180. **Technique n° 79**).

ques) (fig. 46) ; ils émergent de la cellule nerveuse plus tard, sont plus gros, granuleux, ou légèrement striés et souvent pourvus de renflements ; ils sont *cellulipètes*. Les dendrites se divisent et se subdivisent et finalement se

(1) Il existe des cellules nerveuses à plusieurs prolongements (les cellules de Cajal de l'écorce cérébrale). Dans les cellules ganglionnaires bipolaires, dont les deux prolongements nerveux deviennent les cylindres-axes de fibres nerveuses à myéline, le prolongement central allant vers le système nerveux central correspond au prolongement nerveux, tandis que le périphérique correspond à un dendrite. (Cette disposition se voit dans les cellules ganglionnaires spinales des vertébrés inférieurs et des embryons.)

terminent en un amas de fibrilles très fines ; il en résulte que le corps cellulaire subit un agrandissement énorme en surface ; sa faculté nutritive est
augmentée ainsi que la réceptivité du corps cellulaire pour les excitants nerveux, qui exercent leur action par les ramifications terminales des prolongements.

On peut distinguer deux variétés de cellules ganglionnaires d'après la façon
dont se comporte le prolongement nerveux. Tantôt le prolongement nerveux
est le cylindre-axe d'une fibre nerveuse à myéline, qui après un trajet long
souvent de quelques centimètres se termine en fines ramifications ; on nomme

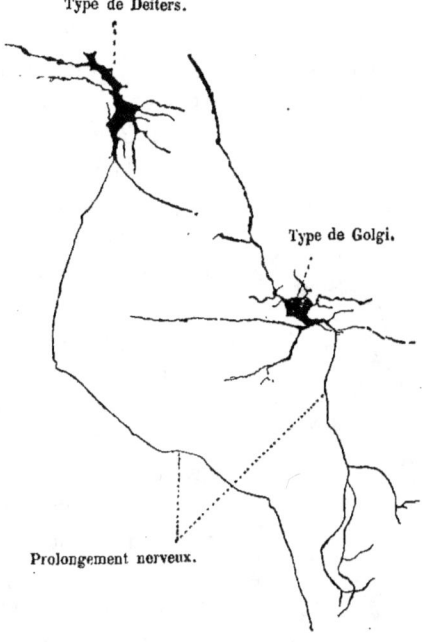

Type de Deiters.

Type de Golgi.

Prolongement nerveux.

Fig. 47.

Deux cellules nerveuses provenant de la moelle d'un embryon de poulet de 7 jours. — Le prolongement
nerveux de la cellule à gauche de la figure n'est pas représenté dans toute sa longueur (Gross. 200.
Technique n° 75).

ces cellules : cellules à prolongement nerveux long (Type de Deiters, fig. 47).
Ce prolongement nerveux donne dans son trajet un certain nombre de branches collatérales fines, se ramifiant à leur tour (*collatérales, paraxones*) ; assez
souvent on voit le prolongement nerveux se diviser en deux prolongements
égaux (voir moelle épinière, *cellules plurifuniculaires*) ; d'autres fois le
prolongement se résout dès le voisinage de la cellule, par division continue,
en un réseau nerveux : *cellules à prolongements nerveux courts* (Type de

Golgi, fig. 47 et 96). Tous les prolongements se terminent librement sans former d'anastomoses, la communication ne se fait que par contact. Il n'existe pas de réseau nerveux, mais simplement un feutrage épais, formé par les ramifications qui se pénètrent (*Neuripilum*) (1).

B. — Des fibres nerveuses.

Les fibres nerveuses sont de deux sortes, les *fibres à myéline* et les *fibres sans myéline* ; les unes et les autres se rencontrent également avec ou sans névrilemme : de là une subdivision :

1° FIBRES SANS MYÉLINE. — α) *sans névrilemme.*

Ces fibres ne se composent que d'un cylindre-axe, c'est-à-dire du simple prolongement nerveux ; on les trouve dans le nerf olfactif où elles sont réunies en faisceaux par du tissu conjonctif. On peut faire également rentrer dans cette catégorie beaucoup des fibres du sympathique (fibres de Remak) qui se présentent sous la forme de filaments transparents, striés longitudinalement, cylindriques ou aplatis, ayant de 3 à 7 μ de large. Ces fibres sont réunies en faisceaux ; quelques-unes isolées ont une enveloppe conjonctive incomplète formée de noyaux allongés ; cette enveloppe correspond à l'endonèvre.

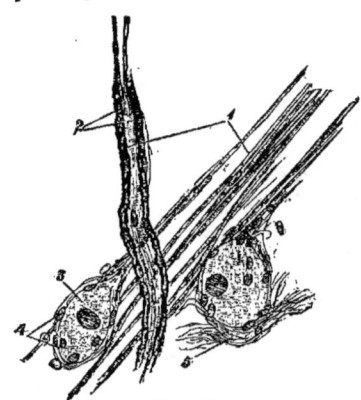

Fig. 48.

Dissociation du nerf sympathique du lapin (Gross. 240). — 1. Fibre sans myéline. — 2. Fibre mince à myéline. — 3. Cellules ganglionnaires; l'acide osmique a fait perdre au noyau son aspect caractéristique. — 4. Noyaux de l'enveloppe conjonctive. — 5. Faisceaux fins de tissu conjonctif. Le protoplasma qui entoure les noyaux des fibres nerveuses sans myéline n'est pas visible à ce grossissement (**Technique n° 35**).

Les fibres dont nous avons parlé jusqu'ici montrent la même structure dans toute leur étendue ; il en est d'autres qui n'offrent le cylindre-axe à nu que dans une partie de leur parcours. On trouve des fibres de ce genre à l'extrémité périphérique des nerfs sensitifs et moteurs. Le premier segment qui émane de la cellule nerveuse est aussi un simple cylindre-axe (Voy. fig. 44, a).

(1) Des recherches récentes mettraient en doute cette conception. Ainsi dans la rétine, et dans l'organe électrique de la torpille on a décrit de vrais réseaux formés par les prolongements de plusieurs cellules nerveuses ; Thanhofer nous a montré des préparations où l'on voyait nettement de fines anastomoses entre les cellules nerveuses de la moelle. Si nous parlons donc dans ce qui suit de réseaux et de feutrages nerveux, il faudra les comprendre en ce sens que des fibres nerveuses isolées se détachent des faisceaux nerveux, et s'unissent à d'autres faisceaux. Il n'existe nulle part de communication directe d'une fibre nerveuse avec une autre.

β) *avec névrilemme.*

Les fibres composées d'un cylindre-axe et d'un névrilemme dans toute leur étendue se rencontrent chez beaucoup d'invertébrés et chez les cyclostomes. Ce n'est qu'exceptionnellement que l'on en trouve dans les nerfs cérébro-spinaux (V. fig. 44, *b*).

2. — FIBRES NERVEUSES A MYÉLINE.

Les fibres nerveuses qui appartiennent à cette catégorie, ne présentent pas une gaine de myéline continue. Celle-ci ne recouvre jamais qu'une portion du cylindre-axe. On distingue également des fibres nerveuses à myéline sans et avec névrilemme.

α) *Fibres sans névrilemme.*

Ces fibres composées du cylindre-axe et de la gaine de myéline (fig. 44, *c*) existent seulement dans le système nerveux central.

β) *Fibres avec névrilemme.*

Celles-ci se trouvent dans les troncs et les branches des nerfs cérébro-spinaux ainsi que dans le sympathique ; elles ont une épaisseur variant de 1 à 20 μ. L'épaisseur d'une fibre nerveuse ne permet pas de conclure à son rôle sensitif ou moteur ; en revanche il est établi que les fibres sont d'autant plus épaisses que leur trajet est plus long. La division des fibres nerveuses a lieu : 1° dans tout le système nerveux central ; là on voit surtout dans la substance blanche des branches latérales, les collatérales se détacher sous un angle droit ; 2° dans le système nerveux périphérique, un peu avant la terminaison de la fibre nerveuse (fig. 44). Les fibres nerveuses à myéline ont une durée de vie limitée. Elles dégénèrent par la transformation lente de la myéline et du cylindre-axe en une masse granuleuse, riche en noyaux ; la gaine de myéline et le cylindre-axe se reproduisent dans cette masse, ce dernier probablement par bourgeonnement du prolongement du cylindre-axe.

Examinons maintenant les trois parties constitutives des fibres nerveuses au point de vue de leur structure fine et de leurs caractères particuliers.

1° *Le cylindre-axe*, la partie la plus importante de chaque fibre nerveuse, montre parfois une fine striation longitudinale qui indique une composition fibrillaire. Chaque fibrille représente une voie de conductibilité particulière et se trouve unie aux fibrilles voisines par une petite quantité de substance intermédiaire finement granuleuse, le neuroplasme.

2° *La gaine de myéline* se compose d'une substance de nature graisseuse molle, fortement réfringente, *la myéline* ; elle donne aux fibres nerveuses à myéline à l'état frais, l'apparence de filaments cylindriques uniformes,

mais dont la composition ne peut être déterminée que par l'emploi des réactifs. Dans des conditions favorables d'observation, on voit que la gaine de
myéline n'est pas continue, mais divisée en portions irrégulières par des incisures obliques (les incisures de Lantermann) (1) ; elle est partagée en segments (*cylindro-coniques*) (fig. 49, *9*), réunis les uns aux autres par du
ciment. La myéline, complètement homogène à l'état vivant, subit après la
mort sous l'influence de divers réactifs une transformation partielle ; la fibre
nerveuse prend d'abord un double contour (2), et plus tard la myéline se
met en boules (fig. 49, *10*).

La gaine de myéline manque dans certains endroits déterminés étranglés en
anneau, de telle sorte qu'à ce niveau le névrilemme et le cylindre-axe se tou-

Gaine   Noyau
Cylindre-axe.   de myéline.   Cylindre-axe.   de névrilemme.

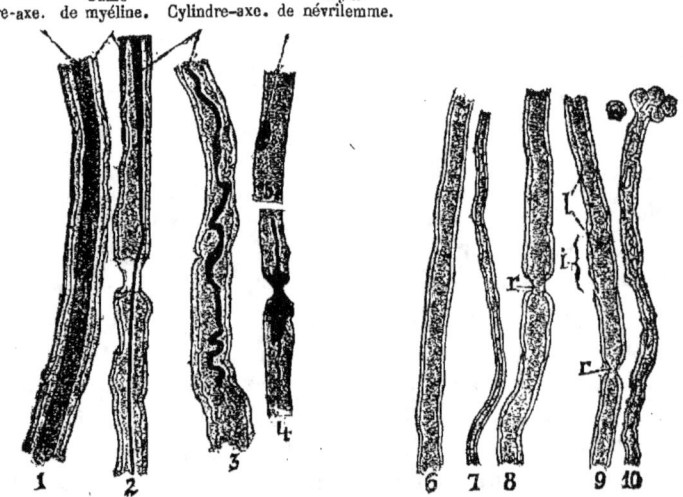

Fig. 49.

Fibres nerveuses à myéline du N.sciatique de la grenouille (Gross.280).— 1. Fibre normale.— 2. Rétractée.— 3.Cylindre-axe ondulé.— 4. Etranglement.— 5. Névrilemme avec noyau (**Technique n° 32**).
— 6, 7, 8 et 9. Gaines de myéline fraîche.— 10. Gaines de myéline altérées par la mort. *r*. Etranglement.
l. Incisures de Lantermann. *i*. Segment cylindro-conique (**Technique n° 30, a**).

chent. Ces portions portent le nom d'étranglements (fig. 49), ils représentent
les endroits par lesquels les liquides nutritifs arrivent au cylindre-axe. Le cylindre-axe est souvent pourvu au voisinage de l'étranglement d'un renforce-
ment biconique (fig. 51) qui est dû à une accumulation de neuroplasma.
L'action du nitrate d'argent détermine l'accumulation du ciment au niveau
des étranglements (fig. 50, *r*), ainsi qu'une striation (fig. 50) transversale

(1) Elles ont été considérées par Kölliker comme des artifices de préparation.
(2) D'où l'ancienne dénomination : fibres nerveuses à double contour.

nette des parties avoisinant le cylindre-axe (1). Chaque fibre nerveuse périphérique à myéline est pourvue d'étranglements, lesquels sont espacés de 0,08 sur les plus fines et de plus de 1 millimètre sur les plus épaisses ; ils divisent les fibres nerveuses en segments interannulaires.

3° *Le névrilemme* (gaine de Schwann) est une membrane fine, anhiste, dont la surface interne présente des noyaux ovoïdes, entourés d'une très petite quantité de protoplasma (fig. 49, 5).

Les deux éléments nerveux, cellules et fibres, sont réunis pour former le tissu nerveux périphérique et leur union est assurée par du tissu conjonctif qui contient les ramifications des vaisseaux sanguins. Dans le système nerveux central l'union est assurée non seulement par le tissu conjonctif mais par un ciment nerveux spécial, la névroglie.

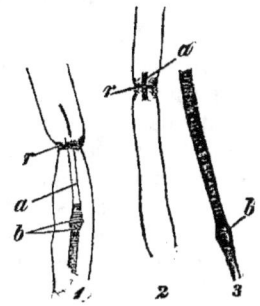

Fig. 50.

Fibres à myéline de la grenouille après l'action du nitrate d'argent (Gross. 560). — I. Étranglement annulaire. *a*. Cylindre-axe, noirci seulement sur un court trajet. *b*. Renflement biconique ; pendant la dissociation le cylindre-axe a glissé. — 2. *a*. Cylindre-axe en place, noirci seulement sur un court trajet. Par cette méthode la myéline n'est pas visible. — 3. Cylindre-axe dont on ne voit pas la gaine (**Techn. nᵒ 34**).

TECHNIQUE

Nᵒ 28. Cellules ganglionnaires (préparation fraîche). — Un fragment du ganglion de Gasser est dissocié dans une goutte d'eau salée, on colore au picro-carmin sous la lamelle pendant deux minutes ; les prolongements des cellules se brisent le plus souvent.

Le même procédé peut servir à la préparation des cellules nerveuses de l'écorce cérébrale et cérébelleuse ; mais les prolongements se détruisent ainsi facilement.

Nᵒ 29. Cellules nerveuses multipolaires de la moelle épinière. — On isole aux ciseaux aussi bien que possible la substance grise de la substance blanche d'une moelle épinière fraîche (veau ou bœuf) ; la substance grise ainsi isolée est divisée en fragments de 1 à 2 centimètres de long ; on place ces fragments dans 30 cent. cubes d'alcool au 1/3. Après un séjour de 36 à 48 heures on met les fragments 24 heures dans 20 cent. cubes d'une solution étendue de carmin neutre. Les fragments sont très mous ; à l'aide d'une spatule on les porte dans 50 cent. cubes d'eau distillée qui enlève une partie de la couleur. Au bout de 10 minutes on étale à l'aide d'une aiguille une mince couche de la substance sur une lame bien sèche. On peut déjà reconnaître avec un peu d'habitude les cellules nerveuses à leur noyau coloré en rouge vif ; le protoplasma cellulaire et les prolongements ne sont pas encore visibles, on laisse dessécher complètement la coupe, et l'on monte dans le baume (fig. 45, 2).

(1) Il s'agit là d'un produit artificiel de préparation ; en ce qui concerne sa signification voir p. 22.

Nᵒ 30. Fibres nerveuses à myéline à l'état frais. — Le sciatique d'une grenouille qu'on vient de tuer est mis à nu, et on excise au niveau de la région poplitée 1 centimètre environ avec de fins ciseaux et l'on dissocie dans une goutte d'eau salée.

Nᵒ 30, *a*. — Il vaut mieux dissocier sur la lame sèche sans rien ajouter, le nerf étant en demi-dessiccation.

En fixant avec une aiguille une des extrémités et en tiraillant, on voit une petite membrane brillante se tendre entre les faisceaux nerveux séparés sur la moitié de leur longueur ; on ajoute ensuite une goutte d'eau salée et on recouvre d'une lamelle. La petite membrane contient un grand nombre de fibres nerveuses suffisamment isolées, la manipulation doit être rapide (15 secondes environ) pour que les fibres nerveuses n'aient que le temps de se dessécher. On s'arrêtera dès que quelques faisceaux seront isolés (voy. résultat fig. 49, *6*, *7*, *8*, *9*).

Nᵒ 31. Modifications de la gaine de myéline. — On ajoute à la préparation, faite comme il est dit au **nᵒ 30**, *a*, une goutte d'eau qu'on dépose sur le bord de la lamelle ; les gouttes de myéline se forment déjà une minute après (fig. 49, *10*).

Nᵒ 32. Cylindre-axe. — On dissocie à sec comme il est dit au **nᵒ 30** et l'on colore au bleu de méthyle ; les étranglements se colorent d'abord, et d'une façon tellement intense qu'à leur niveau on ne reconnaît plus le cylindre-axe (fig. 49, *4*).

Beaucoup de cylindres-axes se ratatinent et disparaissent au milieu de la myéline. Après l'addition de glycérine, la myéline n'est plus reconnaissable, par contre les noyaux de névrilemme deviennent très apparents. Si l'on veut conserver dans la résine Damar, on lave dans la solution ammoniacale pendant 18 heures, on rince soigneusement à l'eau et on laisse sécher les préparations dans un endroit obscur. On monte directement dans la résine Damar.

Nᵒ 33. Préparation du cylindre-axe avec l'acide chromique. — On met à nu en le touchant le moins possible le nerf sciatique d'un lapin qu'on vient de sacrifier. On passe délicatement sous le nerf parallèlement à sa longueur une aiguille de bois, puis aux deux extrémités de l'aiguille on fait une ligature comprenant le nerf et l'aiguille ; on sectionne au delà des ligatures et l'on met le tout dans 100 cent. cubes d'une solution à 0,01 0/0 d'acide chromique.

Après 24 heures on enlève les ligatures et on découpe le nerf en fragments de 1/2 à 1 centimètre, et on le divise de façon à obtenir des faisceaux, pas des fibres. Les faisceaux sont mis à nouveau dans l'acide chromique et on les y laisse encore 24 heures. On lave 2 à 3 heures dans 50 cent. cubes d'eau distillée et on durcit dans 30 cent. cubes d'alcool progressivement renforcé. Il est bon de laisser les pièces dans l'alcool à 90° assez longtemps, de 1 à 8 semaines, la coloration est plus facile. Après durcissement les faisceaux sont dissociés aussi complètement que possible dans une goutte de picro-carmin et la coloration est suffisante au bout d'un temps variable de une demi-journée à 3 jours suivant la longueur du séjour des pièces dans l'alcool. La coloration se fait bien entendu à la chambre humide ; pour conserver les préparations il suffit d'ajouter un peu de glycérine acidifiée. Les étranglements ne sont pas aussi apparents que sur les nerfs préparés à l'état frais à l'acide osmique. Une fine strie transversale permet seule de les distinguer (fig. 51). Les noyaux et le cylindre-axe un peu ratatinés sont d'un beau rouge. Souvent il arrive que le cylindre-axe se déplace dans la gaine de myéline et le renflement biconique ne se trouve plus au niveau de l'étranglement mais au-dessus ou au-dessous de lui.

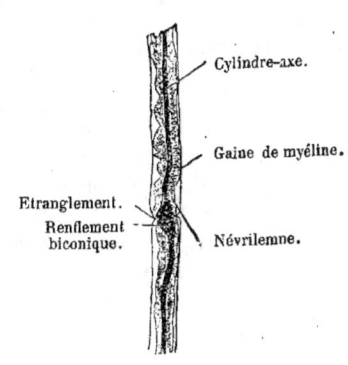

Fig. 51.

Fibre nerveuse du lapin (Gross. 500).

N° 34. Anneaux d'étranglement et cylindre-axe. — On prend 10 cent. cubes d'une solution de nitrate d'argent à 1 0/0 et on les mélange à 20 cent. cubes d'eau distillée ; on tue ensuite une grenouille à laquelle on ouvre la cavité abdominale à l'aide d'une incision cruciale ; on enlève les viscères pour mettre en évidence les nerfs qui descendent le long de la colonne vertébrale ; la cavité abdominale est ensuite lavée à l'eau distillée, et une fois l'eau écoulée on verse sur les nerfs un tiers environ de la solution de nitrate d'argent indiquée plus haut ; deux minutes après on excise avec attention ces petits nerfs et on les plonge pendant une demi-heure environ dans le reste de la solution de nitrate, puis on les met dans 10 cent. cubes environ d'eau distillée dans laquelle ils peuvent séjourner de 1 à 24 heures.

Vient-on à examiner le nerf dans une goutte d'eau, on reconnaît à un faible grossissement la petite membrane formée de cellules plates et un grand nombres de cellules pigmentaires ; souvent le nerf est accompagné d'un vaisseau sanguin. Le nerf est ensuite dissocié, puis recouvert d'une lamelle et l'on dépose sur le bord de celle-ci une petite goutte de glycérine diluée. A un fort grossissement on ne voit tout d'abord que très peu de chose des étranglements annulaires et des cylindres-axes ; mais laisse-t-on la préparation exposée pendant quelques heures à la lumière du jour (quelques minutes seulement à la lumière solaire), on voit ces parties se noircir. Il sera difficile au débutant de voir, de prime abord, les renflements biconiques que la dissociation a souvent éloignés de l'étranglement annulaire ; avec un peu d'habitude on voit facilement des images comme celle de la figure 50.

N° 35. Fibres nerveuses sans myéline. — On prend le pneumogastrique d'un lapin qu'on dissocie à sec (n° 30, *a*) et on ajoute ensuite quelques gouttes d'une solution d'acide osmique à 1 0/0 ; les fibres nerveuses à myéline deviendront noires au bout de 5 à 10 minutes ; on s'en assure à l'aide d'un faible grossissement. On laisse ensuite l'acide osmique s'écouler et on le remplace par quelques gouttes d'eau distillée qu'on rechange 5 minutes après. Ce temps passé on enlève l'eau, on ajoute quelques gouttes de picro-carmin, on recouvre la préparation d'une lamelle et on la porte pendant 24 à 48 heures dans la chambre humide ; ce temps une fois écoulé, le picro-carmin est chassé par quelques gouttes de glycérine acide (1).

A un fort grossissement, on voit les fibres à myéline colorées en noir bleuâtre, tandis que celles sans myéline sont d'un gris pâle, finement striées longitudinalement. Le sympathique, lorsqu'il subit les mêmes manipulations, fournit un plus grand nombre de fibres nerveuses, mais ce nerf est très difficile à trouver. Cependant en excisant la grande corne de l'os hyoïde et en excisant l'hypoglosse qu'on rejette de côté, on aperçoit, derrière le vague, le nerf sympathique reconnaissable à son ganglion cervical, supérieur, translucide, jaunâtre, ovalaire, mesurant de 3 à 4 millimètres. Vient-on à dissocier la portion qui se trouve immédiatement sous le ganglion, on obtient un grand nombre de cellules nerveuses à deux noyaux (2) ; il est très difficile d'isoler ces cellules de manière à voir nettement les prolongements qui en partent (fig. 48).

(1) On peut dissocier de nouveau après coloration complète, et ceci est d'autant plus facile que les éléments sont très visibles.

(2) Dans la figure 48 on voit par un hasard de préparation la forme la plus rare de cellules nerveuses, celles qui n'ont qu'un noyau.

II. ANATOMIE MICROSCOPIQUE DES ORGANES

A. — ORGANES DE LA CIRCULATION

1. — Système vasculaire sanguin.

Les vaisseaux sanguins sont constitués par du tissu conjonctif, des fibres élastiques et des fibres musculaires lisses ; ces éléments sont associés et combinés de façons très diverses, et disposés par couches. En général une certaine ordination préside à la disposition des éléments dans les différentes couches. Dans la couche externe et dans la couche interne, ils ont une direction longitudinale, dans la couche moyenne ils sont circulaires. Il faut faire une exception pour le cœur dont la structure est complexe, et pour les capillaires dont la structure se distingue au contraire par sa simplicité.

a) Cœur.

La paroi cardiaque comprend trois couches : 1° l'endocarde, 2° la couche musculaire, extrêmement développée, 3° l'épicarde, c'est-à-dire la couche viscérale du péricarde.

1° *Endocarde*. — L'endocarde est une membrane conjonctive qui renferme des fibres musculaires lisses et qui se distingue par sa grande richesse en fibres élastiques ; celles-ci sont surtout développées dans les oreillettes, elles y forment soit des réseaux très denses, soit même une véritable membrane fenêtrée (fig. 24). La face qui regarde la cavité cardiaque est tapissée d'une simple couche de cellules épithéliales, polygonales, irrégulières.

2° *Les fibres musculaires du cœur*, dont la structure a été décrite plus haut, sont entourées d'un fin périmysium ; elles sont unies entre elles par de nombreuses ramifications transversales ou obliques (fig. 41).

Le trajet de ces fibres musculaires est très compliqué. Le système musculaire des oreillettes est complètement indépendant de celui des ventricules. On distingue dans les oreillettes une couche externe commune, transversale, une couche interne propre à chaque oreillette (notamment à l'oreillette droite), celle-ci est longitudinale et porte le nom de *muscle pectiné*. On trouve en outre un grand nombre de petits faisceaux musculaires dirigés en différents sens.

Le système musculaire des ventricules est beaucoup plus compliqué encore. Les faisceaux qui le constituent affectent des directions variées, souvent en forme de huit. Le périmysium des oreillettes est riche en fibres élastiques qui s'anastomosent avec celles de l'endocarde et du péricarde. Dans la cloison auriculo-ventriculaire, on rencontre des zones tendineuses rigides

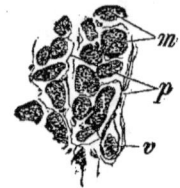

qui portent le nom d'*anneaux fibreux*. L'anneau droit est plus fort que le gauche. Des zones analogues, mais moins développées, se trouvent au niveau des orifices artériels des ventricules ; elles donnent insertion à un grand nombre de fibres musculaires.

Fig. 52.

Fragment d'une cou-
pe transversale d'un
muscle papillaire de
l'homme (Gross.240).—
m. Coupe ſtransversale
des fibres musculaires.
Le noyau est visible
sur deux fibres. — p.
Périmysium avec des
noyaux petits et faible-
ment colorés.—v.Vais-
seau sanguin (Tech-
nique nº 62).

3º *Epicarde*. — L'épicarde est une membrane conjonctive renfermant des cellules graisseuses et des fibres élastiques, il est recouvert sur la face externe par une simple couche d'épithélium plat.

Les *valvules du cœur* sont constituées par un tissu conjonctif fibreux en connexion avec les anneaux fibreux ; leurs faces sont tapissées par l'endocarde. On ne trouve de fibres musculaires dans les valvules qu'au niveau de leur bord adhérent. Les fibres élastiques sont abondantes surtout au niveau du bord libre des valvules, et au niveau des nodules des valvules semi-lunaires.

Les *vaisseaux sanguins du cœur*, en grand nombre, affectent le trajet et la disposition typique des vaisseaux musculaires. Le péricarde et l'endocarde possèdent des vaisseaux sanguins, l'endocarde seulement dans ses couches profondes.

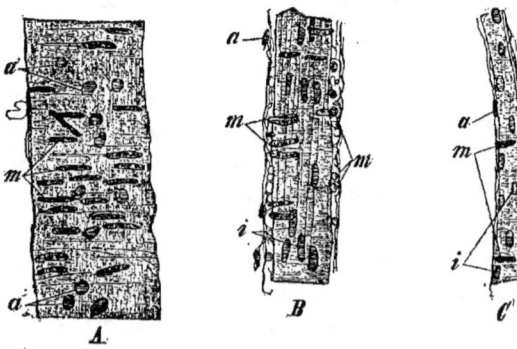

Fig. 53.

Fragments de petites artères de l'homme (Gross. 240). — i. Noyaux de la tunique interne ; les contours
des cellules ne sont pas visibles. — m. Tunique moyenne reconnaissable à la direction transversale des
noyaux des fibres lisses. — a. Noyau de la tunique adventice. — A. Artère vue par sa périphérie. — B. Coupe
longitudinale passant par l'axe de l'artère. — m. Coupe transversale des noyaux des fibres lisses. — C. Petite
artère au moment où elle va se transformer en capillaire. La tunique moyenne n'est formée ici que de
quelques fibres lisses isolées (Technique nº 38, a).

Le cœur possède des *lymphatiques* en quantité énorme ; ils sont constitués par un système d'espaces libres situés entre les faisceaux musculaires et les vaisseaux sanguins.

Les *filets nerveux* proviennent du pneumogastrique et du sympathique, ils renferment des fibres à myéline et d'autres sans myéline ; le long de leur trajet on trouve de nombreuses cellules ganglionnaires.

b) Artères.

La *paroi des artères* est formée de trois couches. Elle comprend : 1° une tunique interne ; 2° une tunique moyenne ; 3° une tunique adventice.

Les éléments de la tunique moyenne affectent surtout une direction transversale ; ceux des deux autres couches ont plutôt une direction longitudinale ; la structure et l'épaisseur de ces tuniques varient avec le volume de l'artère ; d'où la division des artères en petites, moyennes et grosses.

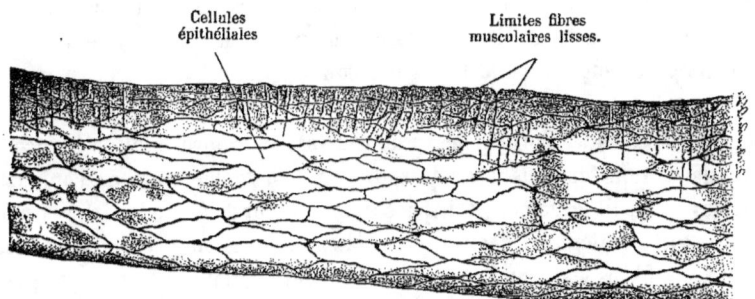

Cellules
épithéliales

Limites fibres
musculaires lisses.

Fig. 54.
Epithélium vasculaire d'une artère du mésentère d'un lapin. Vue de face
(Gross. **260. Technique n° 39**).

On décrit sous le nom de *petites artères*, les artérioles qui précèdent immédiatement les capillaires ; leur tunique interne est constituée par des cellules épithéliales allongées fusiformes, et par une membrane élastique amorphe, la membrane élastique interne, qui dans les grandes artères prend les caractères d'une membrane fenêtrée. La tunique moyenne est constituée par une simple couche de fibres musculaires lisses annulaires. Les petites n'ont qu'une seule couche, les plus grosses peuvent en avoir plusieurs.

La tunique adventice est constituée par des fibres conjonctives très fines disposées longitudinalement et par des fibres élastiques également très fines. Elle ne se sépare pas nettement du tissu conjonctif qui environne l'artère.

Les *artères moyennes* comprennent toutes les artères du corps à l'exception de l'aorte et de l'artère pulmonaire.

Dans ces artères la tunique interne a subi un épaississement dû à l'interposition de fins réseaux élastiques, de substance conjonctive fibrillaire et de cellules aplaties entre les cellules épithéliales et la membrane élastique interne. Les couches conjonctives ont une direction longitudinale. La tunique moyenne n'est pas constituée seulement par des fibres musculaires lisses annulaires, disposées ici en plusieurs couches, elle contient également des réseaux élastiques à larges mailles.

La répartition du tissu musculaire et du tissu élastique est très différente suivant les artères ; dans la carotide, la fémorale et la radiale, c'est le tissu musculaire qui prédomine ; dans l'aorte, l'axillaire et l'iliaque commune, c'est au contraire le tissu élastique qui prédomine. L'adventice est également devenue plus épaisse.

A la limite de la tunique moyenne on trouve une grande quantité de grosses fibres élastiques formant dans certaines artères une couche propre portant le nom de *membrane élastique externe* (fig. 55). Dans l'adventice de ces artères on trouve encore de nouveaux éléments, des fibres musculaires lisses disposées en faisceaux isolés longitudinaux, on n'y rencontre jamais une couche proprement dite de fibres musculaires lisses.

Les *grosses artères* (aorte et artère pulmonaire) ont leur tunique interne tapissée de cellules épithéliales plus courtes, se rapprochant de la forme polygonale. Immédiatement au-dessous, on trouve les couches conjonctives striées et longitudinalement disposées, qu'on voit déjà sur les artères moyennes et qui contiennent des cellules plates, étoilées ou arrondies, et des réseaux de fibres élastiques. Ces réseaux sont d'autant plus denses qu'on se rapproche plus de la tunique moyenne, où ils forment finalement une membrane fenêtrée qui répond à la membrane élastique interne des petites et des moyennes artères.

La tunique moyenne des grosses artères est caractérisée par des éléments élastiques qui dépassent en volume et en nombre les éléments musculaires. A la place de fins réseaux élastiques on trouve ici soit des réseaux épais de grosses fibres élastiques, soit des membranes fenêtrées (1), qui alternent régulièrement avec des couches de fibres musculaires lisses.

Les éléments élastiques, de même que les fibres musculaires, suivent un trajet circulaire. Tous les éléments élastiques de la tunique moyenne sont unis entre eux au moyen de fibres et de membranes qui traversent obliquement les couches musculaires. La tunique adventice des grosses artères ne présente pas de grandes particularités, et ne se distingue que très peu de

---

(1) Les membranes élastiques se trouvent déjà dans les artères moyennes d'un certain volume ; c'est surtout dans les carotides, qui se rapprochent le plus des grandes artères au point de vue de la structure, que ces membranes sont le plus développées.

celle des artères de moyen volume. L'adventice des grosses artères ne possède pas de membrane élastique. On n'y rencontre de fibres musculaires que chez les animaux.

c) VEINES.

L'épaisseur des parois des veines n'est pas toujours en rapport avec leur

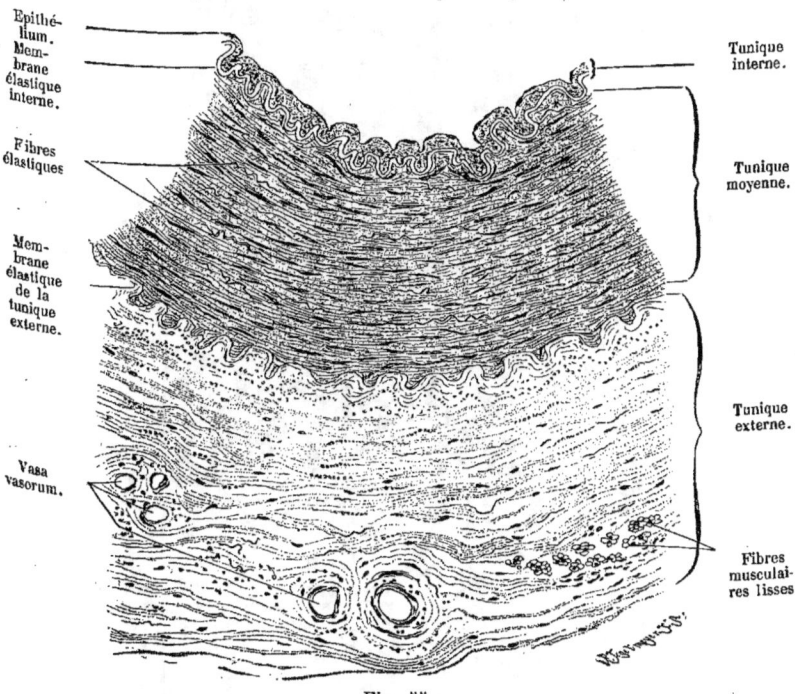

Fig. 55.

Portion d'une coupe transversale de l'artère humérale de l'homme (Gross. 100.
Technique n° 36).

calibre, de sorte qu'une division suivant leur volume, analogue à celle adoptée pour les artères, devient absolument inutile. Ce qui caractérise les veines, c'est la prédominance des enveloppes conjonctives et le peu de développement des éléments musculaires et élastiques ; on peut distinguer aux veines trois tuniques (1).

(1) Comme le développement de la tunique moyenne est peu accusé, certains histologistes ne distinguent dans les veines que deux tuniques, la tunique interne et la tunique adventice ; ils attribuent à l'adventice l'ensemble des couches considérées ici comme appartenant à la tunique moyenne.

La tunique interne est constituée par une simple couche de cellules épithéliales aplaties, polygonales, allongées seulement dans les petites veines. Les veines dont le diamètre va de 2 à 9 millimètres possèdent en outre des couches conjonctives avec éléments nucléés ; dans les très grosses veines (veine cave supérieure, veine fémorale, veine poplitée) ces couches, au lieu

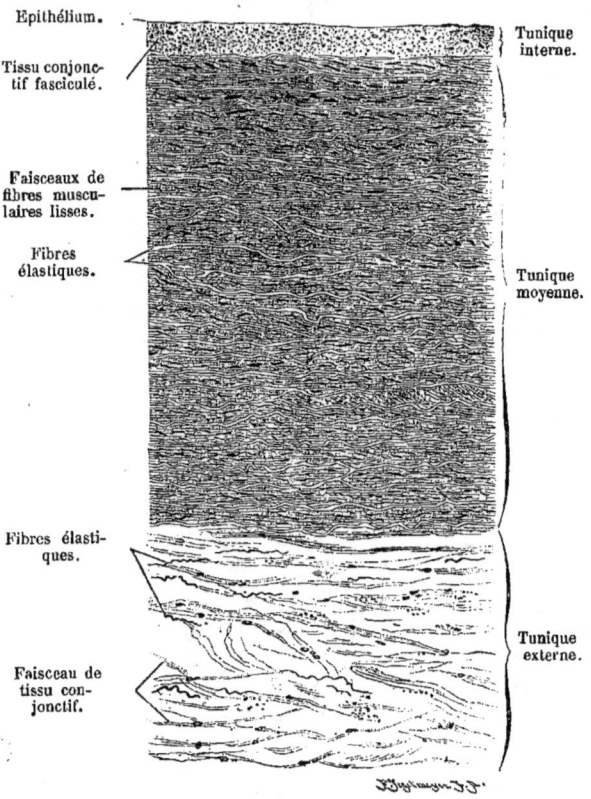

Epithélium.

Tissu conjonctif fasciculé.

Faisceaux de fibres musculaires lisses.

Fibres élastiques.

Fibres élastiques.

Faisceau de tissu conjonctif.

Tunique interne.

Tunique moyenne.

Tunique externe.

Fig. 56.
Portion d'une coupe de l'aorte thoracique de l'homme (Gross. 100.
Technique n° 36).

d'être formées par des cellules à noyaux, deviennent nettement fibrillaires. Les veines possèdent, en outre, une membrane élastique interne, amorphe dans les petites veines, disposée en réseaux dans les grosses. Dans la tunique interne de la veine fémorale et de la veine poplitée se trouvent aussi quelques fibres musculaires lisses longitudinales.

La tunique moyenne présente de grandes variétés ; elle est constituée par des fibres musculaires annulaires, par des réseaux élastiques, par un tissu conjonctif fibrillaire et elle acquiert son plus grand développement dans les veines des membres inférieurs (surtout dans la veine poplitée) ; elle est moins

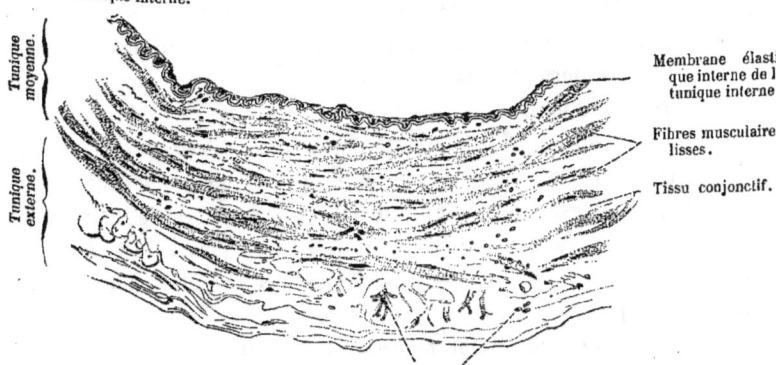

Fig. 57.

Portion d'une coupe transversale d'une veine des extrémités de l'homme (Gross. 100. **Technique n° 36**).

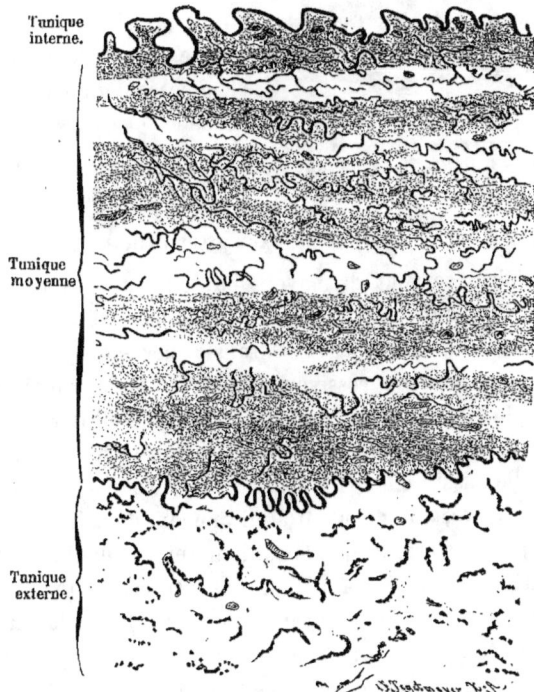

Fig. 58.

Coupe transversale d'une veine des extrémités de l'homme (Gross. 420).
Coloration des éléments élastiques (**Technique n° 37**).

accusée dans les veines du membre supérieur, moins encore dans les grosses veines de la cavité abdominale, enfin elle manque dans un grand nombre de veines, telles que les veines de la pie-mère, de la dure-mère, des os, de la rétine, dans la veine cave supérieure et dans les veines qui naissent des capillaires ; ces dernières ne présentent que des faisceaux conjonctifs obliques et transversaux.

La tunique adventice, presque toujours bien développée, est constituée par des faisceaux conjonctifs entrecroisés, par des fibres élastiques et par des fibres musculaires lisses longitudinales, plus nombreuses dans les veines que dans les artères. Certaines veines, la veine porte, la veine rénale par exemple, possèdent une enveloppe musculaire longitudinale presque complète (fig. 59).

Les *valvules des veines* sont des replis de la tunique interne dont les faces sont recouvertes d'un épithélium à cellules longitudinales pour la face qui regarde le courant sanguin et à cellules transversales pour la face qui regarde la paroi veineuse. La couche sous-jacente aux cellules longitudinales est composée d'un épais réseau élastique, et celle sous-jacente aux cellules transversales n'est constituée que par un tissu conjonctif finement fibrillaire.

Tunique interne.
T. moyenne.

T. adventice avec la coupe transversale des fibres longitudinales.

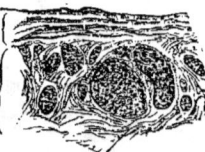

Fig. 59.

Coupe transversale de la paroi de la veine rénale de l'homme (Gross. 50. **Technique nº 36**).

d) Vaisseaux capillaires.

Les capillaires servent de moyen d'union entre les artères et les veines, excepté dans quelques régions comme dans les corps caverneux des organes génitaux par exemple. Avant de se transformer en capillaires les parois des artères se simplifient progressivement (fig. 53, c), la tunique moyenne devient de plus en plus mince et les fibres musculaires qui la constituent s'espacent de plus en plus pour disparaître enfin complètement : la tunique adventice s'amincit, elle aussi ; elle est d'abord constituée par une mince couche conjonctive nucléaire, qui disparaît à un moment donné, de sorte qu'il ne reste plus de la paroi artérielle que la tunique interne dont les couches se réduisent, et finalement le vaisseau n'est plus représenté que par les cellules épithéliales plates pourvues de noyaux ; il en résulte que la paroi des capillaires n'est constituée que par une simple couche de cellules épithéliales dont la forme rappelle assez bien celle d'une plume métallique très effilée ; entre les bords des cellules on trouve une petite quantité de ciment qui les réunit.

En se divisant, les capillaires ne subissent pas de diminution dans leur calibre ; ils forment par leurs anastomoses avec les capillaires voisins des réseaux dont les mailles sont d'une largeur très variable. Les réseaux à mailles très étroites se trouvent dans certains organes, comme le poumon et le foie par exemple ; les réseaux à larges mailles se rencontrent dans les muscles dans les séreuses, dans les organes des sens. Il n'en est plus de même en ce qui concerne le calibre des capillaires ; les plus larges capillaires se trouvent dans le foie, les plus étroits dans la rétine et dans les muscles.

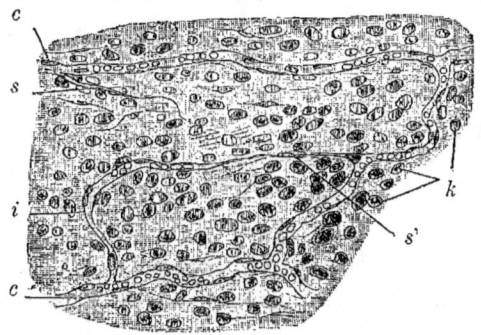

Fig. 60.

Fragment d'épiploon d'un chien de 7 jours (Gross. 240). — *c*. Capillaire sanguin contenant encore des globules rouges. — *s*. Bourgeon parti d'un capillaire et terminé par une extrémité libre pointue. — *i*. Capillaires jeunes creux en grande partie, pleins encore en *s'*. — *k*. Noyaux de l'épithélium péritonéal (Technique n° 41).

FORMATION DES CAPILLAIRES. — Nous n'examinerons ici que le processus qui suit la formation embryonnaire. De la paroi d'un capillaire préexistant, on voit naître une masse protoplasmique de forme conique à base implantée sur le capillaire, et à sommet libre. A une période plus avancée cette pointe s'unit à un prolongement analogue venu en sens opposé d'une autre paroi capillaire. Cette formation, pleine au début, finit par se creuser en commençant par la paroi capillaire, et les parois du tube ainsi produit se tapissent de cellules épithéliales. De cette description il résulte qu'un capillaire se développe toujours aux dépens d'un capillaire préexistant.

Tous les vaisseaux sanguins de gros et de moyen calibre possèdent de petits vaisseaux destinés à nourrir leur paroi et siégeant presque exclusivement dans la tunique adventice, ce sont les *vasa vasorum* ; la tunique interne en est constamment dépourvue.

Tous les vaisseaux sanguins ont des *nerfs* qui forment dans les artères et dans les veines un réseau de fibres nerveuses à myéline ; de ces réseaux naissent des fibres sans myéline qui vont se rendre dans les fibres musculaires du vaisseau. Les capillaires sont entourés de fibres nerveuses sans myéline.

Un grand nombre de vaisseaux sanguins sont entourés de *lymphatiques* dont le calibre est quelquefois si large qu'ils leur constituent de véritables gaines (*espaces lymphatiques périvasculaires*).

La glande carotide (*glomus caroticum*) n'est pas une glande, elle se compose essentiellement de vaisseaux sanguins. Les capillaires résultant de la division de l'unique artère afférente sont d'une largeur inégale et entourés d'un grand nombre de cellules conjonctives analogues au *plasmazellen*; ces cellules sont réunies en groupes arrondis (nodules secondaires). Les veines multiples se réunissent à la périphérie de la glande. Celle-ci contient en outre du tissu conjonctif fibrillaire, quelques cellules ganglionnaires et une quantité abondante de fibres nerveuses avec ou sans myéline.

La glande coccygienne présente une structure identique, ses vaisseaux sanguins sont caractérisés par des dilatations semilunaires.

e) Sang.

Le sang est un liquide légèrement visqueux, de couleur rouge, composé d'une portion liquide de plasma sanguin et d'éléments figurés : globules du sang, plaquettes sanguines, granulations élémentaires. Il y a deux sortes de globules sanguins : les globules rouges et les globules blancs.

Globules rouges. — Ces cellules sont des éléments mous, extensibles, très élastiques, à surface lisse et glissante. Chez l'homme et les mammifères les globules affectent la forme de disques circulaires aplatis, excavés sur chacune des deux surfaces, rappelant ainsi la forme d'une lentille bi-concave (1). Parmi les mammifères il faut excepter le chameau et le lama dont les globules ont une forme ovalaire.

Chez l'homme les globules sont discoïdes et mesurent $7,5\,\mu$ de diamètre sur $1,6\,\mu$ d'épaisseur.

Les globules rouges des mammifères de nos pays sont généralement plus petits que ceux de l'homme ; ce sont ceux du chien qui s'en rapprochent le plus ($7,3\,\mu$). Ces globules sont constitués par un *stroma* (protoplasma) dont les lacunes sont remplies par la matière colorante du sang, l'*hémoglobine*. Cette matière donne au globule une coloration jaunâtre ou mieux verdâtre ; on n'y trouve ni noyau, ni membrane d'enveloppe. Les globules rouges des poissons, amphibies, reptiles et oiseaux, se distinguent de ceux des mammifères en ce qu'ils affectent une forme ovalaire et biconvexe, qu'ils sont plus grands (chez la grenouille ils mesurent $22\,\mu$ de long sur $15\,\mu$ de large) et qu'ils ont un noyau rond ou ovale dans leur partie centrale. Leurs autres

(1) Exceptionnellement on trouve aussi dans le sang de l'homme des globules rouges sphériques (fig. 61, *A*, 7) ; ils sont plus petits que les autres et ils sont toujours en petit nombre.

propriétés se confondent d'ailleurs avec celles des globules des mammifères.

GLOBULES BLANCS (leucocytes). — Les globules blancs (leucocytes) se trouvent non seulement dans le sang mais aussi dans les vaisseaux lymphatiques où ils portent le nom de corpuscules lymphoïdes, ou corpuscules du chyle ; on les rencontre en dehors du système vasculaire, dans la moelle des os, *médullocèles*, et en masse dans le tissu adénoïde (voir page 6), disséminés dans le tissu conjonctif fibrillaire, et finalement entre les cellules épithéliales et les cellules glandulaires ; ils arrivent dans ces endroits en vertu de

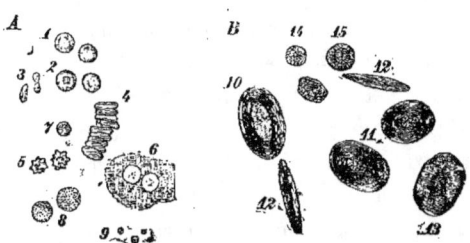

Fig. 61.

Corpuscules sanguins (Gross.560).— A. Sang humain.— B. Sang de grenouille.— 1 à 6. Globules rouges discoïdes. 1. Plan optique inf. 2. Plan optique sup. 3 et 4. Globules vus de côté. 5. Glob. crénelés par dessiccation. 6. Après addition d'eau.— 7. Glob. rouges sphériques.— 8. Glob. blancs.— 9. Plaquettes du sang.— 10-13. Globules rouges de la grenouille. 10. Glob. tout à fait frais, noyau peu apparent. 11. Glob. vu quelques minutes plus tard, noyau plus visible. 12. Glob. vu de côté. 13. Après addition d'eau. — 14. Glob. blanc vivant. — 15. Glob. blanc mort (**Technique n°ˢ 42, 44, 45**).

leurs propriétés amiboïdes ; c'est pour cela que les leucocytes portent encore le nom de *cellules migratrices*.

Dans tous les cas ce sont des cellules sans enveloppe, composées d'un protoplasma visqueux et d'un noyau. On ne peut pas leur attribuer une forme déterminée, à cause de leurs mouvements amiboïdes pendant la vie ; à l'état de repos ils sont sphériques (fig. 61).

Le volume et les particularités du noyau et du protoplasma permettent de distinguer plusieurs variétés : 1° les plus petits, leucocytes, qui mesurent de 4 à 7,5 μ. Leur protoplasma est en si petite quantité, qu'il est à peine perceptible par l'emploi des méthodes ordinaires, il forme une couche mince autour du noyau relativement grand (fig. 62, *a*). Ces éléments considérés comme des formes très jeunes sont peu mobiles, et se trouvent principalement dans le tissu adénoïde. — 2° La seconde variété comprend les globules dont le diamètre mesure de 7,5 à 10 μ ; leur noyau est tantôt rond, entouré d'une quantité plus grande de protoplasma granuleux ; tantôt il est anfractueux ou lobulé (fig. 62, *b*) ; la présence de plusieurs

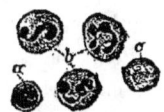

Fig. 62.

Globules blancs du sang de l'homme. — c.Cellules avec des granulations neutrophiles (Gross. 600. **Technique n° 43**).

noyaux séparés est plus rare (1). Cette dernière forme est très mobile (la lobulation du noyau serait même l'indice de la mobilité), et comprend la masse principale de tous les leucocytes du sang (77 0/0). — 3° Le protoplasma de la troisième variété (d'un volume de 8 à 14 μ) est caractérisé par la présence d'une quantité plus ou moins grande de granulations qui se conduisent de diverses façons vis-à-vis des matières colorantes. On distingue des leucocytes oxyphiles (éosinophiles), des basophiles et des neutrophiles, suivant que les granulations s'imprègnent (2) de matières colorantes *acides,* *basiques* ou *neutres.* Les granulations sont probablement l'expression des échanges nutritifs, et des phases de développement progressif (Voir **technique n° 43,** *mode de traitement ultérieur*).

Il nous reste à déterminer le rapport entre les globules blancs et les globules rouges. C'est une évaluation assez difficile et les données obtenues ne sont pas d'une très grande précision. On trouve dans 1 mm. cube de sang, chez l'homme, à peu près 5 millions de globules rouges. Les globules blancs sont en beaucoup moindre quantité, on compte un globule blanc pour 300 à 500 globules rouges.

Les plaquettes sont des disques transitoires, incolores, ronds ou ovalaires, d'un diamètre trois ou quatre fois inférieur à celui des globules blancs (fig.61, 9); elles se trouvent quelquefois en grande quantité (3) dans le sang. On leur attribue un rôle principal dans la coagulation du sang.

Chez les animaux qui possèdent des globules rouges à noyau, les plaquettes du sang ont également un noyau.

Les granulations élémentaires sont pour la plupart des particules graisseuses que le chyle entraîne dans le sang. Chez les animaux à la mamelle et chez les herbivores on peut les trouver facilement ; on ne les rencontre pas dans le sang de l'homme bien portant.

Après la mort (ou lorsque la paroi vasculaire est modifiée), le sang se coagule par la solidification de ses parties constituantes, la *fibrine,* qui résulte elle-même de la synthèse de deux substances liquides à l'état normal, la substance fibrinoplastique et la substance fibrinogène ; il se divise en deux parties : le *coagulum* et le *sérum* (ou *plasma sanguin*). Le coagulum est rouge, il est cons-

(1) On croit souvent à la présence de plusieurs noyaux, parce que les fins filaments d'union des noyaux fortement entaillés échappent à l'observation.

(2) Ehrlich a créé cette division, en ayant d'autres points de vue que les chimistes; les matières colorantes acides, par exemple, sont celles dans lesquelles l'acide représente le principe colorant.

(3) Dans 1 cent. cube de sang humain, il se trouverait 200.000 plaquettes sanguines : ce chiffre est probablement au-dessous de la réalité, car dans les diverses méthodes de compter, il y a encore des plaquettes sanguines qui restent collées aux parois du tube mélangeur.

titué par la totalité des globules rouges et par la plupart des globules blancs emprisonnés dans la fibrine dont l'aspect microscopique est celui d'un feutrage finement fibrillaire. Au point de vue chimique, ces fibres se comportent comme les fibres du tissu conjonctif muqueux. Le sérum sanguin est incolore et contient quelques corpuscules blancs.

La matière colorante contenue dans les globules rouges, l'*hémoglobine*, possède la propriété de se cristalliser dans certaines conditions ; ces cristaux appartiennent chez presque tous les vertébrés au système rhomboïdal ; la forme des cristaux varie suivant les animaux ; chez l'homme elle est surtout prismatique. L'hémoglobine se décompose facilement ; un des produits de décomposition est l'*hématine*, qui peut ultérieurement se transformer en *hématoïdine* et en *hémine*. Les cristaux d'hématoïdine qu'on trouve dans les anciens foyers hémorrhagiques, dans les corps jaunes par exemple, sont de forme prismatique rhomboïdale et d'une coloration rouge orange ; les cristaux d'hémine lorsqu'ils sont bien développés se présentent sous la forme de tablettes ou de bâtonnets de forme rhomboïdale et de coloration brun-foncé ; leur forme est souvent

Fig. 63.

1. Cristaux d'hémine provenant du sang de l'homme ; les cristaux représentés à droite de cette figure sont en forme de pierres à aiguiser. — 2. Cristaux de chlorure de sodium. — 3. Cristaux d'hématoïdine. — 4. Cristaux d'hémoglobine du chien (Gross. 100). — *a*. Division en filaments (**Technique n° 49**).

irrégulière (fig. 63, 1), ces cristaux ont une grande importance au point de vue médico-légal (Voir **Technique n° 49**).

DÉVELOPPEMENT DES GLOBULES ROUGES. — Depuis le début de la période embryonnaire jusqu'à la fin de la vie, on trouve dans des points déterminés des cellules colorées à noyau, les *hématoblastes*. Leur nombre varie et marche de pair avec l'énergie de la formation sanguine ; les globules rouges naissent de ces hématoblastes par division indirecte, ce qui fait qu'au début les globules rouges contiennent un noyau qu'ils perdent ultérieurement. On ne doit considérer pendant la vie embryonnaire comme organe hématopoiétique que le foie, et plus tard la rate ; chez l'adulte, les globules rouges sont presque exclusivement formés par la moelle des os.

2. — Système lymphatique.

a) Vaisseaux lymphatiques.

La paroi des lymphatiques volumineux (0,2 à 0,8 millimètres) se compose comme celle des vaisseaux sanguins de trois couches. La tunique interne est constituée par des cellules épithéliales très fines. La tunique moyenne contient des fibres musculaires lisses transversales et quelques fibres élastiques.

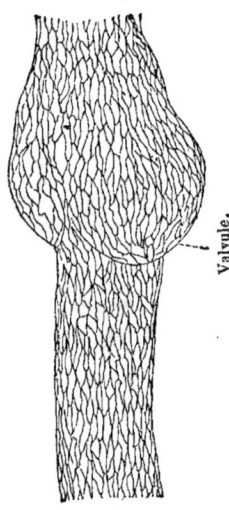

Valvule.

Fig. 64.

Vaisseau lymphatique du mésentère du lapin. Délimitation des cellules épithéliales (**Technique n°39**).

La tunique adventice est formée par des faisceaux conjonctifs longitudinaux, par des fibres élastiques et par des faisceaux également longitudinaux de fibres musculaires lisses. La paroi des petits vaisseaux lymphatiques et des capillaires lymphatiques résulte de l'accolement de petites cellules épithéliales à contour sinueux. Les capillaires lymphatiques sont plus larges que les capillaires sanguins, ils sont souvent étranglés et renflés sur leur parcours ; ils s'élargissent souvent notablement avant de se diviser. Le réseau qu'ils forment est bien plus irrégulier que le réseau capillaire sanguin.

La question de l'*origine des vaisseaux lymphatiques* n'est pas encore complètement résolue ; tandis que certains auteurs pensent que le système lymphatique est un système clos de tout côté, d'autres croient, et c'est l'opinion la plus répandue, que les lymphatiques ont leur origine dans les fentes (1) du tissu conjonctif ; ils seraient par conséquent ouverts à leur périphérie.

Ceux qui admettent la première opinion expliquent la pénétration dans les lymphatiques des sucs parenchymateux qui n'ont pas servi à la nutrition par le phénomène de l'endosmose ; suivant les autres, au contraire, les sucs passeraient directement dans les espaces ou fentes constituant les origines du système lymphatique.

Le fait que les lymphatiques se trouvent en connexion directe avec les cavités pleurale et péritonéale, est d'une grande importance. Cette connexion est établie par des orifices situés entre les cellules épithéliales (stomates) de

(1) Les canaux nutritifs sont considérés comme des voies lymphatiques sans revêtement cellulaire. D'autres auteurs confondent les voies lymphatiques et les vaisseaux lymphatiques, mais ils rangent à part les canaux nutritifs.

ces deux séreuses. Ces stomates se trouvent dans la plèvre au niveau des espaces intercostaux, dans le péritoine au niveau du centre phrénique du diaphragme.

b) Ganglions lymphatiques.

Les *ganglions lymphatiques* (improprement glandes lymphatiques) sont des organes, visibles à l'œil nu, interposés sur le trajet des vaisseaux lymphatiques ; ils sont arrondis, ovoïdes, parfois aplatis ou en forme de haricot. Leur volume est très variable. Sur un de leurs côtés on rencontre une sorte de dépression cicatricielle, le *hile*, point de sortie des lymphatiques efférents (1). Pour comprendre leur structure il faut se les représenter de la manière suivante : dans des points déterminés les vaisseaux lymphatiques (de 3 à 6) se divisent en branches qui s'anastomosent entre elles ; de ces ramifications naissent bientôt de nouveaux troncs dont le nombre est parfois égal, parfois inférieur à celui des vaisseaux primitifs ; la plupart du temps leur calibre est également plus étroit ; il se forme ainsi une sorte de *rete-mirabilis* (2).

Les vaisseaux lymphatiques qui se divisent portent le nom de *vaisseaux afférents*, les vaisseaux qui se reforment ensuite portent le nom de *vaisseaux efférents*. Dans les mailles de ces réseaux se trouvent des corpuscules en partie sphériques et en partie allongés, formés par du tissu adénoïde. Les corpuscules sphériques (*follicules* ou *ampoules*) occupent la périphérie du ganglion lymphatique, les corpuscules allongés, les *cordons médullaires*, occupent le centre du même ganglion. Une capsule conjonctive fibrillaire enveloppe le ganglion et envoie dans son intérieur des prolongements trabéculaires (fig.65). Les *trabécules* émettent de fins prolongements qui rappellent le tissu conjonctif réticulé ; ils traversent la paroi des lymphatiques et vont former dans les follicules et dans les cordons médullaires une sorte de charpente qui sert à contenir de nombreux leucocytes.

Le ganglion lymphatique est donc constitué par une substance *corticale*, périphérique et par une substance *centrale*, médullaire ; la quantité respective de ces substances est très variable. La substance corticale contient des follicules qui se continuent vers le centre directement dans les cordons médullaires (fig. 65); les follicules lymphatiques et les cordons médullaires sont

(1) Les vaisseaux lymphatiques afférents pénètrent dans le ganglion par différents points de son pourtour.

(2) Les *rete-mirabilis* ont été décrits d'abord pour les vaisseaux sanguins : on comprend sous ce nom des réseaux qui interrompent subitement le trajet d'un tronc vasculaire, on les trouve aussi bien dans le cours des artères que dans celui des veines. Les glomérules du rein fournissent le plus bel exemple de ces *rete-mirabilis* (fig. 197), un ramuscule artériel se divise en branches qui bientôt reforment le troncule, lequel se divise ensuite de la manière habituelle.

entourés de vaisseaux lymphatiques (1). Les vaisseaux lymphatiques, très élargis à ce niveau, portent le nom de *sinus lymphatiques* ; ils sont traversés par le tissu conjonctif réticulé. Les follicules et les cordons médullaires sont constitués par un tissu adénoïde, c'est-à-dire par un tissu conjonctif réticulé, dont les mailles renferment un grand nombre de leucocytes. On trouve souvent dans les follicules une tache claire arrondie, c'est le centre germinatif, on y trouve constamment des cellules en multiplication indirecte (2). Il en résulte que les follicules sont le centre de formation des leucocytes qui pénètrent dans le sinus lymphatique pour gagner finalement les vaisseaux efférents. La capsule est constituée par un tissu conjonctif fibrillaire et par des fibres lisses qui, dans les ganglions lymphatiques du bœuf, forment de grosses

Trabécules. Travées médullaires. Follicule. Sinus lymphatiques.

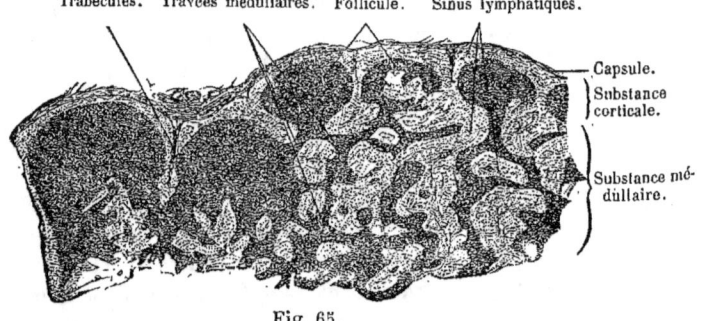

Capsule.
Substance corticale.

Substance médullaire.

Fig. 65.

Coupe perpendiculaire d'un ganglion lymphatique d'un chat de 9 jours (Gross. 30. **Technique n° 52**).

travées. Les trabécules qui naissent de la capsule s'insinuent entre les follicules et les cordons médullaires dont ils sont toujours séparés par les sinus lymphatiques. La paroi des sinus lymphatiques n'est formée que par une simple couche de cellules plates qui tapissent la surface des follicules et des cordons médullaires, de même que la surface des trabécules ; le tissu conjonctif réticulé, qui est en connexion avec les trabécules, est également recouvert par des cellules plates.

La structure du ganglion lymphatique ainsi comprise n'est pas toujours facile à reconnaître à cause de certains détails qui viennent la compliquer : c'est ainsi que : 1° les follicules voisins peuvent se confondre ; 2° les cordons médullaires peuvent s'unir pour former un gros réseau ; 3° les trabécules peuvent également former un réseau ; 4° le réseau des cordons médul-

(1) Les vaisseaux lymphatiques ne pénètrent jamais dans l'intérieur du follicule.
(2) Les cordons médullaires sont également le siège d'une multiplication cellulaire, mais cette multiplication n'est pas aussi active que dans le centre germinatif du follicule.

laires et celui des trabécules peuvent se pénétrer (fig. 66) ; 5° les sinus lymphatiques peuvent être remplis de leucocytes dont il faut les débarrasser par une technique spéciale. Les follicules, les cordons médullaires et les leucocytes des sinus lymphatiques forment ainsi une substance molle, la *pulpe* ou le *parenchyme* des ganglions lymphatiques.

Les *vaisseaux sanguins* des ganglions lymphatiques pénètrent dans ces organes en partie par différents points de leur surface, mais en général plutôt par le hile. Les vaisseaux qui pénètrent par la surface du ganglion se distribuent dans la capsule et dans les gros trabécules dont ils suivent l'axe. L'artère qui pénètre par le hile est plus volumineuse ; elle se divise en plusieurs branches, entourées d'une assez grande quantité de tissu conjonctif ; un petit nombre de ces branches pénètrent dans les trabécules, les autres traver-

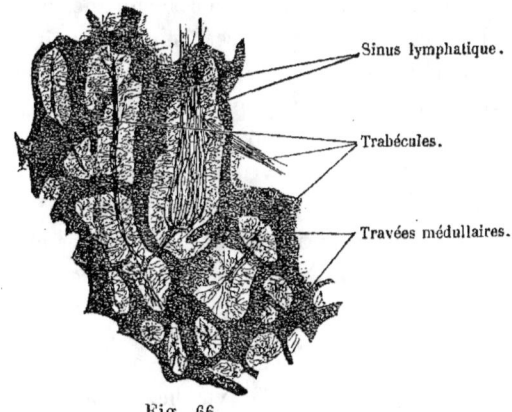

Sinus lymphatique.

Trabécules.

Travées médullaires.

Fig. 66.

Fragment d'une coupe perpendiculaire de ganglion lymphatique du bœuf (Gross. 50). — Substance médullaire. Dans la moitié supérieure de la figure on voit les trabécules et les travées médullaires coupés en long, dans la moitié inférieure ils sont coupés transversalement. Les deux systèmes forment un réseau continu. Dans les sinus lymphatiques, on voit les fibres délicates du tissu conjonctif réticulé, ce tissu contient encore des leucocytes. Cette figure a été dessinée en variant la mise au point (**Technique n° 53**).

sent les sinus lymphatiques, arrivent dans les cordons médullaires, et ensuite aux follicules ; dans ces deux points, les vaisseaux sanguins se résolvent en un réseau capillaire bien développé, qui apporte l'oxygène nécessaire à la formation des leucocytes. Les veines sortent par le hile.

Les *nerfs* des ganglions lymphatiques sont formés par des faisceaux nerveux peu importants et contenant des fibres en partie à myéline et en partie sans myéline. On ne sait pas exactement la façon dont ces nerfs se terminent.

c) Ganglions périphériques.

Le tissu conjonctif réticulé renfermant les leucocytes n'est pas l'apanage exclusif des ganglions lymphatiques, un grand nombre de muqueuses en contiennent sur une notable portion de leur étendue et à différents degrés de développement ; tantôt il est représenté par une infiltration diffuse de leucocytes, tantôt par des agglomérations de globules blancs nettement délimitées. Ces productions ne sont pas rangées dans le système lymphatique.

Par contre, on rencontre dans certaines muqueuses des organes analogues aux *follicules* des ganglions lymphatiques, pourvus comme eux d'un centre germinatif ; ces sortes de follicules appartiennent au système lymphatique et sont décrits sous le nom de *ganglions périphériques*. Ils sont tantôt isolés dans la muqueuse et portent le nom de *follicules solitaires*, tantôt ils sont réunis en groupe et on les désigne sous le nom de *plaques de Peyer*. Ils siègent dans la tunique propre de la muqueuse immédiatement au-dessous de l'épithélium. La distribution et le nombre de ces follicules varient beaucoup, non seulement dans les différentes espèces animales, mais même chez les divers individus d'une même espèce. Ils se distinguent des ganglions lymphatiques proprement dits par ce fait qu'ils sont en connexion moins intime avec les vaisseaux lymphatiques, qui ne forment pas de sinus autour d'eux (1). Ils n'appartiennent donc au système lymphatique que parce qu'ils sont le siège d'une multiplication de jeunes leucocytes. Un petit nombre de ces leucocytes passent dans les vaisseaux lymphatiques ; la plupart traversent l'épithélium pour se répandre à la surface de la muqueuse.

d) LYMPHE.

Les éléments figurés de la lymphe, les leucocytes (page 98), nagent dans un liquide rempli de granulations. Celles-ci, extrêmement petites, sont constituées par de la graisse, et abondent surtout dans les vaisseaux lymphatiques de la muqueuse intestinale (vaisseaux chylifères) ; souvent elles sont tellement nombreuses que le liquide semble lactescent, d'où la coloration blanche du chyle. Les autres vaisseaux lymphatiques ne contiennent que très peu de granulations. Les ganglions lymphatiques contiennent beaucoup de leucocytes dont le noyau est entouré d'une couche de protoplasma si mince qu'il est très difficile de la mettre en évidence.

e) RATE.

La rate est une glande vasculaire sanguine, constituée par une capsule

---

(1) Le lapin fait exception à cette règle, chez lui on rencontre des sinus dans les plaques de Peyer, les follicules solitaires sont semblables à ceux des autres animaux.

conjonctive, et par une masse centrale rouge, molle, formée de tissu adénoïde et de vaisseaux, la *pulpe splénique.*

La *capsule* adhère étroitement à l'enveloppe péritonéale de la rate. Elle est formée par un tissu conjonctif à fibres serrées, par des réseaux de fibres élastiques et par des fibres musculaires lisses.

De cette capsule partent des prolongements nombreux, formant des feuillets ou des cordons, qui en pénétrant dans l'intérieur de la rate y constituent un réseau dont les mailles contiennent la pulpe splénique. On distingue ces prolongements sous le nom de trabécules spléniques. Ces trabécules peuvent également contenir des fibres musculaires lisses. Au niveau du hile, la capsule entoure les vaisseaux qui pénètrent dans la rate, et les accompagne pendant un certain trajet. Cette *tunique adventice* des artères contient un grand nombre de leucocytes qui forment à l'artériole soit un manchon complet d'un

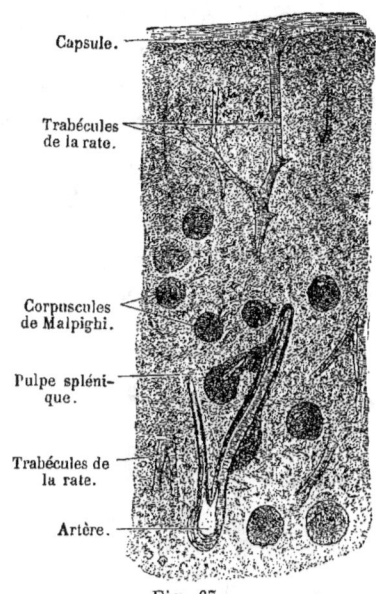

Fig. 67.
Coupe transversale d'une rate humaine (Gross. 10). — Les corpuscules de Malpighi sont bien développés, ils sont tous perforés latéralement par une artère. La branche droite de l'artère est enveloppée d'un manchon complet de leucocytes (**Technique n° 55**).

bout à l'autre de son étendue (chez le cochon d'Inde par exemple), soit un simple revêtement dans certains points déterminés. Dans ce cas, les leucocytes forment des amas sphériques de 0,2 à 0,7 mm. de diamètre, connus sous le nom de *corpuscules de Malpighi.* On les trouve chez l'homme, le chat, etc. Entre la disposition en amas et celle en manchon on peut observer un grand nombre de formes de transition.

Les corpuscules de Malpighi occupent de préférence le point de bifurcation des petites artères ; l'artériole, pour passer, perfore soit le centre soit les parties périphériques du corpuscule. Leur structure est absolument identique à celle des follicules secondaires des ganglions lymphatiques ; ils contiennent même quelquefois des centres germinatifs.

La *pulpe splénique* forme un réseau de cordons situés, comme ceux des ganglions lymphatiques, entre les mailles du réseau trabéculaire de la rate. Ces cordons sont souvent en connexion avec les corpuscules de Malpighi. La pulpe splénique est constituée par un tissu conjonctif réticulé fin (page 61) et par de nombreux éléments cellulaires. Ces derniers éléments sont en par-

tie des leucocytes et en partie de grosses cellules multinucléaires ; il existe
en outre dans la rate des cellules contenant des globules rouges du sang et
des globules rouges libres. On y trouve enfin des granulations pigmentaires.

VAISSEAUX SANGUINS. — Les artères de la rate envoient des branches dans
les trabécules et les cordons de la pulpe. Elles alimentent en outre le réseau
capillaire serré des corpuscules de Malpighi. Ces artères n'offrent pas d'anastomoses. Les veines dont la paroi est très mince naissent d'un large vaisseau
capillaire (capillaire veineux, fig. 71) situé entre les trabécules et les cordons de
la pulpe. Elles suivent ensuite le trajet des artères. Le mode d'union des artères et des veines n'est pas encore bien établi.

Les artères se résolvent en capillaires allongés qui ne s'anastomosent pas

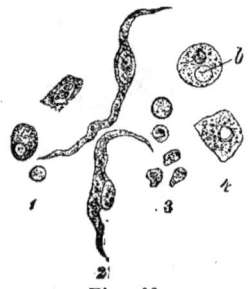

| Fig. 68. | Fig. 69. | Fig. 70. |

Éléments de la rate humaine (Gross. 560). — 1. Cellules inco-lores. — 2. Cellules épithéliales. — 3. Globules rouges. — 4. Cellules granuleuses ; la cellule supérieure renferme en *b* un globule rouge (**Technique n° 54**).

Tissu conjonctif réticulé de la rate humaine (Gross. 560). — Bord d'une préparation traitée par le pinceau (**Technique n° 56**).

Trois figures karyokinétiques sur une coupe de rate de chien (Gross. 560). — A ce grossisse-ment les filaments ne sont pas visibles (**Technique n° 57**).

entre eux. D'après certains auteurs, les capillaires artériels se transforme-
raient directement en capillaires veineux, le réseau sanguin serait donc complètement fermé ; selon les autres, les capillaires artériels s'ouvrent dans les
espaces, sans parois propres, dans de véritables lacunes, d'où naissent les
véritables veines. La circulation serait donc lacunaire en partie.

Les *vaisseaux lymphatiques*, très développés à la surface de la rate chez
les animaux, le sont très, peu chez l'homme. Les vaisseaux lymphatiques
profonds sont également peu nombreux, et leur mode de distribution n'est
pas encore connu.

Les nerfs représentés par de rares fibres à myéline et beaucoup de cylindres-axes libres pénètrent dans la rate avec les artères et se ramifient comme
celles-ci. Ils donnent pendant leur trajet des rameaux aux muscles des artères (fig. 72) et aux trabécules spléniques. Dans la pulpe splénique on trouve
également des réseaux de fibres sans myéline, de nature sensitive en partie

et provenant probablement des ramifications des fibres nerveuses à myéline mentionnées plus haut.

Capillaires veineux (lacunes intermédiaires d'autres auteurs).

Capillaires artériels se continuant avec les capillaires veineux.

Veines.

Artère.

Travées spléniques.

Passage des capillaires veineux en

Veines.

Follicule splénique.

Pulpe splénique.

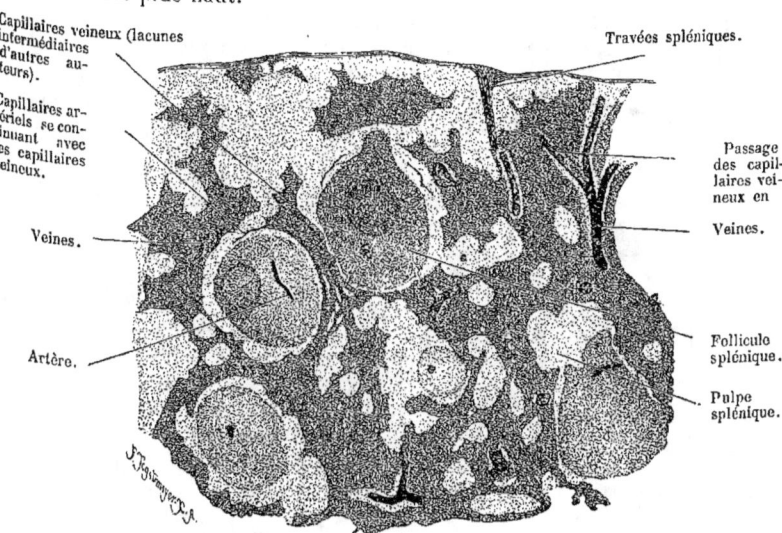

Fig. 71 A.

Coupe à travers une rate de chat injectée (**Technique n° 58**).

Capillaires veineux (lacunes intermédiaires d'autres auteurs).

Capillaires artériels se continuant avec les capillaires veineux.

Veines.

Artère.

Travée splénique.

Passage des capillaires veineux en

Veines.

Follicule splénique.

Pulpe splénique.

Veine.

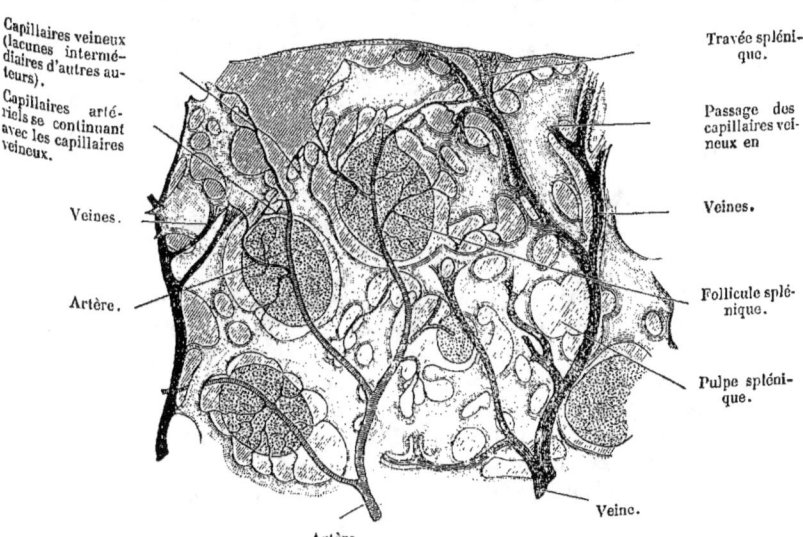

Fig. 71 B.

La coupe 71 A schématisée et complétée.

TECHNIQUE

Nᵒ 36. Cœur et gros vaisseaux sanguins. — On suspend dans un petit flacon, contenant environ 40 cent. cubes d'alcool absolu, un muscle papillaire du cœur de l'homme, un lambeau d'aorte de 2 centimètres de côté, un morceau de 1 à 2 centimètres de l'artère humérale entourée de ses veines et du tissu conjonctif qui les engaine, et un fragment de 1 centimètre de la veine rénale. Après un séjour de 24 heures dans l'alcool absolu, toutes ces pièces peuvent être coupées. On peut les inclure dans le foie (les artères et les veines simultanément) et la compression n'est pas à redouter. On pratique des coupes transversales fines, qu'on colore pendant 2 à 5 minutes avec l'hématoxyline de Hansen. Monter dans le baume (fig. 52, 55, 57, 59). Les fibres élastiques ne se colorent pas ; elles peuvent cependant être reconnues à l'aide de forts grossissements.

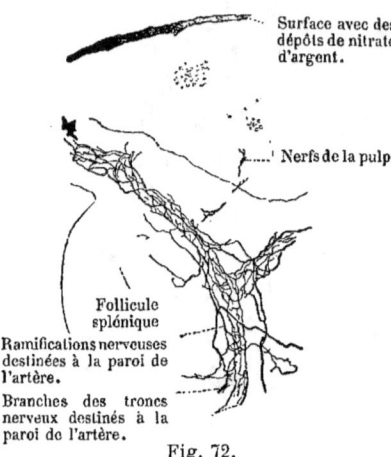

Surface avec des dépôts de nitrate d'argent.

Nerfs de la pulpe

Follicule splénique

Ramifications nerveuses destinées à la paroi de l'artère.

Branches des troncs nerveux destinés à la paroi de l'artère.

Fig. 72.

Coupe d'une rate de souris (Gross. 85). — La gaine de l'artère infiltrée ici sur toute sa longueur par des leucocytes est limitée par une ligne pointillée contre la pulpe **(Technique nᵒ 59).**

Les coupes transversales ne sont pas suffisantes pour l'étude des éléments de la tunique adventice. Souvent ces éléments paraissent affecter une disposition circulaire. Leur disposition réelle ne peut être reconnue que sur des coupes longitudinales qui permettent en même temps de voir les fibres musculaires lisses de cette membrane adventice.

Nᵒ 37. Fibres élastiques des vaisseaux sanguins. — On colore à l'orcéine les coupes obtenues d'après la méthode précédente et l'on monte dans la résine Damar (Voy. fig. 58).

Nᵒ 38. Capillaires et petits vaisseaux sanguins. — On enlève au niveau de la base d'un cerveau humain de petits morceaux de pie-mère de 1 à 3 centimètres de côté qu'on sépare de la matière cérébrale sous-jacente en les agitant dans l'eau distillée, et on les met pendant 1 heure dans le liquide de Zenker ; on les lave ensuite à l'eau pendant 1 à 3 heures, une heure suffit dans l'eau courante, et finalement l'on durcit dans 40 cent. cubes environ d'alcool progressivement renforcé. En examinant un de ces fragments flottant dans un verre de montre sur un fond noir on voit les fins vaisseaux isolés.

A l'aide de ciseaux fins on sectionne les troncules vasculaires qu'on plonge pendant 2 à 5 minutes dans un bain d'hématoxyline de Hansen et l'on monte dans le baume (Voy. fig. 53, *b*).

Les plus gros rameaux sont coupés en fragments longitudinaux de 5 millimètres environ et colorés à l'hématoxyline ; on les place ensuite sur une lame porte-objet de manière que le fragment repose sur la couche adventice, et l'on monte dans le baume. En faisant varier la mise au point on arrive à bien voir les trois couches constitutives du vaisseau et la direction des éléments qui les composent.

Quand on examine un cerveau frais, on voit aussi des capillaires ; on les reconnaît à leurs contours parallèles, et à la forme ovalaire des noyaux de leur endothélium. On peut en rencontrer également dans d'autres préparations, mais plus rarement (voy. nᵒ 9).

Nᵒ 39. Épithélium des vaisseaux. — On décapite un chat nouveau-né et l'on injecte dans l'aorte descendante 50 cent. cubes environ d'une solution de nitrate d'argent à 0,5 0/0 (25 cent. cubes de la solution de nitrate d'argent à 1 0/0 et 25 cent. cubes d'eau distillée). L'aorte est liée immédiatement après. Au bout d'une demi-heure on ouvre à l'aide de ciseaux fins l'aorte et l'artère splénique, qu'on expose à la lumière solaire dans 20 cent. cubes d'eau distillée jusqu'à ce qu'il se développe une coloration brune. On enlève, à l'aide de pinces, la tunique adventice, et l'on examine la tunique interne à un fort grossissement, soit dans 2 gouttes d'eau. soit dans de la glycérine diluée (fig. 54). On voit souvent, outre les contours des cellules épithéliales, d'autres lignes noires affectant une direction transversale, les lignes représentent le ciment interstitiel des fibres musculaires de la tunique moyenne. La préparation perd beaucoup de sa netteté lorsqu'elle est colorée ; les matières colorantes portent en effet leur action sur les noyaux des cellules épithéliales en même temps que sur les noyaux musculaires et il en résulte une image microscopique assez embrouillée. Veut-on monter dans le baume, il faut bien se garder de faire agir brusquement l'alcool absolu qui détermine une rétraction trop accusée des cellules endothéliales ; il vaut mieux commencer par l'alcool progressivement renforcé.

Nᵒ 40. Membranes élastiques fenêtrées. — On dissocie l'artère basilaire ou l'artère vertébrale dans une goutte de potasse diluée à 35 0/0, et l'on obtient ainsi facilement des membranes fenêtrées. Il est plus difficile d'en obtenir par la dissociation de l'endocarde. Il faut surtout examiner les bords des fragments dissociés.

Nᵒ 41. Néoformation de capillaires. — On tue à l'aide du chloroforme un jeune lapin de 7 jours, on l'étale sur une plaque de liège et l'on ouvre la cavité abdominale par une incision cruciale. On extirpe rapidement la rate, l'estomac et le grand épiploon qui y adhère, on plonge le tout dans 80 cent. cubes environ d'une solution aqueuse saturée d'acide picrique. Dans ce liquide le grand épiploon s'étend facilement. Après un séjour d'une heure dans l'acide picrique le grand épiploon est séparé des parties auxquelles il adhère, et plongé dans 60 cent. cubes d'eau distillée. On le découpe ensuite en fragments de 1 centimètre de côté environ.

On porte un de ces fragments sur une lame porte-objet, l'eau est enlevée à l'aide d'un morceau de papier filtre ; puis on l'étale le plus possible avec des aiguilles. Cette dernière manœuvre est d'autant plus facile que la préparation contient moins d'eau. On colore ensuite la préparation en déposant sur la lamelle 1 à 2 gouttes d'hématoxyline de Hansen. Après 5 minutes on laisse l'hématoxyline s'écouler et l'on plonge toute la préparation, lame et coupe comprises, dans l'eau distillée ; la coupe se détache rapidement sans se plisser ; après 5 minutes de séjour dans l'eau la coupe est portée avec la spatule dans un bain d'éosine où elle reste 3 minutes. Elle est ensuite lavée pendant une minute à l'eau distillée. Enfin on la place sur la lame, on l'étale bien et, après avoir aspiré l'eau avec un papier buvard, on recouvre le tout d'une lamelle portant à sa face inférieure une goutte de glycérine étendue d'eau. On peut également monter dans le baume ; mais on risque de ne pas voir certains détails importants de la coupe. Les globules rouges sont colorés en rouge brillant par l'éosine (fig. 60).

N° 42. Globules rouges de l'homme. — On prépare une lame et une lamelle bien nettoyées à l'alcool ; puis on se pique la pulpe d'un doigt avec une épingle très propre. La première gouttelette de sang est essuyée, la seconde est prise sur la lame qu'on presse contre la pulpe digitale ; on place rapidement la lamelle sur la lame et on borde à la paraffine. A un fort grossissement on voit des globules rouges agglomérés en piles de monnaie (fig. 61,4), on voit également d'autres globules rouges isolés, et des globules blancs. Les bords de quelques globules rouges sont dentelés, c'est là un effet de l'évaporation rapide. Si, après avoir enlevé la paraffine, on dépose sur les bords de la lamelle une goutte d'eau, on voit les globules rouges se décolorer, et l'eau devient jaunâtre. Les globules rouges deviennent en même temps sphériques, leurs contours sont très pâles et ne tardent d'ailleurs pas à disparaître complètement. Il est bon d'étudier cette décoloration sur un seul globule rouge.

N° 43. — Pour faire des *préparations durables* on se sert de la méthode par dessiccation d'Ehrlich. C'est une méthode qui demande beaucoup d'attention et donne d'excellents résultats quand elle est pratiquée avec toutes les précautions voulues ; dans le cas contraire les résultats peuvent être tout à fait mauvais.

Traitement préalable. — Avant de prendre le sang, il faut nettoyer au savon la peau (de l'extrémité du doigt). On prend des lamelles minces, leur épaisseur ne doit pas dépasser 0,1 mm. ; on les plonge pendant quelques minutes dans de l'acide chlorhydrique dilué, puis dans de l'eau distillée, et on les nettoie finalement à l'alcool. Il vaut mieux employer des lamelles neuves. Il faut deux lamelles pour chaque préparation de sang. On prend ensuite un mélange par parties égales d'alcool absolu et d'éther sulfurique (5 cent. cubes à peu près) et l'on nettoie une fois encore l'extrémité du doigt rendu hyperémique par compression et sur la goutte de sang qui apparaît on applique la lamelle tenue à l'aide d'une pince (et pas avec les doigts). Cette lamelle est appliquée sur l'autre. Le sang s'étale en couche mince entre les deux lamelles, placées de telle façon que le bord de l'une dépasse l'autre. On écarte les deux lamelles à l'aide de 2 pinces ; on évite de cette façon l'influence de l'évaporation cutanée sur les globules sanguins, qui perdraient leur hémoglobine, et se ratatineraient.

On laisse sécher les lamelles à l'air (pendant quelques minutes) et on les plonge pour la fixation dans un godet rempli d'éther-alcool. On retire les lamelles au bout de 1/4 d'heure à 2 heures, on laisse sécher de nouveau à l'air (au bout de 5 minutes après la fixation à l'alcool-éther) (1). On peut faire subir aux lamelles le traitement ultérieur immédiatement ou attendre davantage.

TRAITEMENT ULTÉRIEUR. — a) *Pour les granulations oxyphiles* (ésosinophiles α). — On plonge la préparation pendant 24 heures dans 4 cent. cubes d'eau distillée à laquelle on a ajouté 10 gouttes de la solution d'éosine. On lave pendant quelques minutes à l'eau distillée, et on colore de 1 à 5 minutes dans un verre de montre avec de l'hématoxyline de Hansen. On transporte les lamelles dans de l'eau distillée, on les retire au bout de 5 minutes et on laisse sécher à l'air sous une cloche de verre. La préparation sèche est couverte directement avec 1 goutte de résine Damar, et conservée. Les globules rouges et les granulations oxyphiles des globules blancs sont d'un rouge brillant ; les noyaux sont en bleu. Les granulations oxyphiles se trouvent dans les leucocytes du sang normal, dans ceux de la lymphe, et des tissus ; elles sont rares dans le sang normal ; on en trouve beaucoup dans la moelle osseuse du lapin ; les grossissements moyens 400/1 suffisent pour l'examen.

b) Pour les granulations basophiles.— On distingue ici deux groupes : pour les granulations γ ou des mastzellen, qui ne se trouvent que dans les leucocytes du sang pathologique, on colore la préparation sèche d'après la méthode nᵒ **6**, page 68. La coloration faite on procède comme plus haut. Les granulations bleu-violet sont plus grosses que les granulations — δ, qui se trouvent dans les leucocytes à noyau rond du sang normal, et qu'on rencontre aussi ailleurs. La préparation sèche est plongée pendant 5 à 10 minutes dans 5 cent. cubes de bleu de méthylène. On lave (2), on sèche, et on conserve dans la résine Damar. Les granulations sont fines, et à peine visibles avec les lentilles fortes à sec ; il faut se servir de l'immersion.

c) Pour les granulations (ε —) *neutrophiles.* — On dissout : 1ᵒ 1 gramme de *jaune orange extra* dans 50 cent. cubes d'eau distillée ; 2ᵒ 1 gramme de *fuchsine acide extra* dans 50 cent. cubes d'eau distillée ; 3ᵒ 1 gramme de vert de méthyle cristallisé dans 50 cent. cubes d'eau distillée, et on laisse reposer les 3 solutions. On mélange 11 cent. cubes de la solution 1 avec 10 cent. cubes de la solution 2, on y ajoute 20 cent. cubes d'eau distillée et 10 cent. cubes d'alcool absolu. On ajoute à cette solution un mélange de 13 cent. cubes de la solution 3 plus 10 cent. cubes d'eau distillée, plus 3 cent. cubes d'alcool absolu. On laisse reposer de 1 à 2 semaines avant d'employer. La préparation sèche est plongée pendant 15 minutes dans cette solution *triacide*, on lave, on sèche, on conserve dans la résine Damar. Les granulations neutrophiles qui se trouvent dans les leucocytes à noyaux lobulés du sang normal ou autre, sont de couleur violette, et faciles à voir avec les lentilles fortes à sec, les granulations oxyphiles et les globules rouges sont colorés en jaune brunâtre, même en brun chocolat, les noyaux sont d'un vert bleuâtre brillant, leurs

(1) Les préparations fixées à sec peuvent être conservées pendant longtemps.
(2) Dans la coloration au bleu de méthylène, il arrive qu'au moment du lavage on fait partir tout le sang étalé sur la lamelle ; pour éviter cet accident on peut passer à la flamme la préparation sèche, avant de colorer.

8

contours ne sont pas cependant si nets que sur des préparations à l'hématoxyline.

N° 44. Plaquettes sanguines. — Elles s'obtiennent en déposant une
goutte d'un mélange *filtré* de 3 gouttes environ d'une solution aqueuse de
violet de méthyle et de 5 cent. cubes environ d'eau salée, sur la pulpe du
doigt ; on pique au travers de la goutte ; le sang qui jaillit se mélange au
violet de méthyle ; on prépare une lamelle comme il a été dit plus haut et
on examine à un fort grossissement. Les plaquettes discoïdes sont colorées en
bleu intense, ayant un éclat particulier (fig. 64), il ne faut pas les confondre
avec les globules blancs également colorés ; le nombre des plaquettes varie
beaucoup suivant les individus. Ce mélange colorant contient quelquefois,
malgré une filtration soignée, des granulations solides qu'il ne faut pas prendre pour des plaquettes.

N° 45. Les globules rouges d'animaux (grenouille), se préparent
comme il a été indiqué n° **42.**

N° 46. Lorsqu'on a du **sang à examiner au point de vue médico-
légal**, il s'agit presque toujours de taches plus ou moins desséchées ; on dé-
laye soit le sang desséché, soit les fragments de toile qui portent les taches,
dans une goutte de solution de potasse à 35 0/0. Les globules rouges de
l'homme sont généralement plus grands que ceux de presque tous nos animaux domestiques mammifères ; mais cette différence de volume ne saurait
constituer un signe distinctif absolu. Il est au contraire facile de distinguer
les globules ovalaires des autres vertébrés des globules discoïdes des mammifères.

N° 47. Globules blancs, leucocytes en mouvement. — On commence par nettoyer soigneusement à l'alcool une lame et une lamelle. On
saisit une grenouille par les extrémités postérieures ; on sèche avec un linge
la région vertébrale, et l'on pratique tout près de la colonne dorsale une incision de 1 centimètre de long. Dans cette incision on introduit une pipette,
la pointe dirigée en avant, et l'on aspire une certaine quantité de lymphe.
Une goutte suffit, on la dépose sur la lame, on recouvre rapidement d'une
lamelle et l'on borde à la paraffine. Sur cette préparation on voit des globules rouges et des corpuscules blancs ; les noyaux des globules rouges sont
peu nets au début, ceux des globules blancs vivants ne sont généralement
pas visibles du tout. Pour l'étude des mouvements amiboïdes on observe les
globules blancs non arrondis dont le protoplasma est granuleux. Les mouvements se font lentement ; on peut s'en convaincre facilement en dessinant le
même leucocyte à des intervalles de 1 à 2 minutes. Il faut employer de forts
grossissements (fig. 4).

N° 49. Cristaux du sang. — *a)* La préparation des *cristaux d'hémine*
est facile.

Un petit fragment de toile (3 mm. de côté environ), imbibé de sang,
est déposé sur une lame bien propre avec un grain de chlorure de sodium
gros au plus comme une tête d'épingle. On ajoute une goutte d'acide acétique
cristallisé et l'on triture ensuite le tout à l'aide d'une baguette de verre, jus-

qu'à ce que l'acide acétique devienne brunâtre. La manœuvre doit être rapide, l'acide acétique s'évaporant facilement. Le liquide est ensuite chauffé à la flamme sur la lame, jusqu'à ébullition. Le fragment de toile est enlevé, et l'on examine à un fort grossissement (240) les taches brunes. Sans lamelle et sans liquide quelconque de conservation, les cristaux bruns sont visibles à côté des cristaux blancs de sel de cuisine (fig. 63, 1).

Pour conserver la préparation, on dépose une goutte de baume sur la lame et l'on recouvre d'une lamelle.

La forme et le volume des cristaux d'hémine sont extrêmement variables. Sur une même préparation, on trouve des cristaux tantôt isolés, tantôt disposés en croix, tantôt enfin formant de véritables étoiles (fig. 63). A côté de ces formes nettes on rencontre des petites parcelles à peine cristallines, ou affectant une forme légèrement ellipsoïde. Au point de vue médico-légal, l'existence des cristaux d'hémine est de la plus haute importance. S'il est facile de les mettre en évidence quand il s'agit de taches volumineuses, il n'en est plus de même pour les petites taches, surtout lorsque celles-ci siègent sur un fer rouillé. Les instruments et réactifs, employés pour l'examen des cristaux, doivent être d'une propreté irréprochable.

b) Les *cristaux d'hématoïdine* se rencontrent dans des foyers hémorrhagiques anciens (tels que les kystes apoplectiques ou les corps jaunes par exemple); en général il est déjà très facile à l'œil nu de reconnaître la nature de ces foyers.

c) *Cristaux d'hémoglobine.* On met dans un tube à essai 5 cent. cubes de sang de chien, on ajoute 2 gouttes d'éther sulfurique, et on agite fortement jusqu'à ce que le sang noircisse. On en met alors quelques gouttes sur une lame et on laisse sécher au frais. Les cristaux se forment, on ajoute 1 goutte de glycérine et l'on recouvre d'une lamelle.

N° 50. Vaisseaux lymphatiques. — Pour l'étude des gros vaisseaux lymphatiques il faut choisir des troncs volumineux tels que les lymphatiques qui débouchent dans les ganglions inguinaux. On les traite comme s'il s'agissait de vaisseaux sanguins (Voir **n° 36** ou **38**, *b*).

N° 51. Lymphatiques fins. — La préparation des *lymphatiques fins* par les injections au bleu de Prusse, par exemple, constitue une méthode grossière, dont les résultats sont presque toujours douteux. On injecte en même temps les interstices du tissu conjonctif. C'est de cette façon que l'on peut établir le rôle des espaces lymphatiques au point de vue de l'origine des lymphatiques.

N° 52. Ganglions lymphatiques. — L'étude des ganglions lymphatiques doit être faite, pour avoir une bonne vue d'ensemble, sur les ganglions mésentériques de jeunes chats. On les durcit dans 30 cent. cubes d'alcool absolu ; 3 jours après on peut faire des coupes qui doivent toujours passer par le hile du ganglion. Les coupes longitudinales passant par les deux pôles du ganglion sont les meilleures, toutefois on peut utiliser aussi les coupes transversales. On plonge 6 à 8 coupes pendant 2 à 3 minutes dans un bain d'hématoxyline de Hansen, puis on les met pendant 1 minute dans l'éosine, et on les agite dans un tube à essai à moitié rempli d'eau distillée de 3

à 5 minutes. En examinant les coupes dans un cristallisoir plat, il est possible, même à l'œil nu, de distinguer déjà la substance médullaire de la substance corticale ; celle-ci est d'un bleu uniforme ; la substance médullaire au
contraire est tachetée. On monte dans le baume. A un faible grossissement
on voit des images analogues à celles représentées dans la figure 65. Les trabécules se sont peu développés. Il ne faut pas confondre avec le tissu réticulé un restant de graisse qui enveloppe le ganglion.

Les forts grossissements ne présentent pas une grande utilité, les contours
s'effacent et l'image perd de sa netteté.

**N° 53. Ganglions lymphatiques de l'homme et des animaux
adultes.** — Les ganglions sont difficiles à bien observer ; la substance corticale forme une masse cohérente parsemée çà et là de centres germinatifs.
En agitant les coupes, les sinus lymphatiques ne deviennent pas beaucoup
plus nets ; les centres germinatifs tombent et laissent à leur place des lacunes
arrondies facilement reconnaissables. Les ganglions mésentériques du bœuf
fournissent d'excellentes préparations pour l'étude des *trabécules* et des *cordons médullaires*. On plonge des fragments de 2 centimètres dans 200 centimètres cubes d'une solution aqueuse concentrée d'acide picrique ; après
24 heures on essaie de faire des coupes à l'aide d'un rasoir tranchant mouillé
avec de l'eau. La chose est moins facile qu'après un durcissement dans l'alcool, mais on peut utiliser des coupes un peu épaisses. On les met pendant
une heure dans 100 centimètres cubes d'eau distillée qu'on renouvelle souvent. On les colore ensuite avec l'hématoxyline de Hansen et avec l'éosine :
monter au baume. Les trabécules sont rouges, les cordons médullaires bleus.
A un faible grossissement on voit des images comme celles représentées par
la figure 66 : à un fort grossissement le tissu réticulé des sinus lymphatiques
ressort très nettement ; sous la double influence de l'acide picrique et des
manipulations, les leucocytes qui se trouvaient dans les mailles du tissu réticulé ont disparu.

N° 54. Éléments de la rate. — On racle la surface de section d'une
rate fraîche et l'on examine le produit de ce raclage dans une goutte d'eau
salée. Employer de forts grossissements. On ne trouve souvent, surtout
chez les animaux, que des globules sanguins blancs et rouges, les leucocytes
contiennent souvent des petites granulations.

Dans la rate de l'homme on rencontre toujours, outre un grand nombre
de globules rouges modifiés dans leur forme (fig. 68, 3), ce que l'on appelait
autrefois les fibres spléniques, qui ne sont autre chose que les cellules épithéliales des vaisseaux sanguins (fig. 68, 2). Il est fréquent chez l'homme
d'y rencontrer des cellules contenant des globules sanguins (fig. 68, 4) ou des
cellules à plusieurs noyaux.

N° 55. Rate. — On fixe la rate entière dans le liquide de Müller sans la
sectionner ; il faut un litre de ce liquide pour une rate d'homme, 300 centimètres cubes pour une rate de chat. Après un séjour de 2 semaines pour les
rates d'animaux ou de 5 semaines pour la rate de l'homme, on lave à l'eau
courante ; on découpe ensuite des fragments de 2 centimètres de côté et on
les durcit dans 60 centimètres cubes d'alcool progressivement renforcé ; on

perçoit à la surface des coupes, même à l'œil nu, les corpuscules de Malpighi. Les coupes ne doivent pas être trop fines ; on les colore à l'hématoxyline de Hansen et on les conserve dans le baume. Veut-on colorer les trabécules, il suffit de plonger pendant une demi-minute dans l'éosine les coupes colorées à l'hématoxyline (1). Sur les préparations réussies, les corpuscules de Malpighi et les cordons médullaires sont colorés en bleu ; les trabécules sont roses, et les vaisseaux gorgés de globules sanguins sont bruns. Les faibles grossissements donnent les images les plus nettes (fig. 67). Avec les forts grossissements la netteté des contours disparaît. On peut aussi fixer la rate avec le liquide de Zenker.

N° 56. Pour voir le **tissu réticulé de la rate**, il suffit d'agiter pendant cinq minutes dans un petit cristallisoir rempli d'eau distillée des coupes de la rate colorées préalablement à l'hématoxyline et à l'éosine. On monte dans la glycérine. Les leucocytes sont difficilement chassés ; mais en examinant les bords de la préparation on peut voir de petits lambeaux du réseau à mailles étroites (fig. 69).

N° 57. Figures karyokinétiques *dans la rate et les ganglions lymphatiques.* — Pour obtenir ces figures, on prend de petits fragments (1/2 à 1 cent. de côté) de rate ou de ganglion provenant d'un animal à peine mort, on les fixe dans le liquide chromo-osmio-acétique et on les durcit dans l'alcool. Les coupes, qui doivent être très fines, sont colorées à la safranine et montées au baume.

Les figures karyokinétiques des leucocytes des mammifères sont tellement petites, qu'elles ne peuvent être trouvées que par des observateurs déjà exercés et avec l'aide de très forts grossissements (560 diamètres). On les reconnaît à leur coloration rouge foncé (fig. 70).

N° 58. Vaisseaux sanguins de la rate. — On les injecte en même temps que l'on injecte les vaisseaux de l'estomac et de l'intestin n° 115.

N° 59. Nerfs de la rate. — On prend une rate de souris, on la partage en deux et on la traite par la méthode de Golgi. On laisse trois jours à l'étuve dans le mélange osmio-bichromique, et autant dans la solution de nitrate d'argent. On a souvent de bons résultats dès le premier ou le second essai.

B. — ORGANES DU SYSTÈME OSSEUX

Le système osseux se compose principalement d'un grand nombre de corps solides, les os, qui maintenus par des moyens particuliers d'union forment un ensemble nommé le squelette.

Pendant la période embryonnaire le squelette se compose en grande partie

(1) Si on les laisse plus longtemps dans l'éosine, les corpuscules roses du sang deviennent rouge brique, et les trabécules rouge foncé. La distinction devient donc très difficile.

de tissu cartilagineux, ultérieurement il est remplacé par du tissu osseux,
c'est à peine s'il en reste quelques vestiges ; les cartilages costaux et articulaires, qui recouvrent les surfaces d'union de beaucoup d'os. Des parties cartilagineuses du squelette se trouvent encore dans les organes respiratoires et
dans les organes des sens.

Tissu osseux.

Il suffit de scier un os pour voir que sa structure n'est pas partout la même.
La masse périphérique est constituée par une substance très solide, dure, qui
à première vue semble absolument uniforme, c'est la *substance compacte*.
Lorsqu'on se rapproche du canal central, la substance compacte est remplacée
par de petites plaques ou par des trabécules osseux, dirigés en différents sens,
et formant un réseau irrégulier, c'est la *substance spongieuse*. Les mailles de
cette substance sont remplies d'une matière molle, la *moelle osseuse*. A la sur-

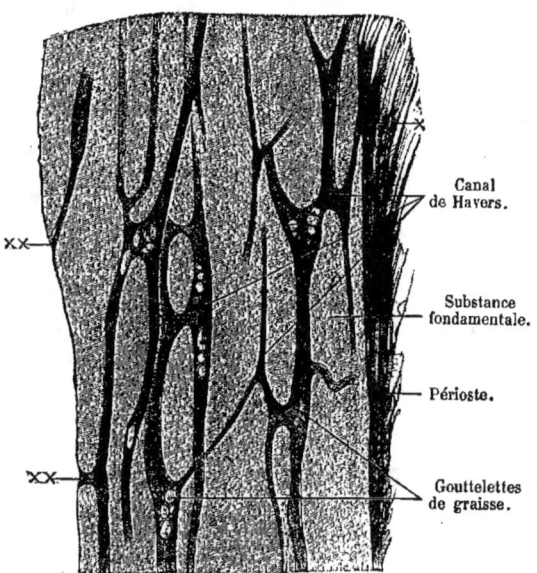

Canal
de Havers.

Substance
fondamentale.

Périoste.

Gouttelettes
de graisse.

Fig. 73.

Coupe longitudinale d'un fragment de métacarpien humain (Gross. 30).— Dans la préparation on voit
des canaux de Havers qui contiennent de la graisse. En X, les canaux de Havers s'abouchent en dehors ;
en XX, ils communiquent avec la cavité centrale de l'os (**Technique n°. 62**).

face de l'os on trouve une membrane fibreuse, le *périoste*. Dans les os courts
les proportions entre la substance compacte et la substance spongieuse sont
renversées. La substance spongieuse l'emporte de beaucoup sur la substance
compacte, qui ne forme guère qu'une mince couche à la périphérie de l'os.

Les os *plats* ont une couche de tissu compact tantôt mince, tantôt plus épaisse ; leur partie centrale est formée de tissu spongieux. Les épiphyses des os longs se comportent à cet égard comme les os courts ; elles sont constituées presque dans leur totalité par du tissu spongieux.

La substance spongieuse se compose simplement de tissu osseux tel qu'il a été décrit page 65.

La substance compacte est d'une structure plus compliquée. Outre ce système de fins canalicules que nous venons de décrire, elle contient des canaux plus volumineux, de 22 à 110 μ, qui se divisent dichotomiquement en haut et en bas, formant ainsi un réseau à larges mailles. Ces canaux contiennent les vaisseaux sanguins et portent le nom de *canaux de Havers*. Dans les os longs, dans les côtes, dans la clavicule et dans le maxillaire inférieur les canaux de Havers affectent une direction parallèle à l'axe longitudinal de l'os. Dans les os courts, il y a une direction qui domine ; dans les vertèbres, par exemple, c'est la direction verticale. Dans les os plats, les canaux de Havers ont un trajet parallèle à la surface de l'os, il n'est pas rare de les voir rayonner autour d'un point central ; cette disposition s'observe par exemple sur le pariétal. Les canaux de Havers débouchent librement à la surface externe (fig. 73, X) et interne (fig. 73, XX) de l'os. La substance fondamentale du

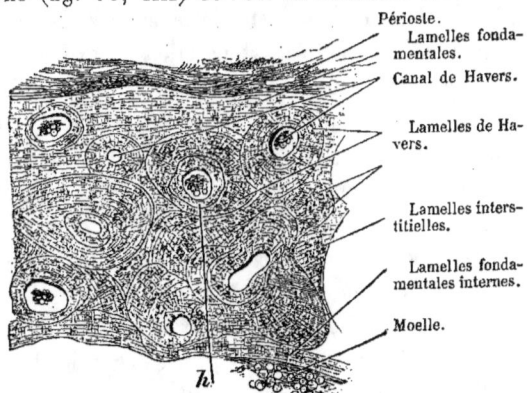

Fig. 74.

Fragment d'une coupe transversale de métacarpien de l'homme (Gross. 50). — Dans certains canaux de Havers on trouve encore de la graisse. — *h*. Lumière du canal de Havers (**Technique n° 62**).

tissu compact est constituée par des lamelles stratifiées ; celles-ci ne sont que des fibrilles osseuses réunies en faisceaux ; ces derniers, placés les uns à côté des autres, donnent naissance à cette disposition lamellaire. La direction de ces couches lamellaires permet de les distinguer en trois systèmes : un système de lamelles à direction circulaire et disposées en anneau autour des canaux de Havers ; elles apparaissent, sur des coupes transversales, sous

forme d'anneaux, au nombre de 8 à 15, et disposées concentriquement autour d'un canal de Havers. Ce sont les lamelles de Havers ou les lamelles
spéciales. Les couches de lamelles de Havers peuvent, soit se toucher par
leur périphérie, soit être séparées, en partie, par des lamelles osseuses affectant une direction différente. Nous désignons ces lamelles, qui traversent
irrégulièrement les systèmes de lamelles de Havers, sous le nom de *lamelles
interstitielles* ou *lamelles intermédiaires*; elles sont en connexion avec un
troisième système de lamelles, périphérique celui-là, et à direction parallèle
à la surface de l'os; c'est le système des *lamelles fondamentales externes*. A la
surface interne de l'os on trouve quelquefois des lamelles ayant la même
disposition; ce sont les *lamelles fondamentales internes*. Les lamelles fondamentales contiennent encore une autre variété de canaux vasculaires; ceux-
ci, en nombre variable, se distinguent des canaux de Havers en ce qu'ils ne
sont pas entourés d'un système de lamelles concentriques. Ces canaux portent le nom de *canaux de Volkmann*, et les vaisseaux qui y sont contenus,
celui de *vaisseaux perforants*; ces vaisseaux présentent des connexions multiples avec les vaisseaux des canaux de Havers : c'est par une transition insensible que les canaux de Volkmann passent à l'état de canaux de Havers.

Les cavités osseuses occupent dans la substance compacte des positions
parfaitement déterminées. Dans les systèmes de lamelles de Havers, l'axe
longitudinal de ces cavités est parallèle à l'axe longitudinal des canaux de
Havers; elles sont incurvées dans le sens de la paroi de ces canaux de sorte
que, sur des coupes transversales, elles paraissent rangées concentriquement
autour d'eux. Dans les lamelles interstitielles les cavités osseuses sont irrégulières; dans les lamelles fondamentales elles sont parallèles à la surface de
ces lamelles.

Les canalicules osseux s'abouchent aussi bien dans les canaux de Havers
qu'à la face interne ou externe de l'os.

La *moelle osseuse* occupe le canal central des os longs, les mailles de la
substance spongieuse et aussi les gros canaux de Havers. Au point de vue de
la coloration on distingue une moelle osseuse *rouge* et une moelle osseuse
jaune. Les éléments constitutifs de ces deux espèces de moelle sont absolument les mêmes; la différence n'est due qu'à une plus ou moins grande quantité de graisse; la moelle rouge se trouve dans le tissu spongieux des os courts
et plats, de même que dans les épiphyses des os longs, et même dans la diaphyse chez les jeunes animaux. La moelle jaune remplit le canal médullaire
des os longs. Chez les vieillards et les personnes malades la moelle devient
muqueuse, jaune rougeâtre, elle porte alors le nom de moelle *gélatineuse*;
elle est surtout caractérisée par sa pauvreté en matières grasses.

Les éléments de la moelle rouge sont : une légère quantité de tissu conjonc-

tif fibrillaire, lequel dans les grandes cavités médullaires se condense, forme
une membrane de revêtement,
l'*endoste*; elle manque complètement dans les espaces médullaires spongieux. On y trouve
quelques cellules adipeuses, des
médullocèles grands et petits (1)
et des cellules géantes (*myélo-
plaxes*). Les médullocèles présentent beaucoup de formes ressemblant aux leucocytes ; les

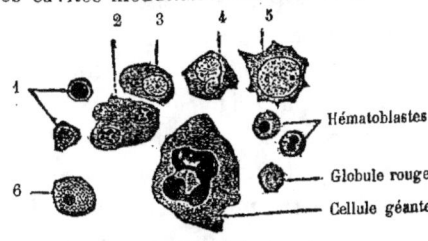

Fig. 75.

Eléments de la moelle osseuse humaine (Gross. 600). —
1-5. Différentes formes de cellules médullaires. — 6. Cellules éosinophiles (**Technique** n° 63).

cellules géantes sont également en rapport avec les leucocytes, elles représentent des formes plus grandes, altérées et des anomalies de formation des leucocytes ; les cellules géantes offrent des images irrégulières, formées de protoplasma, avec un ou plusieurs noyaux. La forme des noyaux est très variée,
tantôt ronde, tantôt lobulée, rubanée, annulaire (fig. 86, *2r*), parfois ils sont
disposés en réseau.

Les cellules géantes à un seul noyau peuvent se transformer en cellules à
plusieurs noyaux (fig. 86, *3r*) par l'étranglement de particules isolées du
noyau ; il peut arriver qu'une partie du protoplasma s'étrangle en même
temps qu'une portion du noyau, il en résulte dans ce cas une cellule à un seul
noyau (2) (*Bourgeonnement*, V. p. 42). Il existe encore dans la moelle rouge
des cellules nucléées, à protoplasma coloré en jaune, ressemblant aux globules
rouges ; ce sont des cellules mères (*hématoblastes*) des globules rouges (fig. 75).
Le pigment jaunâtre que l'on rencontre dans diverses cellules est considéré
comme provenant de la destruction des globules rouges.

La moelle jaune se compose de beaucoup de graisse et de tissu conjonctif.
Les médullocèles et les hématoblastes ne se rencontrent ici que dans la tête de
l'humérus et dans celle du fémur.

Le *périoste* est une membrane constituée par un tissu fibreux dense ; on

(1) On a essayé de classer les cellules de la moelle osseuse d'après leur origine,
nommant *lymphocytes* les cellules à corps cellulaire peu développé (fig. 75, *1*),
et *myélocytes* celles à corps cellulaire bien développé (*3, 4, 5*). On ne peut pas
affirmer que les lymphocytes se forment seulement dans les glandes lymphatiques
et les organes similaires et pas dans la moelle osseuse. Il est de même évident qu'on
trouve des myélocytes dans la rate et isolés dans les glandes lymphatiques. Considérant encore qu'il y a beaucoup de formes intermédiaires, on voit que cette classification n'a pas sa raison d'être.

(2) L'idée que ces phénomènes considérés comme appartenant à la division seraient
des manifestations d'un processus de régression, correspondant à la réunion de plusieurs cellules en une seule, a pour elle peu de vraisemblance depuis qu'on a observé
dans les cellules vivantes le processus du bourgeonnement.

peut lui distinguer deux couches : 1° une couche *externe* remarquable par sa richesse vasculaire, cette couche est intimement unie aux tissus voisins (tendons, aponévroses, etc.) ; 2° une couche *interne* pauvre en vaisseaux sanguins, mais très riche en fibres élastiques ; celle-ci est tapissée par places de cellules cubiques, dont l'importance est considérable dans le développement de l'os. Le périoste adhère d'une façon plus ou moins intime à la couche osseuse sous-jacente. Cette adhérence est due aux vaisseaux sanguins qui vont à l'os ou qui en partent et en partie aux fibres de Sharpey. On donne ce nom à des faisceaux conjonctifs particuliers, en grande partie non calcifiés, qui pénètrent dans le système des lamelles périphériques et aussi dans le système des lamelles intermédiaires immédiatement adjacentes, pour se diriger en divers sens. Les fibres de Sharpey existent dans tous les os, qu'ils soient développés aux dépens du cartilage ou aux dépens du tissu conjonctif. Leur nombre est variable ; elles contiennent souvent des fibres élastiques. Ces dernières fibres restent parfois isolées dans les lamelles fondamentales périphériques ; elles font complètement défaut au niveau des os du crâne.

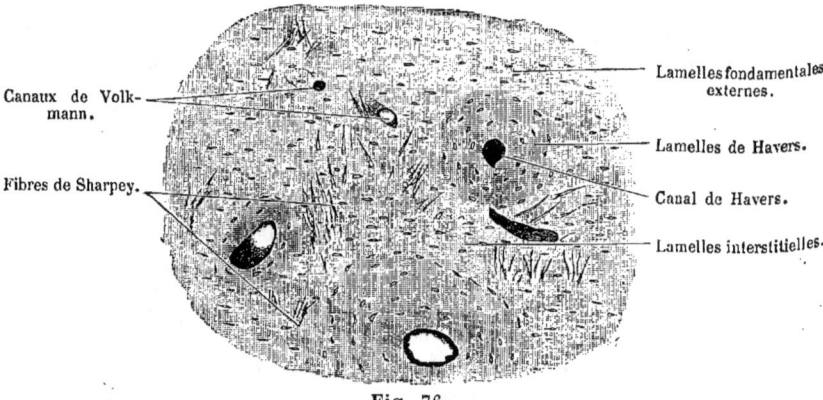

Fig. 76.

Coupe transversale du fémur d'un homme adulte (Gross. 80). — Préparation polie à la pierre ponce (Technique n° 61).

Les *vaisseaux sanguins* du périoste, de l'os et de la moelle osseuse s'anastomosent largement entre eux, et aussi avec les vaisseaux avoisinants. De petites branches artérielles et veineuses partent des nombreuses artères et veines du périoste, pour pénétrer de tous les côtés dans les canaux de Havers et de Volkmann, et aller s'anastomoser avec les vaisseaux de la moelle. Celle-ci reçoit le sang par l'artère nourricière de l'os, qui, avant de se terminer dans la moelle en un riche réseau vasculaire, abandonne au tissu osseux compact quelques branches plus ou moins importantes. Les veines qui font suite aux capillaires de la moelle sont dépourvues de valvules. Il est très probable que les vaisseaux sanguins manquent de parois propres sur certains points de leur parcours intra-médullaire.

Les *nerfs* sont situés les uns dans le périoste, où ils se terminent en partie dans certains renflements qui portent le nom de corpuscules de Vater, et les autres dans les canaux de Havers et dans la moelle osseuse. Ces nerfs sont tantôt à myéline, tantôt sans myéline.

MOYENS D'UNION DES OS.

Les os peuvent être unis sans articulation, par *synarthrose* ou avec articulation par *diarthrose*.

I. SYNARTHROSES. — Cette union est réalisée tantôt par des ligaments, *syndesmoses*, tantôt par du *cartilage, synchondroses*.

a) *Syndesmoses*. — Les ligaments qui constituent cette sorte d'union osseuse sont en partie *fibreux* avec une structure analogue à celle des tendons, et en partie *élastiques*. Les ligaments élastiques sont formés par des fibres très élastiques et nombreuses, qui ne sont disposées ni en faisceaux, ni en lamelles, mais restent séparées les unes des autres par un tissu conjonctif lâche (voy. fig. 23, C). A cette classe appartiennent : le ligament cervical postérieur, le ligament stylo-hyoïdien, et les ligaments jaunes des vertèbres.

Les sutures osseuses appartiennent, elles aussi, aux syndesmoses ; les lèvres de chaque rebord osseux s'envoient réciproquement de petits rubans fibreux.

b) *Synchondroses*. — Le cartilage des synchondroses est rarement hyalin pur, ordinairement il est mélangé de fibro-cartilage, surtout au voisinage de l'os. Les cellules du cartilage hyalin sont souvent calcifiées.

Les ligaments inter-vertébraux, qui appartiennent aux synchondroses, présentent vers leur partie centrale une masse gélatineuse molle, contenant de nombreux groupes de cellules cartilagineuses. Cette masse centrale répond aux restes de la corde dorsale, ébauche embryonnaire de la colonne vertébrale.

II. DIARTHROSES. — Nous avons à considérer ici les extrémités articulaires des os, leur pourtour cartilagineux, le cartilage inter-articulaire ou ménisque, et enfin les capsules articulaires.

Les extrémités articulaires des os sont revêtues d'une mince couche de 0,2 à 5 millimètres d'épaisseur, qui va en diminuant du centre à la périphérie. Les cellules cartilagineuses, superficielles, sont disposées parallèlement à la surface du cartilage articulaire, elles sont aplaties ; dans les couches moyennes, les cellules sont arrondies et souvent réunies en groupes ; enfin, dans les couches les plus profondes, les cellules cartilagineuses sont souvent disposées en séries longitudinales, perpendiculaires à la surface articulaire. A cette dernière couche se trouve annexée une couche mince de cartilage calcifié qui établit la jonction entre le cartilage hyalin et l'extrémité osseuse (fig. 77).

Tous les cartilages articulaires ne présentent pas la même structure ; c'est ainsi que les articulations costales, l'articulation sterno-claviculaire, l'articulation acromio-claviculaire et la tête du cubitus, ne sont pas pourvues de cartilage hyalin, mais d'un fibro-cartilage. L'articulation temporo-maxillaire,

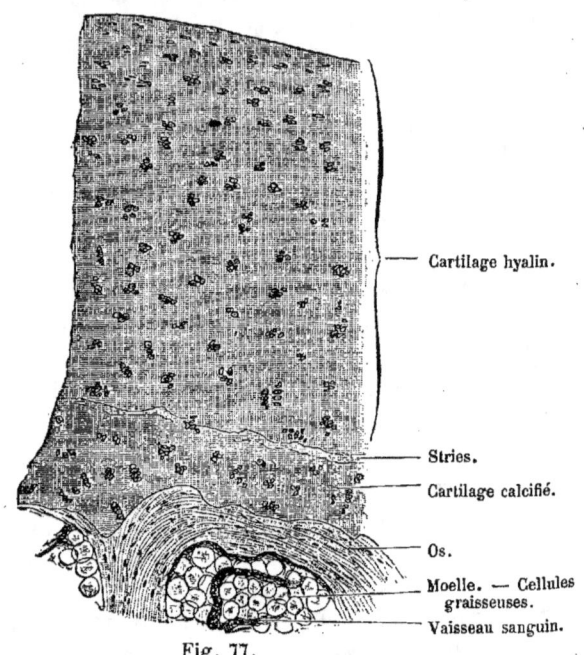

Cartilage hyalin.

Stries.
Cartilage calcifié.

Os.

Moelle. — Cellules graisseuses.
Vaisseau sanguin.

Fig. 77.
Coupe perpendiculaire de la tête d'un métacarpien d'un homme adulte (**Technique n° 64**).

de même que la cavité glénoïde du radius, sont revêtues d'un tissu conjonctif résistant.

Les *bourrelets glénoïdiens* et les *ménisques* sont constitués par du tissu fibreux dense dans lequel on ne rencontre aucun élément cartilagineux.

Le cartilage articulaire des adultes est dépourvu de vaisseaux et de nerfs, il en est de même des ménisques et des bourrelets glénoïdiens.

Les *capsules articulaires* se composent d'une tunique externe fibreuse, *capsule articulaire fibreuse*, d'épaisseur variable et d'une structure identique à celle des ligaments décrits plus haut ; au-dessous on trouve une couche interne, brillante, la *membrane synoviale*. Celle-ci est constituée, au niveau des points où elle touche immédiatement la capsule fibreuse, par un tissu conjonctif lâche contenant des fibres élastiques et par place des cellules graisseuses. En dedans de cette couche on trouve une seconde couche mince à faisceaux conjonctifs parallèles et tapissée sur sa face articulaire par un épithélium disposé sur une seule couche (endothélium). Les cellules épithéliales sont petites (11 à 17 μ), arrondies ou polygonales et possèdent un gros noyau. Parfois ces cellules sont peu nombreuses, dans les portions de l'articulation soumises à une forte pression ; d'autres fois elles sont beaucoup plus abondantes et forment une membrane endothéliale continue disposée sur trois ou quatre couches.

La synoviale forme souvent des replis remplis de graisse. A l'extrémité de ces replis sont les franges synoviales, prolongements de formes très variées, la plupart du temps visibles seulement au microscope. Ces franges siègent de préférence à la périphérie des surfaces articulaires et donnent à la synoviale un aspect rougeâtre velouté. Leur structure est simple : une gangue conjonctive recouverte d'une ou deux couches épithéliales.

C'est dans la couche de tissu conjonctif lâche que siègent les *principaux vaisseaux* de la synoviale. De ces vaisseaux partent des capillaires qui pénètrent dans la mince couche conjonctive interne et dans les franges synoviales. Toutes ces franges ne sont pas vasculaires. Les lymphatiques sont immédiatement sous-jacents à l'épithélium.

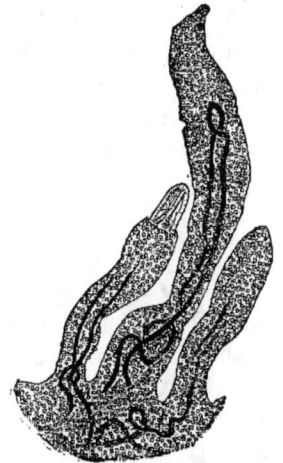

Fig. 78.
Franges synoviales vasculaires du genou de l'homme (Gross. 50). — A l'extrémité de la frange gauche l'épithélium est tombé, de sorte que le tissu conjonctif apparaît (**Technique n° 65**).

Les *nerfs* se trouvent dans la couche de tissu conjonctif lâche et se terminent le plus souvent dans des corpuscules de Vater.

La *synovie* ou liquide articulaire renferme plus ou moins de cellules fortement altérées, des cellules fragmentées et des gouttelettes de graisse, le tout provenant de l'usure de la surface de la synoviale et du cartilage articulaire. Elle est constituée en plus grande partie par de l'eau, tenant en dissolution 6 0/0 de matières salines (albumine, mucus, sels).

Le cartilage. — Les cartilages costaux sont formés de cartilage hyalin, leur structure est celle mentionnée page 63 ; les cellules contiennent souvent de la graisse. Leur surface est recouverte d'une membrane fibrillaire solide, le périchondre, formée de faisceaux conjonctifs à direction variée, et de fibres élastiques.

Les cartilages articulaires (Voir *Moyens d'union des os*) sont recouverts de périchondre sur leurs parties latérales seulement, et pas au niveau des surfaces de contact.

Là où le cartilage et le périchondre se rencontrent, la transformation se fait progressivement, il en résulte une adhérence intime du périchondre au cartilage.

Le périchondre renferme les nerfs et les vaisseaux sanguins ; ces derniers dans le cartilage en voie de développement occupent des canaux creusés en plein tissu ; chez l'adulte, le cartilage n'est pas vasculaire ; la nutrition s'effectue par diffusion.

Les cartilages costaux qui s'ossifient souvent chez le vieillard deviennent vasculaires. Pour les cartilages des organes de la respiration et des organes des sens, voir les chapitres spéciaux.

DÉVELOPPEMENT DES OS.

Le tissu osseux est un tissu qui apparaît relativement tard. Pendant une partie de la période embryonnaire, les muscles, les nerfs, les vaisseaux, la moelle, etc., se trouvent déjà formés, alors qu'il n'existe encore aucune trace du tissu osseux. A cette période le squelette embryonnaire est formé par du cartilage hyalin. A l'exception de quelques parties du crâne et de presque toutes les parties de la face, les portions du squelette qui s'ossifieront plus tard, ne sont constituées que par du cartilage. C'est ainsi que, par exemple, l'extrémité supérieure de l'humérus, le radius, le cubitus, le carpe et d'autres parties du squelette de la main ne sont représentés que par du cartilage plein, et non pas creusé d'un canal central comme le seront plus tard les os qui en proviennent. Le squelette cartilagineux n'est que progressivement remplacé par le squelette osseux ; tous ces os, qui à la période embryonnaire n'étaient que du cartilage, sont décrits sous le nom d'*os primaires*. Les autres os, qui ne passent pas par l'état cartilagineux, portent le nom d'*os secondaires* ou d'*os conjonctifs*.

Au tissu osseux primaire appartiennent : tous les os du tronc, des extrémités, la plus grande partie de la base du crâne, à savoir : l'occipital à l'exception de la partie supérieure de l'écaille, le sphénoïde, le rocher, les osselets de l'oreille interne, l'ethmoïde et le canal nasal inférieur.

Aux os secondaires appartiennent : les parties latérales du crâne, la voûte crânienne et presque tous les os de la face.

a) *Développement du tissu osseux primaire ou de l'os cartilagineux.*

Dans l'histoire du développement de l'os cartilagineux, deux processus sont à considérer : 1° la substance osseuse naît à l'intérieur du cartilage préexistant, c'est l'ossification *enchondrale* ; 2° la substance osseuse naît dans le voisinage immédiat du cartilage, à la surface de celui-ci, c'est l'ossification *périchondrale*. Ces deux processus commencent presque en même temps (le processus périchondral un peu plus tôt), mais ils doivent être décrits séparément.

1° *Ossification enchondrale.* — Sur un point déterminé du cartilage, on voit les cellules augmenter de volume, se diviser, de sorte que dans une même capsule il y a plusieurs cellules. La substance fondamentale se trouble et on y remarque de fines granulations calcaires. C'est là le premier processus qui est si évident qu'on le voit à l'œil nu. En anatomie descriptive on appelle ces points des *points d'ossification* (ou mieux de *calcification,* fig. 79). Les parties cartilagineuses éloignées des points d'ossification poursuivent leur accroissement en longueur et en largeur ; au niveau du point de calcification lui-même, elles restent stationnaires, de sorte qu'il se forme à ce niveau un étranglement de la pièce squelettique (fig. 79). Pendant ce temps apparaît à

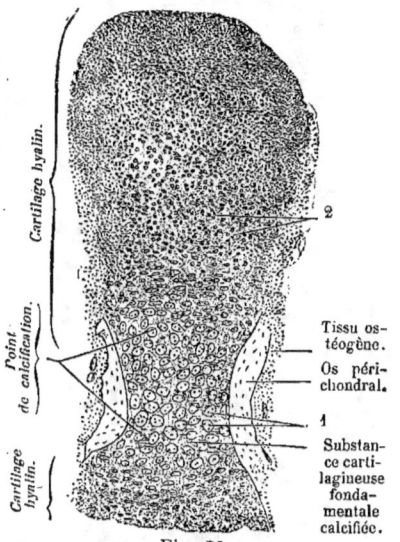

Fig. 79.

Coupe longitudinale du gros orteil d'un embryon humain de 4 mois. La coupe représente les deux tiers de la première phalange (Gross. 50). — 1. Capsules cartilagineuses augmentées de volume contenant plusieurs cellules cartilagineuses.

Ce faible grossissement ne permet pas de reconnaître les cellules elles-mêmes, on ne voit que leur noyau punctiforme. 2. Cartilage en croissance. On voit les cellules cartilagineuses disposées en groupes de 3 à 4 cellules. Les cellules de chaque groupe sont elles-mêmes en multiplication (**Technique n° 66**).

Labels fig. 79: Cartilage hyalin. — Point de calcification. — Cartilage hyalin. — Tissu ostéogène. — Os périchondral. — Substance cartilagineuse fondamentale calcifiée.

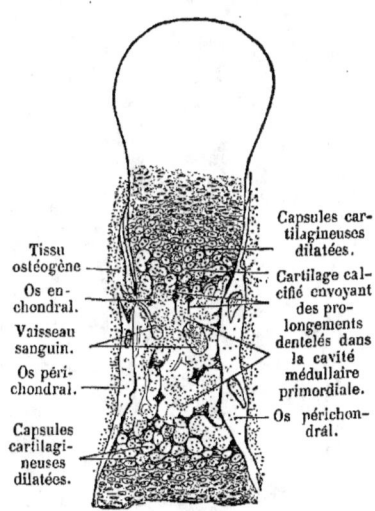

Fig. 80.

Coupe longitudinale du doigt d'un embryon humain de 4 mois. — La coupe représente les deux tiers de la seconde phalange (Gross. 50). — L'os enchondral n'est constitué que par de fines lamelles. Pour un grossissement plus fort, voy. fig. 81 (**Technique n° 66**).

Labels fig. 80: Tissu ostéogène. — Os enchondral. — Vaisseau sanguin. — Os périchondral. — Capsules cartilagineuses dilatées. — Capsules cartilagineuses dilatées. — Cartilage calcifié envoyant des prolongements dentelés dans la cavité médullaire primordiale. — Os périchondral.

la surface du point de calcification un tissu riche en vaisseaux et en jeunes cellules, le *tissu ostéogénétique.* Ce tissu pénètre dans le cartilage et détruit la substance fondamentale calcifiée, les cellules cartilagineuses sont ainsi mises en liberté et se mêlent aux cellules du tissu ostéogénétique ; le point de calcification se trouve, par le fait de cette destruction, creusé d'une petite cavité ; c'est l'espace médullaire primordial.

Autour de cet espace, la gangue cartilagineuse subit de nouveau le processus de calcification et de multiplication cellulaire que nous avons décrit. Peu à peu l'espace ou canal médullaire s'agrandit, la destruction du cartilage con-

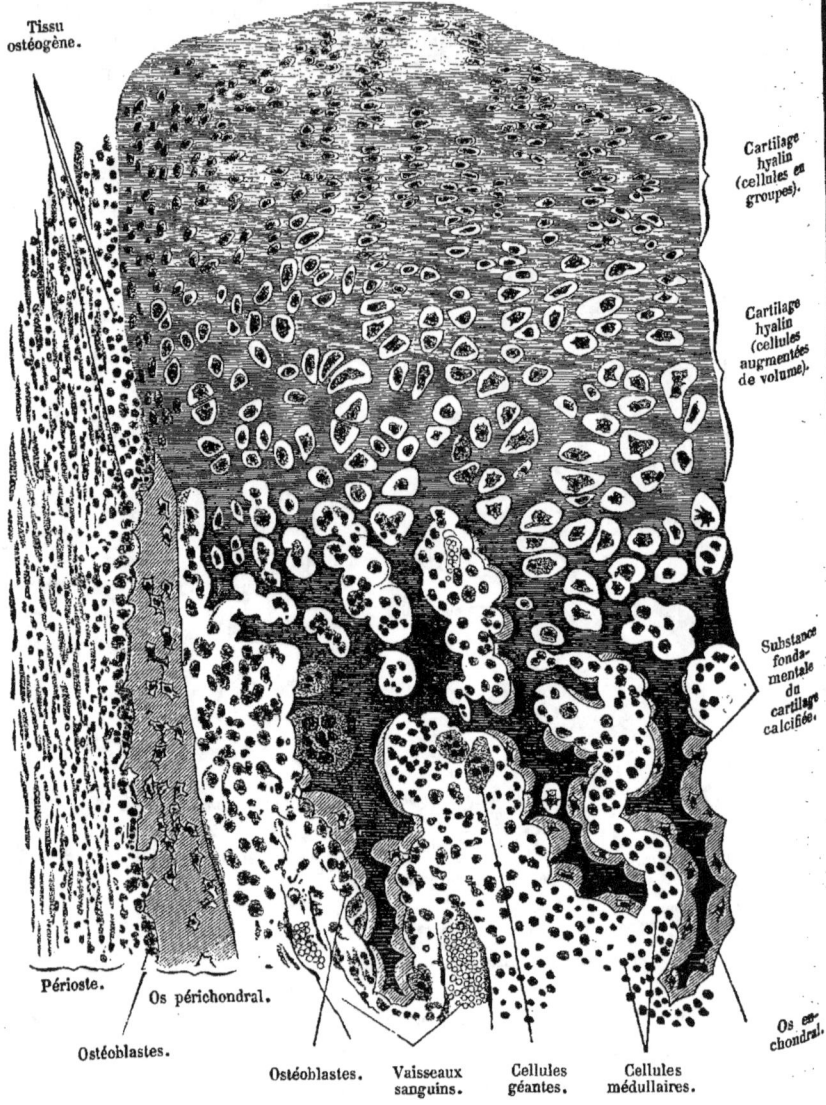

Tissu ostéogène.

Cartilage hyalin (cellules en groupes).

Cartilage hyalin (cellules augmentées de volume).

Substance fondamentale du cartilage calcifiée.

Os enchondral.

Périoste.

Os périchondral.

Ostéoblastes.

Ostéoblastes. Vaisseaux sanguins. Cellules géantes. Cellules médullaires.

Fig. 81.

Portion d'une coupe longitudinale de la première phalange du doigt d'un embryon humain de 4 mois (Gross. 220). — Dans l'os enchondral on voit déjà des cavités osseuses dentelées remplies de cellules osseuses. **Technique n° 66**).

tinuant toujours. Des groupes entiers de cellules cartilagineuses voient leur capsule éclater, pendant que la gangue calcifiée située entre ces groupes, se maintient encore sous la forme de prolongements dentelés faisant saillie dans l'espace médullaire (fig. 80). L'espace médullaire n'est à ce moment qu'une cavité anfractueuse, remplie de cellules et de vaisseaux sanguins. Ces cellules portent le nom de *cellules de la moelle cartilagineuse*. Elles auront plus tard des destinées diverses. Les unes, en conservant leurs formes, deviennent soit des cellules de la moelle osseuse, soit des cellules graisseuses ; d'autres, fait important, deviennent *ostéoblastes*, c'est-à-dire qu'un certain nombre de ces cellules se déposent sur la paroi de l'espace médullaire, à la façon d'un épithélium à une seule couche, et y produisent de la substance fondamentale osseuse.

Tout à fait au début, les ostéoblastes siègent à la surface de la substance fondamentale osseuse, plus tard ils pénètrent dans cette substance même et deviennent cellules osseuses. L'activité de ces ostéoblastes ne tarde pas à recouvrir la paroi de l'espace médullaire d'une couche osseuse, mince au début, mais qui s'épaissit progressivement ; les prolongements dentelés que nous avons décrits plus haut, se trouvent bientôt entourés de jeunes productions osseuses. De cette manière, le cartilage, plein auparavant, se trouve transformé en un os spongieux dont les trabécules contiennent encore des restes de la gangue cartilagineuse calcifiée (fig. 82).

2° *Ossification périchondrale.* — Cette ossification se fait par les ostéoblastes que nous avons vu naître du tissu ostéogénétique, dont le siège était à la surface du point de calcification (fig. 79) ; grâce à l'activité de ces ostéoblastes, des couches de substance osseuse se déposent à la surface du cartilage (fig. 79) ; mais ces masses osseuses se distinguent de celles produites par le processus enchondral par ce fait qu'elles ne contiennent pas de restes de gangue cartilagineuse calcifiée ; cela se comprend aisément, l'ossification ici se fait non pas *dans* le cartilage, mais bien *autour* du cartilage. C'est sur l'os périchondral que l'on peut suivre la formation des premiers canalicules de Havers (fig. 80). L'écorce périchondrale ne se développe pas à la manière d'une couche uniforme et d'une épaisseur partout égale ; on observe sur un grand nombre de points des enfoncements (fig. 82, *hh*) qui logent des vaisseaux entourés d'ostéoblastes ; au début ces enfoncements ne sont que des gouttières ouvertes du côté de la périphérie ; l'épaississement progressif des couches périchondrales amène l'occlusion des gouttières (*h*) qui représentent alors des canaux à contenu vasculaire ; ce sont les *canaux de Havers*. Les ostéoblastes, enfermés dans les canaux de Havers, donnent naissance à des couches osseuses qui représenteront les lamelles de Havers.

La destruction du cartilage d'une part, auquel se substitue du tissu osseux par l'ossification enchondrale, l'adjonction d'autre part à la périphérie de

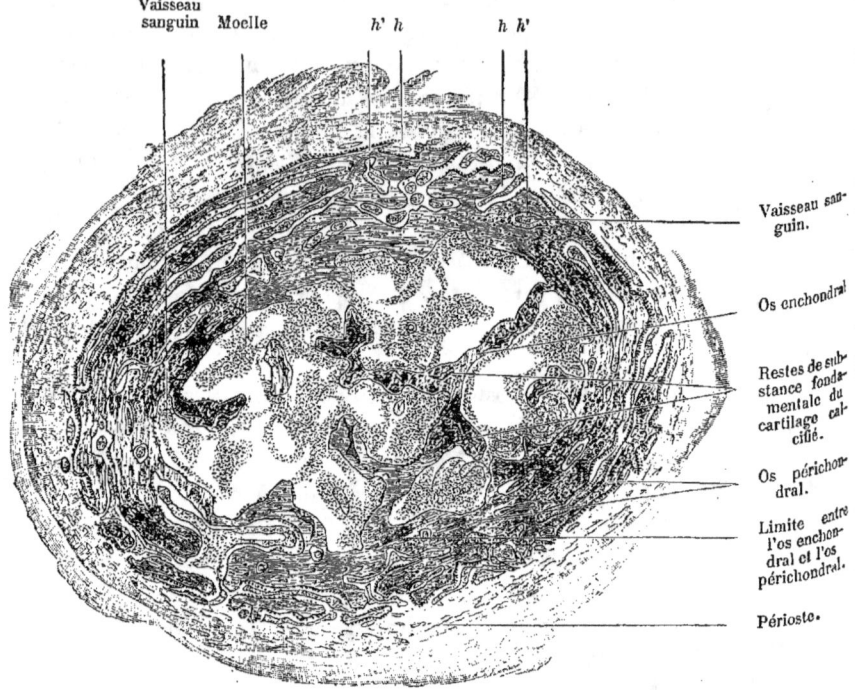

Fig. 82.

Coupe transversale de la moitié supérieure de la diaphyse humérale d'un embryon humain (Gross. 35.
Technique n° 66).

nouvelle substance osseuse par le processus périchondral, transforment en
os une pièce primitivement cartilagineuse.

Le squelette primordial se détruit donc ; le squelette ultérieur ou définitif
est une néoformation due à un développement progressif du tissu osseux. Ce

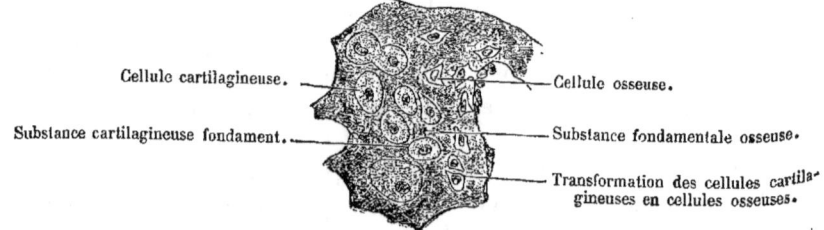

Fig. 83.

Coupe transversale du maxillaire inf. d'un jeune chien (Gross. 240). Type métaplastique
(Technique n° 66).

mode d'ostéogénèse porte le nom de *type néoplastique,* par opposition avec un deuxième mode, rare il est vrai, où le cartilage ne se détruit pas, mais se transforme simplement en os comme cela arrive pour l'angle de la mâchoire inférieure. Dans ce cas, la gangue cartilagineuse devient gangue osseuse et les cellules cartilagineuses deviennent cellules osseuses. C'est le *type métaplastique* (fig. 83).

b) *Développement du tissu osseux secondaire ou os conjonctif.*

Le point de départ du tissu osseux n'est plus ici du cartilage, mais du tissu conjonctif. Certaines fibres conjonctives s'incrustent de sels calcaires, les cellules embryonnaires de leur voisinage se transforment en ostéoblastes (fig. 84) et l'os est formé de la manière précédemment décrite.

Pour avoir un os conjonctif, il faut que le tissu conjonctif l'enveloppe de

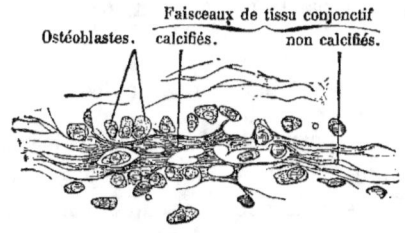

Faisceaux de tissu conjonctif

Ostéoblastes.   calcifiés.   non calcifiés.

Fig. 84.

*Coupe parallèle du frontal d'un embryon humain (Gross. 240. **Technique n₀ 66**).*

tous les côtés ; si sur un point quelconque l'os est en contact avec du cartilage, on n'a plus alors un os conjonctif, mais un os cartilagineux.

ACCROISSEMENT DES OS.

I. Os a cartilage préexistant. — a) *Os longs.* — L'ossification des épiphyses (1) commence plus tard que celle de la diaphyse ; des vaisseaux sanguins se développent dans le cartilage qui se calcifie ; au début la transformation se fait par le processus d'ossification enchondrale, mais plus tard le processus périchondral entre également en jeu. Restent toujours à l'état cartilagineux : 1° la surface des cartilages articulaires ; 2° jusqu'au développement complet, une zone située entre la diaphyse et l'épiphyse. A ce niveau le cartilage s'accroît activement, et il est continuellement transformé en os par la dilatation des canaux médullaires primordiaux de la diaphyse et de l'épiphyse. L'os s'accroît de cette façon en longueur. La croissance en épaisseur s'effectue par dépôt, *apposition*, de nouvelles couches osseuses périostiques.

(1) Ainsi le point d'ossification commence dans la diaphyse de l'humérus à la 8₀ semaine fœtale, tandis que dans les épiphyses il n'apparaît que dans la première année de la vie.

b) *Os courts*. — Les os courts au début se développent comme les épiphyses par le processus enchondral, après la disparition des dernières traces de substance cartilagineuse il se forme une couche osseuse périchondrale.

c) *Os plats*. — Dans les os plats, l'ossification est d'abord périchondrale, et plus tard enchondrale.

II. Os conjonctifs. — Ceux-ci s'accroissent par formation de nouvelles masses osseuses sur les bords (croissance en surface) et sur les faces (croissance en épaisseur); il se fait à la surface un dépôt incessant de substance osseuse, il en résulte qu'on trouve à l'extérieur et à l'intérieur des couches d'os compactes, et entre elles de l'os spongieux (nommé diploë). Les masses osseuses se composent au commencement de substance fondamentale à fibres épaisses, plus tard (à partir de la première année) on trouve des fibres minces.

RÉSORPTION DES OS.

En même temps qu'apparaissent les premières formations osseuses, on voit se produire un processus inverse, la résorption ; la substance fondamentale cartilagineuse calcifiée, ainsi que beaucoup de parties de l'os à peine formé se résorbent, dans les os à cartilage préexistant ainsi que dans les os conjonctifs.

Les phénomènes de résorption s'observent au maximum dans les os longs à l'occasion de la formation des cavités médullaires (1), à un degré moindre dans d'autres os, et au niveau des surfaces osseuses jusqu'à l'établissement de leur forme définitive.

Cellules géantes dans les lacunes.

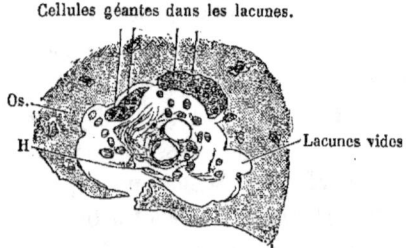

Os.

H

Lacunes vides

Fig. 85.

Coupe transversale de l'humérus d'un chat nouveau-né (Gross. 240). — H. Canaux de Havers contenant deux vaisseaux et des cellules médullaires (**Technique n° 66**).

Dans la substance compacte on voit également des cavités vides irrégulières résultant de la dissolution des lamelles de Havers les plus internes ; ce sont les *espaces de Havers*. On peut les voir se remplir partiellement par le dépôt de nouvelles couches osseuses (fig. 74, *h*).

(1) Un fémur d'un enfant de 3 ans, par exemple, ne contient presque plus rien du tissu osseux d'un fémur de nouveau-né.

Partout où la résorption de substance a lieu, on voit des cellules géantes à plusieurs noyaux, occupant des enfoncements de l'os (*lacunes de Howship*). Les cellules géantes portent dans ce cas le nom d'*ostéoclastes* (fig. 85).

Le processus de l'apposition et de la résorption persiste encore dans certains endroits, même dans le squelette complètement développé.

TECHNIQUE

N° 60. Coupes osseuses. — Les os destinés à être coupés ne seront pas desséchés avant d'être macérés. Dès qu'un os ou un fragment osseux est isolé, il faut le plonger immédiatement dans l'eau et l'y laisser pendant plusieurs mois. Cette eau sera souvent changée. On le dessèche ensuite, et l'on place un fragment dans les mors d'un étau après l'avoir disposé entre deux morceaux de liège ou enveloppé d'un linge. A l'aide d'une scie à découper, on enlève dans le sens longitudinal et dans le sens transversal des lamelles de 1 à 2 millimètres d'épaisseur, puis avec de la cire à cacheter, on fixe solidement la lamelle sur un bouchon ; la cire doit déborder la lamelle. On plonge le tout dans l'eau pendant un moment et ensuite on polit la lamelle à l'aide d'une lime plate très fine ; la lime sera plongée pendant cette opération plusieurs fois dans l'eau, pour enlever les particules qui y adhèrent, et pour empêcher que la cire ne s'échauffe par le frottement. On enlève ensuite la lamelle osseuse en faisant fondre la cire qui la maintient sur le bouchon, on la fixe par la face usée, et on la lime de nouveau jusqu'à ce que la lamelle soit devenue si mince qu'on aperçoive la cire par transparence. On porte le tout dans l'alcool à 90°, dans laquelle la lamelle ne tarde pas à se détacher, la cire étant soluble dans l'alcool. On use ensuite cette lamelle à la pierre ponce. A cet effet on la place entre deux pierres ponces que l'on frotte l'une sur l'autre : elle se trouve bientôt fixée à l'une des pierres ponces par une sorte de ciment formé des débris de la pierre et des parcelles de l'os ; l'autre polit sa face libre. On frotte pour finir la lamelle sur une pierre à rasoir, on l'essuie et l'on sèche avec du papier filtre ; pour la polir on la frotte sur un cuir à rasoir, qu'on enduit de craie. Cette dernière manipulation rend à la lamelle son ancien brillant. Il faut que la lamelle soit très mince ; on s'en assure pendant qu'on lime en l'examinant de temps à autre à un faible grossissement. Une fois la minceur voulue atteinte, on porte la lamelle sur une lame de verre, on recouvre et l'on borde à la paraffine (fig. 34).

On examine la préparation ainsi faite avec de faibles d'abord, puis avec de forts grossissements. Les cavités et les canaux osseux, étant remplis d'air, apparaissent avec l'éclairage ordinaire du microscope teintés en noir.

N° 61. Fibres de Sharpey. — On prépare une lamelle osseuse suivant la méthode exposée n° 60. Cette lamelle doit être prise sur la diaphyse d'un os long, provenant de préférence d'un individu jeune. On la sèche bien et on la met pendant 2 à 5 minutes dans l'essence de térébenthine et l'on monte dans le baume. Ces fibres qui sont invisibles sur des préparations faites par les autres méthodes (**n°s 60 et 62**) apparaissent nettement sur ces dernières lamelles même à de faibles grossissements (fig. 76).

N° 62. Canaux de Havers et lamelles osseuses. — On pratique des coupes longitudinales et transversales sur des os préalablement fixés avec le liquide de Müller et l'alcool, puis décalcifiés dans une solution d'acide azotique de 3 à 9 0/0 (p. 3) et durcis après décalcification. Il est bon de choisir le métacarpien d'un adulte. Les fragments compacts des os plus volumineux, comme le fémur par exemple, demandent un temps plus long pour être décalcifiés, quelquefois plusieurs semaines. Il ne faut pas détacher le périoste. Pour voir les canaux de Havers sur des coupes longitudinales, il faut faire des coupes très épaisses (0,5 millim. et plus) et monter dans la glycérine étendue d'eau (fig. 73). Pour les coupes transversales et les systèmes de lamelles, point n'est besoin non plus de coupes très minces. Pour bien voir les lamelles, il suffit d'examiner la coupe dans quelques gouttes d'eau distillée, en donnant au miroir une position telle que la préparation ne soit éclairée que par une de ses moitiés. C'est de la même manière qu'on réussit à voir les fins canalicules qui, partant des canaux de Havers, s'enfoncent perpendiculairement dans les lamelles (fig. 74). On monte dans la glycérine étendue d'eau, mais alors le système des lamelles disparaît en partie.

Tous les systèmes ne se rencontrent pas dans n'importe quel point de l'os. Les lamelles fondamentales externes et internes manquent souvent. Vient-on à pratiquer des coupes dans le voisinage des épiphyses, on voit la manière dont la substance compacte se continue avec le tissu spongieux. Les cavités et canaux osseux sont moins nets sur des préparations humides que sur les coupes usées et desséchées. Cette différence tient à ce que le liquide conservateur pénètre dans les cavités et en chasse l'air (Comparez fig. 34 et 35).

Les anneaux concentriques formés par les lamelles de Havers sont assez fréquemment interrompus dans leur continuité par une ligne irrégulière. Cette disposition est due à ce que la substance osseuse en dehors de cette ligne a été résorbée. Toute celle qui est en dedans est de formation nouvelle. C'est ainsi que l'on explique ces vacuoles connues sous le nom d'*espaces de Havers* (fig. 74, *h*).

N° 63. Moelle osseuse rouge. — On se procure la moitié d'une vertèbre de veau qu'on vient de sacrifier. On racle avec un scalpel la substance spongieuse, et des couches profondes de cette substance on prélève une certaine quantité de moelle rouge. Il n'est pas nécessaire d'en prendre de grandes quantités, il suffit de charger deux ou trois fois la pointe du scalpel. On met sur la lame de verre, dans une goutte d'eau salée, on dissocie légèrement, on interpose un cheveu et on recouvre d'une lamelle. La présence de quelques petites parcelles de tissu spongieux empêche l'application exacte de la lamelle ; il faut avoir soin de les enlever autant que possible avant de recouvrir la préparation. A un fort grossissement on voit, en dehors des petites parcelles déjà mentionnées, des cellules adipeuses, des corpuscules du sang, des cellules médullaires de grandeurs différentes, enfin des cellules géantes, dont les noyaux sont rarement visibles (fig. 86, *1*). Si l'on dépose sur le bord de la lamelle quelques gouttes de picro-carmin, les noyaux se colorent, au bout de 1 ou 2 minutes on peut déjà les voir, mais ils sont encore pâles (fig. 86, *2*). Si on remplace alors le picro-carmin par l'eau salée et ensuite par la glycérine étendue d'eau et acidifiée, les noyaux se foncent et marquent nettement leur contour (fig. 86, 3). L'interposition d'un cheveu empêche les cellules de fuir en dehors de la lamelle.

Nᵒ 63 *bis.* — Pour avoir une préparation permanente, voici comment l'on procède. On étale sur une lamelle 1 goutte de moelle osseuse, et on traite

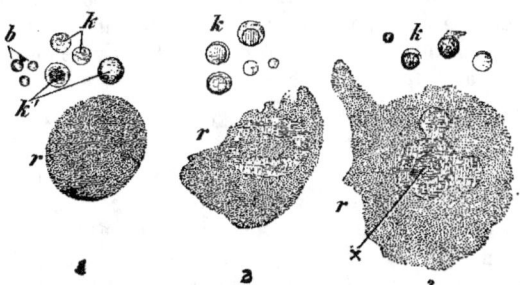

Fig. 86.

Éléments de la moelle osseuse à l'état frais. Corps vertébral de veau (Gross. 560). — **1.** Dissociation dans l'eau salée. — **2.** Coloration au picro-carmin. — **3.** Préparation après addition de glycérine acidulée. *k.* Cellules de la moelle osseuse. *k'* Deux cellules de la moelle osseuse contenant des amas de pigment ; la cellule située à gauche est vue de face, celle qui est située à droite est vue de profil. *b.* Globule rouge du sang non nucléé. *r.* Cellules géantes. La cellule placée à droite montre deux noyaux qui se détachent de ses parties latérales, et un autre en X qui se détache de sa surface.

comme une préparation de sang desséché par la méthode d'Ehrlich. Mais au lieu de dessécher on fixe pendant 10 minutes dans la solution aqueuse concentrée de sublimé 5 grammes dans 100 centimètres cubes d'eau distillée. On lave à l'eau en changeant d'eau plusieurs fois. Au bout d'un quart d'heure on met les lamelles dans une solution étendue d'éosine, on laisse de 1 à 5 minutes, on lave rapidement à l'eau distillée et on porte dans l'hématoxyline de Hansen. On laisse de 1 à 2 minutes, puis on passe 5 minutes à l'eau distillée. Après avoir enlevé l'eau avec du papier à filtrer on plonge la lamelle quelques instants seulement dans l'alcool absolu pour ne pas enlever l'éosine, et enfin on éclaircit avec l'essence de bergamote et l'on monte dans la résine Damar. Les globules rouges apparaissent souvent sous leur forme arrondie, le protoplasma des hématoblastes est en rose brillant, le protoplasma des autres cellules est en gris violet, tous les noyaux sont bleus. Souvent on trouve des cellules avec des granulations éosinophiles (fig. 75). Les cellules avec granulations neutrophiles ou basophiles s'obtiennent en traitant la moelle osseuse suivant la technique indiquée **nᵒ 43.**

Nᵒ 64. Cartilage articulaire. — Pour l'étude de ce cartilage on choisit des têtes métacarpiennes d'individus adultes et l'on procède comme il a été indiqué au **nᵒ 62.** On fait des coupes longitudinales que l'on conserve dans la glycérine diluée (fig. 77). Les stries parallèles qu'on rencontre souvent dans le cartilage hyalin sont dues au tranchant du rasoir. Les granulations du cartilage calcifié disparaissent par la décalcification.

Nᵒ 65. Franges synoviales. — Sur un cadavre aussi frais que possible on met à nu l'articulation du genou et on excise de la capsule fibreuse sur le bord de la rotule un fragment de 4 centimètres de côté. A l'aide de ciseaux, on prélève de la face interne brillante de ce fragment une parcelle de 2 à 3 millimètres qu'on place sur une lame dans une goutte d'eau salée, et l'on examine à un faible grossissement sans recourir à une lamelle. On voit sur les bords de la préparation les franges dont les vaisseaux sanguins contiennent encore souvent des globules rouges ; les noyaux brillants des cellules épithéliales se trouvent serrés les uns contre les autres (fig. 78). Si l'on veut conserver la préparation, on recouvre d'une lamelle, on ajoute quelques gouttes de picro-carmin et l'on monte dans la glycérine étendue d'eau ; la préparation perd beaucoup de sa netteté.

Nᵒ 66. Développement du tissu osseux. — Ce développement

peut être étudié sur des embryons humains âgés de 4 à 6 mois ou sur des embryons d'animaux tels que mouton, porc ou bœuf. Leur longueur mesurée de la pointe du museau à la racine de la queue ne doit pas dépasser 10 à 14 centimètres. On se les procure facilement à l'abattoir, en demandant tous les utérus pleins. On met les embryons tout entiers dans le liquide de Zenker (2 à 3 embryons par litre). On les y laisse séjourner 48 heures environ. On lave ensuite pendant 6 heures environ dans l'eau courante et l'on durcit dans 200 à 400 centimètres cubes d'alcool progressivement renforcé. Après un séjour d'une semaine ou plus dans l'alcool à 90°, on coupe la tête et les extrémités tout près du tronc. Ces parties seront décalcifiées dans environ 200 centimètres cubes d'eau distillée additionnée de 2 à 4 centimètres cubes d'acide azotique pur. Quatre ou cinq jours après, pendant lesquels on a eu soin de changer le liquide de décalcification 2 à 3 fois, les extrémités (1) seront sorties du liquide, lavées pendant un temps variant de 1 à 6 heures à l'eau courante, et durcies de nouveau dans l'alcool progressivement renforcé. Après avoir passé 5 jours dans l'alcool à 90°, ces extrémités sont découpées en fragments de 1 centimètre de longueur environ ; on les durcit, s'ils sont encore trop mous, dans 30 centimètres cubes d'alcool absolu, pendant 1 à 2 jours.

Pour étudier les premières phases du développement du tissu osseux (fig. 79, 80, 81) on pratique, sur les phalanges incluses dans du tissu hépatique, des coupes longitudinales, allant de la face antérieure à la face postérieure. S'il s'agit d'animaux, on prend les métacarpiens. Les coupes ne sont bonnes que si elles passent par l'axe de l'os ; les coupes périphériques donnent des images peu nettes. Pour l'étude des stades plus avancés elle se fait de préférence sur les coupes transversales de l'humérus et du fémur.

Les coupes passant par la diaphyse montrent mieux le tissu osseux périchondral, celles qui passent par les épiphyses sont préférables pour le tissu osseux enchondral. Les ostéoblastes les plus nets se voient sur des couches transversales de la mâchoire inférieure, ces mêmes coupes peuvent servir à l'étude du développement des dents. Pour les stades encore plus avancés on peut employer le squelette d'animaux nouveau-nés dont les phalanges présentent encore en partie des phases primaires du développement osseux (2). La décalcification est un peu plus longue, elle demande jusqu'à 8 jours.

---

(1) La tête ne se décalcifie pas aussi rapidement. Il faut la laisser au moins deux jours encore dans la solution d'acide azotique à 2 0/0.

(2) Les os du carpe sont encore aux premières phases.

L'os *conjonctif* sera utilement étudié sur des coupes de l'occipital et du frontal d'embryons. On plonge ces coupes pendant 10 minutes dans 4 centimètres cubes d'hématoxyline de Hansen, on les enlève pour les replonger pendant 10 autres minutes dans 10 centimètres cubes d'eau distillée. Sorties de l'eau, les coupes seront colorées au picro-carmin (10 minutes dans 4 centimètres cubes de picro-carmin) et laissées ensuite dans 10 centimètres cubes d'eau distillée pendant un quart d'heure à une heure environ. On monte finalement dans le baume.

Si la coloration est réussie, le cartilage est bleu, surtout au niveau des points décalcifiés, et l'os est rouge. Dans certains cas le cartilage se colore mal en bleu, il faut alors mettre les coupes non pas dans la solution ordinaire d'hématoxyline, mais dans 5 centimètres cubes d'eau distillée auxquels on ajoute 5 gouttes d'hématoxyline filtrée pure. Après un séjour de 6 à 24 heures le cartilage sera d'un beau bleu. Le picro-carmin colore souvent d'une manière inégale la substance osseuse ; les parties les plus jeunes du tissu, le bord des trabécules sont colorés d'une manière plus intense.

C. — ORGANES DU MOUVEMENT ACTIF

Le système musculaire se compose d'un grand nombre d'organes contractiles, les muscles formés de substance musculaire striée, unis la plupart du temps au squelette, à la peau, aux intestins, etc., par l'intermédiaire de formations conjonctives, les tendons. Il faut y ajouter comme appareils connexes, également conjonctifs, les aponévroses, les gaines tendineuses, les bourses muqueuses.

Muscles. — Chaque muscle se compose de fibres striées.

Pour se réunir les fibres musculaires se placent en séries parallèles les unes à côté des autres dans le sens longitudinal ; un tissu conjonctif lâche, le *périmysium*, les maintient en place ; les fibres transversales sont rares ; on n'en trouve guère que dans la langue. Les fibres musculaires ne sont jamais immédiatement en contact par leur sarcolemme. Chaque fibre musculaire prise isolément est toujours séparée des fibres voisines par une enveloppe conjonctive, délicate, qui l'entoure (*périmysium*) (fig. 87) et qui est en connexion avec les enveloppes analogues des fibres contiguës.

La réunion d'un nombre plus ou moins grand de fibres musculaires forme un *faisceau musculaire*. Le tissu conjonctif qui entoure ce faisceau est plus épais et porte le nom de *périmysium interne* (P). Plusieurs faisceaux réunis forment un muscle (1). Le muscle est entouré d'une enveloppe conjonctive

(1) La division en faisceaux secondaire, tertiaire, etc., est absolument arbitraire ; elle n'est pas visible sur un grand nombre de préparations.

encore plus épaisse que les deux autres et qui porte le nom de *périmysium externe*. Toutes ces enveloppes conjonctives sont en connexion l'une avec l'autre.

Le *périmysium* se compose de tissu conjonctif fibrillaire et de fibres élasti-

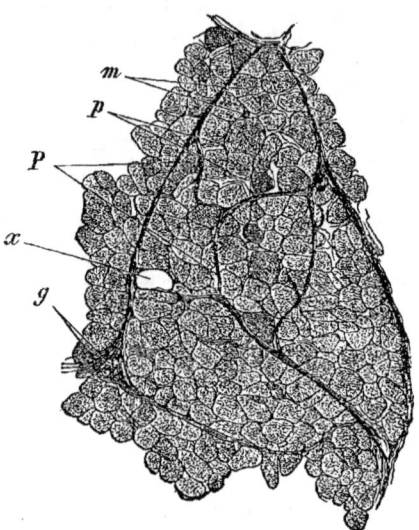

Fig. 87.

Coupe perpendiculaire de l'adducteur de la cuisse d'un lapin (Gross. 60). — P. Périmysium interne, contenant *g* deux coupes transversales de vaisseaux. — *m*. Faisceaux musculaires. Ces faisceaux sont écartés les uns des autres en plusieurs endroits de sorte que l'on peut voir le périmysium *p* de chaque fibre. En *x* la coupe transversale d'un faisceau musculaire est tombée **(Technique n° 67)**.

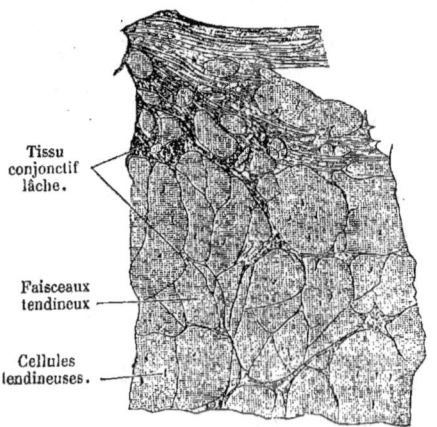

Fig. 88 A.

A. *Coupe transversale d'un tendon desséché provenant d'un homme adulte* (Gross. 50. **Technique n° 68**).

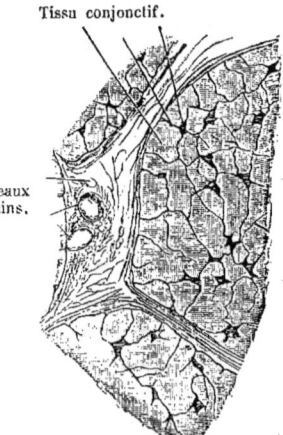

Fig. 88 B.

B. *Coupe du même fragment fixé par l'acide chromique* (**Technique n° 69**).

ques fines ; il contient parfois quelques cellules graisseuses et sert de lieu de
passage pour les nerfs et les vaisseaux sanguins et lymphatiques. Dans le
périmysium de quelques muscles, on trouve aussi des capillaires et des terminaisons nerveuses.

Après la période embryonnaire, l'accroissement des muscles en largeur se
fait moins par la multiplication des fibres que par l'épaississement des fibres
préexistantes.

Fibre
élastique

Noyau

Proto-
plasma

A   **Fig. 89.**   B

Fragment d'un tendon de la queue du rat (Gross. 240). — A. Cellules tendineuses, vues de profil. —
B. vues de face. En X, le noyau est coudé, une partie (vue de profil) est sombre, l'autre partie (vue de
face) est claire (**Technique n° 70**).

TENDONS. — Les *tendons* se caractérisent par le parallélisme et l'union intime de leurs fibres, ainsi que par leur pauvreté en fibres élastiques. Ils sont
constitués par des faisceaux fibrillaires résistants, faisceaux tendineux, maintenus en place par un tissu conjonctif lâche.

Chacun de ces faisceaux conjonctifs (faisceau secondaire) est constitué par
un certain nombre de fibrilles parfaitement parallèles, maintenues au contact
par une mince couche de substance intercellulaire ; ils sont eux-mêmes dé-
composables en faisceaux plus petits, faisceaux primitifs. Les éléments cellulaires du tendon se trouvent intercalés entre ces faisceaux primitifs ; ce sont
des cellules conjonctives tantôt fusiformes ou étoilées, tantôt quadrilatères et
aplaties ; elles sont disposées en séries et entourent incomplètement les faisceaux primitifs en forme de tuiles. Les prolongements qu'elles émettent les
unissent les unes aux autres. Les fibres élastiques n'existent guère que dans le
tissu conjonctif lâche qui enveloppe les faisceaux. Dans les faisceaux tendineux
eux-mêmes, on n'en trouve que très peu sous forme de réseaux à mailles très
minces et très lâches.

L'union des muscles avec les tendons et les membranes fibreuses, périoste
et aponévroses, est assurée par le *périmysium* de chaque fibre musculaire.

Ce *périmysium* passe dans le tendon ou l'aponévrose. Le sarcolemme ne prend aucune part à cette union. Il se termine en cul-de-sac à l'extrémité de la fibre musculaire (fig. 90).

Là où les fibres striées s'étalent dans la peau, elles se terminent dans le tissu conjonctif de la peau soit en s'effilant, soit en se divisant.

Les aponévroses présentent souvent la même structure que les tendons; d'autres fois, elles sont plus riches en fibres élastiques, c'est ce qui se voit surtout lorsque l'aponévrose sert d'enveloppe au muscle plus que de point d'attache à ses fibres.

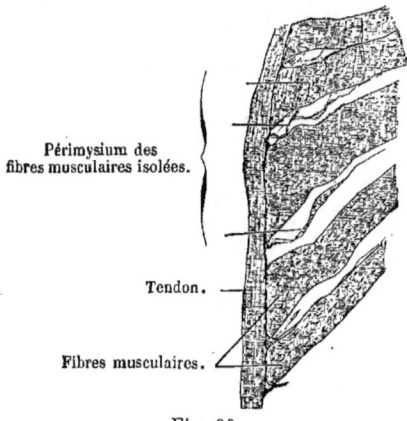

Périmysium des fibres musculaires isolées.

Tendon.

Fibres musculaires.

Fig. 90.

Coupe longitudinale du muscle gastro-cnémien de la grenouille. Tissu conjonctif de la paroi limitante. Coupe transversale d'un noyau de fibre lisse (Gross. 50. **Technique n° 71**).

Les gaînes synoviales et les bourses séreuses se composent d'une couche plus ou moins épaisse de tissu conjonctif mélangé de fibres élastiques. Leur surface interne est par place tapissée par un endothélium disposé le plus souvent sur une seule couche. Là où l'endothélium manque, le tissu conjonctif est riche en cellules rondes ressemblant aux cellules cartilagineuses. Dans la plupart des bourses séreuses, on trouve des coupes vasculaires ressemblant complètement aux franges synoviales.

Les *vaisseaux sanguins* abondent dans les muscles striés. Les capillaires sont très fins et forment un réseau à mailles allongées rectangulaires. Les veines jusque dans leurs plus fines ramifications ont des valvules. Les vaisseaux lymphatiques peu nombreux suivent les ramifications des vaisseaux sanguins.

Les nerfs tant sensitifs que moteurs seront décrits avec les terminaisons nerveuses.

Les vaisseaux sanguins des tendons et des aponévroses minces sont peu nombreux, ils sont contenus dans le tissu cellulaire lâche qui les entoure. Les gaînes tendineuses et les synoviales sont au contraire riches en vaisseaux.

Les lymphatiques ne se rencontrent qu'à la surface des tendons.

Les nerfs disposés en réseaux se terminent dans les tendons sous forme de plaques motrices, ou sous forme de corpuscules lamellaires.

TECHNIQUE

Nᵒ 67. Faisceaux de muscles striés. — Avec un rasoir bien aiguisé on pratique une incision profonde perpendiculairement aux fibres dans un muscle à fibres parallèles tel que l'adducteur du lapin. Une autre incision dans le même sens et de la même profondeur est faite 2 à 3 centimètres plus bas. On réunit ces deux incisions par des incisions longitudinales, et le carré musculaire, ainsi circonscrit, est enlevé sans tiraillement d'aucune sorte. On fixe dans 100 centimètres cubes d'une solution d'acide chromique à 0,1 0/0 ; 14 jours après on enlève la pièce de la solution chromique, on la lave à l'eau courante pendant 2 à 3 heures, et on la durcit à l'alcool progressivement renforcé. Les coupes transversales pratiquées dans ce fragment musculaire seront examinées sans coloration dans la glycérine diluée (fig. 87). On voit ainsi des fibres musculaires d'épaisseur très variable; celles qui sont tout à fait minces correspondent à l'extrémité des fibres. Malgré leur forme cylindrique, les fibres musculaires au lieu de paraître arrondies sur les coupes transversales, paraissent polygonales par pression réciproque. La teinte de la coupe est très variée ; il y a des fibres qui sont complètement foncées, tandis que d'autres sont absolument claires. Pourquoi cette différence? je l'ignore. Le *périmysium* de chaque fibre musculaire pris en particulier se voit mieux à un fort grossissement (240 diamètres).

Nᵒ 68. Tendons. — On excise un fragment de tendon, long de 5 à 10 centimètres, on le laisse sécher à l'air (pas au soleil). Les tendons minces (par exemple celui du muscle fléchisseur de l'orteil) sont déjà, à la température de la chambre, suffisamment secs au bout de 24 heures ; pour les tendons plus épais, il faut quelques jours. On fait avec le scalpel (pas le rasoir) une coupe perpendiculaire, puis prenant le tendon comme un crayon que l'on voudrait tailler, on enlève de fines écailles que l'on met dans un godet rempli d'eau distillée ; on peut les examiner au bout de deux minutes dans de l'eau distillée (fig. 88, A); si on veut conserver, on colore dans 3 centimètres cubes de picro-carmin (pendant 5 minutes), et on monte dans la glycérine diluée (page 5). On voit souvent sur la coupe transversale une striation occupant toute la préparation; cette striation est artificielle, elle est produite par le passage du couteau. On monte une autre coupe dans de l'eau distillée, et on ajoute sur le bord de la lamelle une goutte d'acide acétique. Les bords de la coupe transversale gonflent bientôt et prennent l'aspect de faisceaux ondulés (réaction de l'acide acétique sur le tissu conjonctif, page 56).

Nᵒ 69. — Pour l'étude de la structure fine des tendons, des cellules et de leurs prolongements, on prend des fragments de 3 centimètres de tendons minces, aussi frais que possible (par exemple des fragments du M. long palmaire) et on laisse pendant 4 semaines au moins dans 100 centimètres cubes de solution d'acide chromique à 0,5 0/0. Il faut pendant ce temps changer la solution chromique plusieurs fois. On lave de 1 à 2 heures à l'eau courante, et on durcit dans 40 centimètres cubes à peu près d'alcool de plus en plus fort. Les coupes transversales sont faites avec un rasoir bien affilé, car assez souvent les tendons sont encore friables, et se dissocient à la coupe.

Les coupes n'ont pas besoin d'être très fines. On les conserve non colorées dans de la glycérine diluée. Les faibles grossissements donnent déjà de belles images ; et à la lumière directe elles sont bien plus nettes que les préparations obtenues par la technique n° **68**. Les forts grossissements donnent des images comme la figure 88, A. Les cavités noires, dentelées, sont en partie occupées par les cellules tendineuses.

N° 70. Cellules tendineuses. — On excise des fragments de 0,5 à 1 centimètre de la queue d'une souris ou d'un rat, on les introduit dans 5 centimètres cubes de carmin aluné. Le lendemain (ou plus tard) on monte sur une lame les fragments gonflés et on dissocie rapidement. Il n'est pas nécessaire d'obtenir des faisceaux tendineux très fins, il faut seulement tâcher d'avoir les faisceaux bien droits. On couvre la préparation d'une goutte d'eau distillée, et d'une lamelle. A un faible grossissement les rangées de cellules apparaissent comme des lignes fines, ce sont les noyaux des cellules vues de profil ; d'autres endroits montrent les noyaux en rouge mat : c'est quand les cellules sont vues de face. Le corps des cellules, le protoplasma, vu de profil à un fort grossissement, apparaît comme une strie sombre, nettement limitée (fig. 89, A), au contraire vu de face il est pâle et grenu (fig. 89, B). Il n'est pas rare d'avoir les cellules en forme de tuiles, on peut de cette façon les voir de profil et de face. Les fibres de tissu conjonctif apparaissent sous forme de lignes fines, parallèles ; on voit également les fibres élastiques fines à contours nettement tranchés. Il faut examiner toute l'épaisseur de la préparation en tournant la vis micrométrique. Si les cellules ne sont pas nettes on ajoute une goutte d'acide acétique. Veut-on conserver la préparation, il suffit d'ajouter une goutte de glycérine.

N° 71. Muscles et tendons. — Une grenouille ayant été mise à mort, on dépouille la peau d'une de ses pattes, et avec des ciseaux on incise cette patte immédiatement au-dessus du genou (origine du gastro-cnémien). Le tout, jambe et patte, est fixé dans 50 centimètres cubes de la solution picro-sulfurique de Kleinenberg (page 13). Après 24 heures on porte directement dans 5 centimètres cubes d'alcool à 70° pour durcir progressivement. 6 jours après, on incise le gastro-cnémien en comprenant dans l'incision une partie du tendon d'Achille, on le colore dans la solution de carmin boraté ; puis nouveau durcissement dans l'alcool à 90°. On pratique ensuite des coupes longitudinales, en allant de la face postérieure à la face antérieure. On monte dans le baume. La striation transversale a souvent complètement disparu (fig. 90).

D. — ORGANES DU SYSTÈME NERVEUX (1)

1. — Système nerveux central.

I. — La moelle.

La substance grise apparaît sur une coupe transversale sous la forme d'un H;

(1) Je me limite ici à un court exposé de topographie et d'histologie de la moelle

elle se compose de deux colonnes latérales réunies par une lame transversale, la commissure grise. On distingue dans chaque colonne, une colonne (ou corne) antérieure plus épaisse, et une colonne (ou corne) postérieure plus allongée. Sur la partie latérale de la corne antérieure, au niveau du canal central, on trouve la colonne (ou corne) latérale, développée surtout à la partie supérieure de la moelle thoracique. Les racines antérieures émergent dans la zone des cornes antérieures, sous forme de faisceaux multiples, tandis que les racines postérieures des nerfs spinaux pénètrent à la partie postérieure

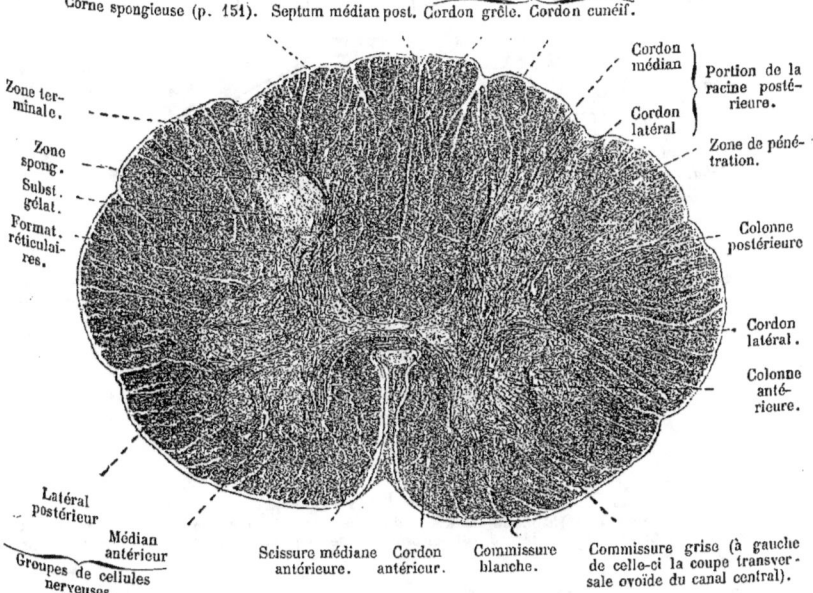

Corne spongieuse (p. 151). Septum médian post. Cordon grêle. Cordon cunéif.

Cordon postérieur.

Zone terminale.

Zone spong.

Subst. gélat.

Format. réticulaires.

Cordon médian — Cordon latéral — Portion de la racine postérieure.

Zone de pénétration.

Colonne postérieure

Cordon latéral.

Colonne antérieure.

Latéral postérieur

Médian antérieur

Groupes de cellules nerveuses.

Scissure médiane antérieure. Cordon antérieur. Commissure blanche. Commissure grise (à gauche de celle-ci la coupe transversale ovoïde du canal central).

Fig. 91.
Coupe transversale de la moelle épinière de l'homme, au niveau du renflement cervical (Gross. 70.
Technique n° 73).

et médiane des cornes postérieures. A la partie latérale de la base de la corne postérieure se trouve une masse formée de travées de substance grise, réunies en réseau, la *formation réticulaire* ; à la partie médiane de la corne postérieure près de la commissure se trouve le noyau dorsal (noyau de Clarke), nettement délimité et visible sur toute la longueur de la moelle thoracique ainsi qu'à la

et du cerveau. En ce qui concerne l'exposé détaillé de la structure du système nerveux central, du trajet des fibres et des aspects compliqués produits dans la moelle allongée par les noyaux des nerfs crâniens, il faut y renoncer à cause des limites de ce traité. On trouvera ces détails dans les livres spéciaux tels que : EDINGER, *Structure des centres nerveux*, 3e édition, Leipzig, 1893.

partie supérieure de la moelle lombaire, il est même apparent dans les autres parties de la moelle. Au sommet de la corne postérieure on distingue même à l'œil nu une masse d'aspect gélatineux, la substance gélatineuse (Rolando), en arrière de celle-ci on voit la zone spongieuse qui est étroite, et plus en arrière la zone marginale (*zona terminalis*), et enfin un territoire de fibres nerveuses fines coupées transversalement. Dans la commissure grise se trouve la coupe transversale du canal central qui occupe toute la longueur de la moelle ; il est entouré par la substance grise centrale. Le canal central est large de 0,5 à 1 millimètre, assez souvent il est oblitéré. La portion de la commissure grise située devant le canal central porte le nom de commissure

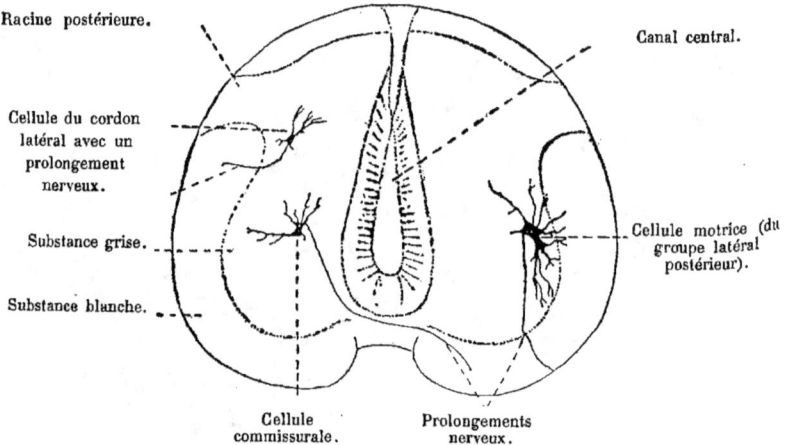

Racine postérieure.   Canal central.

Cellule du cordon
latéral avec un
prolongement
nerveux.

Substance grise.   Cellule motrice (du
                                                        groupe latéral
                                                        postérieur).

Substance blanche.

Cellule   Prolongements
commissurale.   nerveux.

Fig. 92.

Coupe transversale de la moelle épinière d'un embryon de poulet au septième jour d'incubation (Gross. 80). La substance blanche est encore peu développée, le canal central est encore très grand (**Technique n° 75**).

grise antérieure. De toute la périphérie de la substance grise s'irradient des prolongements plus ou moins épais, les *septula medullaria*, qui pénètrent dans la substance blanche. La substance grise est plus développée dans la région cervicale et lombaire que dans la région thoracique, il en résulte des variations de forme de l'H. La portion terminale du cône médullaire se compose de substance grise seulement.

Structure fine. — Nous commençons par la substance grise dont la connaissance est nécessaire pour comprendre la structure de la substance blanche. La substance grise se compose de cellules multipolaires (ganglionnaires), formant par leurs dendrites, et leurs prolongements nerveux, un feutrage épais (neuropilem). Dans ce feutrage pénètrent encore des fibres nerveuses, venant en partie des cordons blancs, en partie des racines postérieures, un tissu de soutènement, la neuroglie, maintient le tout.

Nous avons donc à considérer d'abord les cellules nerveuses, puis les fibres nerveuses. La névroglie qui existe dans la substance blanche également sera étudiée en dernier lieu.

1° On distingue plusieurs variétés de cellules nerveuses, suivant la façon dont se comportent leurs prolongements.

Nous trouvons :

a) Les *cellules nerveuses motrices*, réparties en deux groupes (1) dans la corne antérieure. Elles possèdent un corps cellulaire volumineux (de 67 à 135 μ) et des dendrites très étendues, s'étendant assez loin tout autour de la cellule ; leur prolongement nerveux, après avoir donné des ramifications latérales (collatérales) insignifiantes, d'ordinaire même sans en donner, pénètre par le sommet de la corne antérieure dans la substance blanche, et la traverse sous un trajet oblique et descendant. Ici il revêt une gaîne de myéline et devient le cylindre-axe d'une fibre nerveuse à myéline. Il quitte la moelle et prend part à la formation d'un faisceau d'une racine antérieure. Toutes les fibres des racines antérieures naissent des cellules motrices des cornes antérieures et de celles situées du même côté, et pas de celles du côté opposé.

b) Les *cellules des cordons* qui forment la masse principale des cellules nerveuses de la substance grise. On les trouve partout dans la substance grise (excepté dans les régions occupées par les cellules nerveuses motrices) ; elles sont disséminées ou groupées (dans la corne latérale et dans le noyau dorsal). Elles sont pour la plupart plus petites que les cellules nerveuses motrices, elles ne possèdent qu'un petit nombre de dendrites, avec peu de ramifications, mais ces ramifications sont très étendues. Leur prolongement nerveux pénètre dans la substance blanche soit du même côté, soit du côté opposé (dans le cordon antérieur ou latéral, très rarement dans le cordon postérieur) après avoir donné beaucoup de collatérales dans la substance grise.

Ces cellules sont encore nommées cellules commissurales (2) parce que leur prolongement nerveux traverse la commissure grise antérieure, avant de pénétrer dans la substance blanche. Le prolongement nerveux de la plupart des cellules des cordons (3) arrivé dans la substance blanche se

---

(1) On distingue au renflement cervical et au renflement lombaire deux groupes, un médian antérieur et un postéro-latéral (voy. fig. 91), ils sont réunis en une colonie dans la partie thoracique de la moelle cervicale, et dans la moelle thoracique. Sur des coupes longitudinales (surtout chez les amphibiens), on voit que les groupes de cellules sont disposés en amas correspondant aux origines de chaque racine.

(2) Les cellules commissurales occupent une région qui entoure le canal central en forme d'arc à sa partie antérieure ; là elles sont d'une grosseur remarquable qui approche de celle des cellules motrices des colonnes antérieures. Plus loin, dans la partie moyenne de la substance grise se trouvent encore des cellules commissurales disséminées ; mais par contre elles manquent dans la colonne postérieure.

(3) Font exception les prolongements nerveux venant du noyau dorsal, lesquels

divise en une *fibre principale* verticale descendante et une fibre descendante, lesquelles dans leur trajet parallèle à l'axe longitudinal de la moelle
donnent des branches latérales (collatérales).Celles-ci s'incurvent de nouveau
dans la substance grise, où elles se terminent librement ; les fibres principales se terminent finalement comme les collatérales. Les collatérales venant
du cordon antérieur pénètrent dans la corne antérieure soit isolément soit

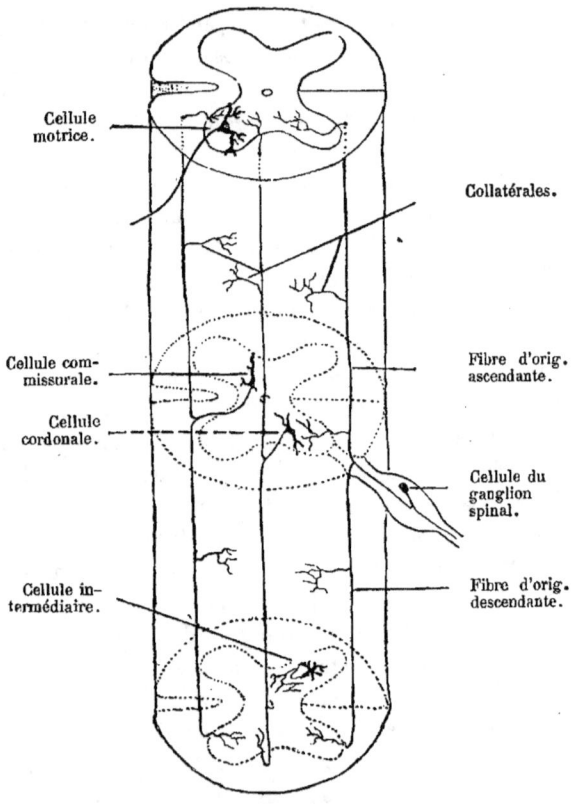

Fig. 93.
Schéma montrant la position et les ramifications des cellules nerveuses,
ainsi que celles des racines postérieures de la moelle.

en faisceaux, elles sont surtout nombreuses dans la région antéro-latérale de
la corne antérieure ; les collatérales venant du cordon latéral ne sont pas

s'incurvant vers le crâne gagnent le cervelet. Il existe encore d'autres cellules de
cordons dont le prolongement nerveux pénètre dans la substance blanche et s'in-
curve soit en haut, soit en bas sans se diviser. On a décrit sous le nom de cellules
plurifuniculaires des cellules cordonales, dont le prolongement nerveux se divise
dans la substance grise en 2 ou 3 branches, qui se continuent par autant de fibres
de ces divers cordons.

moins nombreuses. Aux cellules des cordons appartiennent également les cellules fusiformes, *cellules marginales,* situées dans la zone spongieuse. Tous les prolongements nerveux des cellules des cordons sont entourés d'une gaine de myéline chez l'adulte. Les cellules décrites jusqu'ici appartiennent au type de Deiters, elles ont un prolongement nerveux long (page 81), mais il existe encore des formes de transition caractérisées par des cellules dont le prolongement nerveux offre des ramifications assez courtes. On a nommé ces cellules

c) *Cellules intérieures,* ainsi nommées (Binnenzellen), parce qu'elles ne dépassent point la substance grise : elles se trouvent dans les cornes postérieures (fig. 93) où leurs ramifications terminales se répandent soit dans la moitié de la moelle qui se trouve de leur côté, soit dans celle du côté opposé.

Les fibres nerveuses des cordons antérieurs ou latéraux, naissent en partie des collatérales à myéline, et des terminaisons des prolongements nerveux des cellules des cordons, d'autre part, elles naissent de prolongements nerveux (possédant également une gaine de myéline) venant du cerveau (1). Il faut y ajouter les fibres nerveuses à myéline des racines postérieures (dorsales), lesquelles naissent des prolongements centripètes des cellules ganglionnaires spinales. Ces fibres des racines postérieures pénètrent dans la moelle en deux groupes, un latéral qui chemine dans la zone marginale et un médian, plus fort, qui chemine dans le cordon postérieur. Chacune de ces fibres ne gagne pas directement la substance grise, elle se divise d'abord à la façon d'un Y, elle donne une fibre principale ascendante, et une descendante (fig. 94), desquelles partent à angle droit beaucoup de collatérales (fig. 93). Celles-ci pénètrent dans la substance grise (2), et se distribuent avec leurs ramifications terminales sur presque tous les points de cette substance. Une partie d'entre elles, et ce sont les plus nombreuses, se terminent dans le sommet de la corne postérieure, elles prennent naissance dans le groupe la-

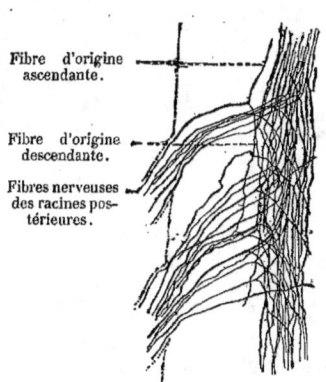

Fibre d'origine ascendante.

Fibre d'origine descendante.

Fibres nerveuses des racines postérieures.

Fig. 94.

Portion d'une coupe longitudinale de la moelle épinière d'un rat nouveau-né (Gross. 110). La coupe a atteint 2 racines postérieures. On ne voit pas de collatérales **(Technique n° 75).**

(1) Pour le trajet plus exact de ces fibres, voir les traités spéciaux.
(2) Font exception les faisceaux de fibres isolés, qui pénètrent directement dans la substance gélatineuse, et se divisent dans celle-ci même en fibres principales ascendantes et descendantes.

téral de fibres radiculaires, et forment un riche plexus à fibres fines, qui se trouve situé en partie dans la substance gélatineuse (fig. 95, *c*) ; un second groupe de fibres se terminent dans le noyau dorsal (1)(fig. 95,*a*), elles naissent du groupe médian des fibres radiculaires ainsi qu'un troisième groupe qui, traversant la partie médiane de la substance gélatineuse, se dirige en avant jusqu'à la corne antérieure, et s'irradiant en éventail, embrasse les cellules motrices des cornes antérieures (fig. 95, *b*) ; ces dernières collatérales très

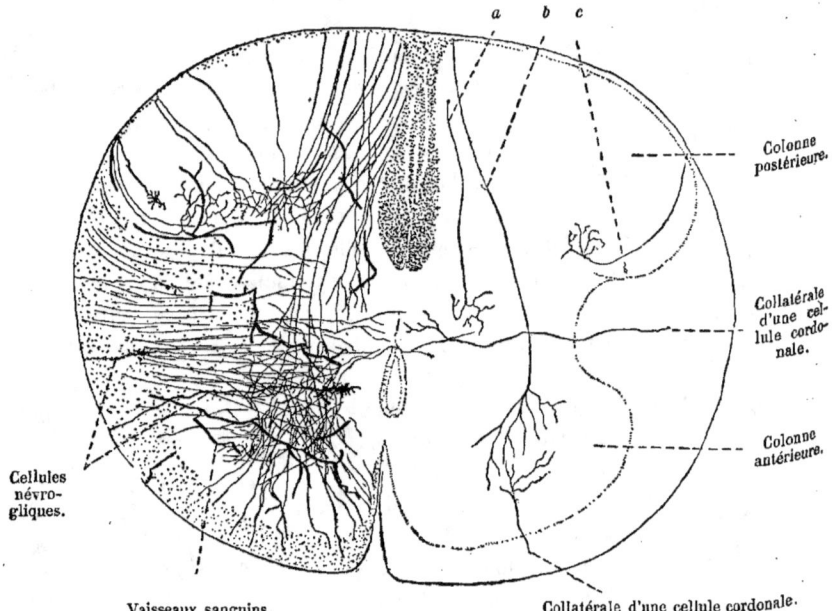

Fig. 95.

Coupe transversale de la moelle épinière d'un rat nouveau-né, collatérales (Gross. 75). Sur la moitié droite on trouve figurée une collatérale de chaque variété (**Technique n° 75**).

ruissantes (*collatérales du réflexe*) naissent des portions des fibres principales à l'endroit même où elles se bifurquent et forment le faisceau du réflexe (2). Un quatrième groupe, peu important celui-ci, pénètre dans la corne postérieure du côté opposé par la commissure grise postérieure. Les fibres principales se terminent comme les collatérales, il est probable qu'après un trajet

(1) Ici les gaines de myéline arrivent plus loin qu'ailleurs, c'est-à-dire jusqu'aux dernières ramifications terminales.

(2) Faisceau réflexe et collatérales du noyau dorsal plongent dans la substance grise sous forme d'un arc concave latéral, et sont faciles à observer à cause de leur masse considérable (fig. 91). Leur endroit de pénétration a été nommé *zone d'intraradiation, zone d'entrée des racines.*

plus ou moins long, quelques-unes arrivant jusqu'à la moelle allongée, se courbent et viennent aboutir à la substance grise.

La substance grise centrale et la substance gélatineuse qui en fait partie offrent certaines particularités qui dépendent de la quantité de névroglie qu'elles renferment. Nous y reviendrons en décrivant la névroglie.

Voyons maintenant la structure de la *substance blanche*. Celle-ci est composée de fibres nerveuses ayant une gaine de myéline et pas de névrilemme. L'épaisseur des fibres est très variable ; les plus épaisses se trouvent dans les cordons antérieurs, et dans les portions latérales des cordons postérieurs ; les plus fines dans les parties médianes des cordons postérieurs et dans les cordons latéraux, là où la substance blanche borde la substance grise. Dans les autres portions on trouve entremêlées des fibres épaisses et des fibres fines. La plupart des fibres nerveuses suivent un trajet parallèle à l'axe longitudinal de la moelle, elles se trouvent donc coupées transversalement sur les coupes perpendiculaires à l'axe. Il y a en dehors de celles-ci des fibres à trajet oblique.

On en trouve en plus grand nombre devant la commissure grise, elles forment, en s'entrecroisant à angle aigu, la commissure blanche (fig. 91). Si nous essayons maintenant de classer les fibres d'après leur origine, nous trouvons : 1° des fibres qui sont des prolongements des racines postérieures ; la totalité des cordons postérieurs se compose de fibres des racines postérieures, car les fibres de racines (et leurs fibres principales) ayant pénétré dans la région lombaire sont repoussées vers la ligne médiane par les fibres qui pénètrent plus haut ; 2° nous trouvons en outre des prolongements des cellules des cordons (fig. 93 et 95) ; 3° enfin des fibres, qui sont les prolongements des cellules nerveuses du cerveau. Les deux dernières variétés occupent les cordons antérieurs et latéraux, elles n'ont pas un trajet régulier, elles sont plutôt réunies en cordons compacts.

La charpente de la moelle est représentée par deux tissus nettement différents quant à leur origine : 1° par des prolongements du tissu conjonctif de la pie-mère, qui pénètre dans la substance blanche en fournissant une enveloppe aux vaisseaux. Cette charpente conjonctive devient de plus en plus mince aux approches de la substance grise dans laquelle elle ne pénètre pas ; 2° par la névroglie (ciment des nerfs) qui dérive de la même origine embryonnaire que le système nerveux central. La névroglie se compose principalement de cellules à noyau, les cellules névrogliques (fig. 96) et — peut-être — d'une petite quantité d'une substance fondamentale homogène. Il y a deux variétés de cellules névrogliques : 1° les cellules épendymaires, qui forment une couche unique autour de la lumière du canal central. Elles sont ciliées dans la jeunesse, leur corps cylindrique se continue en un prolongement (fig. 96) qui dans la période embryonnaire arrive jusqu'à la surface de la moelle et se termine là par un prolongement simple ou ramifié.Les cellules épendymaires sont au point de vue embryogénique les plus anciennes ; elles naissent les premières, mais dans la suite du développement elles subissent une régression ; les prolongements qui préalablement allaient jusqu'à la surface de la moelle s'arrêtent dans le territoire du septum médian postérieur (1), et en avant à la base du sillon médian antérieur. Une partie des cellules épendymaires

Cellules provenant de la substance gélatineuse d'un rat nouveau-né.
Cellule névroglique.

Canal central.

Cellules de l'épendyme.

Cellule névroglique de la substance blanche.

Prolongement principal.

Cellules provenant d'un chat de 6 semaines.

Cellules névrogliques concentriques.

Cellule névroglique de la substance grise (base de colonne postérieure d'un embryon humain).

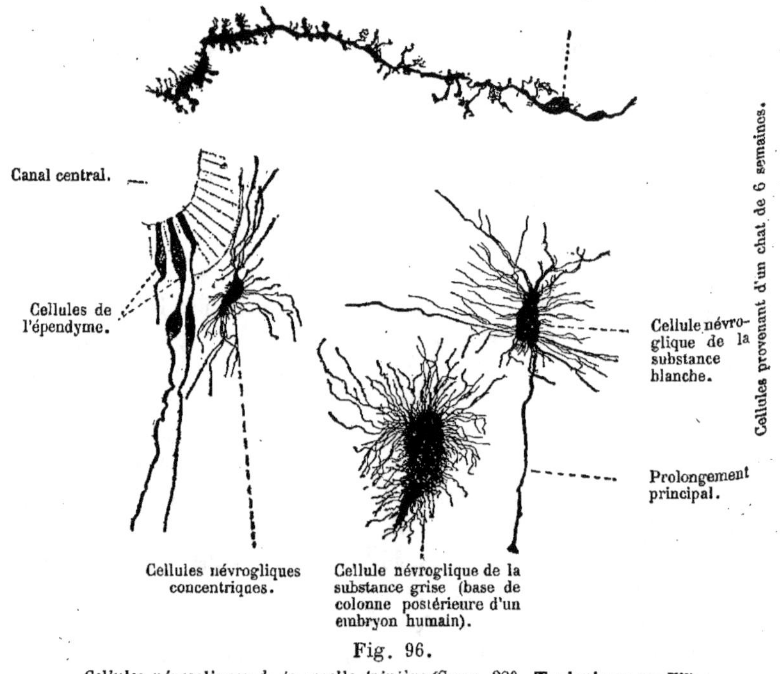

Fig. 96.

Cellules névrogliques de la moelle épinière (Gross. 280. **Technique n° 75**).

migre à la périphérie pendant le développement et elles deviennent des astrocytes. Il n'est pas rare de rencontrer une oblitération complète du canal central. 2° La seconde variété des cellules névrogliques comprend les astrocytes (cellules de Deiters) ; ils se trouvent tous au début de leur développement dans la substance grise ; plus tard ils pénètrent dans la substance blanche et présentent alors des formes très variées. Les astrocytes émettent divers prolongements : d'abord un prolongement unique, le *prolongement*

(1) Le septum médian postérieur se compose en grande partie des prolongements des cellules épendymaires.

principal (fig. 96), *puis d'autres prolongements secondaires* plus ou moins fins, plus ou moins épais qui naissent postéricurement.

Beaucoup de ces cellules arrivent avec leurs prolongements multiples jusqu'à la surface de la moelle, où elles se terminent avec un pied élargi (1), formant ainsi une partie importante de la couche névroglique superficielle (couche gélatineuse corticale).

Les astrocytes peuvent être distingués en deux variétés avec des formes intermédiaires : *a*) les uns avec un prolongement court et des ramifications courtes et épaisses, ils accompagnent souvent les vaisseaux, et se rencontrent principalement dans la substance grise; *b*) les autres avec un prolongement long, c'est la forme la plus fréquente ; leur corps cellulaire est petit, il donne naissance à des ramifications courtes, mais surtout à des ramifications longues et peu anastomosées (fig. 101). Ils se trouvent dans la substance blanche, et se confondent facilement avec les cellules ganglionnaires. Leurs prolongements multiples et fins pénétrant entre ceux des cellules voisines (sans s'anastomoser), il en résulte des mailles entourant chaque fibre nerveuse.

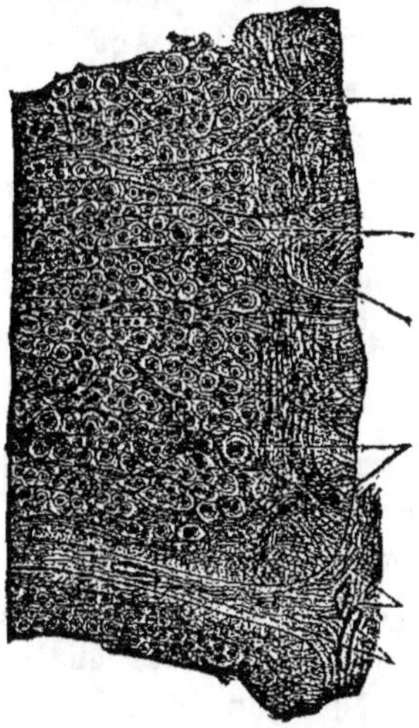

La névroglie se conduit d'une façon toute différente dans la substance grise centrale et dans la substance gélatineuse. Dans la première, les astrocytes avec leurs prolongements droits, longs et non divisés, forment une couronne fibrillaire (fig. 96) épaisse à disposition concentrique ; celle-ci et les cellules épendymaires sont réunies et forment un ensemble désigné sous le nom de *filament épendymaire central.*

Substance blanche   Spongieuse cornée.

Coupes transversales de fibres nerveuses à myéline composées de
cylindre-axe et
gaine de myéline.

Cellules névrogliques.

Tissu conjonctif.

Coupe de vaisseau sanguin.

Fig. 97.

Portion d'une coupe transversale de la moelle épinière de l'homme (région du cordon latéral) (Gross. 180. **Technique n° 74**). L'anastomose des deux cellules névrogliques est artificielle.

La substance gélatineuse (de Rolando) se compose de quelques cellules ganglionnaires petites, dont les prolongements nerveux s'incurvent dans la zone terminale ; elle comprend un réseau de fibres nerveuses fines et des fibres

---

(1) Ces pieds forment par leur rapprochement une membrane méningée limitante qui ne représente pas plus une véritable membrane que la membrane limitante interne de la rétine (Voir chap. *Organe de la vision*).

nerveuses qui la traversent (*collatérales*) ; on y trouve enfin une substance granuleuse qui provient d'une transformation des prolongements nombreux et très fins des astrocytes (fig. 96).

II. — Le cerveau.

Le cerveau, de même que la moelle épinière, se compose de substance blanche et de substance grise, analogues quant à leur structure à la substance blanche et à la substance grise de la moelle, mais ayant une distribution beaucoup moins simple.

La substance grise se rencontre dans le cerveau en quatre endroits différents :

a) A la surface du cerveau qu'elle entoure presque complètement, c'est l'écorce cérébrale.

b) Dans les ganglions cérébraux où elle forme des foyers séparés : corps striés, couche optique, tubercules quadrijumeaux.

c) Dans les cavités cérébrales qu'elle tapisse, et où elle forme, par sa continuité avec la substance grise de la moelle, la substance grise du canal encéphalo-médullaire.

d) A la surface du cervelet où elle forme l'écorce cérébelleuse.

Le cervelet contient en outre quelques amas séparés de substance grise.

Ces divers foyers de substance grise se trouvent reliés les uns aux autres par différents faisceaux de fibres de la substance blanche.

a) ÉCORCE CÉRÉBRALE.

Sur des coupes verticales, on distingue 4 couches dont la délimitation n'est pas très nette.

1° La couche moléculaire, couche névroglique, la plus superficielle, présente sur les préparations un aspect finement pointillé ou réticulé, cette couche contient en outre beaucoup de cellules névrogliques et un réseau de fibres nerveuses à myéline, à trajet horizontal, les fibres tangentielles (fig. 98). A l'aide de la méthode de Golgi, il est facile de s'assurer que le réticulum est formé en partie par les dendrites des cellules pyramidales (voir 2° et 3° plus bas), en partie par les prolongements des cellules névrogliques. On trouve encore dans la couche moléculaire les cellules de Cajal ; leur corps cellulaire est irrégulier ; il envoie des prolongements très longs, parallèles à la surface, dont les uns donnent naissance à des branches collatérales, montant verticalement à la périphérie, tandis que d'autres pénètrent dans la profondeur de l'écorce cérébrale (1) (fig. 99, *1*).

(1) Chez les animaux on a décrit plusieurs prolongements (quatre et davantage) aux

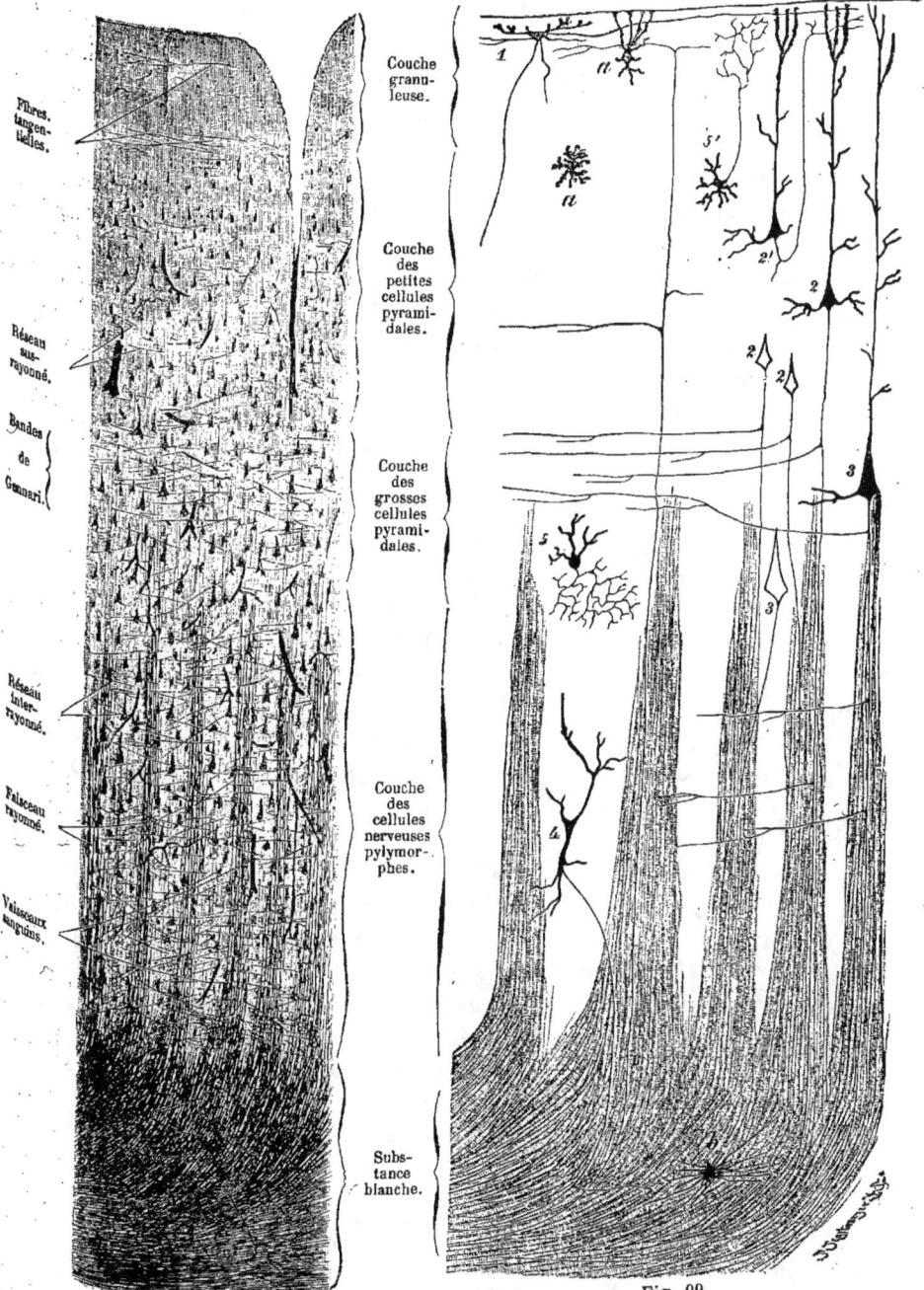

Couche
granu-
leuse.

Couche
des
petites
cellules
pyrami-
dales.

Couche
des
grosses
cellules
pyrami-
dales.

Couche
des
cellules
nerveuses
pylymor-
phes.

Subs-
tance
blanche.

Fibres.
tangen-
tielles.

Réseau
sus-
rayonné.

Bandes
de
Gennari.

Réseau
inter-
rayonné.

Faisceau
rayonné.

Vaisseaux
sanguins.

Fig. 98.

Portion d'une coupe verticale de l'écorce du cerveau de l'homme (Gross. 60. Technique n° 76).

Fig. 99.

Schéma d'une coupe de circonvolution cérébrale préparée d'après la technique indiquée au n° 78.— 1. Cellules de Cajal.— 2. 2' Petites cellules pyramidales. — 3. Grosses cellules pyrami- dales.— 4. Cellule polymorphe.—5. 5' Cellules du type de Golgi. — 6. Fibre nerveuse se terminant à la surface du cerveau. — a. b. Cellules rayonnantes. Les cellules épendymaires ne sont pas représentées.

2° La couche des petites cellules pyramidales (fig. 98, 99) est caractérisée par des grosses cellules ganglionnaires de 10 à 12 μ, de forme pyramidale. Le sommet de la cellule pyramidale s'effile en un prolongement protoplasmique (dendrites) (1), celui-ci donne plusieurs petites branches latérales et pénètre dans la couche moléculaire où il s'épanouit en de nombreuses ramifications souvent pourvues de petites dentelures (fig. 99, 2) ; des parties latérales et de la base de la cellule pyramidale naissent seulement des petites dendrites. Le prolongement nerveux naît toujours de la base et chemine, en règle générale, vers la substance blanche, après avoir donné des branches latérales ramifiées (*collatérales*) pour se continuer là avec une fibre nerveuse, ou deux fibres s'il se bifurque. Parfois il se recourbe, gagne la couche moléculaire où il se ramifie et se confond dans le réseau des fibres tangentielles (fig. 99, 2'). Le prolongement nerveux, ainsi que les collatérales sont pourvus d'une gaine de myéline.

Fig. 100.

Prolongement nerveux. Cellule pyramidale provenant d'une coupe perpendiculaire du cerveau d'un homme adulte (Gross.120). — Les ramifications terminales qui vont du côté de la couche moléculaire ne sont pas visibles (**Technique n° 78**, *b*).

3° La couche des grosses cellules pyramidales se distingue des couches précédentes par le volume plus grand des cellules nerveuses qui atteignent de 20 à 30 μ ; le prolongement nerveux très fort, se dirige toujours vers la substance blanche (fig. 99, *3*) après avoir encore donné plusieurs collatérales dans l'écorce grise.

4° La couche des cellules nerveuses polymorphes : la plupart des cellules qui la composent sont ovoïdes ou polygonales, la dendrite se dirigeant à la surface manque, le fin prolongement nerveux après avoir donné quelques collatérales pénètre dans la substance blanche (fig. 99, *4*) où il se continue soit avec 1, soit, en se divisant en T, avec 2 fibres nerveuses.

Dans les trois dernières couches que nous venons de mentionner on trouve encore des cellules ganglionnaires du type de Golgi. Leur prolongement nerveux ramifié se limite tantôt au voisinage de la cellule (fig. 99, 5), tantôt il arrive dans la couche moléculaire, où il se termine en se ramifiant (fig. 99, 5').

cellules de Cajal, mais chez l'homme, on n'a pas encore prouvé l'existence des prolongements nerveux. La nature nerveuse des cellules de Cajal n'est pas bien démontrée, je serais tenté de les considérer plutôt comme des cellules névrogliques.

(1) Il est pour cela difficile de déterminer la grandeur des cellules pyramidales, les différences entre les dimensions données tiennent à cette transition insensible du corps cellulaire en prolongement nerveux.

Les deux dernières couches contiennent de nombreuses fibres à myéline. Celles-ci sont en partie groupées en faisceaux épais, *radiés*, qui se terminent en fibres isolées vers la couche des petites cellules pyramidales (fig. 98). Ces faisceaux sont formés : 1° par les prolongements nerveux des petites et grosses cellules pyramidales ; ces prolongements sont entourés d'une gaine de myéline ; 2° par des fibres nerveuses à myéline, épaisses, et d'origine inconnue, lesquelles montent de la substance blanche vers l'écorce (fig. 99, *6*) ; là elles se divisent souvent, et forment le réseau *superradié* et tangentiel (fig. 99) ; elles se terminent par des ramifications libres. Une autre partie des fibres nerveuses à myéline chemine perpendiculairement aux faisceaux radiés, et forme le réseau *interradié* ; ce dernier est un peu épaissi vers le réseau superradié et représente ainsi le faisceau de Gennari (ou de Baillarger) (fig. 98). Celui-ci ainsi que le réseau interradié est formé par les collatérales des prolongements nerveux des cellules pyramidales, prolongements pourvus d'une gaine de myéline. La structure de l'écorce du cerveau subit quelques modifications dans certaines régions. Ainsi dans la circonvolution de l'hippocampe et au niveau de l'ergot de Morand les fibres tangentielles existent en plus petite quantité, et forment une couche réticulée, étendue (*substantia reticularis alba.*) Au voisinage de la scissure calcarine le faisceau de Gennari est si développé qu'il est visible à l'œil nu et qu'il prend le nom de faisceau de Vicq d'Azyr.

On trouve en outre dans beaucoup d'autres régions des modifications plus ou moins grandes (1), sur lesquelles nous ne voulons pas insister pour ne pas compliquer notre description. A la formation de l'écorce cérébrale prennent encore part les prolongements conjonctifs accompagnant les vaisseaux de la pie-mère ainsi que la névroglie.

La *névroglie* est composée comme celle de la moelle épinière de cellules épendymaires, et d'astrocytes ou cellules étoilées. Les premières, dans la période embryonnaire arrivent jusqu'à la surface libre, avec leurs prolongements périphériques. Les derniers se distinguent au point de vue de leur forme en deux variétés.

Les uns sont caractérisés par leur corps cellulaire petit, par leurs prolongements longs, droits, fins, peu ramifiés, dont les plus fines ramifications partent du corps cellulaire lui-même comme autant de rayons, on les nomme *cellules à prolongements longs* (fig. 101) ; ils se rencontrent principalement dans la substance blanche. Les autres ont des prolongements courts, renflés, avec beaucoup d'anastomoses, on les nomme *cellules à prolongements*

---

(1) Pour la structure fine de l'écorce de la corne d'Ammon et le bulbe olfactif, voir les traités spéciaux.

courts (fig. 101), ils se trouvent surtout dans la substance grise ; là ils sont en rapport intime avec les vaisseaux sanguins dont ils entourent souvent les parois avec un prolongement plus fort (fig. 101). Il en résulte qu'à la surface du cerveau il y a une zone riche en névroglie à cause de la terminaison à ce niveau des prolongements des cellules névrogliques.

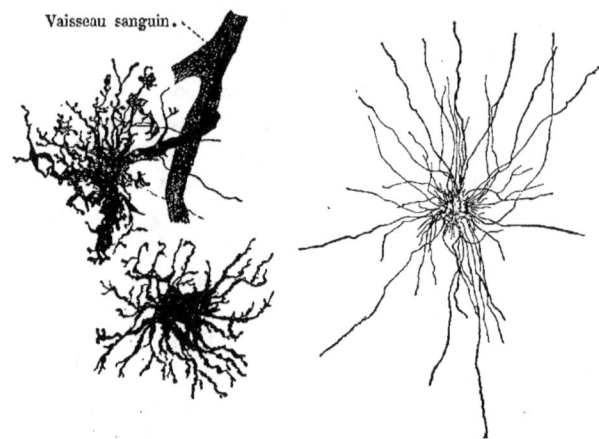

Fig. 101.

Cellules à ramifications courtes   Cellules à ramifications longues
dans les coupes du cerveau de l'homme adulte (Gross. 280. **Technique n° 78**, *b*).

b) GANGLIONS CÉRÉBRAUX.

La substance grise des ganglions cérébraux est constituée par des cellules ganglionnaires de différentes grosseurs, par des fibres nerveuses à myéline et par de la névroglie. La diversité de nuance que ces ganglions présentent à l'œil nu tient à la prédominance des cellules ou des fibres nerveuses ; lorsque les cellules sont plus nombreuses, le ganglion est d'une teinte foncée rouge-brunâtre ; au contraire la richesse en fibres nerveuses donne au ganglion une teinte claire, jaune grisâtre.

c) SUBSTANCE GRISE DES CAVITÉS CENTRALES.

Cette substance s'étend du plancher du 4e ventricule au ventricule moyen et au *tuber cireneum* en passant par l'aqueduc de Sylvius. Elle est le point d'origine des nerfs crâniens. Des cellules ganglionnaires, multipolaires en général, des fibres nerveuses et de la névroglie entrent dans sa constitution. Les cellules peuvent parfois acquérir un très grand développement, c'est ce qui se voit dans le noyau de l'hypoglosse ; ailleurs elles sont remarquables par leur forme sphérique, dans les tubercules quadrijumeaux par exemple.

De même que le canal central de la moelle, le plancher du quatrième ventricule, l'aqueduc de Sylvius, la face interne du ventricule latéral et moyen, qui n'en sont qu'un prolongement épanoui, sont tapissés d'une couche névroglique supportant des cellules cylindriques ou cubiques et pourvues, chez le nouveau-né et parfois chez l'adulte, de cils vibratiles.

d) ÉCORCE CÉRÉBELLEUSE.

L'écorce cérébelleuse se compose de 3 couches bien différenciées, l'externe et l'interne se reconnaissent déjà à l'œil nu ; la moyenne ne peut être distinguée qu'au microscope.

1o La couche la plus interne, couche granuleuse, se compose de plusieurs couches de petites cellules auxquelles on peut par les méthodes ordinaires reconnaître un noyau relativement gros et un protoplasma peu développé.

A l'aide de la méthode de Golgi, on voit qu'il existe ici en dehors des cellules névrogliques, deux variétés de cellules ganglionnaires : a) les petites cellules granuleuses (fig. 103 et 105), cellules ganglionnaires multipolaires, avec des dendrites terminées en griffes, et avec un prolongement nerveux non recouvert de myéline, lequel monte verticalement vers la couche externe. A ce niveau il forme un T et se divise en deux branches qui cheminent le long des circonvolutions, parallèlement à la surface, et se terminent librement, sans se

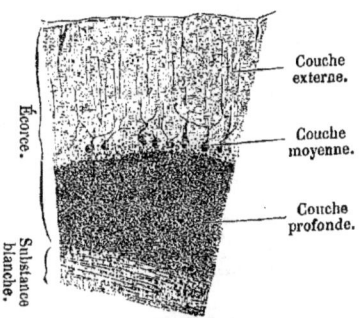

Fig. 102.
Fragment d'une coupe perpendiculaire à travers le cervelet humain (Gross. 50. **Technique no 77**).

ramifier. Les petites cellules granuleuses forment la masse principale des éléments cellulaires de la couche granuleuse. b) Moins abondantes sont les grosses cellules granuleuses, qui mesurent le double des cellules ganglionnaires multipolaires ; leurs dendrites ramifiées pénètrent jusque dans la couche granuleuse et leurs prolongements nerveux cheminant en sens inverse se résolvent rapidement en un système ramifié (fig. 104 et 105, 2), traversant la couche granuleuse. On trouve dans la couche granuleuse un réseau épais de fibres nerveuses à myéline (fig. 105, 3) ; celles-ci dérivent en grande partie de la substance blanche du cervelet, elles forment une couche horizontale à la limite de la couche granuleuse et de la couche ganglionnaire ; c'est un faisceau (3) à direction transversale suivant la direction des circonvolutions, et donnant quelques fibres qui montent dans la couche grise. Une petite par-

tie du réseau est fournie par les prolongements nerveux des cellules de Purkinje, recouverts d'une gaine de myéline.

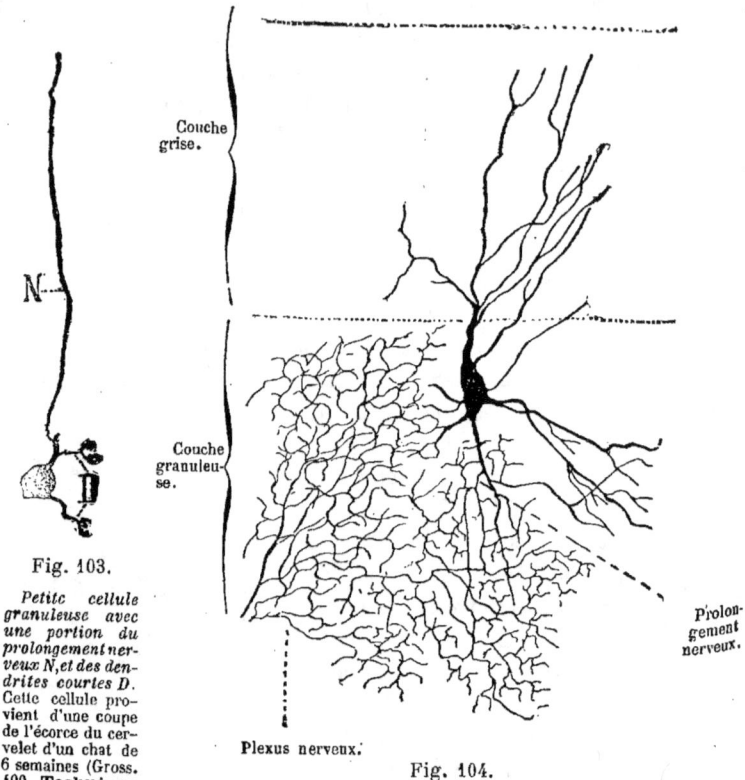

Couche
grise.

Couche
granuleu-
se.

Prolon-
gement
nerveux.

Plexus nerveux.

Fig. 103.

*Petite cellule
granuleuse avec
une portion du
prolongement ner-
veux N, et des den-
drites courtes D.
Cette cellule pro-
vient d'une coupe
de l'écorce du cer-
velet d'un chat de
6 semaines (Gross.
400. Technique
nº 79).*

Fig. 104.

*Grosse cellule granuleuse d'une coupe de l'écorce du cervelet d'un chat
de 6 semaines (Gross. 200. Technique nº 79).*

2º La couche moyenne, *couche ganglionnaire*, se compose d'une seule
couche de très grosses cellules ganglionnaires multipolaires, les cellules de
Purkinje. Leur corps cellulaire piriforme envoie deux fortes dendrites dans
la couche grise ; celles-ci se résolvent à ce niveau en un grand nombre de
ramifications qui arrivent jusqu'à la surface libre (fig. 105, 4).

Ce système de ramifications n'est pas uniformément réparti ; on ne le rencontre que dans les dépressions qui coupent transversalement les circonvolutions. Ces ramifications ne sont donc visibles que sur des sections transversales des circonvolutions.

Du côté opposé naît le prolongement nerveux qui s'entoure bientôt d'une
gaine de myéline et pénètre dans la substance blanche en traversant la couche
granuleuse. Le prolongement nerveux abandonne à l'intérieur de la couche

granuleuse des branches latérales, collatérales, qui se ramifient là et quelquefois reviennent entre les cellules de Purkinje (fig. 105).

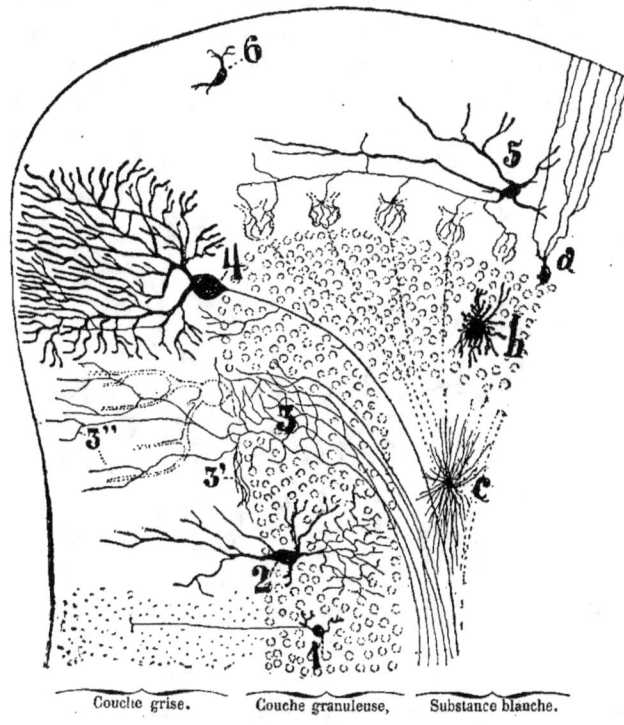

Couche grise.   Couche granuleuse,   Substance blanche.

Fig. 105.

Schéma de l'écorce du cervelet exécuté d'après des préparations obtenues par la **Technique** n° **79.**
— 1. Petite cellule granuleuse. — 2. Grosse cellule granuleuse. — 3. Réseau de fibres nerveuses. —
3'. Faisceaux horizontaux. — 3''. Fibres de la couche grise. — 4. Cellule de Purkinje. — 5. Cellule en
panier. — 6. Petite cellule de l'écorce ; a cellule névroglique de la substance grise; b cellule névroglique
analogue à une cellule à ramifications courtes ; c à ramifications longues.

3° La couche grise externe se caractérise par sa couleur grise, et contient des cellules ganglionnaires multipolaires dont les dendrites se dirigent principalement vers la surface. Leur long prolongement nerveux chemine horizontalement en croisant les circonvolutions ; il envoie à la surface des collatérales isolées ; tandis que vers la profondeur il donne de distance en distance de fines ramifications qui de leurs deux branches entourent le corps des cellules de Purkinje en forme d'anse de panier (fig. 106). L'anse entoure assez souvent le commencement du prolongement nerveux de la cellule de Purkinje. Ces cellules sont encore nommées *cellules en panier* (1).

(1) Les petites cellules corticales (fig. 105 et 107) sont également des cellules en panier, dont les prolongements se sont noircis sur une petite étendue.

Les fibres nerveuses à myéline que l'on trouve dans la couche grise sont la continuation du réseau de la couche granuleuse ; elles se dirigent en partie vers la surface, où après avoir perdu la gaine de myéline elles se terminent sous forme de ramifications libres, entre les ramifications du protoplasma des cellules de Purkinje ; d'autres cheminent horizontalement entre les corps des cellules de Purkinje suivant la direction des circonvolutions.

La névroglie du cervelet est formée: 1° par des cellules dont le corps, petit, se trouve situé à la limite de la couche granuleuse, il n'envoie dans la profondeur que des prolongements courts, isolés; vers la surface au contraire, il

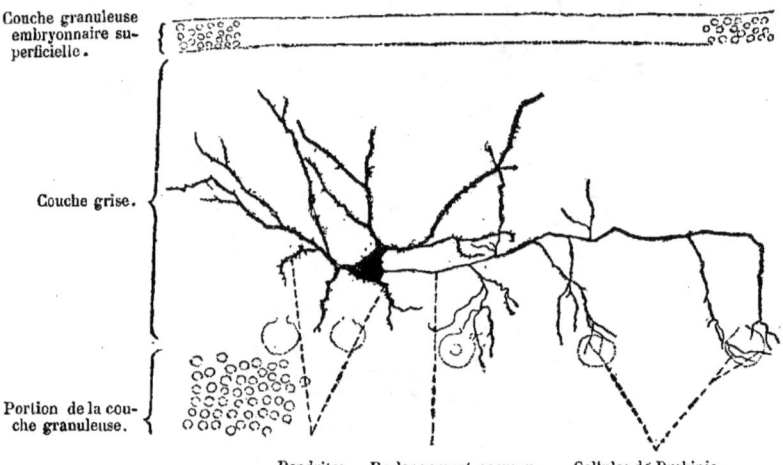

Couche granuleuse embryonnaire superficielle.

Couche grise.

Portion de la couche granuleuse.

Dendrites.   Prolongement nerveux.   Cellules de Purkinje.

Fig. 106.

Cellule en panier d'une coupe du cervelet d'un chat de 6 semaines (Gross. 240). Les 5 cellules de Purkinje n'étaient pas noircies, mais bien visibles ; leurs corps cellulaires sont seuls figurés (**Technique n° 79**).

envoie beaucoup de prolongements longs qui s'y rendent directement et s'y terminent avec une portion élargie en forme de pyramide triangulaire (fig. 108 à gauche). Il résulte de cette disposition une couche névroglique relativement épaisse. 2° La névroglie comprend encore des cellules étoilées ressemblant aux cellules à prolongement court du cerveau (fig. 108 à droite). Elles se trouvent dans toutes les couches. Dans la substance blanche se trouvent des cellules types à prolongement long.

L'écorce du cervelet présente quelques particularités tant qu'elle ne s'est pas complètement développée ; chez l'adulte elles disparaissent. Ainsi chez les embryons et chez les animaux jeunes on trouve une couche granuleuse superficielle au-dessus de la couche grise encore peu développée. Les fibres décrites sous le nom de fibres mousseuses, dans la couche granuleuse, ne sont que des formes de développement des fibres nerveuses à myéline ;

les *plexus grimpants* qu'on trouve dans le voisinage des dendrites de Purkinje ont la même signification.

L'union des éléments de l'écorce du cervelet se fait seulement par contact, et non par continuité directe.

e) SUBSTANCE BLANCHE.

La substance blanche du cerveau et du cervelet en dehors des éléments du tissu de soutènement (tissu conjonctif et névroglie) se compose exclusivement de fibres nerveuses à myéline, dont l'épaisseur varie entre 2, 5 et 7 μ ; ces fibres sont dépourvues de névrilemme.

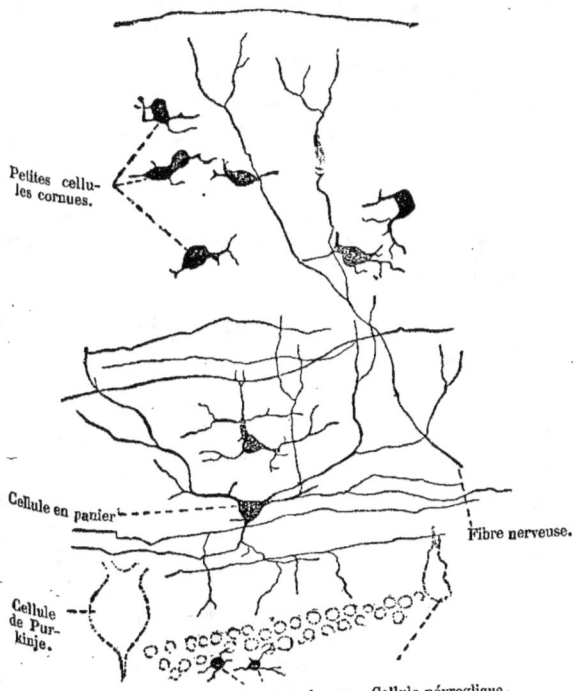

Petites cellu- les cornues.

Cellule en panier

Fibre nerveuse.

Cellule de Pur- kinje.

Petites cellules granuleuses.   Cellule névroglique.

Fig. 107.

Fragment d'une coupe du cervelet d'un adulte (Gross. 240). — Les filaments qui traversent la préparation sont les prolongements des cellules en panier. Les cellules de Purkinje et les cellules névrogliques ont été prises sur d'autres points de la préparation, et leurs contours ont été indiqués pour montrer la différence de volume des diverses cellules (**Technique n° 79**).

Fig. 108.

Deux cellules né- vrogliques provenant d'une coupe du cerve- let d'un adulte (Gross. 90).— A droite on voit en P et en P' le corps et les dendrites d'une cellule de Purkinje dont les contours ont été indiqués pour les diffé- rencier des cellules né- vrogliques (**Techni- que n° 79**).

f) HYPOPHYSE DU CERVEAU.

L'hypophyse du cerveau se compose de 2 parties différentes par leur ori- gine : 1° un lobe postérieur plus petit qui appartient au cerveau (continuation de l'infundibulum) ; celui-ci contient des fibres nerveuses fines qui se divisent et se subdivisent formant un réseau épais ; on y trouve du tissu conjonctif, beaucoup de vaisseaux sanguins, et des cellules ressemblant beaucoup aux cellules ganglionnaires bipolaires et multipolaires ; la nature de ces cel-

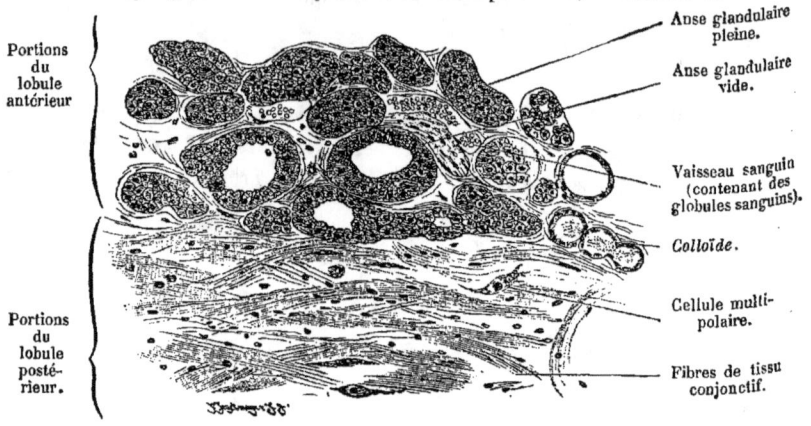

Portions
du
lobule
antérieur

Anse glandulaire
pleine.

Anse glandulaire
vide.

Vaisseau sanguin
(contenant des
globules sanguins).

Colloïde.

Portions
du
lobule
posté-
rieur.

Cellule multi-
polaire.

Fibres de tissu
conjonctif.

Fig. 109.

Portion d'une coupe horizontale de l'hypophyse du cerveau de l'homme (Gross. 220).— La coupe a passé à la limite du lobe antérieur et du lobe postérieur. A gauche deux canaux glandulaires contiennent chacun une cellule épithéliale plus sombre (**Technique n° 80**).

lules est incertaine ; 2° un lobe antérieur plus grand qui doit son existence à une proéminence de la fente buccale embryonnaire. Ce lobe contient des

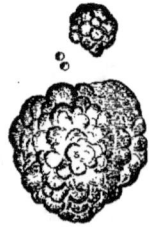

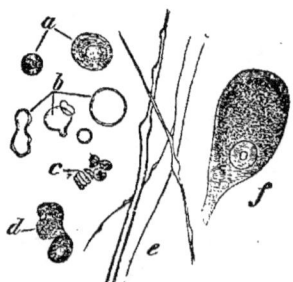

Fig. 110.

Sable cérébral provenant de la glande pinéale d'une femme de 70 ans (Gross. 50. **Technique n° 81**).

Fig. 111.

Dissociation de la couche grise ventriculaire de l'homme (Gross. 240). — *a.* Corpuscules amylacés. — *b.* Gouttes de myéline. — *c.* Globules rouges. — *d.* Cellules épendymaires. — *e.* Fibres à myéline. — *f.* Cellules nerveuses. (**Technique n° 82**).

anses glandulaires renfermées dans un tissu conjonctif lâche avec des vaisseaux.

La plupart des culs-de-sac glandulaires sont pleins ; ils sont tapissés par des cellules épithéliales cubiques, tantôt plus claires, tantôt plus sombres (fig. 109). Un petit nombre d'entre eux (au petit lobe) présentent une lumière et contiennent quelquefois une masse identique à la substance colloïde (V. *Glande thyroïde*).

g) GLANDE PINÉALE.

L'épiphyse ou glande pinéale provient d'un repli de la paroi cérébrale primitive ; elle est constituée par des cellules épithéliales à fins prolongements. Le tout est enveloppé d'une capsule conjonctive qui envoie des prolongements dans l'intérieur de la glande. Dans l'épiphyse on trouve presque régulièrement le sable cérébral (*acervulus cerebri*). Ce sont des concrétions arrondies de différentes grosseurs, à surface muriforme (fig. 110).

L'analyse y décèle une base organique, du carbonate de chaux et du phosphate magnésien.

Il n'est pas rare de rencontrer dans le cerveau (surtout chez les adultes) des corpuscules arrondis ou en forme de biscuits (fig. 111, *a*). Ces corpuscules sont nettement stratifiés et se colorent en violet sous l'action de l'iode et de l'acide sulfurique. Ils ont donc une certaine parenté avec les substances amyloïdes ; ces corpuscules amylacés se trouvent non seulement dans les parois des cavités cérébrales, mais aussi dans la substance grise et dans la substance blanche de l'encéphale.

h) ENVELOPPES DU SYSTÈME NERVEUX CENTRAL.

Deux membranes conjonctives entourent le cerveau et la moelle épinière, l'une externe, la dure-mère ; l'autre interne a deux feuillets, la pie-mère et l'arachnoïde.

La *dure-mère spinale* se compose d'un tissu fibreux, résistant, mélangé d'un grand nombre de fibres élastiques ; çà et là on voit quelques cellules conjonctives et quelques cellules plasmatiques (fig. 115). Sa face interne est tapissée d'une simple couche de cellules épithéliales ; elle est pauvre en vaisseaux et en nerfs.

La *dure-mère cérébrale* fait en même temps fonction de périoste de la face interne des os du crâne. Deux couches entrent dans sa composition. Une interne, répondant à la dure-mère spinale, et affectant la même structure. Une seconde couche, externe, correspondant par sa structure au périoste du canal rachidien. De structure identique, ces deux couches ne diffèrent que par la direction de leurs fibres ; les fibres de la couche externe sont perpendiculaires à celles de la couche interne. La couche externe renferme de nombreux vaisseaux qui se rendent ensuite dans les os du crâne.

L'enveloppe *cérébrale et spinale interne* est un sac séreux à deux feuillets. Le feuillet externe, l'*arachnoïde* des auteurs, est tapissé à sa face libre par une simple couche épithéliale ; ce feuillet n'a pas de connexions intimes avec la dure-mère. Le feuillet interne, ou *pie-mère*, adhère fortement à la surface du cerveau et de la moelle, et envoie des prolongements vasculaires dans la substance propre de ces deux organes. Des trabécules et des lames en très grand nombre unissent la face interne de l'arachnoïde à la face externe de la pie-mère. En certains points de l'arachnoïde, de chaque côté du sinus longitudinal supérieur, on rencontre des involutions en forme de sac herniaire, qui, s'élevant de l'arachnoïde, pénètrent, en repoussant devant elles des points correspondants de la dure-mère, dans les sinus veineux ; ce sont des *villosités arachnoïdiennes* décrites pendant longtemps comme des productions pathologiques sous le nom de *granulations de Pacchioni*. L'enveloppe cérébrale interne est constituée par de fins faisceaux conjonctifs et par des cellules plates, qui recouvrent la face interne de l'arachnoïde ainsi que les trabécules et les lames qui en émanent.

La *toile choroïdienne* et le *plexus choroïdien* ne sont en fait que du tissu conjonctif contenant un grand nombre de vaisseaux dont les fines ramifications réunies en touffes pénètrent dans les cavités cérébrales. Ils sont revêtus d'une simple couche d'épithélium cubique, qui, chez le nouveau-né, peut être

Vaisseau sanguin.   ✕   Epithélium.

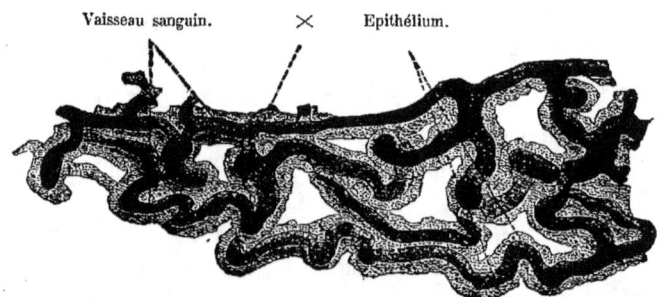

Fig. 112.

Fragment du plexus choroïde d'un adulte (Gross. 80).— En ✕ coupe optique d'un vaisseau. Les points qu'on voit dans l'épithélium ne sont pas des noyaux, mais du pigment ou des granulations graisseuses (**Technique n° 83,** *b*).

constitué par des cellules à cils vibratiles. Ces cellules renferment dans leur intérieur des granulations pigmentaires ou des gouttelettes graisseuses.

i) VAISSEAUX SANGUINS ET LYMPHATIQUES DU SYSTÈME NERVEUX CENTRAL.

Les *vaisseaux sanguins* du système nerveux central forment un réseau capillaire à mailles étroites dans la substance grise, et à larges mailles dans la substance blanche. Les capillaires qui constituent ces réseaux communiquent partout entre eux.

Les capillaires de l'écorce s'abouchent dans des veines qui prennent naissance non pas dans l'écorce elle-même mais dans la substance blanche qui se trouve au-dessous ; elles traversent ensuite l'écorce pour se rendre dans les veines de la pie-mère. Le sang qui se trouve dans les capillaires traverse ainsi toute l'écorce avant de gagner les veines.

Les vaisseaux possèdent en outre une seconde enveloppe, tunique adventice, souvent constituée par une simple couche de cellules épithéliales plates. Les parois des sinus veineux de la dure-mère ne sont revêtues que d'une mince membrane constituée par des cellules épithéliales aplaties.

La disposition des *vaisseaux lymphatiques* du système nerveux central est la suivante :

1° Entre la dure-mère et l'arachnoïde se trouve un espace capillaire, *espace sous-dure-mérien*, qui communique, du moins chez le lapin et le chien, avec les vaisseaux et ganglions lymphatiques profonds du cou, avec les gaines lymphatiques des nerfs périphériques, avec les vaisseaux lymphatiques de la pituitaire, avec des espaces lymphatiques de la dure-mère, et enfin avec les sinus de la dure-mère, par les villosités arachnoïdiennes. Le liquide contenu dans cet espace est en très petite quantité.

2° L'espace sous-arachnoïdien est l'espace limité par les deux feuillets. Il est traversé par les trabécules et lames dont nous avons parlé plus haut. Il communique avec les gaines lymphatiques des nerfs périphériques, avec les vaisseaux lymphatiques de la pituitaire d'une part, et de l'autre avec la cavité des ventricules cérébraux et le canal central de la moelle. Le liquide qui se trouve dans l'espace sous-arachnoïdien est très abondant, c'est le liquide céphalo-rachidien.

3° En injectant l'espace sous-arachnoïdien, on voit la masse injectée pénétrer dans des espaces limités par les tuniques adventices des vaisseaux. Ce sont les espaces lymphatiques adventices.

Les espaces qu'on ne décèle qu'à l'aide d'une injection pratiquée dans la substance cérébrale même n'appartiennent pas à proprement parler au système lymphatique. On trouve ces espaces : 1° autour des grosses cellules ganglionnaires de l'écorce cérébrale, de même qu'autour d'un grand nombre de cellules névrogliques, où se forment des espaces péri-cellulaires ; 2° en dehors et autour de la gaine adventice, il existe des espaces péri-vasculaires ; 3° il en existe également entre la pie-mère et la substance cérébrale ; ce sont les espaces épi-cérébraux. L'ensemble de ces espaces constitue le système plasmatique propre du cerveau.

2. — Système nerveux périphérique.

a) TRONCS NERVEUX.

Les nerfs cérébro-spinaux sont constitués en général par des fibres nerveuses à myéline, d'épaisseur variable ; ils renferment aussi quelques fibres isolées sans myéline. Ces nerfs paraissent blancs à la lumière directe. La manière [dont] ces fibres s'unissent pour constituer un nerf rappelle à peu près le mode d'union des fibres musculaires striées. On y trouvera donc une enveloppe commune, l'épinèvre, entourant la totalité du nerf, et constituée

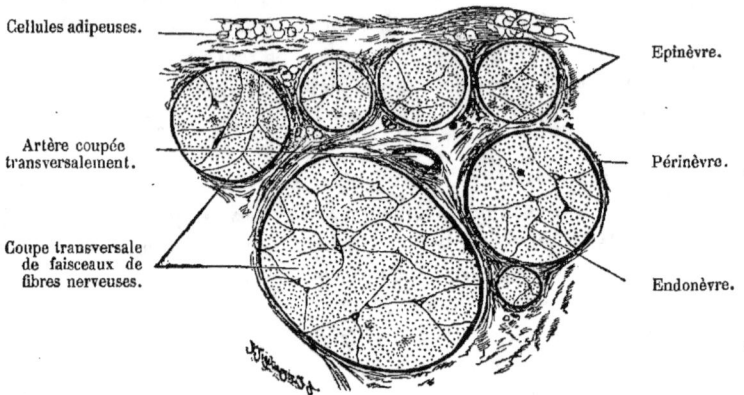

Cellules adipeuses.

Artère coupée transversalement.

Coupe transversale de faisceaux de fibres nerveuses.

Epinèvre.

Périnèvre.

Endonèvre.

Fig. 113.
Portion d'une coup transversale du nerf médian de l'homme (Gross. 220. **Technique n° 84**).

par un tissu conjonctif lâche, riche en fibres élastiques et contenant souvent des groupes de cellules adipeuses (fig.113). L'épinèvre envoie des prolongements conjonctifs dans l'intérieur des nerfs, formant ainsi aux faisceaux nerveux secondaires autant d'enveloppes propres. Chaque faisceau se trouve de

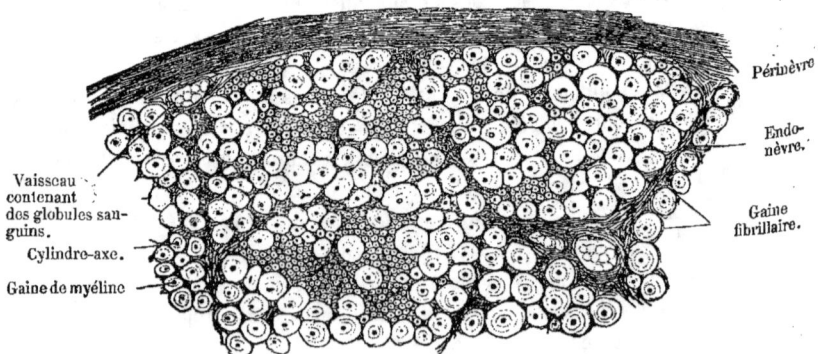

Périnèvre

Endonèvre.

Vaisseau contenant des globules sanguins.
Cylindre-axe.
Gaine de myéline

Gaine fibrillaire.

Fig. 114.
Fragment d'une coupe du nerf médian de l'homme (Gross. 220. **Technique n° 84**).

cette manière entouré d'un système de lamelles conjonctives concentriques connu sous le nom de périnèvre; celui-ci envoie des cloisons dans le faisceau nerveux secondaire et de cette manière se trouve formé l'endonèvre; l'endonèvre donne à son tour naissance à des minces feuillets, les gaines fibrillaires, qui sont les analogues du *périmysium* de la fibre musculaire et enveloppent chaque fibre en particulier.

Ces envelopppes sont en connexion directe avec les prolongements de la dure-mère et de la pie-mère. Le périnèvre et l'endonèvre ne sont pas seulement constitués par des fibres conjonctives, on y trouve encore des fibres élastiques en un nombre variable de pellicules concentriques. Chacune de ces pellicules est formée par une simple rangée de cellules conjonctives, nettement mises en évidence par l'imprégnation au nitrate d'argent. Les gaines fibrillaires outre quelques minces faisceaux conjonctifs renferment aussi des cellules plates de ce genre. Ce n'est qu'à la périphérie que les nerfs se ramifient ; mais il n'est pas rare de voir un certain nombre de faisceaux partir du tronc nerveux et aller s'anastomoser avec d'autres faisceaux. De là résulte un réseau à mailles allongées.

Les *nerfs sympathiques* sont tantôt d'une coloration blanche, tantôt d'une coloration grise, suivant le plus ou moins grand nombre de fibres à myéline qu'ils contiennent : les nerfs splanchniques par exemple contiennent un grand nombre de fibres nerveuses à myéline. Dans les plexus abdominaux et pelviens, de coloration grise, les fibres pâles sans myéline prédominent en général.

Une partie des fibres nerveuses à myéline sont des prolongements des nerfs spinaux, une autre partie est fournie par les prolongements des cellules nerveuses sympathiques ; on rencontre aussi quelquefois dans le trajet des nerfs sympathiques, de longues dendrites émanées des cellules nerveuses. Pour former un faisceau, ces fibres s'unissent à l'aide d'un tissu conjonctif lâche.

Les *vaisseaux sanguins* suivent longitudinalement l'épinèvre et forment dans cette membrane des réseaux capillaires à mailles allongées, ils pénètrent de là dans le tronc nerveux avec le périnèvre et l'endonèvre.

Des *espaces lymphatiques* se trouvent creusés entre les lamelles du périnèvre et entre les fibres nerveuses, de sorte que chaque fibre nerveuse se trouve baignée par une certaine quantité de lymphe. Ces espaces sont seulement en connexion avec l'espace sous-dure-mérien et sous-arachnoïdien ; contrairement aux vaisseaux lymphatiques qui entourent les troncs nerveux, ils sont clos de toute part.

b) GANGLIONS.

On décrit sous le nom de *ganglions nerveux* des groupes de cellules nerveuses situées sur le trajet des nerfs périphériques. La plupart sont visibles à l'œil nu. Les ganglions sont constitués par des fibres nerveuses réunies en petits faisceaux ; entre ces faisceaux se trouvent les cellules ganglionnaires

disposées tantôt en séries allongées, tantôt en groupes arrondis. Une enveloppe conjonctive, prolongement du périnèvre, entoure la face externe du
ganglion. Elle envoie dans l'intérieur du ganglion des prolongements qui
revêtent les nerfs et les cellules ganglionnaires. Les ganglions sont très riches
en vaisseaux sanguins ; autour de chaque cellule pour ainsi dire se trouve un
réseau capillaire.

Les ganglions sympathiques et les ganglions spinaux diffèrent notablement
entre eux au point de vue de leur structure microscopique.

Les cellules des ganglions spinaux sont bipolaires pendant la période embryonnaire ; les prolongements naissent aux pôles opposés de la cellule. La
portion du corps de la cellule d'où partent les prolongements s'amincit au
cours du développement, prend la forme d'une tige, et devient une fibre, un
prolongement d'où émanent les deux prolongements primitifs, la cellule
devient ainsi unipolaire (1).

Le prolongement de la cellule adulte présente très près de son émergence
de la cellule une gaine de myéline et un névrilemme ; il se divise régulièrement après un court trajet, au niveau d'un étranglement annulaire, en deux
branches en forme de T, ou en Y. Une de ces branches (la branche cel-
lulipète) se dirige comme cylindre-axe d'une fibre sensitive vers la périphérie du corps ; l'autre (cellulifuge) d'ordinaire plus faible chemine vers la
moelle comme partie constitutive d'une racine postérieure de la moelle, et
se termine par des ramifications libres dans la substance grise de la moelle.
Chaque cellule ganglionnaire spinale avec son prolongement encore non divisé est en quelque sorte intercalée sur le trajet d'une fibre nerveuse sensitive. Les cellules ganglionnaires spinales sont grosses, rondes, souvent
pigmentées, leur noyau vésiculeux contient un gros nucléole. Chaque cellule
est entourée d'une membrane nucléaire (fig. 115) qui se compose de cellules
conjonctives plates, à disposition concentrique, et qui passe comme gaine
fibrillaire sur le prolongement des cellules ganglionnaires (2). Dans les ganglions spinaux on trouve en outre des fibres nerveuses sans myéline, provenant des ganglions sympathiques ; elles s'anastomosent sous forme de plexus
autour des cellules ganglionnaires spinales, au-dessous de l'enveloppe conjonctive.

Le ganglion de Gasser, le ganglion jugulaire, le plexus nodosus des

(1) Chez les amphibiens et les oiseaux, ainsi que chez les embryons de mammifères, on trouve des cellules ganglionnaires multipolaires, tout à fait isolées, leurs
dendrites sont cependant courtes et peu ramifiées.

(2) On ignore s'il existe des fibres nerveuses, qui traversent le ganglion spinal
sans se mettre en rapport avec ses cellules. Chez l'embryon de poulet il y a des
fibres de ce genre venant des cellules des cornes antérieures ; on n'en a pas encore
trouvé chez les mammifères.

nerfs pneumogastriques, le ganglion pétreux du glosso-pharyngé, le ganglion géniculé du nerf facial possèdent la même structure que les ganglions spinaux. Les ganglions du nerf acoustique (G. *nervi cochleae et nervi vestibuli*)

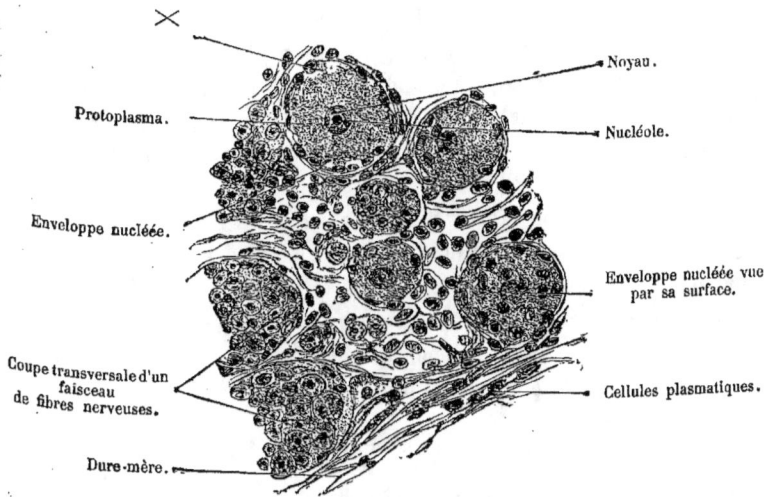

Fig. 115.

Coupe d'un ganglion de Gasser de l'homme (Gross. 240). — En X le protoplasma de la cellule nerveuse s'est rétracté et simule un prolongement axile. Sur la coupe des fibres nerveuses on voit la coupe du cylindre-axe **(Technique n° 85).**

possèdent au contraire des cellules ganglionnaires bipolaires. Les ganglions sympathiques se composent de cellules ganglionnaires à un ou deux noyaux (lapin, cobaye) plus petites que les précédentes, assez souvent pigmentées,

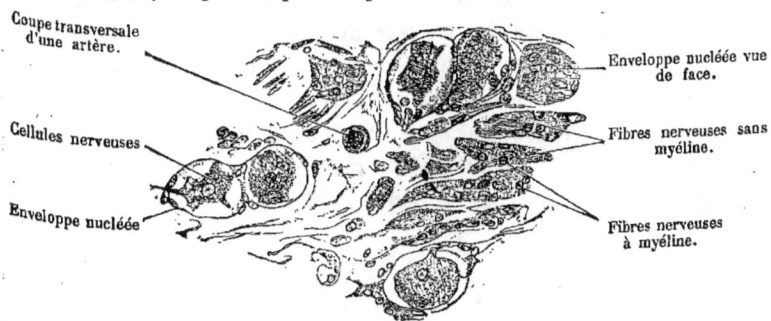

Fig. 116.

Coupe transversale du ganglion cervical sup. de l'homme (Gross. 240. **Technique n° 86).**

entourées également d'une enveloppe conjonctive nucléaire ; ils renferment en outre des fibres nerveuses. Les cellules ganglionnaires des ganglions sympathiques sont multipolaires (**1**), leurs dendrites ramifiées pénètrent entre le cellules voisines jusqu'à la périphérie du ganglion, où elles forment un réseau périphérique commun (**2**) ; d'autres dendrites arrivent même jusque dans les ganglions voisins où elles se terminent de la même façon. Leur prolongement nerveux se continue directement avec une fine fibre nerveuse qui se recouvre sur une longueur variable d'une gaine de myéline, ou reste sans myéline. Ces fibres sont pour la plus grande partie motrices, elles se terminent souvent après un trajet très long, dans les fibres musculaires lisses une partie se termine librement dans la muqueuse, une autre partie enlace les cellules nerveuses par ses ramifications terminales.

Les fibres nerveuses à myéline provenant des nerfs spinaux moteurs, forment avec leurs épaisses ramifications terminales un réseau situé en partie entre les cellules nerveuses pendant que d'autres ramifications traversent l'enveloppe conjonctive, et entourent la cellule même.

Le ganglion ciliaire, le sphéno-palatin, l'optique et le sous-maxillaire appartiennent aux ganglions sympathiques.

c) TERMINAISONS NERVEUSES PÉRIPHÉRIQUES.

I° *Terminaisons des nerfs sensitifs.*

Les *terminaisons* des fibres nerveuses sensitives sont très variées : on distingue : 1° des terminaisons nerveuses libres ; 2° des terminaisons nerveuses dans des *corpuscules terminaux* (**3**).

1° Les *terminaisons libres* se font de la manière suivante : les fibres nerveuses, après avoir perdu leur gaine de myéline, se divisent plusieurs fois et se terminent par des pointes fines ou par un petit renflement ; c'est surtout dans l'épithélium stratifié qu'on rencontre ces sortes de terminaisons nerveuses, elles ont été sûrement trouvées dans l'épithélium de la cornée (fig. 117), dans la muqueuse buccale et dans les couches profondes de l'épiderme. Dans ces dernières on rencontre également des cellules pourvues de longs prolongements ramifiés, les cellules de Langerhans, qui ne sont probablement que des cellules migratrices venues du chorion.

---

(1) Les cellules ganglionnaires sympathiques des poissons sont bipolaires. Chez les amphibiens (peut-être chez les mammifères aussi) on trouve des cellules ganglionnaires dont l'unique prolongement, divisé en T plus loin, est entouré par une *fibre spirale*, laquelle se ramifiant librement entoure la cellule ganglionnaire de la même façon que dans les cellules ganglionnaires spinales.

(2) L'expression *réseau* (commun) est en contradiction avec l'opinion de R. Y. Cajal pour lequel chaque cellule nerveuse isolée est entourée de dendrites en forme de panier.

(3) Pour les **terminaisons sensorielles**, voir *Organes des sens*.

Il est possible que quelques-unes d'entre elles aient réellement cette origine ; mais beaucoup proviennent certainement des cellules épithéliales car on trouve toutes les formes de transition entre les cellules épithéliales typiques et les cellules étoilées.

On a trouvé aussi des nerfs sensitifs dans les muscles ; ils se terminent entre les fibres musculaires, par de longues ramifications sans myéline.

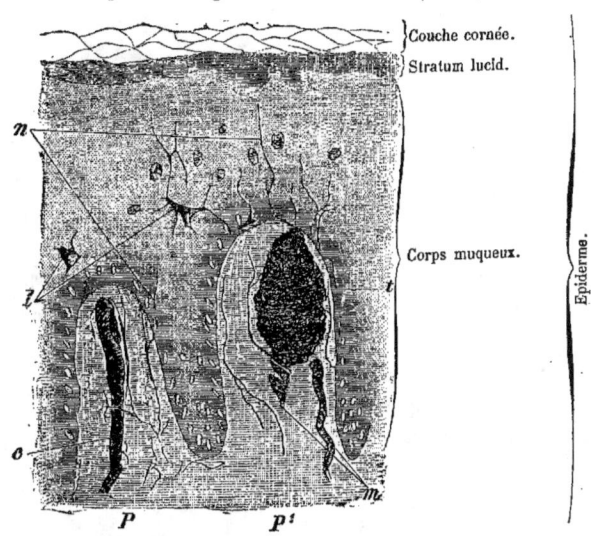

Fig. 117.

Coupe perpendiculaire de la peau du gros orteil d'un homme de 25 ans (Gross. 240).— Les noyaux cellulaires du corps muqueux ne sont apparents que dans les couches les plus profondes.— *l*. Cellule de Langerhans.— *n*. Fibre nerveuse intra-épithéliale.— PP'Deux papilles du derme. P renferme une anse vasculaire *c* dont une branche est seule visible. P' renferme un corpuscule du tact auquel se rendent deux fibres nerveuses à myéline. Outre cela il existe dans ces deux papilles des fibres nerveuses sans myéline (**Technique n° 87**).

2° Les *corpuscules terminaux* se divisent en deux classes : les cellules tactiles et les renflements terminaux. Dans les cellules tactiles la terminaison se fait au niveau d'une cellule ou entre deux cellules ; dans les renflements terminaux au contraire elle se fait à l'intérieur d'un corps finement granuleux, nommé renflement interne.

CELLULES TACTILES. — Elles sont simples ou composées.

a) Les cellules tactiles *simples* sont de grandes cellules ovalaires, pourvues de noyaux, et mesurant de 6 à 12 μ (fig. 118). Elles sont situées soit dans les couches les plus externes de la racine des cheveux, soit dans les couches les plus profondes de l'épiderme ou dans les parties limitrophes du chorion. Des fibres nerveuses dépourvues de leur myéline arrivent à la surface inférieure des cellules tactiles et, s'élargissant en forme de coupe, prennent le nom de disque tactile.

b) Les cellules tactiles *composées* (corpuscules de Grandry ou de Merkel) sont constituées par deux ou plusieurs cellules en forme de calotte ; elles sont plus grandes que les cellules tactiles simples, elles mesurent 15 μ de haut sur 50 μ de large et contiennent un noyau vésiculeux. Une fibre nerveuse à myéline arrive à cette cellule tactile composée (fig. 119) ; le cylindre-axe (*a*) s'aplatit en forme de disque (*ts*), *disque tactile*, et vient se placer entre deux

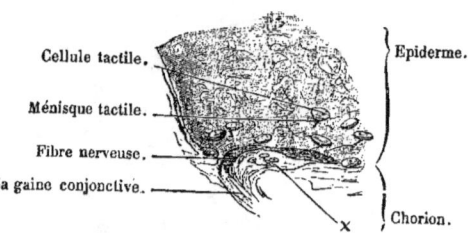

Fig. 118.

Coupe de la peau du gros orteil d'un homme de 25 ans (Gross. 240).— Les contours et les noyaux des cellules du corps muqueux ne sont pas visibles. — X. Cellules tactiles dans le derme. Ces cellules sont rattachées aux branches d'une fibre nerveuse fine (**Technique n° 87**).

cellules tactiles (*tz*). Au niveau du point de pénétration de la fibre nerveuse, la myéline disparaît et le périnèvre se continue dans l'enveloppe conjonctive de la cellule tactile composée. Les éléments formés par deux cellules tactiles portent le nom de *cellules tactiles jumelles* (B₂) ; ceux formés par plu-

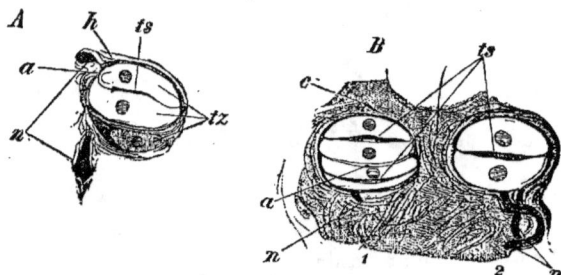

Fig. 119.

Coupe perpendiculaire de la peau du bec du canard (Gross. 240). — A. Cellules tactiles conglomérées (Corpuscules du tact simple), coupe parallèle à la fibre nerveuse qui pénètre dans le corpuscule. — *n*. Fibre nerveuse à myéline, dont une petite portion seulement est comprise dans la coupe. — *a*. Cylindre-axe. — *ts*. Disque tactile coupé perpendiculairement. — *h*. Enveloppe conjonctive. — *tz*. Cellules tactiles, les plus inférieures sont peu coupées.

B. Deux cellules tactiles réunies et coupées perpendiculairement à la direction de la fibre nerveuse qui les pénètre.— 1. Corpuscule tactile simple composé de quatre cellules tactiles.— 2.Cellule tactile jumelle.— *ts*. Disque tactile.— *a*. Coupe du cylindre-axe. — *n*. Fibres à myéline. — *c*.Chorion (**Technique n° 88**).

sieurs cellules, trois ou quatre, sont désignés sous le nom de *corpuscules tactiles simples* (AB₁). Les cellules tactiles composées n'ont été vues jusqu'ici que dans l'enveloppe cutanée du bec et dans la langue des oiseaux, surtout des oiseaux aquatiques; on les trouve presque exclusivement dans les couches les plus superficielles du chorion.

RENFLEMENTS TERMINAUX. — Les *renflements terminaux* sont des corps ovalaires allongés dont un des pôles reçoit une fibre nerveuse, qui s'y termine après ou sans s'être ramifiée. Les renflements terminaux affectent des formes variées; la forme la plus simple est celle du *renflement cylindrique* qui n'est, somme toute, qu'un prolongement de la fibre nerveuse modifiée. On distingue donc: 1° une *enveloppe* constituée par des cellules conjonctives plates, prolongement du périnèvre; 2° un *renflement interne*, sorte de masse finement granulée, formée de plusieurs couches concentriques, et contenant peu de noyaux;

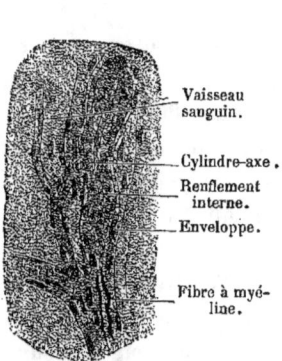

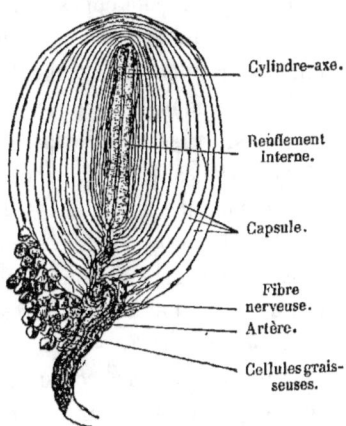

Vaisseau sanguin.

Cylindre-axe.
Renflement interne.
Enveloppe.

Fibre à myéline.

Cylindre-axe.

Renflement interne.

Capsule.

Fibre nerveuse.
Artère.

Cellules graisseuses.

Fig. 120.
Renflement terminal cylindrique de la conjonctive bulbaire d'un veau (Gross. 240. **Technique n° 89**).

Fig. 121.
Petit corpuscule de Vater provenant du mésentère du chat (Gross. 50).— Les cellules situées entre les membranes capsulaires ne sont reconnaissables qu'à leur noyau à peine visible. On voit la myéline s'avancer jusqu'au renflement interne (**Technique n° 90**).

3° un *cylindre-axe*. En pénétrant dans le renflement interne, la fibre nerveuse perd sa myéline et le cylindre-axe se prolonge sous la forme d'un ruban aplati pour aller se terminer au pôle supérieur par une extrémité soit arrondie, soit élargie en bouton. Les renflements terminaux cylindriques siègent dans la tunique propre des membranes muqueuses, par exemple dans la conjonctive bulbaire des mammifères, et dans la muqueuse buccale.

Une forme *plus compliquée* est celle décrite sous le nom de *corpuscule lamellaire*, *corpuscule de Vater* ou de *Pacini*. Ces corpuscules sont elliptiques, ont deux à trois millimètres de long sur un à deux millimètres d'épaisseur; ils sont translucides et se composent, comme les renflements cylindriques, d'une enveloppe, d'un renflement interne et d'un cylindre-axe. Les deux dernières parties affectent une structure analogue à celle du renflement cylindrique ; la différence de structure ne porte que sur l'enveloppe ; celle-ci est constituée par un grand nombre de capsules, qui s'emboîtent les unes dans les autres. Chaque capsule se trouve séparée de celle qui la précède et de celle qui la suit immédiatement par une simple couche de cellules conjonctives aplaties. Chaque capsule contient une certaine quantité de liquide et des fibres conjonctives en partie longitudinales. De même que l'enveloppe des renflements cylyndriques, ces capsules naissent de la gaine conjonctive (périnèvre) de la fibre nerveuse qui pénètre dans le corpuscule. Les capsules qui sont le plus rapprochées du renflement interne sont en même temps les plus minces.

Au niveau du pôle opposé au point de pénétration du nerf, les capsules sont souvent réunies par un cordon, le *ligament inter-lamellaire*, qui suit la direction du renflement interne. En même temps que le nerf, une petite artériole s'insinue dans le corpuscule de Vater et se résout en un réseau capillaire situé entre les capsules périphériques.

Les corpuscules de Vater se trouvent, soit superficiellement, comme dans le tissu conjonctif sous-cutané de la paume de la main et de la plante du pied, comme dans le nerf dorsal du pénis et du clitoris, soit profondément comme au voisinage des articulations. On les trouve enfin au voisinage du pancréas, dans le mésentère et dans d'autres organes.

Les *corpuscules de Key-Retzius*, de *Herbst* qu'on trouve chez les oiseaux ne sont autre chose que des corpuscules de Vater, avec cette différence qu'ils sont moins grands et qu'une double série de noyaux longe le renflement interne.

Les *corpuscules génitaux* des mammifères et de l'homme sont des corpuscules ovoïdes ou arrondis, longs de 0,06-0,4 millimètres, finement granuleux ; ils se composent d'un renflement, massue interne, sans noyaux, qui est entouré d'une capsule conjonctive, à cellules riches en protoplasma. Les fibres nerveuses à myéline qui y arrivent décrivent un certain nombre de spires autour du corpuscule, perdent en se divisant leur gaine de myéline, tandis que la gaine fibrillaire et le névrilemme se confondent dans la capsule ; les cylindres-axes nus pénètrent en divers points dans le renflement interne, et forment là en se divisant plusieurs fois un réseau épais avec des renflements variqueux (1). Chaque réseau est uni aux réseaux des corpuscules voisins par de fines fibres nerveuses.

Les corpuscules génitaux se trouvent dans la profondeur du chorion, à une distance variable de la couche papillaire de la peau ; dans les papilles mêmes on trouve des appareils terminaux ressemblant aux *renflements terminaux*

(1) Par les colorations imparfaites, ces renflements font croire à des boutons terminaux.

sphériques. Les corpuscules génitaux se trouvent en très grand nombre (de 1-4 sur 1 millim. cube) dans le pénis et dans le clitoris. Les renflements terminaux *sphériques* (en réalité en partie ronds, en partie ovoïdes) qu'on trouve dans la conjonctive, et dans les parties avoisinantes de la cornée chez l'homme présentent la même structure, et un diamètre plus grand de 0,02-0,04 millimètre. Les corpuscules des nerfs articulaires appartiennent aussi à la même catégorie.

Les *corpuscules tactiles* (corpuscules de Wagner, de Meissner) sont elliptiques ; ils mesurent de 40 à 200 μ de long sur 40 à 60 μ de large et se distinguent par une striation transversale. Ils possèdent une enveloppe conjonctive (fig. 122, *h*) avec des cellules plates. Les interstices qui séparent les cellules et les noyaux situés transversalement, déterminent la striation mentionnée plus haut. Une ou deux fibres nerveuses à myéline abordent chaque corpuscule tactile (fig. 122, *n*) ; ces fibres forment des spires transversales autour du pôle inférieur du corpuscule tactile, elles se divisent plusieurs fois et se terminent par des renflements aplatis (*e*) sans myéline.

Le périnèvre de la fibre nerveuse se continue avec l'enveloppe conjonctive (*h*) du corpuscule tactile. Ces corpuscules se trouvent dans les papilles de la peau et siègent de préférence à la paume de la main, à la pulpe des doigts et à la plante des pieds.

Fig. 122.

Corpuscule tactile. Coupe perpendiculaire de la peau du gros orteil d'un homme de 25 ans (Gross. 560). — *n*. Fibre nerveuse à myéline. — *e*. Branches terminales avec renflements aplatis. — *h*. Enveloppe conjonctive. Les noyaux ne sont pas visibles. **(Technique n° 87.)**

II° *Terminaison des nerfs moteurs.*

Les petits troncs nerveux qui abordent le muscle strié se divisent en branches, les branches se divisent en rameaux et ceux-ci en s'anastomosant forment le *plexus nerveux inter-musculaire.*

Dans la constitution de ce plexus entrent beaucoup de fibres nerveuses à myéline, la somme des fibres nerveuses est véritablement considérable. Chaque rameau émet des ramuscules composés d'une seule fibre, ces ramuscules se divisent et vont finalement s'unir chacun avec une fibre musculaire ; cette union se fait de la manière suivante : la fibre nerveuse s'effile et, après avoir perdu sa gaine de myéline, elle se colle à la fibre musculaire ; et le cylindre-axe se divise en ramuscules terminaux sinueux renflés à leur extrémité (fig. 123) qui réalisent en s'anastomosant la *plaque motrice*. Celle-ci siège sur un disque arrondi finement granulé et contenant un grand nombre de noyaux vésiculeux (amas abondant de sarcoplasma). Chaque fibre musculaire possède au moins une plaque motrice ; sont-elles au-dessus ou au-dessous du sarco-lemme, on n'est pas encore bien fixé à cet égard.

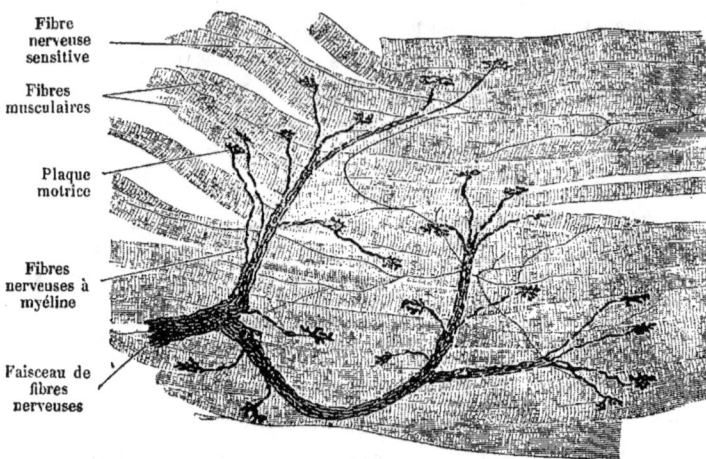

Fibre nerveuse sensitive

Fibres musculaires

Plaque motrice

Fibres nerveuses à myéline

Faisceau de fibres nerveuses

Fig. 123.

Terminaisons nerveuses motrices dans les fibres d'un muscle intercostal du lapin (Gross. 150. **Technique n° 91**).

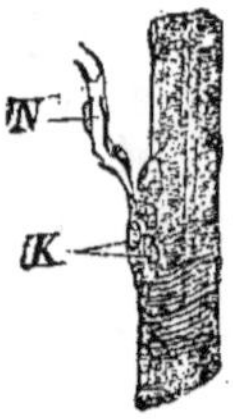

Fig. 124.

Terminaison nerveuse d'un muscle de l'œil du lapin (Gross. 240). — *N.* Fibre nerveuse à myéline. — *K.* Noyaux du disque. La striation transversale de la fibre musculaire n'est visible que dans la moitié inférieure de la préparation (**Technique n° 91, b**).

Le nerf qui aborde les fibres musculaires lisses forme un plexus qui émet des faisceaux de fibres nerveuses dépourvues de myéline ; ces faisceaux se divisent et se subdivisent et forment plusieurs réseaux ; c'est de ceux-ci que naissent finalement de fines fibrilles nerveuses.

Ces fibrilles s'accolent aux fibres lisses et se terminent souvent par une sorte de petit disque.

ANNEXE

Les capsules surrénales.

La richesse des capsules surrénales en éléments nerveux, les rapports avec le système nerveux central prouvés par la voie expérimentale, ainsi que les faits d'anatomie comparée, justifient la description des capsules surrénales dans le chapitre *Système nerveux*.

Toute capsule surrénale se compose d'un parenchyme cellulaire, et d'une capsule conjonctive, qui envoie de fins prolongements dans l'intérieur de l'organe. Le parenchyme lui-même se compose d'une couche externe, la substance corticale, qui entoure la masse interne, la substance médullaire (fig. 125, A). La substance corticale a une apparence fibrillaire ; à l'état frais, elle est de couleur jaune ; elle se compose de cellules mesurant à peu près 15 μ, et de forme arrondie ; les cellules possèdent un protoplasma à grosses granulations, contenant des granulations graisseuses parfois et un noyau clair. Elles sont rangées en amas ronds dans la zone la plus externe de la substance corticale (fig. 125, B), en colonnes cylindriques dans la zone moyenne, tandis que les cellules de la zone interne sont irrégulièrement disséminées dans un tissu conjonctif de forme réticulée ; les cellules de la zone la plus interne se caractérisent par leur pigmentation. Il résulte de cette disposition que l'on peut distinguer dans la substance corticale :

1° Une zone glomérulaire, 2° une zone fasciculée et 3° une zone réticulée.

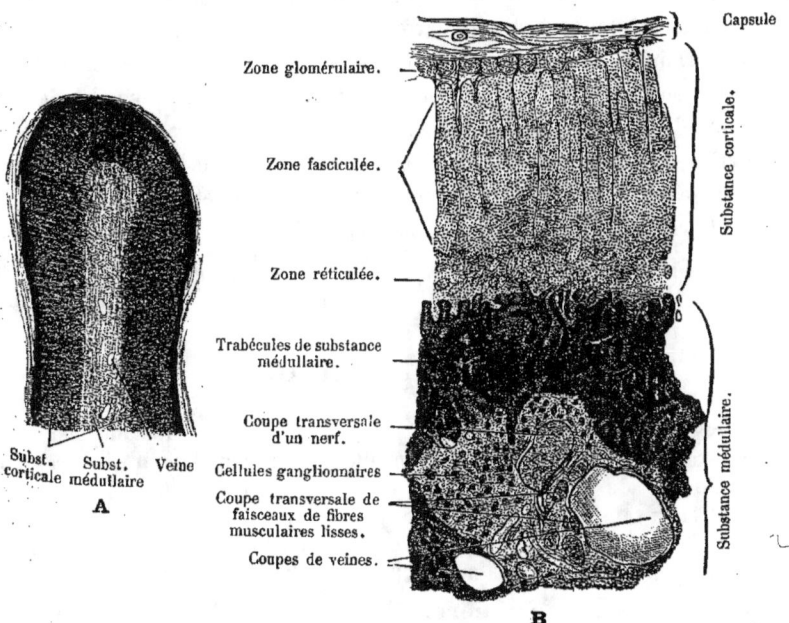

Fig. 125.

A. Coupe d'une capsule surrénale d'enfant (Gross. 15. Technique n° 92).
B. Coupe d'une capsule surrénale d'homme adulte (Gross. 50. Technique n° 94).

La substance médullaire est à l'état frais tantôt plus claire, tantôt plus sombre que la substance corticale, et se compose de cellules polygonales à protoplasma, finement granuleux, avec un noyau clair (1), les cellules sont rangées en cordons ronds ou allongés ovoïdes, réunis les uns aux autres en forme de réseau.

Les artères de la capsule surrénale se divisent déjà en plusieurs branches dans la capsule conjonctive, et pénètrent dans la substance corticale pour y former un réseau capillaire à mailles allongées ; dans la substance médullaire, les mailles sont arrondies ; de celles-ci naissent les veines dont les plus im-

(1) Pour savoir si ces cellules sont des cellules glandulaires qui déversent leur sécrétion dans les veines, on a besoin de nouvelles recherches.

portantes s'accompagnent de traînées longitudinales de fibres musculaires lisses. A l'intérieur même de la substance médullaire, les veines se réunissent en une veine principale, la veine surrénale.

Les nerfs nombreux (à peu près 33 petits troncs chez l'homme) n'ont pas de myéline. Ils viennent principalement du plexus cœliaque, et pénètrent avec les artères à travers la capsule et la substance corticale jusque dans la substance médullaire. Pendant ce trajet, quelques branches fournies à la capsule forment un réseau ; de celui-ci naissent quelques ramifications qui pénètrent dans la substance corticale, entre la zone glomérulaire et la zone fasciculée et se terminent à la surface des groupes cellulaires sans pénétrer entre les cellules isolées. Le réseau nerveux de la zone réticulée est plus abondant, il provient de ramifications qui descendent directement à travers l'écorce et entourent ici aussi des groupes cellulaires seulement. Dans la substance médullaire, le réseau nerveux est extrêmement riche, chaque cellule isolée est entourée de fibres nerveuses. Dans la substance médullaire (plus rarement dans l'écorce) on trouve encore des groupes de cellules ganglionnaires sympathiques. Une partie des nerfs se terminent dans la paroi des vaisseaux sanguins.

TECHNIQUE.

N° 72. Moelle épinière. — Pour étudier la substance blanche et la substance grise on fixe toute la moelle d'un enfant dans un litre à peu près de liqueur de Müller qu'il faut souvent renouveler. Après 4 à 5 mois on peut faire sans aucun traitement ultérieur des coupes transversales épaisses de la région cervicale, thoracique ou lombaire ; on monte dans de la glycérine diluée (p. 5) ou après les manipulations ordinaires dans la résine Damar.

N° 73. Moelle épinière. Coloration des fibres à myéline d'après Pal. — La réussite des préparations dépend surtout de l'état de conservation de la moelle ; plus elle est fraîche, mieux cela vaut. La moelle entière est plongée dans une grande quantité de liquide de Müller qu'on renouvelle souvent (tous les jours pendant la première semaine). Veut-on examiner seulement des portions de moelle on plonge ou mieux on suspend dans 200 à 500 centimètres cubes de liquide de Müller des fragments longs de 2 centimètres provenant des régions : 1° cervicale inférieure ; 2° dorsale moyenne ; et 3° lombaire.

Après 4 à 6 semaines, ayant renouvelé le liquide plusieurs fois, on transporte les fragments directement, sans lavage préalable, dans à peu près 150 centimètres cubes d'alcool à 70 0/0, et le lendemain dans une quantité égale d'alcool à 90 0/0. On conserve le flacon à l'obscurité, on change plusieurs fois l'alcool pendant les huit premiers jours. La moelle peut alors être coupée. Les coupes sont reçues dans un godet rempli de 20 centimètres cubes à peu près d'alcool à 70 0/0. De là on les transporte le plus tôt possible dans 30 centimètres cubes d'hématoxyline de Weigert à laquelle on a ajouté 1 centimètre cube de la solution de lithine. Au bout de 5 à 6 heures les coupes très foncées, opaques, sont mises dans 50 centimètres cubes d'eau distillée plus 1 centimètre cube de la solution de lithine. Pendant une demi-heure on renouvelle plusieurs fois le liquide, et lorsque les coupes ne rendent plus de matière odorante, on procède à la différenciation dans 30 centimètres cubes de permanganate de potasse. Après un temps variant de 1/2 à 3 minutes les coupes sont lavées rapidement (1 minute) dans de l'eau distillée et sont transportées dans 20 centimètres cubes de mélange acide (1) (35). La décoloration s'effectue ici au bout de 10 à 50 secondes, la substance grise devient jaune clair, presque blanche, la substance blanche (les fibres nerveuses à myéline) apparaît d'un noir foncé (2). On plonge les coupes dans un premier, et au bout de 5 minutes dans un second godet rempli de 30 centimètres cubes d'eau distillée ; 10 minutes après on les met dans 10 centimètres cubes de carmin aluné où elles peuvent séjourner de 3 à 15 heures. On conserve dans la résine Damar. On peut s'abstenir de la double coloration au carmin aluné.

Les règles précédentes supposent qu'on a fait des coupes fines, sur des pièces bien fixées. Pour des coupes épaisses obtenues sur des pièces ayant séjourné longtemps dans de l'alcool, il faut colorer, et différencier pendant un temps plus long. Si la coloration ne réussit pas on peut alors arriver à un bon résultat en plongeant les coupes non colorées dans la liqueur de Müller (pendant 24 heures), on lave à l'eau distillée pendant une minute et on colore.

Nᵒ 74. Moelle épinière. Coloration du cylindre-axe et des cellules. — On fixe des morceaux de 1 centimètre, au plus 2 centimètres de longueur, dans 200 centimètres cubes à peu près de liqueur de Müller qu'on renouvelle tous les jours pendant les premiers huit jours, une fois par semaine plus tard. Au bout de 4 semaines, les fragments de la moelle sont transportés directement du liquide de Müller dans 50 centimètres cubes à peu près de carmin acide de soude (1 0/0 de solution aqueuse), on les y laisse 3 jours. Il faut pendant ce temps agiter plusieurs fois le flacon. Les fragments ainsi colorés sont lavés pendant 24 heures à l'eau courante ; on les plonge ensuite pendant 5 heures dans 150 centimètres cubes d'alcool à 70 0/0, puis dans une quantité égale d'alcool à 90 0/0. On conserve (fig. 97) les coupes dans la résine Damar (fig. 97).

Nᵒ 75. Coloration de la moelle d'après Golgi. — On prend des souris ou des rats nouveau-nés, on retire la moelle avec la colonne vertébrale encore cartilagineuse et on traite d'après la méthode donnée à la page 22. Le séjour des morceaux dans le mélange de Golgi doit être de :

(1) Le godet contenant le mélange acide doit être couvert.
(2) Si la décoloration n'est pas suffisante, si la substance grise ne devient pas jaune blanchâtre, on peut recommencer le procédé, c'est-à-dire on met les coupes de nouveau dans l'eau distillée (1 minute) puis dans le permanganate de potasse (1-3 minutes), puis dans de l'eau distillée, et finalement de nouveau dans le mélange acide. La quantité de solution potassique, ainsi que celle du mélange acide suffisent pour un petit nombre de coupes (20 à peu près) seulement, si on veut traiter des nouvelles coupes, il faut renouveler le liquide.

2-3 jours pour les cellules névrogliques
3-5 — — nerveuses
5-7 — fibres nerveuses (collatérales)
suivant que l'on veut colorer l'un ou l'autre de ces éléments (1).

Comme les morceaux retirés de la solution de nitrate d'argent doivent subir une manipulation ultérieure, il ne faut plonger chaque fois qu'un seul morceau dans l'alcool absolu. Les coupes sont faites à travers la moelle et la colonne vertébrale.

On obtient de meilleurs résultats avec la moelle des embryons de poulets de 3 à 7 jours. Pour la préparation de pièces semblables il faut inclure dans la celloïdine (voir annexe *Technique du microtome*). La moelle des chats jeunes ou celle des fœtus humains de 20 à 40 centimètres de longueur fournit également des préparations intéressantes.

N° 76. Cerveau. Coloration des fibres nerveuses à myéline. — On emploie la méthode décrite au n° **73**. Si on veut fixer un cerveau humain entier, il faut pratiquer des incisions profondes, et employer une plus grande quantité de liqueur de Müller (jusqu'à 3 litres).

N° 77. Cerveau. Cellules. — Des fragments (de 1 à 2 cent. de côté) de l'écorce cérébrale (circonvolutions centrales), et du cervelet sont traités comme il est indiqué au n° **74**. Dans l'écorce cérébrale on trouve en dehors des formes cellulaires décrites, une quantité variable de cavités vacuolaires (fig. 126, *z*) qui contiennent des restes de cellules (protoplasma et noyau) : il s'agit probablement d'espaces lymphatiques péri-cellulaires dilatés outre mesure par l'altération *post mortem* de la substance cérébrale, et par l'action du liquide fixateur.

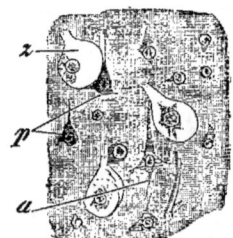

Fig. 126.

Fragment d'une coupe perpendiculaire du cerveau humain (Gross.240).— *p*, couche des petites cellules pyramidales; *a*, prolongement axile. Les espaces clairs autour des cellules (*z*) sont probablement des espaces lymphatiques péri-cellulaires élargis par le mode de fixation (**Technique n° 77**).

Les coupes du cervelet doivent être faites perpendiculairement à la direction longitudinale des circonvolutions, car les prolongements des cellules de Purkinje ne se trouvent que dans le plan des coupes transversales des circonvolutions. On trouve peu de cellules de Purkinje dans la profondeur des circonvolutions.

N° 78. Cerveau d'après Golgi. — *a*) Pour une étude topographique on traite le cerveau de souris ou de rats dans la boîte crânienne non ouverte d'après la méthode indiquée au n° **74**. Il faut couper les os en même temps.

b) Pour les morceaux d'écorce : on obtient de meilleurs résultats soit avec des rats âgés de 8 à 30 jours (séjour de 2 à 3 jours dans le mélange de Golgi), soit avec des lapins âgés de 1 à 15 jours ou des jeunes chats jusqu'à 5 semaines (faire agir le mélange de Golgi pendant 5 jours). Les morceaux de cerveau

---

(1) Si le mélange a agi pendant un temps trop court, les coupes sont opaques dans leur partie centrale et traversées par des dépôts nombreux ; si on laisse le mélange agir trop longtemps, les éléments ne noircissent pas suffisamment.

des adultes doivent rester de 8 à 15 jours dans le mélange de Golgi. Pour le reste, comme au n° **75**.

N° 79. Cervelet d'après Golgi. — Le cervelet de cobayes nouveau-nés est enlevé du crâne ou celui de chats pouvant avoir jusqu'à six semaines. On le traite d'après la méthode donnée au n° **75**. La coloration des éléments du cervelet est plus difficile que celle des éléments du cerveau et de la moelle. Les insuccès sont plus fréquents. Les coupes doivent être perpendiculaires à la direction des circonvolutions. Pour l'inclusion voir l'annexe *Technique du microtome*.

N° 80. — Pour l'**hypophyse du cerveau** voir le n° **85**.

N° 81. Corpuscules calcaires du cerveau. — On dissocie la glande pinéale dans une goutte de chlorure de sodium. S'il y a du sable en abondance, on entend déjà par la dissociation le craquement des granulations, et on aperçoit même à l'œil nu les plus grosses. On examine à un faible grossissement sans lamelle (fig. 110).

Les corpuscules ne sont pas toujours ronds, mais souvent allongés, dentelés ; souvent les rugosités de leur surface sont peu nettes, et les corpuscules sont enveloppés dans des fibres conjonctives concentriques. Les corpuscules les plus gros sont écartés à l'aide de l'aiguille et on recouvre ceux qui restent d'une lamelle, en y faisant arriver 2 à 3 gouttes d'acide chlorhydrique (page 27). Les contours tranchés des cellules disparaissent bientôt par la formation de bulles gazeuses.

N° 82. Corpuscules amylacés. — Il faut prendre des cerveaux d'individus âgés. On dissocie dans quelques gouttes de solution de chlorure de sodium, le raclage obtenu à l'aide d'un scalpel à la partie médiane de la surface des tubercules quadrijumeaux, tournée vers le 3e ventricule ; on recouvre d'une lamelle. Les corpuscules, s'il en existe, sont faciles à trouver ; ils se reconnaissent par leur coloration bleu verdâtre ainsi que par leurs stratifications (fig. 111, *a*). Il ne faut pas les confondre avec les gouttes de myéline sorties des nerfs (*b*), celles-ci sont toujours claires et à double contour. On trouve sur ces préparations de nombreux globules rouges, des cellules épendymaires (*d*), des fibres nerveuses à myéline de diverses épaisseurs (*e*) et des cellules ganglionnaires ; ces dernières sont souvent très pâles, on ne les reconnaît que par leur pigmentation (*f*). Des cerveaux humains, pas tout à fait frais, sont encore utilisables.

N° 83. *a*) Une portion des **plexus choroïdes**, longue de 1 centimètre, est étalée dans une goutte de solution de chlorure de sodium, on recouvre d'une lamelle. On voit les vaisseaux sanguins, rouges, tortueux, ainsi que l'épithélium des plexus.

b) On obtient de très belles préparations à conserver, de la façon suivante : on étale avec soin dans la solution de chlorure de sodium, une portion des plexus ; si à un faible grossissement on aperçoit des endroits bons à examiner, on enlève la solution de chlorure de sodium et on ajoute quelques gouttes du liquide de Zenker et on recouvre d'une lamelle, sur les bords de laquelle on ajoute encore un peu de liquide de Zenker. Au bout de 30 minutes on chasse ce liquide avec de l'eau distillée ; 30 minutes après, l'eau est chas-

sée par de l'alcool à 50 0/0, auquel on a ajouté quelques gouttes de teinture
d'iode. On enlève la lamelle au bout de 15 minutes, et on transporte la préparation dès maintenant fixée dans un verre de montre rempli d'alcool à
50 0/0 iodé, auquel on ajoute de la teinture d'iode, s'il se décolore rapidement. Au bout de 15 à 30 minutes, la préparation est transportée dans de
l'alcool pur à 70 0/0. On colore au bout de 12 heures avec l'hématoxyline et
l'éosine et on monte dans la résine Damar.

Nᵒ 84. Coupe transversale des faisceaux nerveux. — Un fragment d'un nerf, par exemple le nerf sciatique (de l'homme même) qui possède
un endonèvre bien développé, est plongé d'après la méthode donnée au **nᵒ 33**
pendant 6 jours dans une solution d'acide chromique à 0,1 0/0 (page 3). Le
fragment est lavé après, pendant 3 à 4 heures, à l'eau courante, et on durcit
dans de l'alcool progressivement renforcé.

Le durcissement terminé, on fait des coupes transversales (1) à l'aide d'un
bon rasoir. La coupe est colorée au picro-carmin (le temps de coloration est
variable), et on conserve dans la glycérine. Les coupes doivent être mani-
pulées avec précaution, il faut éviter toute pression de la lamelle, car toutes

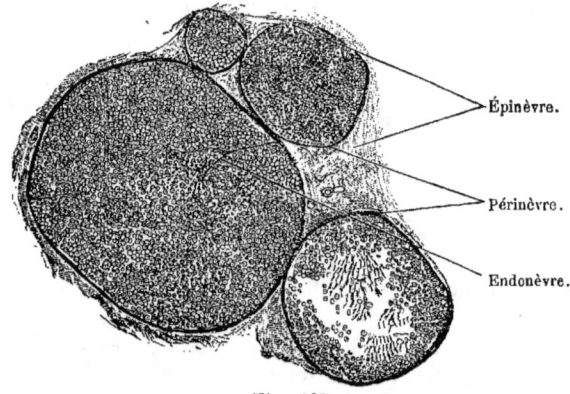

Fig. 127.

Coupe transversale d'un nerf périphérique du lapin (Gross. 50). En bas de la figure et à droite, les
coupes transversales des fibres sont en partie tombées ; d'autres, comprimées, sont vues longitudinalement.

les fibres coupées transversalement, qui ne sont pas des disques mais des
colonnes courtes, se placent de côté et on ne voit plus la coupe transversale des fibres (fig. 127). Si la coupe est réussie, on voit le cylindre-axe rétracté, crénelé, ressemblant à un noyau rouge, entouré de myéline jaunâtre,
entourée elle-même d'une enveloppe rougeâtre, le névrilemme, et de la gaine
fibrillaire. Les coupes transversales des fibres nerveuses ont été nommées
figures en tournesol (fig. 114).

(1) Je recommande l'inclusion dans du foie et mieux encore dans la moelle de
sureau (ou dans la moelle de tournesol). On fait à l'aide de l'aiguille un trou dans
la moelle de sureau sèche, et on y introduit délicatement le nerf ; on plonge le tout
pendant 1/2 heure dans l'eau, la moelle de sureau gonfle alors, et inclut solidement le nerf.

Nᵒ 85. — Les **ganglions spinaux** sont difficiles à obtenir ; on enlève le ganglion de Gasser situé sur les parties latérales du sommet de la pyramide du rocher, et on le fixe dans 100 centimètres cubes à peu près de liquide de Müller (1) ; après 4 semaines on le lave pendant 3 heures dans un courant d'eau, et on durcit dans 50 centimètres cubes d'alcool progressivement renforcé. Des coupes transversales et longitudinales sont colorées pendant 30 secondes dans l'hématoxyline et puis de 2 à 5 minutes dans l'éosine, on monte dans la résine Damar. Les cellules ganglionnaires sont d'un rouge pâle, les cylindres-axes d'un rouge foncé, la gaine de myéline brunâtre, les noyaux bleuâtres (fig. 115). Si la coupe n'a pas été assez fine, la grande quantité des noyaux colorés en bleu foncé laisse difficilement voir une image nette. Si les coupes sont épaisses, il est préférable d'employer le picro-carmin pendant 2 à 3 jours et monter dans la résine Damar. Les noyaux ne sont pas alors colorés d'une façon trop intense. Quelquefois, le protoplasma des cellules ganglionnaires se rétracte, et prend ainsi un aspect étoilé (fig. 115, X) ; pour le commençant, il pourrait y avoir confusion avec une cellule ganglionnaire multipolaire.

La division en T se voit sur les préparations faites suivant la technique décrite au **nᵒ 75.** Chez les jeunes embryons de poulet, les cellules ganglionnaires spinales sont encore bipolaires ; chez les embryons de poulet qui ont environ 17 jours, on a de belles cellules unipolaires. C'est du 2ᵉ au 14ᵉ jour que l'on voit le mieux les formes de transition et chez les embryons de lapin ayant de 5 à 12 centimètres de long.

Nᵒ 86. Ganglions sympathiques. — On fixe et on durcit le ganglion cervical supérieur comme il est indiqué au **nᵒ 85.** Les colorants des noyaux ne seront employés ici encore que sur des coupes *très fines*, à cause de la grande abondance de noyaux. Les méthodes indiquées au **nᵒ 85** ne font pas beaucoup ressortir les prolongements des cellules multipolaires ; pour voir ces prolongements, il faut prendre des coupes aussi fines que possible, et les plonger pendant 24 heures dans 5 centimètres cubes d'une solution de nigrosine. On les met ensuite dans 5 centimètres cubes d'alcool absolu pendant 5 minutes et on les monte au baume. Déjà, à l'aide d'un faible grossissement, on reconnaît la disposition caractéristique des faisceaux de fibres nerveuses sans myéline coupés soit transversalement, soit longitudinalement ; on voit également les cellules ganglionnaires, mais leurs prolongements ne sont visibles qu'avec un fort grossissement et il faut pour les voir une observation soutenue (fig. 116) ; certaines cellules ganglionnaires ne présentent aucune trace de prolongement.

Les prolongements se voient surtout bien sur les pièces préparées d'après la technique décrite **nᵒ 75**, on prend de préférence la partie cervicale d'un embryon de poulet de 10 à 15 jours.

Nᵒ 87. Cellules tactiles simples, fibres nerveuses intra-épithéliales, cellules de Langerhans, corpuscules tactiles. — On commence par préparer à chaud un mélange de chlorure d'or et d'acide formique

_____

(1) La fixation dans le liquide picro-sulfurique de Kleinenberg donne également de très bons résultats.

qu'on laisse refroidir, on découpe ensuite sur la face palmaire d'un doigt fraîchement amputé (un orteil), avec des ciseaux plats, plusieurs petits fragments d'épiderme, de 5 millimètres de long et de large sur 1 millimètre d'épaisseur. La graisse qui adhère aux couches inférieures du chorion doit être soigneusement enlevée. On place pendant une heure tous ces fragments dans le mélange de formiate d'or, en les tenant dans l'obscurité. A l'aide d'aiguilles de verre on les porte dans 10 centimètres cubes d'eau distillée, et après quelques minutes dans de l'eau distillée contenant de l'acide formique et on expose le tout à la lumière du jour (la lumière solaire n'est pas nécessaire). 24 à 48 heures après, les fragments sont devenus d'un violet foncé. C'est à ce moment qu'il faut les durcir dans 30 centimètres cubes d'alcool progressivement renforcé. Après huit jours de durcissement, les fragments peuvent être inclus dans du foie pour être coupés ; il faut monter dans le baume.

L'épiderme est rouge violet de différentes nuances, les noyaux ne sont visibles que par places, et quelquefois on n'en voit pas du tout ; le chorion est blanc, les capillaires, les conduits excréteurs des glandes sudoripares et les nerfs sont d'un violet foncé, tirant sur le noir.

Pour les cellules tactiles simples, il faut faire les coupes aussi fines que possible, on les trouve souvent au voisinage des conduits excréteurs des glandes sudoripares ; il ne faut pas les confondre avec les noyaux ratatinés des cellules épithéliales (fig. 118).

Les *fibres nerveuses intra-épithéliales* apparaissent sous la forme de fils très fins ; leur connexion avec les fibres nerveuses des couches sous-épithéliales est difficile à établir ; les prolongements des cellules de Langerhans peuvent être confondus, sur des coupes très fines, avec des fibres nerveuses intra-épithéliales (fig. 117).

Les *cellules de Langerhans, corpuscules tactiles*, sont faciles à voir ; sur des coupes épaisses les corpuscules tactiles sont noir foncé (fig. 117), sur des couches minces ils sont rouges et violets (fig. 122).

N° 88. Cellules tactiles composées. — Du bec d'un canard ou d'une oie qu'on vient de tuer, on excise la peau jaune qui recouvre le bord latéral de la mandibule. On découpe cette peau en fragments de 1 à 2 millimètres d'épaisseur sur 1 centimètre de longueur, et on les plonge dans 3 centimètres cubes d'une solution osmique à 2 0/0 auxquels on ajoute 3 centimètres cubes d'eau distillée ; on met le tout à l'abri de la lumière pendant 18 à 24 heures. On lave ensuite ces fragments pendant 1 heure à l'eau courante et on les porte dans environ 20 centimètres cubes d'alcool à 90° ; on peut couper les fragments déjà six heures après ; il faut les inclure dans du foie de manière à faire des coupes en allant du chorion vers l'épithélium, jamais en sens inverse. Les coupes peuvent être montées sans coloration dans le baume. Si les cellules tactiles d'un vert olivâtre sont faciles à voir, il n'en est plus de même du point de pénétration de la fibre nerveuse qu'on aperçoit très difficilement (fig. 119). On trouve en outre dans ces coupes des corpuscules de Herbst. Si l'on veut colorer il faut se servir des matières colorantes qui ont une affinité spéciale pour les noyaux.

N° 89. Renflements terminaux cylindriques. — On se procure à l'abattoir un œil de veau frais et à l'aide de ciseaux et de pinces on excise un centimètre carré environ de la conjonctive du bord de la cornée. Il faut éviter de laisser le fragment se recroqueviller ; pour cela on le pose avec précaution, la face épithéliale dirigée en haut, sur une plaque de liège et on le fixe à l'aide d'épingles. On commence par humecter la surface du fragment avec quelques gouttes de l'humeur aqueuse du même œil et l'on isole avec des ciseaux et des pinces une parcelle comprenant une mince lamelle conjonctive et l'épithélium qui la tapisse. Cette dernière opération exige la plus grande attention. Il faut éviter autant que possible de plisser ou de rouler la parcelle que l'on enlève. On l'étale ensuite, la face épithéliale en haut, sur une lame de verre. Au début le fragment se rétracte, mais 1 à 2 minutes après, les bords se desséchant adhèrent au verre et l'on peut assez facilement l'étaler. La lame de verre est portée ensuite dans 60 centimètres cubes d'eau distillée auxquels on a ajouté 2 centimètres cubes d'acide acétique. Après un séjour d'une heure ou plus le fragment se gonfle et se décolle du porte-objet ; on peut alors à l'aide d'une pointe d'aiguille bien propre isoler l'épithélium qui se détache sous forme de petits lambeaux blanchâtres. L'opération est d'autant mieux réussie que l'épithélium se détache plus facilement. Après un séjour de 4 à 5 heures dans l'eau additionnée d'acide acétique, on porte le fragment sur une lame de verre, dans quelques gouttes de même liquide et l'on recouvre d'une lamelle que l'on comprime avec des pinces. A un faible grossissement on voit les vaisseaux sanguins rendus plus apparents par le gonflement de leurs noyaux, de même que les fibres (1) nerveuses à myéline ; il faut suivre l'une de ces fibres jusqu'à ce qu'elle perde sa myéline. C'est le point intéressant à examiner ; à ce moment il faut employer un fort grossissement, parce que c'est là que l'on peut trouver les renflements terminaux. Dans un grand nombre de cas, on ne voit qu'une quantité considérable de noyaux, même au niveau des points les plus favorables (fig. 120). Les renflements terminaux sont très pâles et il est difficile à cause de cela de les bien voir. Souvent aussi il est difficile de voir le cylindre-axe. Ces recherches ne doivent d'ailleurs être faites que par des histologistes déjà exercés, elles ne sont pas à la portée des débutants.

Nᵒ 90. Corpuscules de Vater. — Les plus belles préparations s'obtiennent avec le mésentère d'un chat fraîchement sacrifié. Les corpuscules y apparaissent même à l'œil nu, sous la forme de taches ovalaires, laiteuses, situées entre les traînées graisseuses du mésentère.

Leur nombre varie à l'infini ; quelquefois il n'y en a qu'un très petit nombre et d'un volume si petit (2) qu'il faut une grande attention pour les voir. On excise avec les ciseaux la portion du mésentère contenant les corpuscules, et on l'étale dans une goutte d'eau salée sur la lame porte-objet : les particules graisseuses seront enlevées avec des aiguilles : il faut bien se garder de piquer le corpuscule même. Avant de mettre la lamelle on commence par s'assurer à l'aide d'un faible grossissement si le corpuscule est suffisamment isolé ; on recouvre d'une lamelle après avoir ajouté une nouvelle goutte

(1) Chez le veau une partie des fibres nerveuses est dépourvue de myéline, il ne faut pas en tenir compte.
(2) C'est le cas pour la figure 121, le corpuscule est très petit.

d'eau salée. Il faut éviter autant que possible de comprimer la préparation.

A un fort grossissement on voit nettement les noyaux des cellules situées entre les capsules ; les noyaux allongés dans le renflement interne sont d'un pâle indécis et peu visibles. Veut-on conserver la préparation, on ajoute, sous la lamelle, 1 à 2 gouttes de solution d'acide osmique à 1 0/0 et, une fois la myéline devenue noire, le renflement interne brun, on remplace l'acide par de la glycérine très diluée.

Nᵒ 91. Terminaisons nerveuses motrices. — a) Ramifications terminales. — On prépare un mélange composé de 24 centimètres cubes de solution de chlorure d'or à 1 0/0 et 6 centimètres cubes d'acide formique, on chauffe puis on laisse refroidir.

On prend soit les muscles du lézard, soit les petits muscles intercostaux ou les muscles de l'œil de petits mammifères, et on en excise un lambeau d'un centimètre de long environ; on prépare comme il est indiqué au nᵒ 87. Après avoir laissé les fragments, devenus violet foncé, 3 à 6 jours dans l'alcool à 70 0/0 on dissocie des faisceaux musculaires de 2 millimètres d'épaisseur dans une goutte de glycérine diluée à laquelle on ajoute une goutte d'acide formique. Il est bon d'exercer une légère pression sur la lamelle. A un faible grossissement (50 diamètres) on voit des fibres musculaires colorées en rouge rosé et en rouge pourpre et d'autres en rouge violet allant jusqu'au violet bleu clair ; c'est dans ces dernières fibres musculaires que j'ai vu le plus nettement les ramifications terminales. Pour les trouver il suffit de suivre les fibres nerveuses reconnaissables, déjà à un faible grossissement, à leur coloration noire (fig. 123).

b) **Noyaux des plaques motrices.** On met la moitié antérieure d'un muscle de l'œil d'un lapin fraîchement sacrifié, dans un mélange formé de 97 centimètres cubes d'eau et de 3 centimètres cubes d'acide acétique ; 6 heures après, on porte le muscle dans l'eau distillée et on enlève avec les ciseaux un fragment plat qu'on étale sur la lame porte-objet. Déjà à l'œil nu on voit nettement les rameaux nerveux reconnaissables à leur coloration blanchâtre. A un faible grossissement (50 diamètres) on aperçoit les anastomoses des faisceaux nerveux, ainsi que les vaisseaux sanguins qui se distinguent par les noyaux transversaux de leurs fibres lisses. Il est difficile de trouver les plaques terminales à cause du nombre de noyaux nettement délimités qui appartiennent aux muscles, au tissu conjonctif inter-musculaire, etc. Si l'on a soin de suivre une fibre nerveuse, on la voit bientôt perdre sa gaine de myéline et se perdre dans un groupe de noyaux ; ce sont les noyaux des plaques motrices, dont les autres détails ne sont pas visibles. La striation transversale des fibres musculaires, très pâle d'ailleurs, est souvent peu nette (fig. 124).

Nᵒ 92. Capsule surrénale. Vue d'ensemble. — La capsule surrénale d'un enfant est fixée dans 200 centimètres cubes à peu près de solution d'acide chromique à 0,1 0/0, après huit jours le durcissement se fait dans 150 centimètres cubes d'alcool progressivement renforcé. On conserve les coupes non colorées dans la glycérine étendue d'eau (fig. 125, A).

Nᵒ 93. — Pour la préparation des éléments de la capsule surrénale on fait des dissociations de l'organe frais dans une goutte de solution de chlorure de sodium. Les éléments sont très délicats, on les brise souvent.

N° 94. — Pour l'étude de la structure fine de la capsule surrénale on fixe des fragments (de 1 à 2 centimètres de côté) de l'organe frais dans 100 centimètres cubes d'acide picrique de Kleinenberg et on durcit au bout de 12 à 14 heures dans autant d'alcool progressivement renforcé.

Les coupes plus fines sont colorées à l'hématoxyline de Hansen et montées dans la résine Damar (fig. 125, B). Pour la préparation des nerfs on fait séjourner de petits fragments pendant 6 à 8 jours dans le mélange de Golgi (v. page 22), et on les plonge pendant 2 à 3 jours dans la solution de nitrate d'argent à 0,75 0/0, il est parfois nécessaire de renouveler l'opération plusieurs fois.

E. — ORGANES DIGESTIFS.

1. — Muqueuse.

La surface interne de tout le tractus intestinal, des organes respiratoires et de certaines portions du système uro-génital, est recouverte d'une membrane molle, humide, portant le nom de *muqueuse*. Cette membrane est constituée par une couche *épithéliale* et une couche *conjonctive* ; celle-ci, arrivée aux confins de la couche épithéliale, se condense en une membrane homogène, la *membrane propre* ; puis vient la *tunique propre* formée d'un tissu de plus en plus lâche et devenant la *tunique sous-muqueuse* ; c'est grâce à cette tunique que la muqueuse est reliée aux parties sous-jacentes, telles que les muscles, les os, etc.

Des glandes naissent de l'épithélium de la muqueuse, comme elles naissent de l'épithélium cutané.

MUQUEUSE BUCCALE.

La muqueuse de la cavité buccale se compose : 1° d'un épithélium ; 2° d'une tunique propre ; 3° d'une tunique sous-muqueuse (fig. 128). L'épithélium est un type d'épithélium pavimenteux stratifié. La tunique propre est formée par des faisceaux de tissu conjonctif entremêlés de fibres élastiques qui s'entrecroisent dans tous les sens. Les faisceaux des parties supérieures sont très fins et forment un feutrage serré, paraissant presque homogène. A la surface de la tunique propre se trouvent de nombreuses papilles, le plus souvent simples, dont la hauteur est loin d'être la même dans toutes les parties de la cavité buccale (fig. 128, 1). Les papilles les plus hautes (0,5 mm.) se trouvent au bord des lèvres et aux gencives. La tunique propre se continue, sans ligne de démarcation bien nette, avec la tunique sous-muqueuse qui est formée de faisceaux de tissu conjonctif plus lâche et renferme moins de fibres élastiques. Cette tunique sous-muqueuse est peu adhérente aux parois de la cavité buccale, si ce n'est à la voûte palatine et aux gencives où elle se trouve plus intimement unie au périoste. La tunique sous-muqueuse contient les glandes ; celles-ci, à l'exception des glandes sébacées, que l'on trouve parfois sur le bord des lèvres,

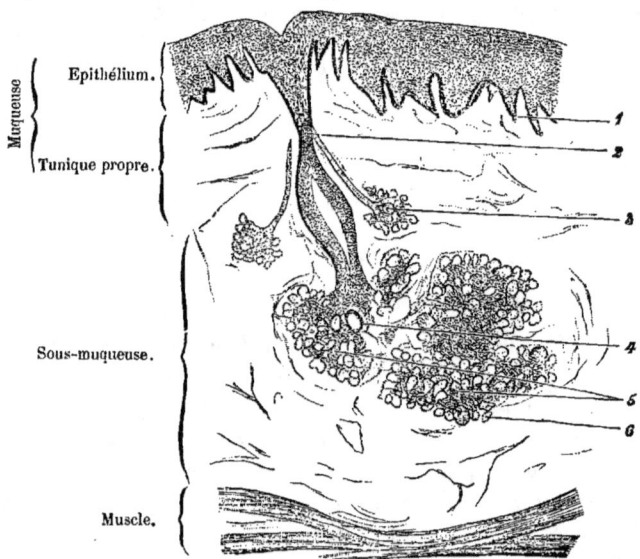

Fig. 128.

Coupe verticale de la muqueuse des lèvres d'un adulte (Gross. 30). — 1. Papilles. — 2. Conduit excréteur glandulaire, dont la lumière n'est coupée qu'en un endroit. — 3. Glandes accessoires. — 4. Coupe transversale d'un rameau du conduit excréteur. — 5. Corps glandulaire divisé par du tissu conjonctif en plusieurs lobules. — 6. Coupe transversale d'un tube (**Technique n° 96**).

sont des glandes muqueuses tubulaires de 1,5 mm. Leur principal conduit excréteur est élargi à sa partie inférieure, et, dans la plus grande partie de sa longueur, il est tapissé par un épithélium pavimenteux stratifié ; les ramifications qui en partent ont les unes (les plus grosses) un épithélium cylindrique stratifié, les autres (les plus petites) un épithélium cylindrique simple.

Souvent le conduit excréteur principal reçoit les conduits excréteurs de petites glandes muqueuses accessoires. La structure fine des tubes glandulaires sera décrite avec les glandes muqueuses de la langue.

Les nombreux *vaisseaux sanguins* de la muqueuse buccale sont disposés en deux réseaux, dont l'un, formé de gros capillaires, se trouve dans la tunique sous-muqueuse, et l'autre, plus fin, dans la tunique propre. C'est de ce dernier que partent les anses qui se rendent aux papilles. Les *vaisseaux lympha-tiques* forment également deux réseaux dont l'un, à larges mailles, se trouve dans la tunique sous-muqueuse, l'autre, à mailles étroites, dans la tunique propre. Les *nerfs*, pourvus de myéline, forment dans la tunique sous-muqueuse un réseau à larges mailles ; de ce réseau partent de nombreuses ramifications qui pénètrent dans la tunique propre. Là ils se terminent dans des corpus-cules spéciaux ou bien ils perdent leur gaine de myéline, pénètrent dans l'épi-thélium, se ramifient à nouveau et se terminent par des extrémités libres.

2. — Dents.

Les dents de l'homme et des animaux supérieurs sont des corps durs dont l'intérieur est creusé d'une cavité remplie d'une substance molle, la *pulpe*

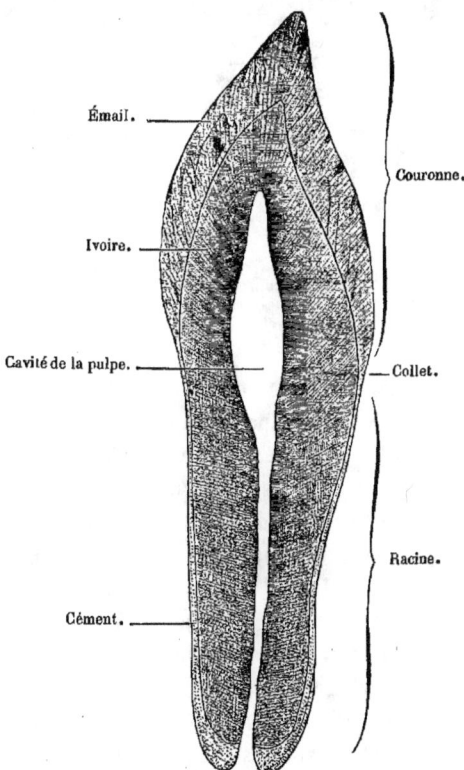

Émail.

Ivoire.

Cavité de la pulpe.

Cément.

Couronne.

Collet.

Racine.

Fig. 129.

Coupe d'une incisive de l'homme (Gross. 4. **Technique n° 97**).

dentaire. La partie de la dent enfoncée dans l'alvéole porte le nom de *racine*, la partie qui fait saillie le nom de *couronne*. Le collet de la dent se trouve à la limite de la couronne et de la racine, il est recouvert par la gencive.

La portion dure se compose de trois parties distinctes : 1° de l'ivoire, 2° de l'émail, 3° du cément. Elles sont réparties de la façon suivante : l'ivoire, qui constitue la plus grande partie de la dent et lui donne sa forme, tapisse la cavité de la dent, en laissant à la racine un petit canal par lequel les nerfs et les vaisseaux arrivent à la pulpe. L'ivoire se trouve recouvert à la couronne par l'émail, à la racine par le cément, de sorte que nulle part il n'apparaît à l'extérieur (fig. 129).

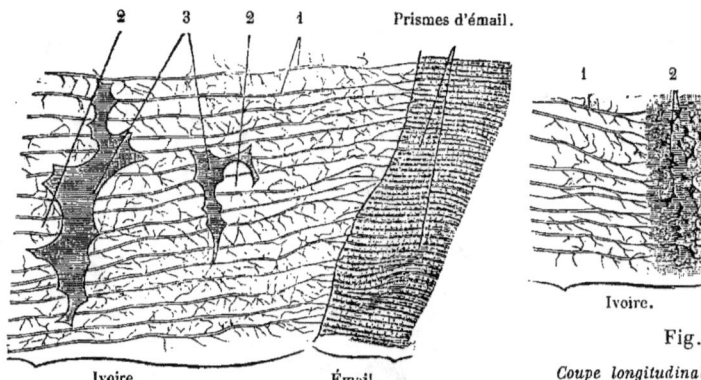

Fig. 130.

Coupe longitudinale d'une partie latérale de la couronne d'une molaire de l'homme (Gross. 240). — 1. Canalicules dentaires se rendent en partie jusqu'à l'émail. — 2. Globules d'ivoire. — 3. Espaces interglobulaires (**Technique n° 97**).

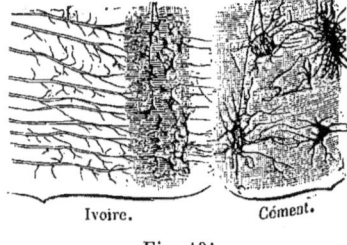

Fig. 131.

Coupe longitudinale de la racine d'une molaire de l'homme (Gross. 240). — 1. Canalicules dentaires interrompus par une couche granuleuse. — 2. Plusieurs espaces interglobulaires. — 3. Corpuscules osseux avec leurs nombreux prolongements (**Technique n° 97**).

1. — L'*ivoire* ou *dentine* est une substance blanche, non transparente, plus dure que l'os ; elle se compose d'une substance fondamentale en apparence homogène, mais en réalité finement striée et traversée par de petits canaux (canalicules dentaires). Ces canalicules ont à leur origine une largeur de 25 µ et s'étendent de la cavité dentaire à la surface de l'ivoire (fig. 130). Au début de leur parcours les canalicules dentaires se divisent une ou deux fois, diminuent de plus en plus de calibre et vont se terminer à la limite de l'émail ou bien ils se coudent pour s'anastomoser avec les canalicules avoisinants. Pendant tout leur parcours, ils envoient de nombreuses ramifications qui établissent des communications avec les canalicules voisins. La substance fondamentale qui entoure ces canalicules est particulièrement résistante ; les canalicules dentaires contiennent des fibres molles. A la limite périphérique de l'ivoire se trouvent les espaces interglobulaires (fig. 130 et 131) ; ce sont des cavités de grandeur variable remplies d'une substance molle. Dans ces cavités la dentine forme des espèces de saillies hémisphériques.

Au collet et à la racine de la dent, on trouve beaucoup de petits espaces interglobulaires qui forment au-dessous du cément une sorte de couche cornée.

2. — L'*émail* est encore plus dur que l'ivoire ; il se compose de fibres à 6 faces ; ce sont des fibres prismatiques unies solidement les unes aux autres par une petite quantité de substance intercellulaire riche en eau, elles ont en général une direction radiée. La surface libre de l'émail est recouverte d'un léger vernis très mince, mais en même temps très résistant : la *cuticule* de l'émail.

3. — Le *cément* a une grande analogie avec le tissu osseux ; il contient beaucoup de fibres de Sharpey. On ne trouve de canalicules de Havers que dans le cément d'individus âgés ; la stratification en lamelles est à peine prononcée. Les corpuscules osseux manquent dans le voisinage du collet.

L'espace situé entre la racine dentaire et l'alvéole est occupé par le périoste alvéolaire.

Prismes de l'émail isolés.

Coupe transversale de prismes de l'émail.

Fig. 133.

Enfant nouveau-né (**Technique n° 99**).

Fig. 132.

Six odontoblastes, avec prolongement dentaire *f*, et leur prolongement pulpaire *p*. (Gross. 240). Pulpe d'un enfant nouveau-né (**Technique n₀ 98**).

Le périoste est uni au cément d'une façon très intime par les fibres de Sharpey qui vont de l'un à l'autre. La partie supérieure du périoste alvéolaire porte le nom de ligament circulaire de la dent.

La pulpe dentaire est constituée par du tissu conjonctif mou à fibres fines, dont les éléments cellulaires sont formés à la surface par des cellules allongées et nucléées : *odontoblastes*.

Outre les petits prolongements qu'ils envoient dans la pulpe, et qui sont en connexion avec d'autres prolongements de la pulpe, les odontoblastes envoient de longs prolongements dans les canalicules dentaires ; ce sont les fibres dentaires dont nous avons déjà parlé (fig. 133). Les vaisseaux et les nerfs dentaires ne se trouvent que dans la pulpe.

DÉVELOPPEMENT DES DENTS.

Le développement des dents commence chez l'homme vers la fin (1) du 2e mois fœtal, et se manifeste d'abord par une prolifération de l'épithélium des bords des maxillaires qui pénètre dans le tissu conjonctif sous-jacent sous forme d'une bande à direction oblique. Cette bande, la bande dentaire (germe de l'émail) (fig. 134, A) donne naissance sur la face latérale (labiale) à un nombre d'amas en forme de massue égal au nombre de dents de lait (fig. 134, B); pendant ce temps dans la tunique propre il se forme (vers la 10e semaine) un

Epithélium du bord du maxillaire.   Massues.   Sillon dentaire.

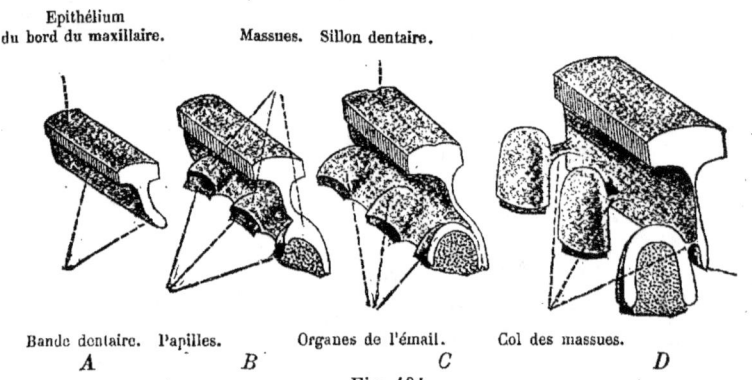

Bande dentaire.   Papilles.   Organes de l'émail.   Col des massues.

A   B   C   D

Fig. 134.

Figures schématiques des premiers stades du développement des dents, représentant la formation de 3 dents ; chaque rudiment de la dent (à droite de la figure) est coupé — la surface de section des papilles est pointillée. *k*. Bord libre de la bande dentaire.

nombre équivalent d'amas de cellules conjonctives très serrées, ce sont les jeunes papilles dentaires (fig. 134,B). Ces dernières se dirigent du côté externe (c'est-à-dire labial) et de la partie profonde et interne (c'est-à-dire linguale) vers la surface, elles se trouvent entourées par les massues de telle façon que celles-ci leur forment une sorte de chapeau. Chaque massue devient un organe de l'émail. La papille dentaire a pris une position plus verticale (fig. 134, C). Pendant ce temps, un sillon à direction longitudinale, le sillon dentaire, devient visible sur le bord du maxillaire, il indique à l'extérieur l'endroit au niveau duquel la bande dentaire s'est enfoncée dans la profondeur (2). Il disparaît plus tard. La communication entre la bande dentaire et l'organe de l'émail large au début, devient plus étroite, il se forme un étranglement en

(1) Ce que l'on a décrit auparavant (au 40e jour) comme premier rudiment de la dent, ne se rapporte pas à celle-ci seulement, mais encore au sillon labial dont elle dépend.

(2) L'époque de l'apparition du sillon dentaire varie, assez souvent il existe déjà dès les premiers stades.

partie représenté dans le schéma C par une ligne pointillée ; cette communication se trouve réduite finalement à un cordon mince, le col de la massue.

Pendant ce temps l'organe de l'émail et la papille s'accroissent dans la profondeur de sorte que le bord libre de la papille dentaire n'arrive pas même jusqu'à la moitié de l'organe de l'émail (fig. 134 et fig. 137).

En même temps les éléments de l'organe de l'émail subissent d'autres modifications, les cellules internes siégeant sur la papille deviennent cylindri-

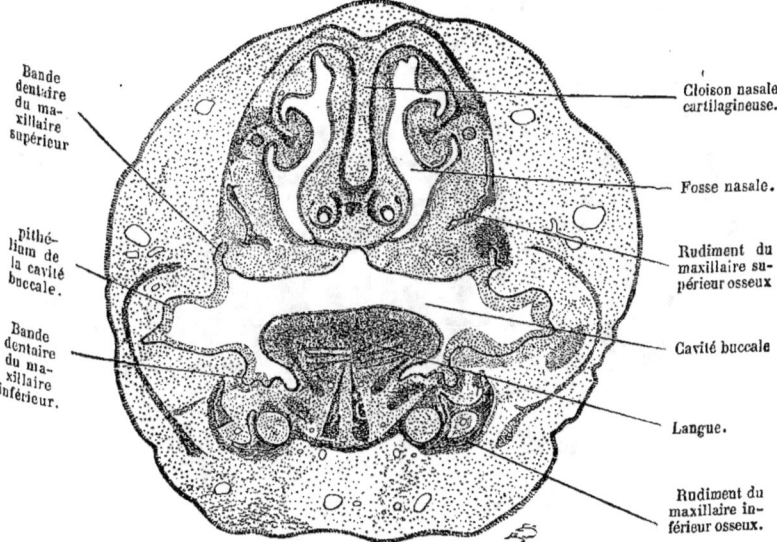

Fig. 135.

Coupe frontale de la tête d'un embryon de mouton long de 4 cm. (Gross. 15. **Technique n° 100**).

ques, allongées, on les nomme cellules adamantines internes (fig. 137), leur surface interne est pourvue d'une bordure cuticulaire ; les cellules périphériques (fig. 138) au contraire deviennent plus basses et se transforment finalement en éléments aplatis : cellules adamantines externes ; les cellules qui se trouvent entre ces deux rangées (fig. 137, 138) se transforment par la multiplication abondante de la substance intercellulaire en cellules étoilées, anastomosées entre elles et forment la pulpe de l'émail.

Du point où les cellules adamantines internes se continuent avec les externes, on voit partir un bourgeon qui s'enfonce vers la profondeur, jusqu'à ce qu'il ait atteint l'extrémité inférieure du rudiment de la dent. L'organe de l'émail forme pour ainsi dire le moulage, la matrice, dans laquelle la dent se développe, le rôle principal de l'organe de l'émail c'est la détermination de la forme de la future dent, la formation de l'émail ne vient qu'en seconde

ligne. Ce qui forme l'émail ce sont les cellules adamantines internes supérieures, celles qui entourent la couronne dentaire. Chacune d'elles fournit
une substance se calcifiant ultérieurement et devient un prisme de l'émail.
Cette partie peut être nommée membrane de l'émail. La partie inférieure des
cellules adamantines internes, entourant la racine de la dent, n'a rien à faire
avec la formation de l'émail ; ces cellules deviennent plus basses, et s'appliquent directement sur les cellules adamantines externes, la pulpe de l'émail
disparaissant bientôt.

Les deux couches portent ici le nom de gaine épithéliale de la racine de la
dent (fig. 138).

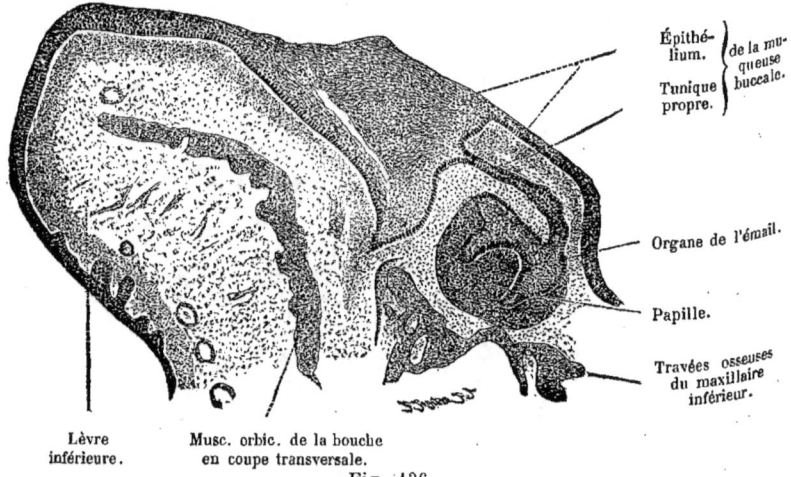

Épithé-
lium.   } de la mu-
            queuse
Tunique   buccale.
propre. }

Organe de l'émail.

Papille.

Travées osseuses
du maxillaire
inférieur.

Lèvre   Musc. orbic. de la bouche
inférieure.   en coupe transversale.

Fig. 136.
Coupe transversale du maxillaire inférieur d'un embryon humain de 4 mois
(Gross. 42. **Technique n° 100**).

Avant que la formation de l'émail ait commencé, le premier os dentaire
s'est déjà formé (1) (vers la 20e semaine). Les cellules superficielles de la
papille dentaire se développent en éléments allongés, les odontoblastes, qui
forment au début la dent non calcifiée (fig. 138).

Les odontoblastes arrivent jusqu'à la limite de la gaine épithéliale. Aussitôt
que le premier os dentaire s'est formé, la gaine épithéliale s'atrophie par suite
de la pénétration du tissu conjonctif du périoste alvéolaire entre les cellules
épithéliales. Cette régression commence d'abord à la limite inférieure de l'é-
mail, de sorte que la partie la plus profonde de la gaine épithéliale perd sa

(1) La crête dentaire est déjà devenue antérieurement une bande à trous nombreux, de laquelle partent dans diverses directions des excroissances courtes, dentelées. On trouve encore des restes de la crête dentaire dans la gencive d'enfant nouveau-né, on les a par erreur considérés comme des glandes (*glandulæ tartaricæ*).

connexion avec l'organe de l'émail. Le dernier reste de la gaine épithéliale a disparu au moment du développement complet de la dent.

La communication entre la crête dentaire et la surface indiquée dans le schéma (fig.134, A) s'est déjà interrompue avant la formation de l'émail et de l'os dentaire. Le tissu conjonctif qui se trouve au voisinage du rudiment den-

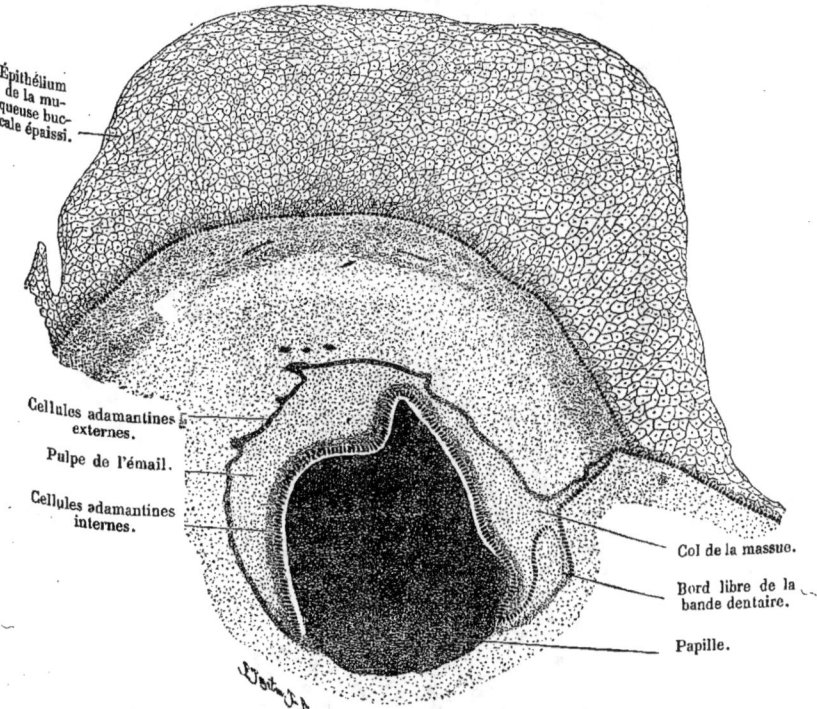

Épithélium de la muqueuse buccale épaissi.

Cellules adamantines externes.

Pulpe de l'émail.

Cellules adamantines internes.

Col de la massue.

Bord libre de la bande dentaire.

Papille.

Fig. 137.

Portion d'une coupe transversale du maxillaire supérieur d'un embryon humain de 5 mois
(Gross. 42. **Technique n° 100**).

taire se dispose vers la 20e semaine en une membrane compacte, le sac dentaire, auquel on distingue plus tard une couche interne plus lâche, et une couche externe plus dense (fig. 138). La cuticule dentaire et le cément se développent après la naissance, avant la sortie de la dent ; la cuticule est produite par les bords cuticulaires des cellules adamantines qui s'unissent en une membrane solide, homogène ; le cément est un produit du périoste alvéolaire.

Les dents permanentes se développent de la même façon que les dents de lait, par la production de nouvelles massues qui apparaissent vers la 24e semaine sur le bord de la crête dentaire et continuent à s'enfoncer dans la profondeur, entourant la papille par sa partie latérale. Le germe de la dent

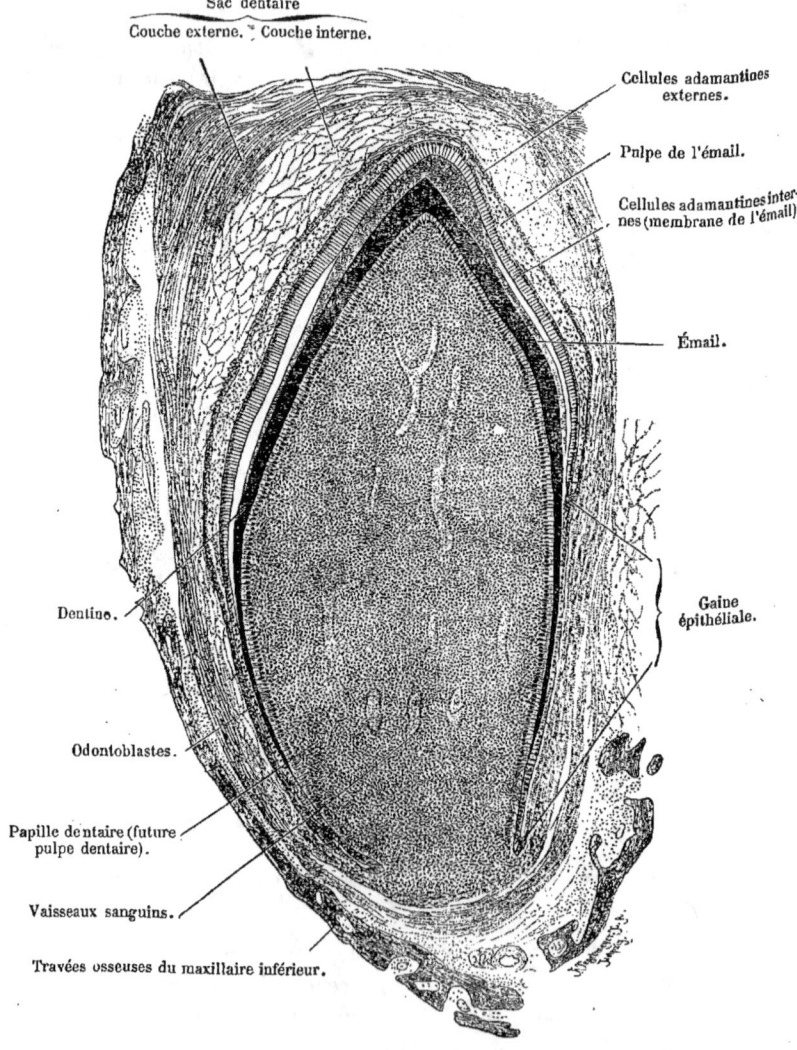

Fig. 138.
Coupe longitudinale d'une jeune dent de lait de chien nouveau-né (Gross. 42. **Technique n° 100**).

permanente se trouve au début dans le même alvéole que la dent de lait, il s'entoure plus tard d'un alvéole propre.

La dent ainsi développée est en partie d'origine épithéliale (émail) et elle dérive en partie de la papille dentaire qui est d'origine conjonctive (dentine), dont les restes se retrouvent chez l'adulte sous forme de pulpe dentaire. Le cément est en quelque sorte une formation accessoire fournie par les tissus voisins.

3. — La langue.

La langue est formée dans presque sa totalité par des fibres musculaires striées réunies en faisceaux entrecroisés dans différents sens. Un prolongement de la muqueuse buccale la recouvre à peu près complètement. Les *muscles* suivent tantôt un trajet verticalement ascendant (m. génio-glosse,

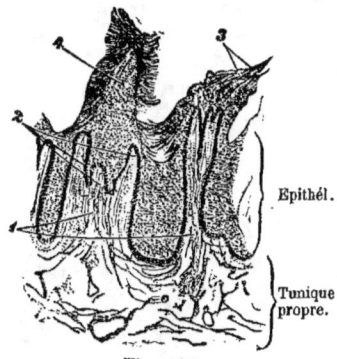

Fig. 139.

Coupe longitudinale de la muqueuse du dos de la langue de l'homme (Gross. 30). — 1. Coupe de deux papilles filiformes dont chacune porte ; 2. Trois papilles secondaires. — 3. Prolongement épithélial double. — 4. Prolongement épithélial simple recouvert de cellules plates **(Technique n° 101).**

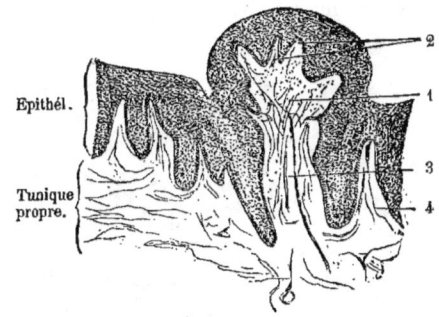

Fig. 140.

Coupe longitudinale de la muqueuse de la langue de l'homme (Gross. 30). — 1. Papille fongiforme avec deux papilles secondaires. — 2. Pédicule de la papille fongiforme. — 3. Petite papille filiforme **(Technique n° 101).**

lingual et hyoglosse), tantôt une direction transversale (muscle transverse de la langue), tantôt enfin une direction longitudinale (m. lingual et styloglosse). Les faisceaux musculaires s'entrecroisant la plupart du temps à angle droit, il en résulte qu'on a sur les coupes l'aspect d'un lacis très fin. Une cloison médiane, le *septum linguæ*, divise la masse musculaire de la langue en deux moitiés, l'une gauche, l'autre droite. Le septum commence inférieurement au niveau du corps de l'os hyoïde, atteint sa plus grande hauteur vers la partie moyenne de la langue, et se termine en avant en s'amincissant progressivement ; cette cloison ne parcourt pas la langue dans toute sa hauteur, elle s'arrête à 3 millimètres environ de la face dorsale. Elle est constituée par des fibres conjonctives assez résistantes.

La *muqueuse linguale*, de même que celle de la bouche, est constituée par une couche épithéliale, une tunique propre, et une tunique sous-muqueuse ;

mais elle se distingue par le grand développement et la forme complexe des papilles. On distingue trois formes de papilles : 1° les papilles filiformes ; 2° les papilles fongiformes ; 3° les papilles caliciformes.

Les *papilles filiformes* (fig. 139) sont des saillies cylindriques ou coniques de la tunique propre, dont l'extrémité supérieure porte des petites papilles secondaires (2) au nombre de 5 à 20 environ. Elles sont constituées par un tissu conjonctif nettement fibrillaire et par de nombreuses fibres élastiques. Sur ce tissu et le recouvrant, on trouve une couche épaisse d'épithélium pavimenteux stratifié. Assez souvent au niveau des papilles secondaires, l'épithélium forme des prolongements filiformes cornés (3). Les papilles filiformes occupent presque toute la surface de la langue. Elles sont très nombreuses. Leur longueur varie de 0, 7 à 3 millimètres.

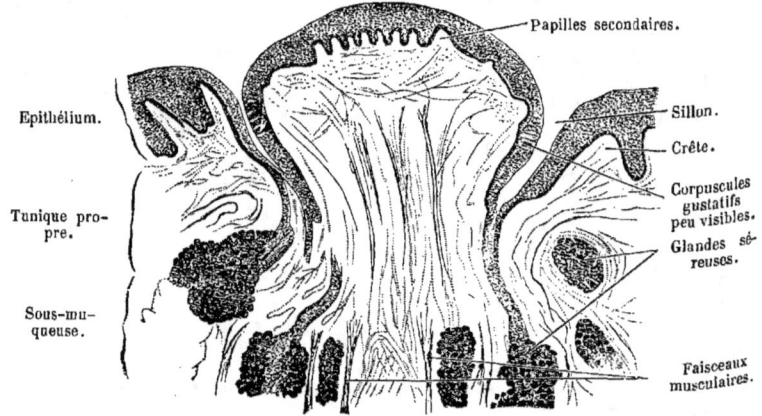

Fig. 141.

Coupe perpendiculaire à travers une papille caliciforme de l'homme (Gross. 30. **Technique n° 101**).

Les papilles *fongiformes* (fig.140) sont des éléments sphériques réunis à la tunique propre par un pédicule légèrement étranglé. Toute leur surface est recouverte de papilles secondaires. Elles sont constituées par des faisceaux conjonctifs entrecroisés et par quelques fibres élastiques. L'épithélium qui les recouvre est moins épais que celui des papilles filiformes et n'est pas corné. Les papilles fongiformes ne sont pas aussi nombreuses que les filiformes. On les trouve sur toute la surface de la langue, elles présentent sur le vivant une coloration rouge qui permet de les distinguer facilement. Cette rougeur est due aux vaisseaux sanguins de la papille, vus par transparence au travers de l'épithélium. Leur hauteur varie entre 0,5 et 1,5 mm.

Les *papilles caliciformes* ne sont à vrai dire que de larges papilles fongiformes aplaties, entourées d'un sillon circulaire, de profondeur variable, qui les sépare du reste de la muqueuse (fig. 141). L'existence de ce sillon déter-

mine la formation d'un bourrelet autour de la papille. Les papilles caliciformes
ont la même structure que les papilles fongiformes ; elles ne portent des papilles secondaires que sur la partie supérieure de leur surface ; les parties latérales en sont dépourvues. L'épithélium de ces parties latérales et quelquefois celui du bourrelet contiennent les appareils terminaux des nerfs gustatifs,
les *bourgeons gustatifs* (Voyez *Organes du goût*).

Les papilles caliciformes, peu nombreuses (8 à 15), n'occupent que la partie
postérieure de la surface de la langue. Leur hauteur varie entre 1 à 1.5 mm.
sur 1 à 3 mm. de largeur. De chaque côté de la langue sur la partie postérieure de ses bords on trouve des groupes de replis muqueux parallèles se
distinguant par leur grande richesse en bourgeons gustatifs. Ce sont les *papilles foliées*, surtout chez le lapin.

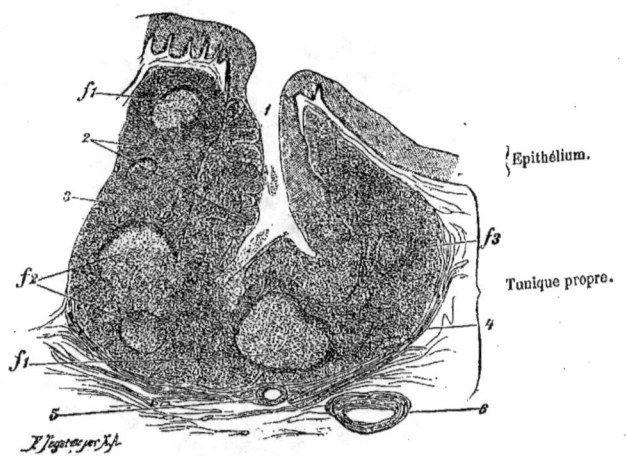

}Epithélium.

Tunique propre.

Fig. 142.

Coupe perpendiculaire passant par le milieu d'un follicule lingual d'homme adulte (Gross. 20). —
1. Cavité folliculaire contenant des leucocytes extravasés. — 2. Epithélium de la cavité folliculaire. A gauche et en bas l'épithélium est traversé par des leucocytes, à droite il est en grande partie intact. — 3. Tissu
adénoïde, nodules contenant des centres germinatifs. — *f*. 1. Nodule coupé par son milieu. — *f*. 2. Nodule
coupé latéralement. — *f*. 3. Nodule coupé par sa partie périphérique. — 4. Enveloppe fibreuse. — 5. Coupe
perpendiculaire d'un conduit excréteur de glande muqueuse. — 6. Vaisseau **(Technique n° 101).**

La *tunique sous-muqueuse*, au niveau de la partie dorsale et de la pointe de
la langue, est dense et résistante (*fascia linguæ*), elle adhère intimement aux
parties sous-jacentes.

FOLLICULES DE LA LANGUE. — La muqueuse de la base de la langue présente
une structure particulière au niveau de la portion comprise entre les papilles
caliciformes et l'épiglotte. C'est là que l'on trouve les *follicules linguaux*. Ces
follicules sont des amas sphériques de tissu adénoïde de 1 à 4 mm. de diamètre. Situés dans des couches les plus superficielles de la tunique propre, ils

forment des saillies facilement visibles, même à l'œil nu. Il existe au centre
de ces amas un orifice punctiforme, conduisant dans la *cavité folliculaire* (1).
Cette cavité est tapissée par un prolongement de l'épithélium pavimenteux
stratifié de la muqueuse buccale. Au-dessous de cet épithélium on voit le tissu
adénoïde qui contient un nombre variable de nodules lymphatiques avec des

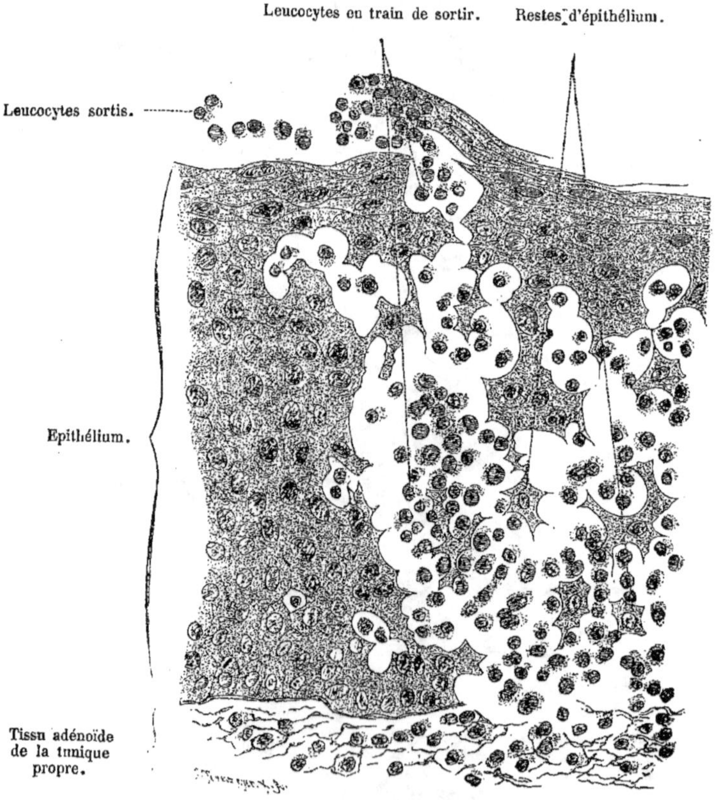

Fig. 143.

Portion d'une coupe fine d'un follicule lingual de l'homme adulte (Gross. 420).— A gauche l'épithélium est libre de leucocytes, à droite beaucoup de leucocytes migrent. L'épithélium éclate à cause de cela ;
on voit des restes d'épithélium plus ou moins grands entre les voies larges percées par les leucocytes
(**Technique n° 101**).

centres germinatifs ; il est nettement séparé du tissu conjonctif fibrillaire de
la tunique propre. Lorsque le follicule est bien développé, les faisceaux entrecroisés de la tunique propre lui forment une sorte de capsule. D'ailleurs ils
portent le nom d'*enveloppe fibreuse* (fig. 142, 4).

(1) Cet orifice était considéré jadis comme le conduit excréteur du follicule lingual,
d'où le nom de *glande folliculaire* qu'on donne encore habituellement à ces follicules.

Dans les conditions ordinaires les leucocytes s'échappent du tissu adénoïde, traversent l'épithélium de la cavité folliculaire, tombent dans cette cavité, et vont finalement constituer les *corpuscules muqueux* ou *salivaires* des sécrétions buccales. L'épithélium subit pendant ce passage des altérations assez profondes, et il est tellement infiltré de leucocytes qu'il est difficile de voir nettement ses limites.

GLANDES. — On trouve dans la muqueuse de la langue et dans les parties les plus superficielles de la couche musculaire deux variétés de glandes en tube. Les unes fournissent un liquide contenant de la mucine, ce sont les *glandes muqueuses*. Les autres glandes sécrètent un liquide aqueux, séreux, contenant une grande quantité d'albumine ; ces glandes portent le nom de *glandes séreuses* ou *albumineuses*.

Les *glandes muqueuses* ou à mucus présentent une structure identique à celle des glandes de la cavité buccale. Elles siègent le long des bords de la langue, on les trouve en grand nombre au niveau de la base de la langue, où leur conduit excréteur tapissé d'un épithélium cylindrique (quelquefois à cils vibratiles) débouche souvent dans les cavités folliculaires. Les parois des tubuli sont constituées par une membrane homogène amorphe, la membrane propre ; elle porte des cellules cylindriques pourvues d'une membrane

Fig. 144.

Portion d'une coupe de la racine de la langue de la souris (Gross. 90). — Glande séreuse dont le système de conduits est noirci par la réaction de Golgi ; on reconnaît nettement le caractère tubuleux (**Technique n° 124**).

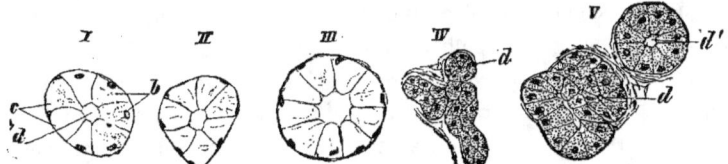

Fig. 145.

Coupe transversale d'une glande muqueuse de la base de la langue. — I. Coupe transversale d'un tube. — *b.* Cellules glandulaires vides. — *c.* Cellules pleines. — *d.* Lumière du tube. II. *Coupe transversale d'un tube contenant des cellules remplies par les produits de sécrétion.* III et IV. Glande de la muqueuse linguale du lapin. III. Coupe transversale d'un tube de glande muqueuse. IV. Plusieurs tubes d'une glande séreuse. — *d.* Lumière très étroite du tube. V. Plusieurs tubes d'une glande séreuse de l'homme, les uns *d'*, ont une lumière large, les autres *d*, ont une lumière plus étroite (Gross. 240. **Technique n° 101**).

cellulaire dense ; l'aspect de ces cellules varie suivant l'état fonctionnel dans lequel on les observe. A l'état de repos la cellule est étroite ; son noyau, ovalaire, est placé transversalement à la base de la cellule (fig. 145, I, *b*) ; à l'état d'activité la cellule est large ; le noyau se trouve aplati contre la paroi (fig. 145, I, c et II). Ces formes peuvent se rencontrer dans la même glande muqueuse, voire même dans le même tube glandulaire ; cependant on n'y voit pas d'éléments en croissants et cela parce que la membrane cellulaire est résistante et ne se laisse pas aplatir contre la paroi glandulaire (1). La *glande de Nuhn* qui occupe le sommet de la langue, est également une glande muqueuse.

Les *glandes albumineuses* ne se trouvent que dans la région des papilles caliciformes et foliées ; leur conduit excréteur, tapissé d'un épithélium cylindrique à une ou plusieurs couches (souvent à cils vibratiles), débouche dans le sillon qui se trouve entre les papilles et les bourrelets (fig. 141). Les tubes glandulaires sont constitués par une membrane propre assez délicate, sur laquelle sont implantées des cellules cylindriques ou coniques, dépourvues d'enveloppe, à protoplasma grenu, trouble, et à noyau central sphérique (fig. 145, IV et V). La lumière de ces tubes (*dd'*) est très étroite, notamment chez les animaux.

Les *vaisseaux sanguins* de la muqueuse linguale forment un réseau étalé en surface. De ce réseau naissent des ramuscules qui pénètrent dans toutes les papilles, et même dans les papilles secondaires. Au niveau du V lingual l'enveloppe fibreuse des follicules est perforée par de petites branches artérielles, dont les capillaires pénètrent jusque dans le tissu adénoïde. Un riche réseau de capillaires sanguins entoure les tubes glandulaires.

Les *vaisseaux lymphatiques* de la langue sont disposés en deux réseaux : un réseau profond constitué par des vaisseaux lymphatiques assez volumineux, et un réseau superficiel recevant les lymphatiques des papilles. La base de la langue est riche en vaisseaux lymphatiques ; ils forment des réseaux autour des nodules des glandes folliculaires.

Les *nerfs* de la muqueuse linguale (glosso-pharyngien et lingual) présentent, échelonnés sur leur trajet, de petits groupes de cellules ganglionnaires ; ils se terminent soit comme les autres filets nerveux de la muqueuse buccale, soit d'une manière spéciale dans les bourgeons gustatifs (voy. *Organes du goût*).

4. — Pharynx.

Trois tuniques entrent dans la constitution du pharynx : une tunique *muqueuse*, une tunique musculaire, et une tunique fibreuse. La muqueuse du pharynx est tapissée de même que la muqueuse buccale par un épithélium pavimenteux stratifié ; elle possède également une tunique propre hérissée

---

(1) On ne trouve des figures *semi-lunaires* que dans les glandes muqueuses de la langue du chat, de même que dans les glandes muqueuses de la luette de l'homme.

de papilles et un assez grand nombre de glandes muqueuses. L'épithélium qui tapisse le pharynx nasal est cylindrique et possède des cils vibratiles. Les limites inférieures de cet épithélium varient selon les individus.

La muqueuse du pharynx est très riche en tissu adénoïde. Ce tissu se condense entre les piliers du pharynx, et forme là deux amas assez volumineux, *les amygdales*. Chez l'homme et chez. un grand nombre d'animaux, les amygdales ne sont que des follicules linguaux agminés. Les tonsilles peuvent être considérées comme le siège principal de production des corpuscules salivaires, tant il y a de leucocytes qui traversent l'épithélium pour se rendre dans les cavités folliculaires. On trouve un grand nombre de glandes muqueuses dans le voisinage des amygdales.

Le tissu adénoïde est également abondant dans le pharynx nasal ; concrété au niveau de la paroi supérieure du pharynx (apophyse basilaire) ce tissu forme *l'amygdale pharyngienne*, identique au point de vue de sa structure aux tonsilles de l'arrière-gorge, mais différente de celles-ci parce que le tissu adénoïde qui la compose n'est pas très nettement séparé de la tunique propre de la muqueuse. Cette amygdale est également le siège d'une migration leucocytique. Le tissu adénoïde de la cavité buccale et du pharynx pris dans son ensemble est sujet à de très grandes variations suivant les individus.

La *tunique musculaire* (muscles constricteurs du pharynx) est constituée par des fibres striées, dont la disposition rentre dans l'étude de l'anatomie descriptive.

La *tunique fibreuse* est une membrane conjonctive à grosses fibres connectives, mélangées d'un grand nombre de fibres élastiques. Les vaisseaux et nerfs du pharynx affectent la même disposition que dans la cavité buccale.

5. — Œsophage.

L'œsophage comme le pharynx comprend trois tuniques : une tunique *muqueuse*, une tunique *musculaire* et une tunique *fibreuse*. La tunique muqueuse est constituée par un épithélium pavimenteux stratifié (fig. 146, 1) reposant sur une tunique propre papillaire (2) et renforcée par une couche de fibres musculaires lisses à direction longitudinale (*muscularis mucosæ*) (3) ; immédiatement sous cette couche on trouve la tunique sous-muqueuse constituée par un tissu conjonctif lâche (4) qui, dans la moitié supérieure de l'œsophage, renferme de petites glandes muqueuses.

La *tunique musculaire* est constituée dans la partie cervicale de l'œsophage par des fibres musculaires striées ; celles-ci sont remplacées dans sa moitié inférieure par des fibres musculaires lisses, disposées sur deux couches :

une couche interne annulaire (5) et une couche externe longitudinale (6).

La *tunique fibreuse* est constituée par des fibres conjonctives denses, entremêlées d'un grand nombre de fibres élastiques. Les vaisseaux et nerfs de l'œsophage se comportent comme ceux du pharynx. Les nerfs, arrivés au niveau de l'espace qui sépare la couche musculaire annulaire de la couche longitudinale, forment un réseau contenant de petits groupes de cellules ganglionnaires (Voyez plus loin *Plexus d'Auerbach*).

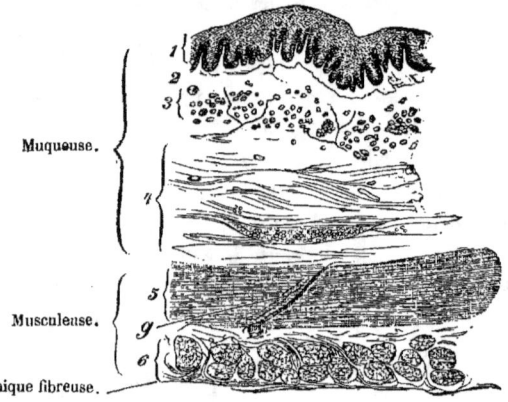

Fig. 146.

Coupe transversale de la partie moyenne de l'œsophage de l'homme. — 1. Epithélium plat. — 2. Tunique propre. — 3. Musculaire de la muqueuse. — 4. Sous-muqueuse. — 5. Couche musculaire annulaire. — 6. Couche musculaire longitudinale. — *g.* Vaisseau sanguin (**Technique n° 103**).

6. — Estomac.

L'estomac, dont la paroi atteint une épaisseur de 2 à 3 mm., se compose de trois tuniques : 1° une tunique *muqueuse*, 2° une *musculaire*, et 3° une *séreuse*.

Muqueuse. — La muqueuse de l'estomac se distingue, par sa coloration gris-rougeâtre, de la muqueuse blanchâtre de l'œsophage. Elle est constituée par une couche épithéliale, par une tunique propre, une couche musculaire et par une couche sous-muqueuse (fig. 147).

L'*épithélium* de la muqueuse de l'estomac est un épithélium cylindrique simple, dont les cellules sécrètent du mucus. On peut distinguer la plupart du temps, dans chacune de ces cellules, une portion supérieure (fig. 15, *c*) muqueuse, et une portion inférieure purement protoplasmatique (*p*) renfermant un noyau arrondi et quelquefois plat. L'étendue de la portion muqueuse des cellules varie suivant qu'elles sont ou non en activité (voy. fig. 15). Lorsque le mucus est expulsé, la cellule épithéliale de la muqueuse de l'estomac ressemble beaucoup à une cellule caliciforme.

La *tunique propre* est constituée par un mélange de tissu conjonctif fibrillaire et de tissu réticulé ; on y trouve également une quantité variable de leucocytes, qui en s'agglomérant peuvent donner naissance à des follicules solitaires. Cette tunique contient un si grand nombre de *glandes* que son tissu n'est représenté que par les minces cloisons inter-glandulaires et par une mince couche sous-glandulaire. Au niveau de la portion pylorique de la muqueuse, les glandes sont plus distantes les unes des autres. La tunique pro-

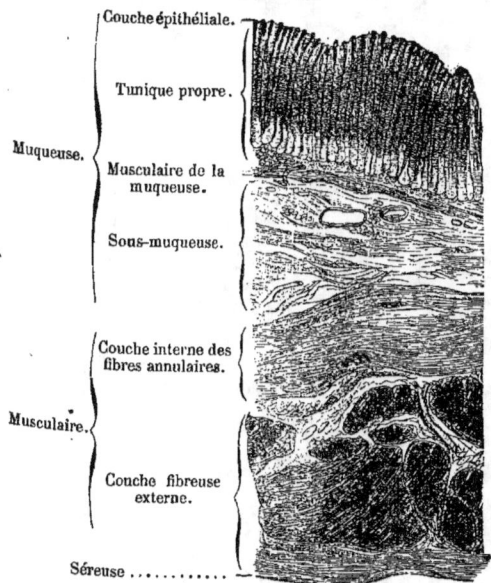

Couche épithéliale.

Tunique propre.

Muqueuse.

Musculaire de la muqueuse.

Sous-muqueuse.

Couche interne des fibres annulaires.

Musculaire.

Couche fibreuse externe.

Séreuse . . . .

Fig. 147.

Coupe perpendiculaire de la paroi stomacale de l'homme (Gross. 15).— La tunique propre contient une telle épaisseur de glandes juxtaposées, que son tissu particulier n'est visible qu'à la base des glandes tout contre la musculaire de la muqueuse (**Technique n° 104**).

pre, très développée à ce niveau, forme souvent des villosités filiformes ou lamelliformes.

On distingue deux variétés de glandes de l'estomac. Une première variété comprend les glandes occupant la grosse tubérosité et le corps de l'estomac, elles sont décrites sous le nom *de glandes du fond* (1) ; la seconde variété comprend les glandes de la région pylorique, elles sont décrites sous le nom de *glandes pyloriques*. Les deux variétés de glandes sont des glandes en tube simple ou composé, et s'abouchant dans les petites excavations qu'on observe

(1) Dans les anciens auteurs les glandes du fond s'appellent aussi *glandes à pepsine* ; aujourd'hui leur fonction pepsinogène est contestée.

à la surface de l'estomac, dans les fossettes gastriques ; la partie de la glande
comprise dans cette fossette porte le nom de *col* ; celle qui lui fait immédiate-

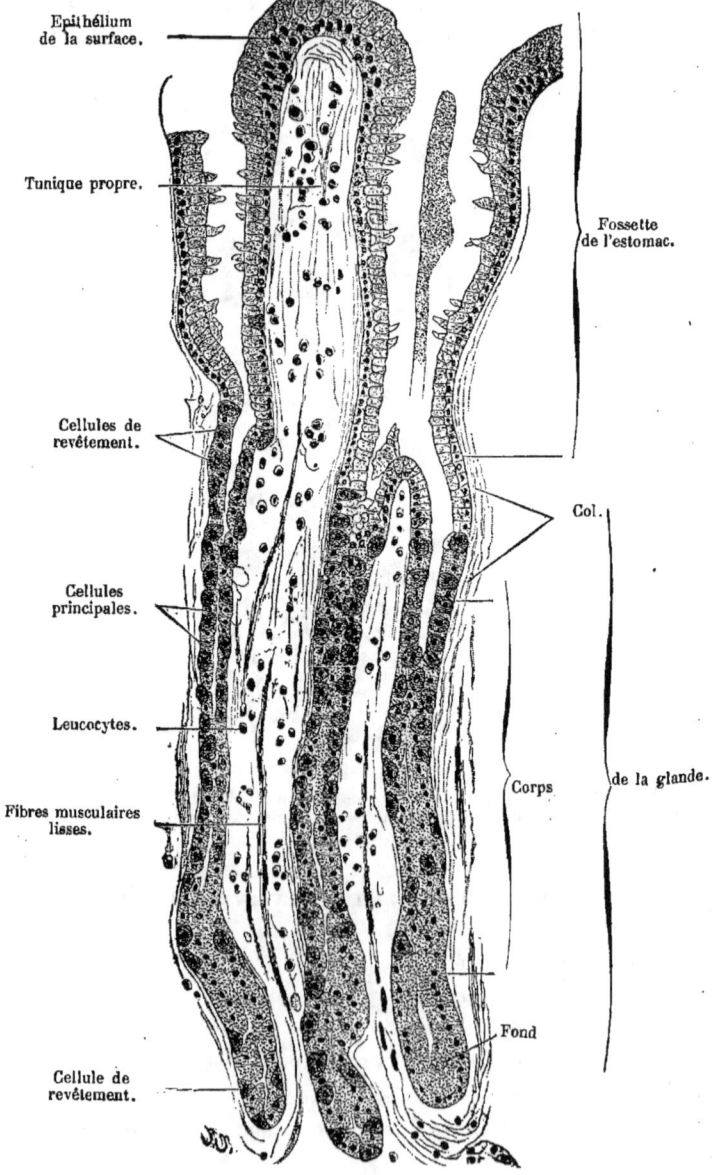

Fig. 148.

Coupe verticale de la muqueuse de l'estomac de l'homme. Région du grand cul-de-sac (Gross. 220.
Technique n° 107).

ment suite constitue le *corps* de la glande ; le cul-de-sac terminal porte le nom de *fond de la glande* (fig. 148). Des cellules glandulaires et une membrane propre entrent dans la constitution de chacune de cesglandes.

Les glandes du fond contiennent deux variétés de cellules : les cellules principales, et les cellules de revêtement (1).

Les cellules *principales* sont des cellules claires, cubiques ou cylindriques, courtes, dont le protoplasma granuleux renferme un noyau sphérique. Ces cellules sont très caduques.

Les cellules de *revêtement* sont en général plus volumineuses, plus sombres que les cellules principales, leur forme est irrégulièrement arrondie, leur protoplasma, finement granuleux, entoure un noyau rond. Ces cellules se distinguent d'ailleurs par leur grande affinité pour les couleurs d'aniline. La distribution de ces deux variétés de cellules n'est pas uniforme ; ce sont les cellules principales qui constituent la masse importante de chaque tube glandulaire ; les cellules de revêtement sont irrégulièrement disséminées ; elles occupent surtout le corps et le col de la glande.

Au niveau de ces parties les cellules de revêtement se trouvent sur la même rangée que les cellules principales ; dans le cul-de-sac des glandes, au contraire, les cellules de revêtement, comprimées par les cellules principales, sont refoulées vers la paroi glandulaire et n'atteignent la lumière de la glande que grâce à un petit prolongement qu'elles envoient dans les interstices des cellules principales (fig. 149).

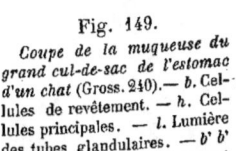

Fig. 149.
Coupe de la muqueuse du grand cul-de-sac de l'estomac d'un chat (Gross. 240).— *b.* Cellules de revêtement. — *h.* Cellules principales. — *l.* Lumière des tubes glandulaires. — *b' b'* Cellules de revêtement atteignant la lumière de la glande **(Technique n° 107).**

Habituellement sur les préparations des fins canaux glandulaires, ce prolongement est le seul que chaque cellule de revêtement possède.

A l'aide du réactif de Golgi qui colore aussi en noir les sécrétions, on reconnaît que de la lumière centrale des glandes du fond, partent des canaux transversaux qui se divisent et se terminent par des ramifications libres, ou bien s'anastomosent en formant un réseau de capillaires sécrétoires. Ces capillaires décrivent une anse autour de la cellule (fig. 19 et fig. 150) et quelquefois s'étendent dans la cellule elle-même.

---

(1) L'opinion qui veut que les cellules de revêtement et les cellules principales soient des éléments identiques à différentes périodes de leur fonction physiologique, aurait encore besoin d'arguments plus péremptoires. Il en est de même de celle qui prétend que les cellules de revêtement se multiplient pendant la digestion et qu'elles disparaissent après un jeûne plus ou moins prolongé. L'estomac des animaux hibernants sacrifiés au moment de leur réveil contient encore des cellules de revêtement.

Les *glandes pyloriques* sont tapissées presque exclusivement (1) par des cellules cylindriques pourvues d'un noyau arrondi occupant la base de la cellule (fig. 151).

Au niveau de la zone intermédiaire, c'est-à-dire à l'union de la muqueuse du grand cul-de-sac et de la muqueuse du pylore, ces cellules ressemblent tellement aux cellules principales, qu'on a cru devoir les rapprocher les unes des autres.

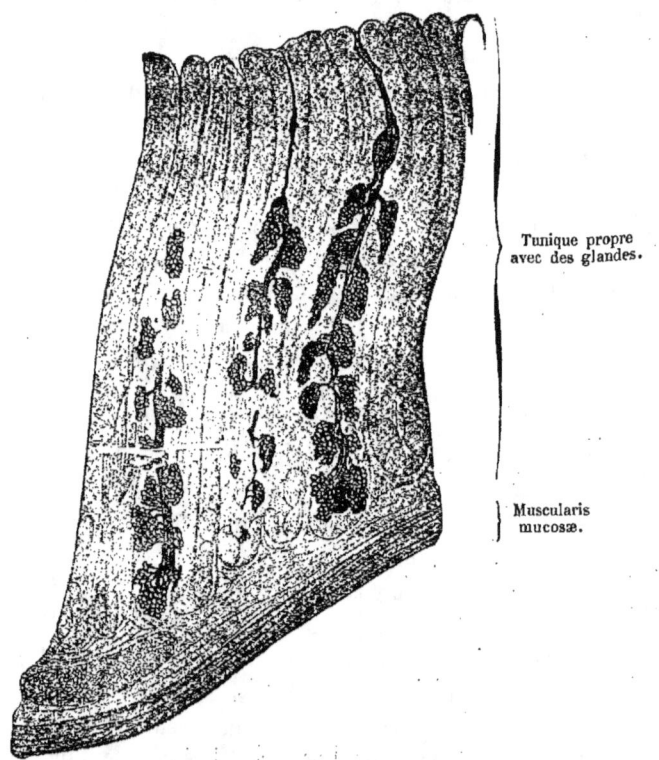

Tunique propre
avec des glandes.

Muscularis
mucosæ.

Fig. 150.

Coupe transversale de la muqueuse de l'estomac de la souris, région du grand cul-de-sac (période de digestion) (Gross. 234).— Dans la glande droite tout le système canaliculaire est noirci, dans deux autres glandes une partie seulement ; on distingue les anses formées par les capillaires de sécrétion (**Technique nº 124**).

La muqueuse que nous venons de décrire est la muqueuse d'un estomac à jeun ; pendant la digestion, les cellules de revêtement sont plus volumi-

(1) Chez l'homme on trouve également dans ces glandes quelques rares cellules de revêtement isolées ; chez le chien les glandes pyloriques contiennent des cellules coniques, foncées, sur la nature desquelles on n'est pas encore fixé.

neuses ; les cellules principales sont plus foncées, de même que les cellules des glandes pyloriques, et les noyaux de ces dernières cellules occupent leur

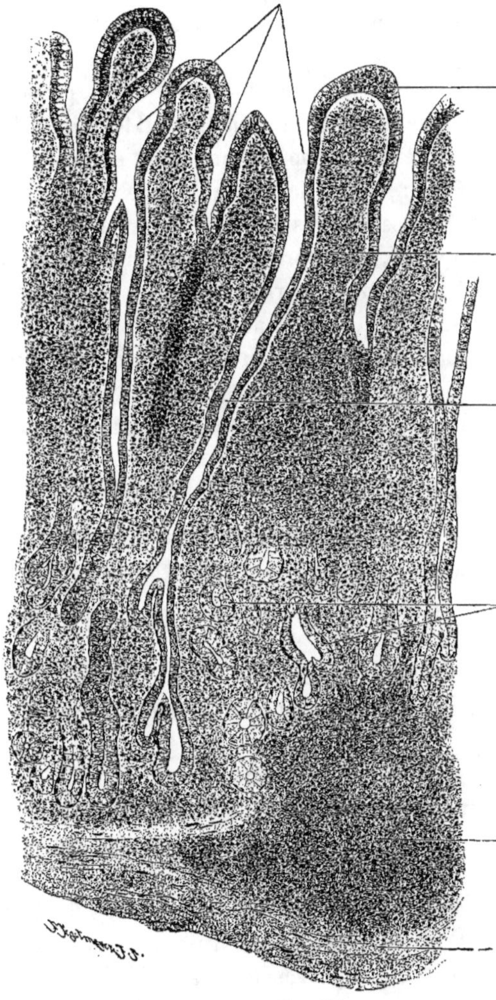

Fossettes de l'estomac.

Epithélium de la surface coupé ici obliquement et paraissant stratifié.

Tunique propre.

Glande pylorique.

Portion de glande pylorique.

Follicule solitaire.

Muscularis mucosæ.

Fig. 151.

Coupe verticale de la muqueuse pylorique de l'homme (Gross. 90. **Technique n° 107**, *b*).

centre. Les capillaires sécrétoires sont complètement remplis, et bien plus larges que dans un estomac à l'état de vacuité.

La *muscularis mucosæ* est constituée par deux ou trois couches de fibres musculaires lisses s'entremêlant dans différentes directions ; quelques-unes de ces fibres montent perpendiculairement entre les tubes glandulaires (fig. 148).

La couche sous-muqueuse est formée par des faisceaux conjonctifs lâches, par des fibres élastiques, et quelquefois par de petits amas de cellules graisseuses.

TUNIQUE MUSCULAIRE. — Ce n'est qu'au niveau de la portion pylorique de l'estomac que la tunique musculaire est nettement formée de deux couches différentes, une interne très développée, annulaire, et une autre externe, moins forte, longitudinale : toutes deux sont composées de fibres musculaires lisses. Dans les autres régions de l'estomac, les fibres musculaires ont un trajet très compliqué, ces fibres sont la continuation des couches musculaires de l'œsophage, mais leur trajet est très modifié par le mouvement de torsion que subit l'estomac pendant son développement ; sur des coupes, on voit des fibres musculaires lisses affecter toutes les directions possibles.

TUNIQUE SÉREUSE (Voyez plus loin *Péritoine*). — Pour les vaisseaux et les nerfs (pages 217 et suivantes).

7. — Intestin.

La paroi intestinale est formée comme celle de l'estomac de : 1° la muqueuse, 2° la tunique musculaire, 3° la séreuse.

MUQUEUSE. — La muqueuse présente des plis circulaires (les valvules conniventes) bien développés surtout dans la portion supérieure de l'intestin grêle ; outre ces replis qui augmentent la surface de la muqueuse, d'autres dispositions que l'on peut encore observer à l'œil nu concourent au même résultat. Ce sont des soulèvements et des dépressions de la muqueuse ; les premiers, les villosités, se rencontrent dans l'intestin grêle seulement, ils manquent dans le gros intestin chez l'homme, ils ont une hauteur de 1 millimètre à peu près, de forme aplatie dans le duodénum, ils sont cylindriques dans le reste de l'intestin grêle. Les dépressions se trouvent à partir du pylore dans toute la longueur de l'intestin. La forme la plus rudimentaire se voit chez les poissons ; chez eux les plis de la muqueuse, parallèles à la longueur de l'intestin, se trouvent réunis par des plis transversaux, c'est ainsi que sont formées les dépressions sur les coupes verticales, elles sont peu profondes et ont l'apparence d'une anse courte et large, que nous nommons *crypte*. Les cryptes sont plus profondes chez les mammifères, leur lumière est plus étroite ; rangées les unes près des autres elles apparaissent comme des glandes tubuleuses simples. On pourrait les considérer comme telles si leur revêtement épithélial donnait une sécrétion spécifique, ce qui n'est pas le cas (1). On leur a conservé cependant le nom de glandes intestinales (Lieberkühn). Les glandes de l'intestin grêle sont plus courtes (0,1-0,3 mm.) que celles du gros intestin (0,4-0,6 mm.).

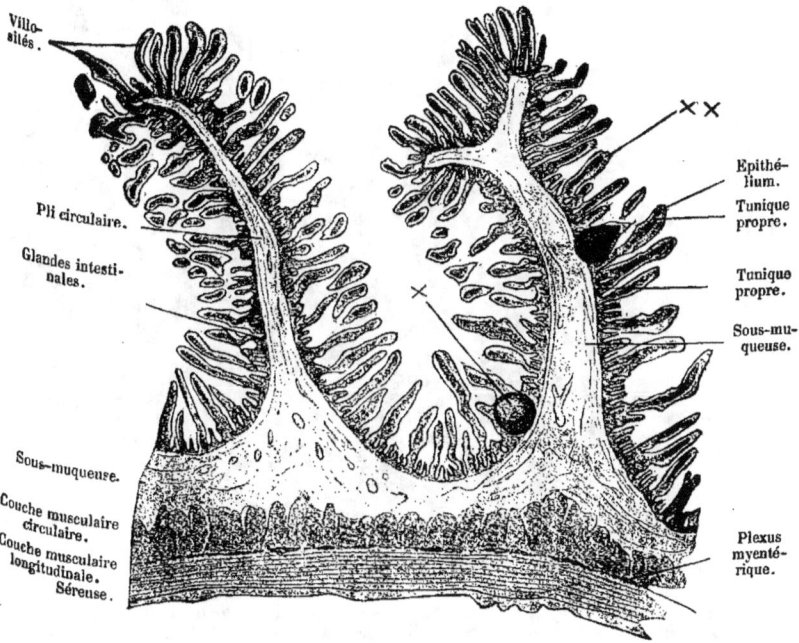

Fig. 152.

Coupe verticale longitudinale du jéjunum de l'homme (Gross. 16). — Le pli droit porte deux follicules solitaires, petits, n'atteignant pas la sous-muqueuse; le gauche montre un centre germinatif ✕. Sur beaucoup de villosités l'épithélium s'est détaché de la charpente conjonctive de la villosité, il en résulte un espace clair en ✕✕. Les parties isolées qui ne sont plus en communication avec les villosités (parties nombreuses à gauche surtout près du pli circulaire), sont des portions de villosités qui, étant pliées, n'ont pas été coupées dans toute leur longueur (**Technique n° 110**).

La muqueuse se compose d'un épithélium, d'une tunique propre, d'une muscularis mucosæ, et d'une sous-muqueuse qui enveloppe les villosités, et pénètre même dans la profondeur des glandes. Cet épithélium est un épithélium cylindrique (fig. 154); à l'état de développement il comprend : *a*) un protoplasma granuleux contenant par suite de l'absorption de la graisse de nombreuses particules graisseuses, *b*) un noyau le plus souvent ovale, et *c*) une

(1) On est à se demander si les cellules isolées granuleuses qui se trouvent au fond des cryptes sont des cellules glandulaires.

membrane. La surface libre porte une bordure cuticulaire (1), tantôt homogène, tantôt finement striée, caractéristique pour les épithéliums de l'intestin.

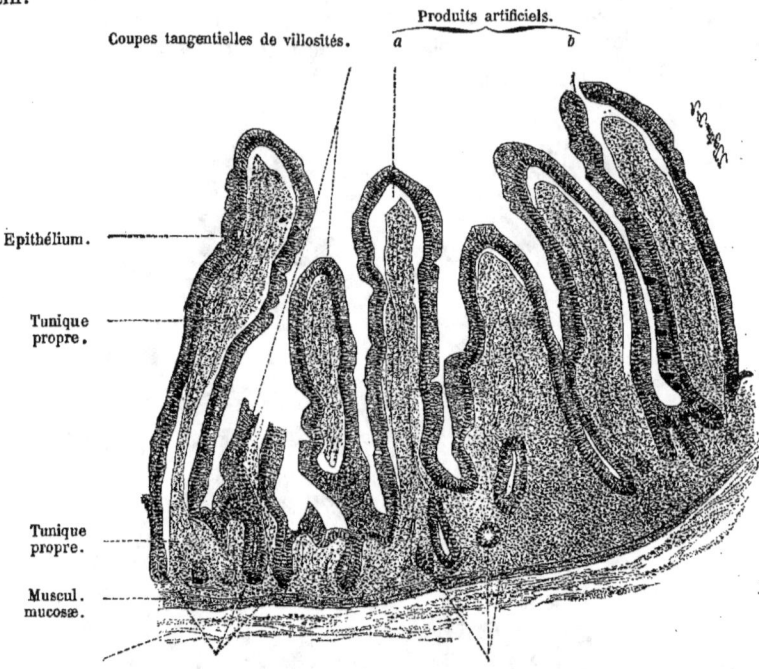

Fig. 153.

Coupe verticale à travers la muqueuse du jéjunum de l'homme adulte (Gross. 80).— Par la fixation la tunique propre s'est rétractée et s'est retirée de l'épithélium, il en est résulté un espace vide *a*, dans lequel on trouve souvent des cellules sorties de la tunique propre par pression. Assez souvent par la rétraction c'est l'épithélium *b* qui se déchire, on a ainsi l'apparence d'une ouverture au sommet d'une villosité. Sur un côté de la villosité droite les cellules caliciformes sont marquées par des taches sombres **(Technique n° 110)**.

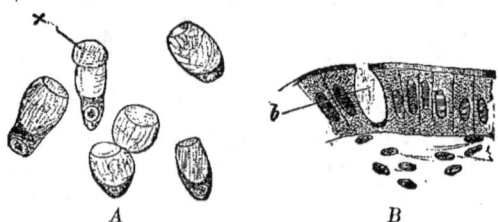

Fig. 154.

A. *Cellules caliciformes* (Gross. 560) *du lapin isolées d'après la* **Technique n° 109**, *b*. — X, mucus s'échappant de la cellule.

B. *Coupe de la muqueuse intestinale de l'homme.* — *b*. Cellule caliciforme entre des cellules cylindriques **(Technique n° 107)**.

(1) Comp. page 46.

La régénération de l'épithélium se fait dans les glandes seulement. Là (par division karyokinétique) il se forme continuellement des cellules nouvelles, qui poussent petit à petit en hauteur pour remplacer les cellules épithéliales en voie de destruction à la surface libre de la muqueuse.

Les cellules les plus jeunes se trouvent ainsi dans les glandes ; les plus anciennes à la surface libre de la muqueuse, dans l'intestin grêle, et sur le sommet des villosités. Au milieu de l'épithélium intestinal on trouve souvent des quantités variables de cellules caliciformes ; celles-ci ont une forme arrondie ovoïde, ressemblant à des calices, leur partie supérieure tournée vers la surface de l'intestin est occupée sur une étendue plus ou moins grande par le mucus résultant de la transformation de leur protoplasma ; le noyau avec le reste du protoplasma se trouve à la base de la cellule ; la bordure cuticulaire manque aux cellules caliciformes, à sa place se trouve une ouverture circulaire, bien limitée (fig. 154, A), à travers laquelle le mucus se déverse à la surface de l'intestin. Les cellules caliciformes proviennent des cellules ordinaires de l'épithélium intestinal ; dans des conditions particulières toute cellule épithéliale jeune de l'intestin peut devenir une cellule caliciforme, en produisant du mucus (1).

Les différents stades de la sécrétion se trouvent disposés en série régulière ; des stades plus avancés se rencontrent dans les cellules les plus superficielles, dans les villosités, ou à la surface de la muqueuse (fig. 155) (2), tandis que les stades de début s'observent dans les glandes de l'intestin.

On trouve entre les cellules épithéliales une quantité variable de leucocytes migrateurs, provenant de la tunique propre sous-jacente.

La *tunique propre* est composée surtout de tissu réticulé, renfermant une quantité variable de leucocytes. Comme les glandes sont très nombreuses et très serrées, on la trouve soit dans les interstices glandulaires où elle forme des cloisons, soit sous les culs-de-sac glandulaires où elle forme une couche mince, rappelant ainsi par sa disposition la tunique propre de la muqueuse

(1) Pour le mode de la formation de la sécrétion dans les cellules caliciformes et son excrétion, voir page 49.

(2) Le nombre des cellules caliciformes dans les glandes de l'intestin grêle est moindre que dans celles du gros intestin. La cause en est que les cellules épithéliales jeunes formées dans les glandes de l'intestin grêle arrivent plus rapidement à la surface ; car la surface de l'intestin grêle considérablement augmentée par les villosités, nécessite une grande quantité de matériel de remplacement pour les cellules épithéliales qui s'y détruisent ; la formation du mucus ne se produit plus dans le domaine des glandes, mais dans les villosités d'abord. Dans le gros intestin où les villosités manquent, la mue s'effectue lentement, les cellules ont encore le temps de former le mucus pendant leur séjour dans les glandes. De là l'erreur de ceux qui croient que les glandes de l'intestin grêle fournissent un liquide séreux, tandis que celles du gros intestin donnent du mucus.

de l'estomac, au moins en ce qui concerne le gros intestin ; dans l'intestin grêle, la tunique propre de la muqueuse présente des saillies.

La *muscularis mucosæ* est constituée par deux couches de fibres musculaires lisses : une interne à fibres circulaires, l'autre externe à fibres longitudinales. Cette couche envoie des fibres perpendiculaires qui pénètrent dans les villosités intestinales et arrivent presque jusqu'au niveau de leur sommet. Leur contraction détermine le raccourcissement de la villosité (1).

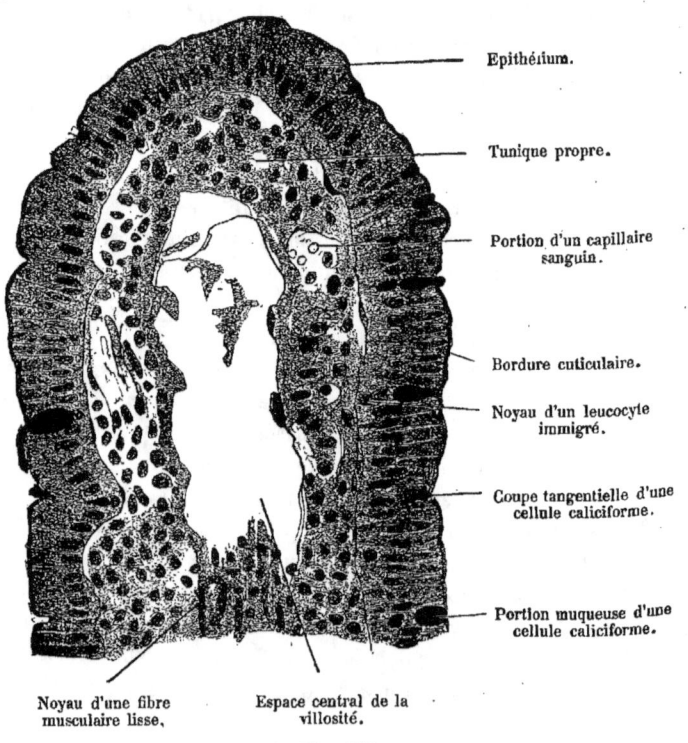

Epithélium.

Tunique propre.

Portion d'un capillaire sanguin.

Bordure cuticulaire.

Noyau d'un leucocyte immigré.

Coupe tangentielle d'une cellule caliciforme.

Portion muqueuse d'une cellule caliciforme.

Noyau d'une fibre musculaire lisse.

Espace central de la villosité.

Fig. 155.

Coupe longitudinale passant par le sommet d'une villosité d'un chien jeune ; les cellules caliciformes contiennent d'autant moins de mucus (coloré en noir), qu'elles sont plus rapprochées du sommet de la villosité. La lumière de l'espace central de la villosité n'est atteinte par la coupe qu'en haut au niveau de son cul-de-sac terminal, tandis qu'en bas on voit sa paroi occupée par des fibres musculaires lisses (**Technique n° 111**).

La *couche sous-muqueuse* est constituée par un tissu conjonctif fibrillaire lâche ; elle contient au niveau du duodénum (dans sa moitié supérieure) des glandes en tubes ramifiés, *glandes de Brünner*. Le conduit excréteur de

(1) On a trouvé dans les villosités de l'intestin de l'homme, outre ces fibres longitudinales, des fibres lisses à disposition nettement transversale.

ces glandes, tapissé de cellules cylindriques, traverse la muscularis mucosæ, et affecte dans la tunique propre de la muqueuse un trajet parallèle aux glandes de Lieberkühn. Les glandes de Brünner sont constituées par une membrane propre homogène, tapissée de cellules glandulaires cylindriques.

FOLLICULES LYMPHATIQUES. — Il a été déjà dit que la tunique propre des membranes muqueuses contient un nombre variable de leucocytes, qui sont tantôt épars, tantôt réunis en petites masses circonscrites. Dans ce dernier cas, les leucocytes forment des nodules de 0,5 à 2 mm. ; ces nodules peuvent être, soit isolés et ils constituent les *follicules solitaires*, soit réunis en groupes, ils forment alors les *plaques de Peyer*.

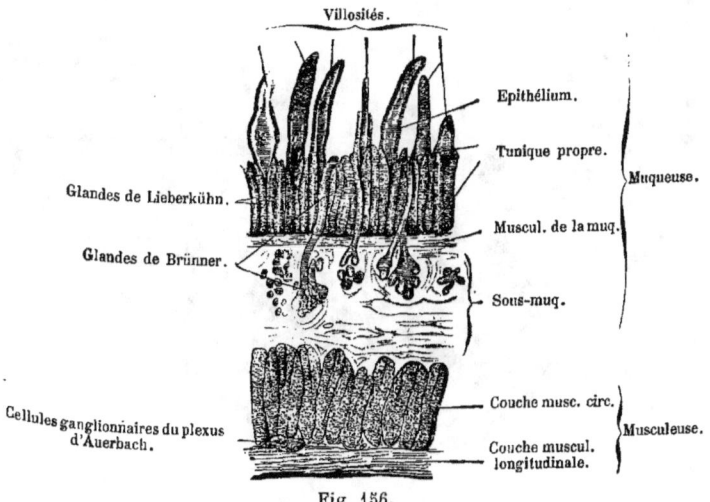

Fig. 156.

Coupe perpendiculaire et longitudinale du duodénum d'un chat (Gross. 30).— Sur la première villosité à gauche, l'épithélium s'est détaché du tissu conjonctif. Les deux villosités de droite sont coupées obliquement. Sur la villosité médiane l'épithélium est détaché dans la partie supérieure, de sorte que le tissu conjonctif est à nu. La séreuse est marquée par une simple ligne au-dessous de la couche musculaire longitudinale (**Technique nº 108**).

Ces *follicules solitaires* se rencontrent en quantité très variable dans l'estomac, ils sont beaucoup plus nombreux dans l'intestin. Ils présentent le plus souvent une forme arrondie, légèrement allongée, et siègent pendant la première période de leur développement presque exclusivement dans la tunique propre de la muqueuse. Ils touchent par leur sommet à l'épithélium, et à la muscularis mucosæ par leur base. Mais au fur et à mesure que ces follicules se développent, ils traversent la muscularis mucosæ pour s'étaler dans la tunique sous-muqueuse, dont le tissu lâche présente peu de résistance. Chez le chat, cette sorte de migration est déjà accomplie au moment de la naissance. La partie du follicule, qui pénètre ainsi par effraction dans la couche sous-muqueuse, présente une forme sphérique ; elle ne tarde d'ailleurs pas à surpasser en volume la portion du follicule restée dans la tunique propre de la muqueuse. De sorte que, par la réunion de ces deux portions, le follicule adulte devient piriforme ; la partie mince regarde l'épithélium intestinal. Au niveau de ces follicules, les villosités intestinales disparaissent et les tubes glandulaires sont écartés les uns des autres. Au point de vue de

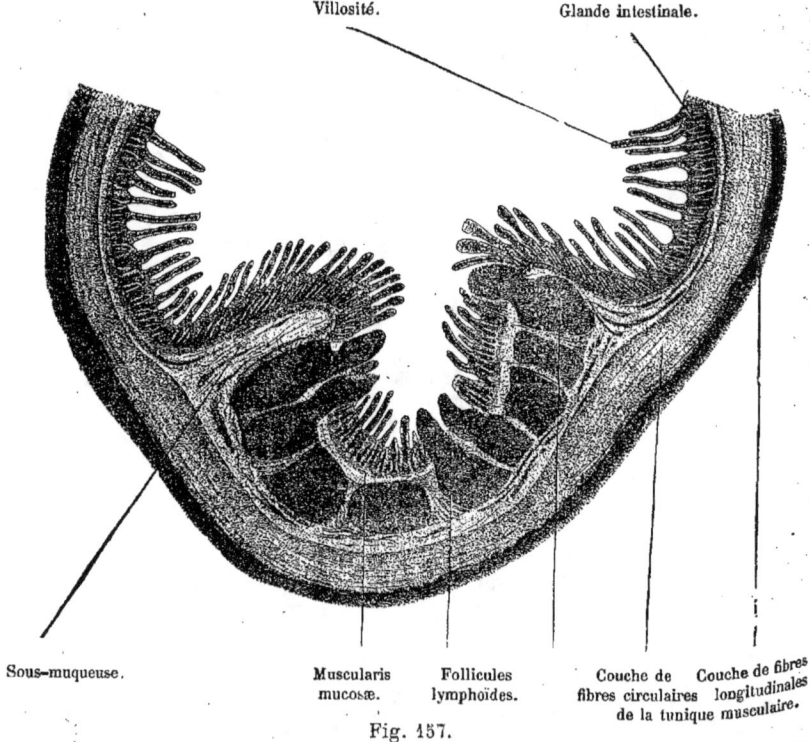

Villosité.   Glande intestinale.

Sous—muqueuse.   Muscularis   Follicules   Couche de   Couche de fibres
                        mucosæ.   lymphoïdes.   fibres circulaires longitudinales
                                                                           de la tunique musculaire.

Fig. 157.

Coupe transversale de follicules agglomérés de l'intestin grêle du chat (Gross. 10). — Le sommet des 4 follicules n'est pas atteint par la coupe (**Technique n° 112**).

leur structure fine, les follicules solitaires sont constitués par un tissu adénoïde ; ils renferment presque toujours un centre germinatif. Les leucocytes qui se forment en ce point pénètrent en partie dans les lymphatiques voisins, et en partie dans la cavité intestinale après avoir traversé la couche épithéliale de la muqueuse. Les cellules épithéliales cylindriques qui recouvrent le sommet des follicules, contiennent toujours des leucocytes en voie de migration (fig. 158).

Les *plaques de Peyer* ne sont que la réunion de 10 à 60 follicules placés côte à côte, jamais superposés, analogues aux follicules solitaires et offrant la même structure qu'eux. Serrés quelquefois les uns contre les autres, les follicules changent de forme et s'aplatissent par pression réciproque (fig. 157).

On trouve surtout les plaques de Peyer dans la partie inférieure de l'intestin grêle : elles forment soit des masses confuses de leucocytes dans lesquelles on ne distingue que les centres germinatifs, soit des masses très bien délimitées et isolées. L'appendice vermiculaire du cæcum présente souvent chez l'homme une masse confuse de follicules fusionnés.

La muqueuse du gros intestin remarquable par ses grosses glandes finit à la partie supérieure des plis rectaux ; à ce niveau les glandes disparaissent, l'épithélium cylindrique simple fait place à un épithélium pavimenteux stratifié qui recouvre des papilles contenant des vaisseaux sanguins.

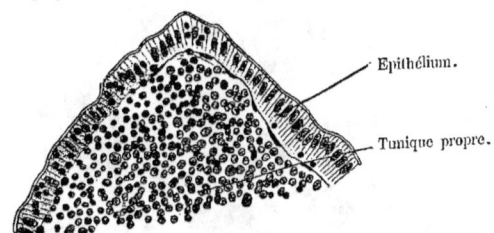

Fig. 158.

Fragment d'une coupe perpendiculaire de l'intestin grêle d'un chat de 7 jours (Gross. 210). — Coupe d'un follicule solitaire. A gauche l'épithélium est envahi par une foule de leucocytes, tandis que l'on n'en rencontre que trois à droite (**Technique nᵒ 112**).

La TUNIQUE MUSCULAIRE de l'intestin comprend deux couches de fibres lisses : une couche interne bien développée annulaire, et une couche externe longitudinale moins importante. Dans le gros intestin, les fibres longitudinales sont surtout développées au niveau des trois rubans de ce viscère ; entre ces rubans elles sont extrêmement minces.

SÉREUSE (Voyez *Péritoine*).

8. — Vaisseaux sanguins de l'estomac et de l'intestin.

Les vaisseaux sanguins de l'estomac et du gros intestin affectent à peu près la même distribution. La présence des villosités dans l'intestin grêle modifie leur disposition. Dans l'estomac et le gros intestin les artères émettent d'abord de fines branches destinées à la tunique séreuse ; puis elles traversent la tunique musculaire en lui cédant quelques ramuscules, et vont finalement former dans la tunique sous-muqueuse un réseau étalé en surface. De ce premier réseau partent de petites branches qui vont former, après avoir traversé la muscularis mucosæ, un réseau siégeant à la base des tubes glandulaires dans la tunique propre. De ce second réseau naissent des capillaires (de 4,5 à 9 μ de large) qui entourent les tubes glandulaires et qui, arrivés à la surface de la muqueuse, s'élargissent (9 à 18 μ) et forment des cercles autour des orifices des glandes. De ces larges capillaires naissent des veinules, qui descendent perpendiculairement entre les tubes glandulaires pour se rendre dans un réseau veineux situé dans la tunique propre de la muqueuse. A partir de là les veines sont parallèles aux artères, elles sont munies de valvules ; plus loin les valvules disparaissent.

Dans l'intestin grêle les artérioles destinées aux glandes de Lieberkühn se comportent comme celles du gros intestin. Les artérioles destinées aux villosités arrivées à la base de la villosité, y forment un réseau capillaire

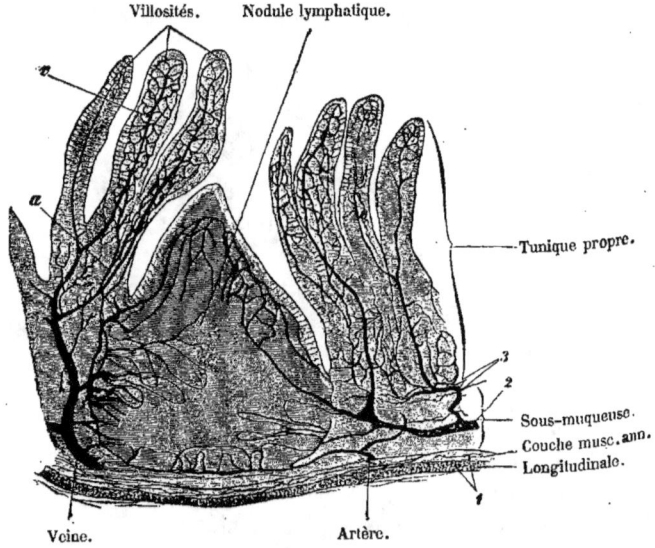

Fig. 159.

Fragment d'une coupe transversale d'un intestin grêle de lapin injecté (Gross. 50). — Le nodule lymphatique est coupé de telle façon, que l'on voit dans la partie supérieure le réseau capillaire superficiel, dans la moitié inférieure on voit les anses capillaires centrales. Sur cette coupe épaisse et non colorée on ne voit pas les glandes de Lieberkühn. — 1. Réseau sanguin de la musculaire. — 2. De la sous-muqueuse. — 3. De la tunique propre (**Technique n° 115**).

qui siège presque immédiatement sous l'épithélium. Ces capillaires débouchent, au sommet de la villosité, dans un troncule veineux, qui descend verticalement et reçoit pendant son trajet les capillaires qui entourent les orifices glandulaires. Pour leur trajet ultérieur les veines se comportent comme celles du gros intestin.

Les glandes de Brünner sont entourées d'un réseau capillaire alimenté par les vaisseaux sanguins sous-muqueux.

Les *follicules lymphatiques* sont entourés d'un réseau capillaire superficiel, qui envoie de fins prolongements dans l'intérieur du follicule (fig. 159). Souvent ces capillaires n'atteignent pas le centre du follicule, qui se présente alors comme une tache anémiée non vasculaire.

9. — Vaisseaux lymphatiques de l'estomac et de l'intestin.

Les vaisseaux lymphatiques (*chylifères*) de l'estomac et de l'intestin commencent dans la muqueuse gastrique et intestinale par des capillaires fermés en cul-de-sac, et descendent entre les tubes glandulaires. Leur largeur est de 30 μ environ ; dans l'intestin grêle le lymphatique initial occupe l'axe de la villosité. Dans les villosités cylindriques ce lymphatique central est représenté par un conduit simple fermé à son extrémité supérieure ; dans les villosités lamellaires, ces conduits sont multiples et forment ainsi plusieurs centres principaux dans la villosité. La largeur de ces conduits varie de 27 à 36 μ. Tous ces vaisseaux plongent dans un réseau capillaire à mailles étroites siégeant à la base des tubes glandulaires, et s'anastomosant largement avec un second réseau à larges mailles occupant la tunique sous-muqueuse.

Les lymphatiques qui naissent de ce réseau, sont munis de valvules, ils traversent la tunique musculaire où ils reçoivent les branches d'un réseau lymphatique situé entre la couche musculaire longitudinale et la couche transversale. Ce réseau reçoit les nombreux capillaires lymphatiques qui se trouvent dans les deux couches musculaires. Arrivés sous la tunique séreuse (lymphatiques sous-séreux) les lymphatiques pénètrent entre les deux lames du mésentère entre lesquelles ils vont désormais cheminer.

La disposition que nous venons de donner subit des modifications en certains points de la muqueuse. Ces points correspondent aux plaques de Peyer. Les follicules, qui ne contiennent jamais de lymphatiques, font dévier les capillaires lymphatiques de leur marche ; ceux-ci, diminués dans leur nombre, mais augmentés de volume, occupent les interstices des follicules. Il est probable que les sinus lymphatiques du lapin ne sont que des capillaires extrêmement dilatés, puis comprimés un peu plus loin.

10. — Nerfs de l'estomac et de l'intestin.

Les nerfs sont en grand nombre et constitués pour la plupart par des fibres nerveuses dépourvues de myéline ; ils forment sous la séreuse un premier réseau ; ils traversent ensuite la couche des fibres musculaires longitudinales, pour former entre cette couche et la couche annulaire un réseau important, le *plexus myentericus* (plexus d'Auerbach). Ce réseau contient, au niveau des points de jonction de ses mailles, des groupes multiples de cellules ganglionnaires multipolaires. Les mailles de ce réseau sont irrégulièrement arrondies. De ce plexus naissent des fibres sans myéline, qui se terminent en partie dans les fibres musculaires lisses et en partie vont former, après avoir traversé la couche des fibres musculaires annulaires, un second plexus plus fin, siégeant dans la couche sous-muqueuse.

Les nerfs qui se rendent aux muscles forment dans la musculaire elle-même un riche réseau à mailles rectangulaires. Les fibres nerveuses qui en partent se divisent et vont se terminer non pas dans l'intérieur de la fibre musculaire mais à sa surface par un petit renflement.

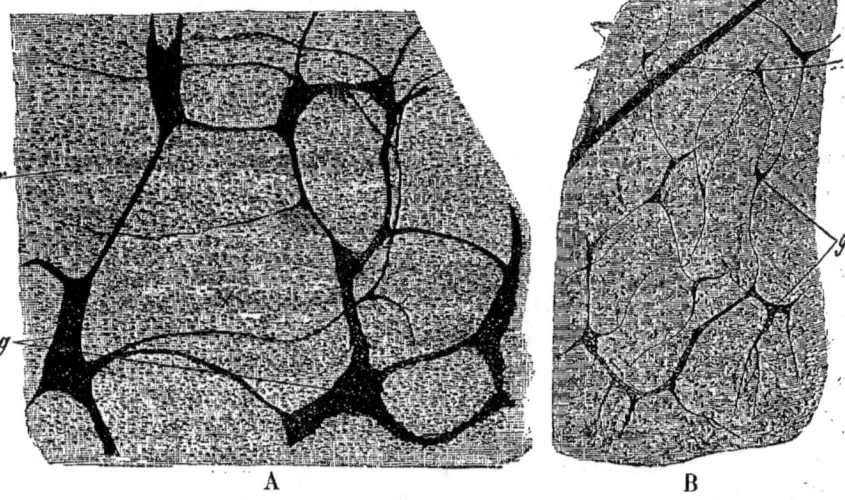

A   B

Fig. 160.

A. *Plexus d'Auerbach d'un enfant nouveau-né, vu de face* (Gross. 50). — *g*. Groupe de cellules ganglionnaires. — *r*. Couche musculaire annulaire reconnaissable à la direction rectiligne de ses noyaux (**Technique n° 116, a**).

B. *Plexus de Meissner d'un enfant nouveau-né, vu de face* (Gross. 50). — *g*. Groupe de cellules ganglionnaires. — *b*. Vaisseau sanguin traversant la préparation (**Technique n° 116, b**).

Le plexus de la sous-muqueuse porte le nom de *plexus de Meissner*. Les mailles sont plus étroites, les groupes de cellules ganglionnaires plus petits qu'au niveau du plexus d'Auerbach. De ce second réseau naissent des fibres très fines qui cheminent dans les interstices des glandes, pénètrent dans les villosités, où elles se terminent par des extrémités libres dans le parenchyme de la villosité, et plus loin sous l'épithélium sans entrer en connexion avec les cellules épithéliales.

On rencontre également entre les couches musculaires de l'œsophage un réseau nerveux correspondant au plexus myentericus.

11. — Glandes salivaires.

Les glandes salivaires — sous-maxillaires, sublinguales, parotides et pancréas, — sont des glandes en tubes composées, qui sécrètent soit du mucus, soit un liquide séreux albuminoïde, soit enfin les deux liquides à la fois.

Nous pouvons distinguer les glandes suivantes : 1° *glandes à mucus*, qui sont la sublinguale chez l'homme, le lapin, le chien et le chat, la sous-maxillaire chez le chien et le chat ; 2° *glandes séreuses*, qui sont la parotide chez l'homme, le lapin, le chien et le chat, la glande sous-maxillaire chez le lapin, le pancréas ; 3° *glandes mixtes*, qui sont les glandes sous-maxillaires chez l'homme, le singe, le cobaye et la souris.

GLANDE SUBLINGUALE. — Le conduit excréteur de cette glande (*canal de Bartholin*), est formé par une double couche d'épithélium cylindrique, reposant sur un tissu conjonctif mêlé de fibres élastiques. Cet épithélium se continue dans les tubes muqueux dont les cellules cylindriques basses ne présentent que dans un petit nombre de points la striation caractéristique (fig. 163, A). On ne peut démontrer avec certitude l'existence de pièces intermédiaires ; il est plus vraisemblable que les tubes muqueux se continuent directement avec les parties terminales (voyez *Structure des glandes*). Ces dernières sont constituées par une membrane propre et par des cellules à mucus ; la membrane propre est formée par des cellules conjonctives étoilées ; les cellules à l'état de vacuité sont réunies en groupes (fig. 161, 1 et 2), *croissants*, qui paraissent très grands. Le tissu conjonctif qui se trouve entre les tubuli et les lobules est très riche en leucocytes (fig. 161).

GLANDE PAROTIDE. — Le conduit excréteur de cette glande (*canal de Sténon*) se comporte comme celui de la glande sublinguale. En se ramifiant il se transforme en tubes salivaires, dont les cellules cylindriques possèdent nettement la striation mentionnée plus haut. Les pièces intermédiaires leur font suite. Ces pièces sont tapissées de cellules allongées souvent

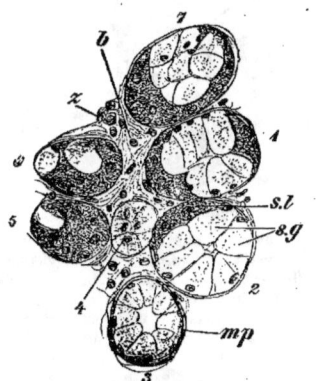

Fig. 161.

Coupe fine transversale de la glande sublinguale de l'homme. — Des 7 tubes coupés trois seulement (1, 2, 3) sont utiles pour l'étude. Dans le tube 2 on voit six cellules pleines (s. g) ; deux cellules vides (s. l) sont repoussées loin de la lumière du tube et forment un *croissant*. Dans le tube 3, il n'y a que des cellules pleines dont le contenu est fortement coloré. — 4. Coupe tangentielle d'un tube de ce genre. — 5, 6, 7. Coupes obliques de tubes semblables aux tubes 1 et 2. La coupe passe par les croissants, mais pas par la lumière du tube. — *mp.* Membrane propre. — *b.* Tissu conjonctif avec de nombreux leucocytes, *z.* **(Technique n° 117).**

fusiformes. Elles se continuent avec les portions terminales constituées par une membrane propre, formée de cellules conjonctives étoilées, sur laquelle sont implantées les cellules cubiques des glandes albumineuses. Ces cellules sont petites et troubles à l'état de repos ; elles augmentent de volume et deviennent plus claires pendant la période d'activité physiologique de la glande.

GLANDE SOUS-MAXILLAIRE. — Le conduit excréteur de cette glande (*canal de Warthon*) comprend un épithélium cylindrique disposé sur deux couches ; une membrane conjonctive riche en cellules, et au-dessous de celle-ci une couche mince de fibres musculaires lisses à direction longitudinale ; il se continue avec les tubes sécréteurs (fig. 163), précédant les pièces intermédiaires revêtues, elles, de cellules cubiques : ces pièces conduisent dans les parties terminales dont les cellules glandulaires sont tantôt séreuses (comme dans la parotide), tantôt muqueuses avec croissants.

PANCRÉAS. — Le conduit excréteur, ou canal de Virsung, est formé d'une paroi conjonctive tapissée par une simple couche de cellules cylindriques ; le

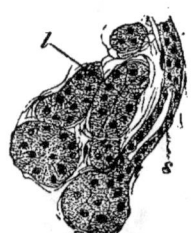

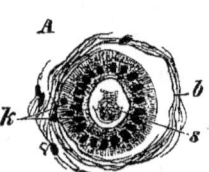

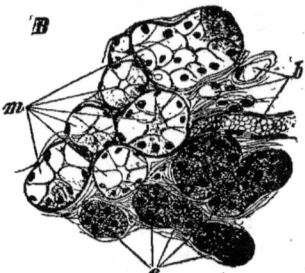

Fig. 162.

Fragment d'une coupe fine de parotide humaine (Gross. 240). — *s*. Pièce intermédiaire. La lumière étroite du tube ne se voit qu'en *l*, les autres tubes ont été coupés obliquement. La forme des cellules dans la pièce intermédiaire est impossible à reconnaître (**Technique n° 117**).

Coupe fine de la glande sous-maxillaire de l'homme (Gross. 240). — A. Coupe perpendiculaire d'un tube salivaire. A droite de la coupe, les cellules épithéliales sont séparées de la paroi conjonctive *b* ; à ce niveau on voit très bien la striation longitudinale des cellules. — *k*. Noyau des leucocytes migrateurs. — *s*. Produit de sécrétion.

Fig. 163.

B. *m*. Tubes glandulaires avec cellules muqueuses. — *e*. Tubes avec cellules glandulaires albumineuses. La lumière des premiers est visible dans 4 tubes, et dans un seul des seconds. — *b*. Vaisseaux sanguins ; le plus inférieur de ces vaisseaux est coupé longitudinalement, il est rempli de globules rouges (**Technique n° 117**).

tissu conjonctif est plus serré sous l'épithélium qu'à la périphérie de la paroi du conduit. Le conduit excréteur principal et ses branches plus volumineuses contiennent, dans leur paroi, des petites glandes muqueuses. Les branches du conduit excréteur se continuent directement avec les pièces intermédiaires ; leurs cellules épithéliales cylindriques, de moins en moins allongées, finissent par s'aplatir dans les pièces intermédiaires, et leur grand axe est parallèle à la paroi. Ces pièces intermédiaires sont très longues et gréles ; en se rapprochant des culs-de-sac terminaux, elles se divisent et se terminent brusquement dans ces culs-de-sac. Ceux-ci sont tapissés par des cellules cylindriques basses ou sphériques qui se distinguent de toutes les autres cellules glandulaires par ce fait que la portion tournée du côté de la lumière du tube renferme des granulations fortement réfringentes (fig. 164, A). Granulations zymogènes.

Le segment périphérique de la cellule plus clair contient un noyau arrondi.

La place qu'occupent ces deux segments dans la cellule varie avec l'activité de la glande. Au début de la digestion, les granulations disparaissent, et le segment clair occupe par conséquent une plus grande place dans la cellule ; bientôt le segment granuleux augmente tellement de dimensions qu'il prend presque toute la cellule. A jeun les deux segments sont sensiblement égaux.

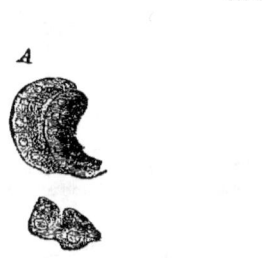
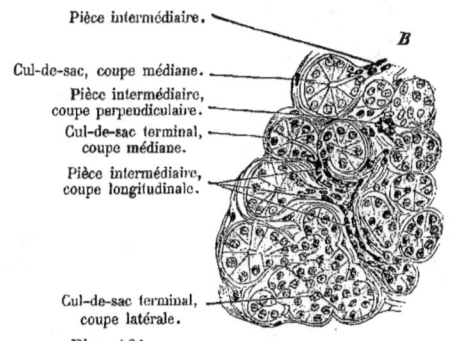

Pièce intermédiaire.

Cul-de-sac, coupe médiane.
Pièce intermédiaire, coupe perpendiculaire.
Cul-de-sac terminal, coupe médiane.
Pièce intermédiaire, coupe longitudinale.

Cul-de-sac terminal, coupe latérale.

Fig. 164.

A. *Cellules glandulaires du pancréas du chat* (Gross. 260). — A la partie supérieure, cellules groupées telles qu'on les voit généralement ; à la partie inférieure, deux cellules isolées.

B. *Coupe du pancréas d'un enfant nouveau-né* (Gross. 240). **Technique n° 118).**

Si l'on traite les glandes salivaires par la méthode de Golgi, tous les produits de sécrétion sont colorés, tandis que le tissu interstitiel reste incolore. On voit alors partir de la lumière centrale les capillaires sécrétoires (fig. 165 et 166) qui s'insinuent entre les cellules sans atteindre la membrane propre de l'alvéole et se terminent par des extrémités libres sans anastomose. Il est possible que les dernières ramifications arrivent dans l'intérieur des cellules glandulaires.

Les glandes salivaires sont riches en *vaisseaux sanguins*. En général les artérioles destinées aux glandes suivent le trajet des conduits excréteurs ; elles se divisent chemin faisant en un certain nombre de ramuscules qui,

placés d'abord entre les lobules glandulaires, pénètrent ensuite ces lobules
et se résolvent finalement en un riche réseau capillaire autour des tubes
glandulaires. Les capillaires arrivent presque au contact des cellules glandulaires. Les veines les plus importantes suivent le trajet des artères.

On ne possède pas encore de données précises sur les *vaisseaux lymphatiques* des glandes salivaires. On a décrit comme voies lymphatiques les espaces interlobulaires et les fentes inter-tubulaires.

Les glandes salivaires sont riches en plexus nerveux renfermant des fibres
à myéline et d'autres sans myéline. Ces fibres présentent dans leur trajet
des groupes microscopiques de cellules ganglionnaires.

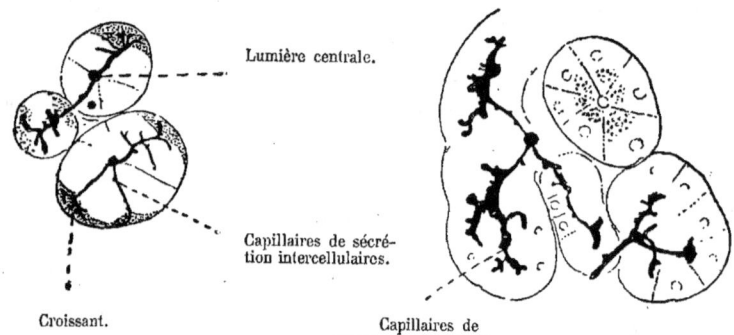

Lumière centrale.

Capillaires de sécré-
tion intercellulaires.

Croissant.

Capillaires de
sécrétion intercellulaires.

Fig. 165.

Fig. 166.

Portion d'une coupe de la glande sous-ma-
xillaire d'un chien (Gross. 320. **Technique**
nᵒ 124).

Portion d'une coupe du pancréas de l'homme
adulte (Gross. 320. **Technique nᵒ 124**).

Les fibres nerveuses fines sans myéline se ramifient en partie dans la paroi
des vaisseaux et forment un réseau immédiatement en contact avec la membrane propre des acini glandulaires ; de ce réseau naissent des fibres fines
qui traversent la membrane propre, et se ramifiant forment un second réseau
sous-membraneux d'où partent des fibres courtes, variqueuses, soit simples,
soit ramifiées, qui vont se mettre en rapport avec les cellules glandulaires (1).

12. — Foie.

Le foie est une glande en tubes composée. Faisons une coupe du foie et
examinons la surface de cette coupe, nous voyons qu'elle est divisée en espaces polygonaux irréguliers, tantôt bien délimités (cochon), tantôt moins
nettement séparés (chez l'homme ·et la plupart des mammifères). Ces espaces

(1) La même disposition s'observe pour d'autres glandes (les glandes sudoripares,
les glandes mammaires, et les glandes du tarse).

sont les lobules hépatiques (ilots du foie, nommés encore sans raison, *acini*).

Leur forme exacte est celle d'un prisme arrondi en haut, et tronqué obliquement en bas, la hauteur du prisme serait 2 mm., sa largeur 1 mm. (fig. 167). A la surface du foie les lobules sont disposés de telle sorte que leur sommet est tourné vers la périphérie, une coupe parallèle à la surface sectionne les lobules transversalement (fig. 169); dans l'intérieur du foie les lobules présentent une direction variée. Chaque lobule se compose de cellules glandulaires et de vaisseaux sanguins, et se trouve séparé de ses voisins par le tissu conjonctif (1) *interlobulaire*, qui renferme les ramifications des conduits excréteurs (le canal hépatique), ainsi que les ramifications de la veine porte, et de l'artère hépatique, des vaisseaux lymphatiques, et des nerfs.

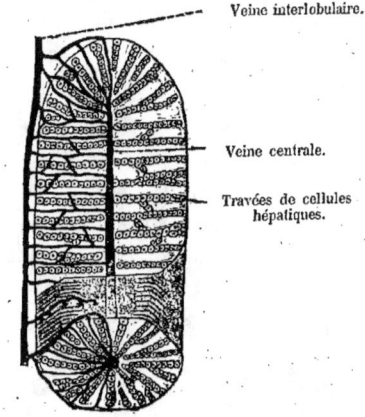

Veine interlobulaire.

Veine centrale.

Travées de cellules hépatiques.

Fig. 167.

Schéma d'un lobule hépatique (Gross. 20). — On voit en bas la coupe transversale, et dans la moitié supérieure la coupe longitudinale. Dans la moitié gauche les vaisseaux sont marqués, dans la moitié droite il n'y a que les travées cellulaires.

Le conduit principal d'excrétion, et ses branches les plus volumineuses se composent d'une seule couche d'épithélium cylindrique, contenant parfois des cellules caliciformes, et de tissu conjonctif formant une tunique propre et une sous-muqueuse. La tunique propre renferme les glandes des conduits biliaires, des culs-de-sac plutôt courts, piriformes, tapissés de cellules muqueuses ; on y voit aussi des fibres musculaires lisses isolées tantôt à direction longitudinale, tantôt à direction transversale. Le canal cystique et le canal cholédoque présentent la même structure, de même la vésicule biliaire dont la tunique propre se soulève en forme de plis anastomosés. Dans la vésicule on trouve aussi une couche mince de fibres musculaires lisses entrecroisées. Les cellules épithéliales cylindriques de la vésicule biliaire sont remarquables par leur hauteur, elles mesurent 0,05 mm. et celles du canal cholédoque n'ont que 0,024 mm. (2).

(1) De la quantité de tissu interlobulaire dépend la délimitation plus ou moins nette des lobules.

(2) On désigne sous le nom de *vasa aberrantia* des conduits biliaires terminés en culs-de-sac, cheminant en dehors du parenchyme hépatique. On les trouve de préférence au bord gauche du foie (Lig. triang. gauche), au hile du foie et dans le voisinage de la veine cave. Ils représentent les derniers restes de substance hépatique qui existait là dans la période embryonnaire.

Les conduits biliaires interlobulaires qui résultent de la division du canal hépatique offrent une paroi d'autant moins épaisse que leur calibre est plus petit ; les plus gros se composent encore d'épithélium cylindrique simple de tissu conjonctif et de fibres élastiques ; les plus fins ne possèdent plus qu'une membrane propre anhiste et une couche de cellules épithéliales pourvues d'une bordure cuticulaire ; ces cellules, lorsqu'on arrive au lobule, se mettent directement en contact avec les cellules glandulaires (1).

Les cellules glandulaires du foie ou *cellules hépatiques* sont des éléments polygonaux irréguliers constitués par un protoplasma granuleux et par un ou plusieurs noyaux ; ces cellules ne possèdent pas de membrane. Ce protoplasma contient des granulations pigmentaires et des gouttelettes graisseuses de volume variable ; ces gouttelettes sont surtout abondantes dans les cellules hépatiques d'animaux qui allaitent ou de personnes qui sont bien nourries. Les cellules hépatiques mesurent de 18 à 26 μ, et présentent également des aspects différents suivant qu'elles sont ou non en activité (fig. 168, B). Elles sont tantôt petites, troubles sans contours nets, surtout chez les animaux à jeun ; tantôt volumineuses avec une partie centrale claire et une partie périphérique constituée par de grosses granulations disposées en anneau ; ce dernier aspect se rencontre surtout pendant la digestion. Chez l'homme le foie contient souvent en même temps ces deux variétés de cellules. La disposition des cellules hépatiques est tout à fait particulière chez les vertébrés supérieurs (2). On ne trouve aucune apparence de tube glandulaire comme on aurait pu le supposer étant donné le caractère tubuleux du foie. Les cellules hépatiques sont réunies en cordons et feuillets minces nommés travées s'irradiant vers la périphérie en partant d'une petite veine (veine centrale) occupant l'axe du lobule hépatique (fig. 167 et 169) ; des branches latérales réunissent les cellules voisines. On ne peut pas par les méthodes ordinaires voir une lumière à ces travées, mais on démontre son existence en injectant le système caniculaire par le canal hépatique, et en traitant par la méthode de Golgi, qui colore la bile en noir. On voit ainsi que le sys-

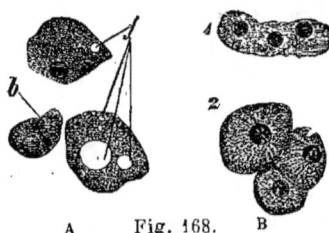

A   Fig. 168.   B

A. *Cellules hépatiques de l'homme* (Gross. 560).— Cellules isolées contenant des granulations graisseuses *f*, les unes petites, les autres plus grosses. En *b*, encoche produite par un vaisseau sanguin (**Technique n° 119**).

B. *Cellules hépatiques vues sur une coupe.*— 1. Cellules provenant d'un animal à jeun. — 2. Cellules pendant la digestion (**Technique n° 121**).

(1) Cette transition est difficile à voir, on la reconnaît sur des conduits biliaires injectés ou noircis par la méthode de Golgi.

(2) Chez les vertébrés inférieurs (amphibies, reptiles) les cellules hépatiques forment des tubes typiques.

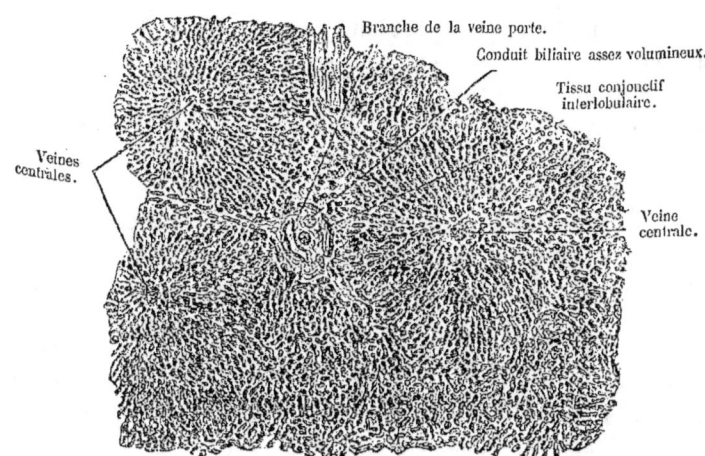

Branche de la veine porte.

Conduit biliaire assez volumineux.

Tissu conjonctif interlobulaire.

Veines centrales.

Veine centrale.

Fig. 169.

Portion d'une coupe parallèle de foie humain (Gross. 40). — Trois veines centrales coupées transversalement représentent chacune le centre d'autant de lobules, qui à leur périphérie sont peu distincts des lobules voisins. En bas et à droite on voit des lobules coupés obliquement dont les limites ne sont pas perceptibles **(Technique nº 121)**.

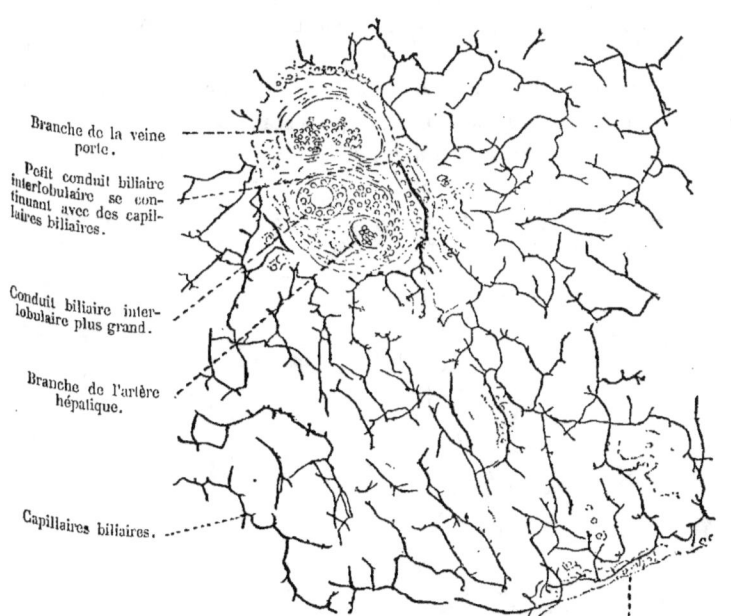

Branche de la veine porte.

Petit conduit biliaire interlobulaire se continuant avec des capillaires biliaires.

Conduit biliaire interlobulaire plus grand.

Branche de l'artère hépatique.

Capillaires biliaires.

Portion située contre la veine centrale.

Fig. 170.

Portion d'une coupe du foie du chien (Gross. 240).— Capillaires biliaires traités par la méthode de Golgi **(Technique nº 124)**.

tème canaliculaire (lumière) des conduits biliaires les plus fins se continue directement dans les lobules hépatiques, formant là probablement un réseau à mailles polygonales. En réalité il y a peu de mailles, on a l'illusion d'un réseau parce que les canalicules s'entrecroisent dans des plans différents ; ils ont en outre un trajet en zig-zag, et sont pourvus de branches latérales à extrémité terminée en cul-de-sac (fig. 170).

Le système canaliculaire intralobulaire envisagé dans son ensemble en ce qui concerne ses divisions, paraît peu eu rapport avec les ramifications des travées des cellules hépatiques, celles-ci, moins abondantes que celles-là, on a l'impression d'un certain degré d'indépendance de ce système canalicu-laire (1), d'où le nom de *capillaires biliaires* par lequel on le désignait.

Les coupes fines font voir que les *capillaires* présentent certainement le même rapport avec les cellules hépatiques que les canaux des autres glan-des présentent avec les cellules glandulaires limitantes, au moins dans les points essentiels. Il y a pourtant des différences. La première différence est celle-ci : peu de cellules hépatiques, d'ordinaire deux suffisent pour la déli-mitation d'un capillaire biliaire (fig. 177), tandis que dans les autres glandes la lumière est délimitée par plusieurs cellules glandulaires (comp. p. ex. fig. 161, 3). Cela provient de la disproportion très grande entre le diamètre de la lumière des capillaires biliaires et celui des cellules hépatiques ; deux cellules suffisent exactement pour la délimitation du canal biliaire. Celui-ci, somme toute, est formé par deux cellules présentant chacune une rainure, et disposées de telle façon que les rainures se correspondent. Il y a

(1) A ceci correspond également la tendance qu'on avait à trouver aux capillaires biliaires une paroi spéciale. On pourrait parler d'une paroi en ce sens qu'à l'en-

Capillaires biliaires
sans boutons.

Capillaires biliaires
avec boutons.

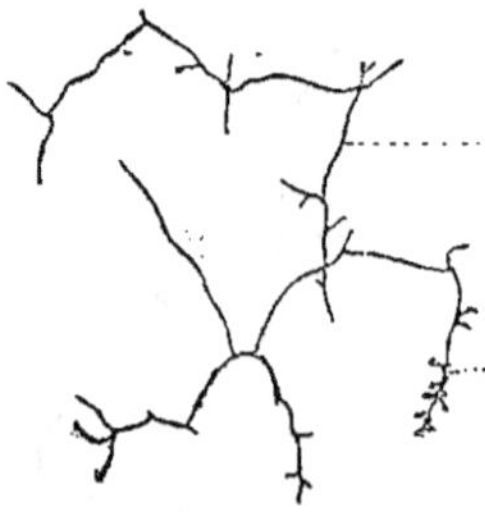

Fig. 171.
Portion d'une coupe du foie du chien (Gross. 490.
Technique n° 124).

droit des capillaires biliaires la membrane cuticulaire des cellules hépatiques se modifie un peu ; cette couche est en continuation avec la bordure cuticulaire de l'é-pithélium du conduit biliaire interlobulaire.

une seconde différence. Il n'est pas possible de trouver dans le foie un capillaire sécréteur distinct du canal principal, comme on en trouve dans beaucoup d'autres glandes ; on ne peut pas dire : la cellule hépatique a une de
ses surfaces en rapport avec la lumière principale, et d'autres avec les capillaires sécréteurs, ce que l'on peut dire c'est que la cellule hépatique est en
contact par plusieurs faces avec les capillaires biliaires (1). Cette disposition
explique la multiplicité des capillaires biliaires malgré le petit nombre de
cellules hépatiques qui les délimitent. Si nous considérons les vaisseaux
sanguins, nous voyons que la veine porte joue dans le foie le même rôle
que l'artère joue dans les autres glandes ; l'artère hépatique n'a qu'un rôle
secondaire, elle sert à la nutrition des ramifications interlobulaires des conduits biliaires de la veine porte, et des veines hépatiques.

Des branches de la veine porte, nommées encore veines interlobulaires à
cause de leur situation entre les lobules, naissent de nombreux capillaires
qui mesurent de 10 à 14 μ de largeur. Ils pénètrent dans les lobules, s'anastomosent entre eux pendant leur trajet et aboutissent finalement à une petite
veine située dans l'axe du lobule, veine centrale (intralobulaire) dont la coupe
transversale et longitudinale est visible même sur le foie non injecté (fig.169).
Les veines centrales représentent les racines des veines hépatiques : elles
s'ouvrent sur les veines sus-lobulaires qui cheminent au niveau de la partie
aplatie du lobule hépatique considérée comme la base (fig. 174).

Les rapports entre les capillaires de la veine porte, les cellules hépatiques
et les capillaires biliaires demandent à être étudiés spécialement. Entre le
réseau des capillaires portes se trouvent pressées les travées des cellules hépatiques ; le contact des vaisseaux sanguins et des cellules glandulaires devient très intime ; les coupes nous apprennent qu'une cellule hépatique n'est
pas en contact avec les vaisseaux sanguins sur un seul côté, mais sur plusieurs (fig. 175). C'est une particularité qu'on ne trouve pas dans les autres
glandes ; dans celles-ci les vaisseaux sanguins limitent un seul côté des cellules glandulaires ; c'est chose facile à comprendre si l'on considère que sur
la coupe transversale la lumière (des capillaires biliaires) se trouve limitée
par deux cellules hépatiques seulement, tandis que dans les autres glandes
tubuleuses la coupe transversale de la lumière se trouve entourée d'un nombre considérable de cellules, 6 et même davantage (V. Schéma fig. 176).

(1) On voit souvent de fines ramifications latérales partir des capillaires biliaires
et se terminer par un petit renflement en forme de bouton. Le bouton correspond
à une petite vacuole qui se trouve dans la cellule hépatique, elle communique par
un canal mince (la ramification latérale fine) avec le capillaire biliaire. Il s'agit ici
sans doute de formations transitoires en rapport avec certains états fonctionnels ;
la preuve en est que des portions entières du système canaliculaire n'ont pas ces
renflements tandis que les canaux voisins en sont pourvus (fig. 171).

Par contre de même que dans les autres glandes une cellule glandulaire dans le foie se trouve interposée entre un vaisseau sanguin, et une lumière glandulaire.

Dans aucun endroit les capillaires sanguins et les capillaires biliaires ne sont en contact, il y a toujours entre eux soit une portion de cellule glandulaire, soit une cellule entière. On est convaincu de ce fait quand on a examiné des coupes fines du foie de lapin sur lesquelles les capillaires sanguins ont été sectionnés transversalement (fig. 177), on voit également sur ces coupes que les capillaires biliaires cheminent sur les faces des cellules hépatiques, et les capillaires sanguins sur leurs bords ; ceci n'est pas cependant une règle absolue car on trouve aussi des capillaires biliaires sur les bords (fig. 177), surtout chez l'homme.

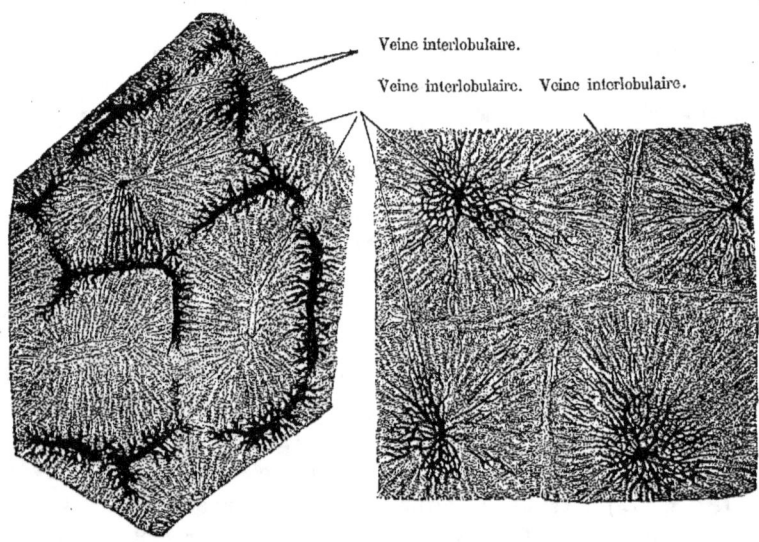

Veine interlobulaire.

Veine interlobulaire.   Veine interlobulaire.

Fig. 172.   Fig. 173.

Fig. 172. — *Fragment d'une coupe de foie de lapin parallèle à la surface*. Injection par la veine porte (Gross. 40). — On voit trois lobules. La masse à injection a seulement rempli les branches de la veine porte (V. interlobulaires), dans le lobule supérieur elle a pénétré jusque dans la veine centrale (**Technique n° 123**).

Fig. 173. — *Foie de chat*. Injection par la veine cave inférieure. Coupe parallèle à la surface (Gross. 40). — On voit 4 lobules hépatiques. La masse à injection a rempli la veine centrale et les capillaires qui s'y rendent ; elle n'a pas pénétré jusqu'à la veine porte (**Technique n° 123**).

Les branches de l'artère hépatique cheminent avec celles de la veine porte ; elles se modifient dans le tissu interlobulaire seulement, elles entourent les conduits biliaires les plus volumineux, les branches de la veine porte, et celles des veines hépatiques. Les veines provenant de l'artère c'est-à-dire de ses capillaires communiquent avec les branches de la veine porte (veines interlobulaires) ou même avec les premiers capillaires de la veine porte. L'artère hépatique forme dans la capsule du foie (V. plus bas) un réseau capillaire à larges mailles.

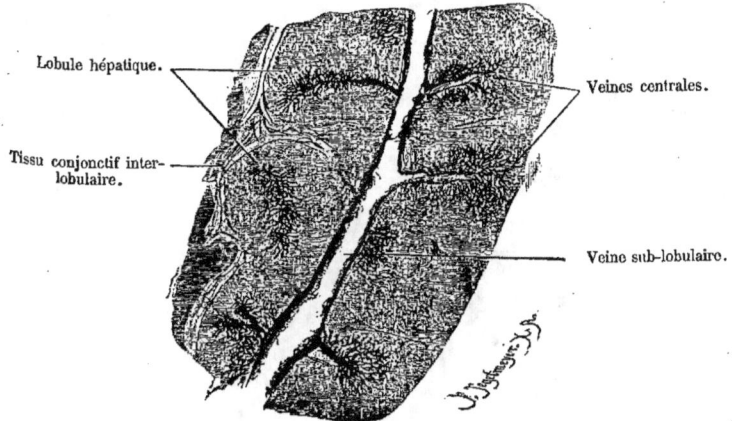

Lobule hépatique.

Veines centrales.

Tissu conjonctif interlobulaire.

Veine sub-lobulaire.

Fig. 174.

Fragment d'une coupe perpendiculaire d'un foie de chat. Injection par la veine cave inférieure (Gross. 15).— Une veine sub-lobulaire coupée suivant sa longueur reçoit un certain nombre de veines centrales. La masse à injection n'a pénétré que dans les grosses branches veineuses (**Technique n° 123**).

Le trajet des vaisseaux sanguins peut donc être résumé de la façon suivante : La veine porte entre dans le foie au niveau du hile, elle se divise et se subdivise en branches devenant de plus en plus fines qui cheminent entre les lobules du foie (veines interlobulaires). Elles donnent naissance aux capillaires qui convergent vers l'axe du lobule et débouchent dans la veine centrale (veine interlobulaire) qui occupe cet axe. Plusieurs de ces veines se réunissent pour former une veine sus-lobulaire; celles-ci, ainsi que les veines hépatiques, plus volumineuses, résultant de leur réunion ont un trajet interlobulaire.

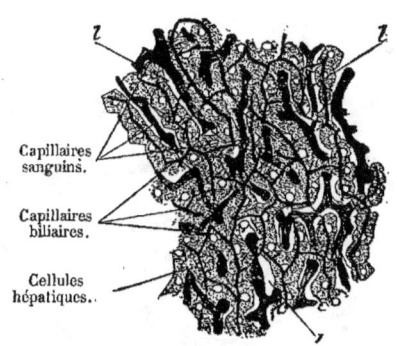

Capillaires sanguins.

Capillaires biliaires.

Cellules hépatiques.

Fig. 175.

Coupe d'un foie de lapin. Les capillaires portes ont été injectés en rouge, les capillaires biliaires en bleu (Gross. 240).— Les cellules hépatiques sont en rapport de deux côtés avec les capillaires sanguins. A certains endroits la masse à injection rouge s'est rétractée ; il s'est formé des vides entre les cellules hépatiques et les capillaires sanguins. Les capillaires biliaires ne sont nulle part en rapport avec les capillaires sanguins, ils en sont toujours séparés au moins par la moitié de la largeur d'une cellule. Les taches sombres représentent la coupe oblique de capillaires sanguins, placés verticalement dans l'épaisseur de la coupe.

Le foie est entouré d'une capsule conjonctivo-élastique développée surtout au niveau du hile du foie. Elle porte le nom de *capsule de Glisson*, et accompagne les différents vaisseaux dans leur trajet intra-hépatique, où elle leur forme une gaine spéciale. Le tissu conjonctif inter-lobulaire est généralement peu abondant. La délimitation des lobules est donc imparfaite (Voyez **technique nᵒˢ 115 et 116**).

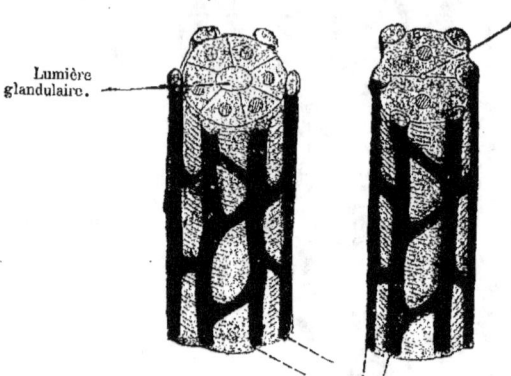

Lumière glandulaire.

Lumière glandulaire (capillaires biliaires).

Vaisseaux sanguins.

Fig. 176.

Schéma d'un tube glandulaire ordinaire (à gauche) et d'un tube hépatique (à droite).

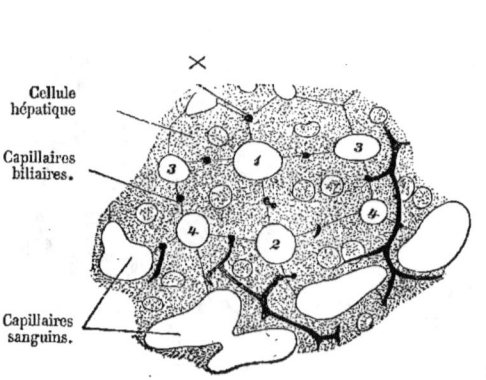

Cellule hépatique

Capillaires biliaires.

Capillaires sanguins.

Fig. 177.

Coupe fine d'un foie de lapin avec des capillaires biliaires injectés (Gross. 560). — La figure n'est pas schématique. La cellule à droite du capillaire biliaire marqué se trouve ainsi que sa voisine à droite, en contact avec 4 capillaires sanguins (1, 2, 3, 4). ✕ capillaires biliaires sur le bord d'une cellule hépatique.

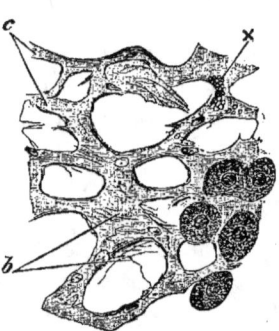

Fig. 178.

Coupe de foie humain traitée au pinceau (Gross. 240). — *c.* Capillaire sanguin contenant en X des globules rouges. — *b.* Tissu conjonctif intralobulaire. La plupart des cellules hépatiques ont été chassées des mailles des capillaires, à droite seulement de la coupe on trouve encore des cellules (**Technique nᵒ 122**).

Le tissu conjonctif interlobulaire envoie quelques fibres très fines dans l'intérieur du lobule, où elles forment le tissu conjonctif intralobulaire ; ce tissu conjonctif interlobulaire affecte souvent une forme radiée et se dispose en treillage.

Les *vaisseaux lymphatiques* du foie accompagnent les ramifications de la veine porte, autour desquelles ils forment des réseaux plus ou moins riches ; ils accompagneraient les capillaires portes dans leur trajet intralobulaire pour sortir du lobule avec la veine centrale. Les vaisseaux lymphatiques profonds s'anastamosent largement avec le réseau lymphatique à mailles étroites qu'on rencontre dans la capsule de Glisson.

Les *nerfs* du foie sont constitués par des fibres nerveuses dépourvues de myéline, mélangées de quelques rares fibres à myéline ; ces nerfs pénètrent dans le foie avec l'artère hépatique dont ils suivent les ramifications. Leur mode de terminaison est encore inconnu. Le trajet de ces nerfs est interrompu par la présence de cellules ganglionnaires.

Le produit de sécrétion, *la bile,* contient souvent des gouttelettes graisseuses, des amas granuleux de matière colorante de la bile. La présence dans la bile de cellules cylindriques des conduits biliaires n'est qu'accidentelle.

Ce qui précède a montré que le foie est réellement construit d'après le type des glandes tubuleuses, et que les travées des cellules hépatiques sont comparables, à quelques modifications près, aux extrémités terminales des autres glandes. Les acini hépatiques ne sont pas comparables aux autres acini glandulaires ; ces derniers se composent, en général, d'un système acineux dont le conduit excréteur unique à sa sortie se relie à un conduit excréteur plus grand. Dans les acini hépatiques, les conduits excréteurs (conduits biliaires interlobulaires) sortent de plusieurs endroits.

Les schémas suivants pourraient aider à la compréhension d'un lobule hépatique. Qu'on se représente un lobule glandulaire (fig. 179) ; sur le côté du conduit excréteur chemine une artère, les capillaires qui en émanent entourent les culs-de-sac terminaux, et s'abouchent dans une veine qui chemine à la base du lobule. Chacun des nombreux systèmes lobulaires dont se compose le foie se conduit en principe de la même façon avec quelques particularités cependant : les culs-de-sac terminaux peu sinueux, cheminent dans une direction déterminée (fig. 180). A la base de ces culs-de-sac on trouve la veine comme ci-dessus, mais elle affecte une direction particulière : elle ne reçoit

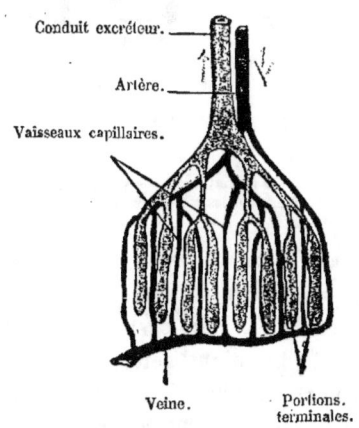

Conduit excréteur.

Artère.

Vaisseaux capillaires.

Veine.   Portions. terminales.

Fig. 179.
Schéma d'un système de conduits.

pas ses capillaires d'un côté seulement, elle les reçoit de deux côtés (1), car
elle se trouve en rapport avec un autre système lobulaire dont les culs-de-
sac viennent à son contact, La veine se trouve ainsi placée dans l'axe d'un
complexus des culs-de-sac que nous désignons sous le nom de *lobule hépatique*. Comparons avec le schéma (fig. 179) ; l'artère de là correspond ici à la
branche de la veine porte, car la veine porte joue vis-à-vis du foie le même
rôle que les branches artérielles dans les autres glandes ; la veine dans la fi-

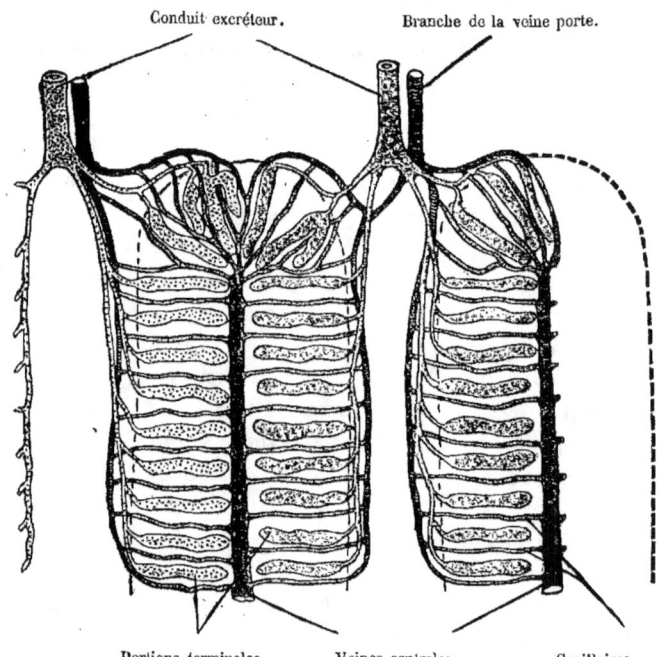

Fig. 180.

Schéma du foie. On voit deux lobules, dont le droit est dessiné à moitié. Les ramifications et les anastomoses, ainsi que les capillaires sont supprimés pour ne pas nuire à la clarté de la figure.

gure 179 correspond à la veine centrale de la figure 180 ; un lobule hépatique
ne correspond donc pas à un système de lobule glandulaire, mais à des portions de plusieurs systèmes (fig. 181). Ce schéma si simple, se rapporte au
lobule hépatique nettement séparé comme il se trouve chez le porc. Chez
d'autres animaux, la distribution des ramifications terminales n'est pas si
régulière, ces dernières pénètrent dans d'autres lobules voisins aussi, d'où

(1) Ceci n'est pas toujours le cas : dans le foie du lapin il existe immédiatement
sous la surface des *veines centrales*, lesquelles ne reçoivent les capillaires que d'un
côté.

il résulte une délimitation moins nette. Chaque système de conduits contribue à la formation de plusieurs lobules.

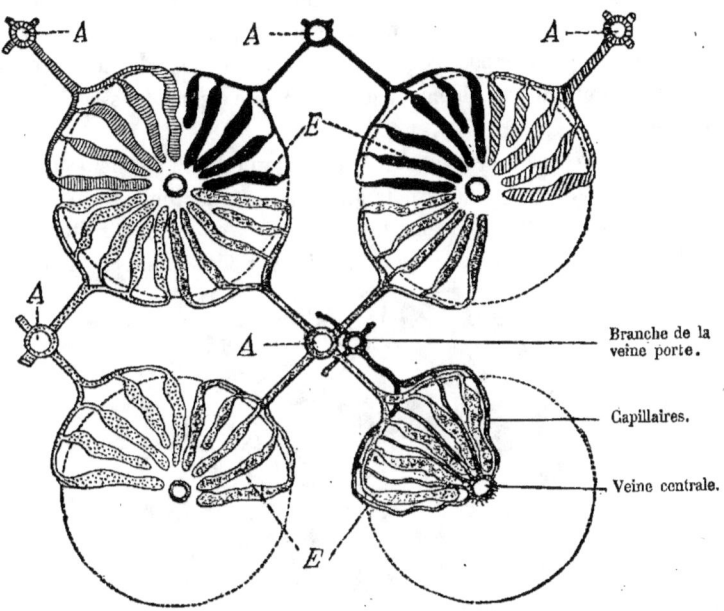

Branche de la veine porte.

Capillaires.

Veine centrale.

Fig. 181.

Schéma. Coupe transversale du foie. Quatre lobules sont dessinés. Les divers systèmes de conduits sont marqués par diverses teintes. A. conduits excréteurs, E. portions terminales.

13. — Péritoine.

Le péritoine est essentiellement constitué par des faisceaux conjonctifs et par un grand nombre de réseaux élastiques ; sa surface libre est recouverte d'une simple couche de cellules épithéliales, polygonales aplaties. L'union des feuillets péritonéaux et des organes sous-jacents (paroi abdominale, viscères) est réalisée par un tissu conjonctif *lâche* (*tissu conjonctif sous-séreux*).

Au niveau de l'intestin grêle, les cellules endothéliales du péritoine envoient dans le tissu sous-séreux de fins prolongements qui vont jusqu'à la couche musculaire.

Les *faisceaux conjonctifs* sont moins volumineux dans le feuillet viscéral du péritoine que dans son feuillet pariétal. Il en est de même de la couche que ces faisceaux forment par leur union, en s'entrecroisant en différents sens. Dans certains points, comme au niveau du grand épiploon, ou au centre du petit épiploon, ces faisceaux forment un réseau élégant à mailles polygonales ou rectangulaires. Les trabécules de ce réseau sont également recouverts de cellules épithéliales aplaties (fig. 182).

Les cellules conjonctives sont relativement peu nombreuses au milieu des faisceaux qui constituent le péritoine. Ce n'est que chez les jeunes animaux qu'on trouve des groupes assez riches de cellules analogues aux cellules plasmatiques et qui probablement jouent un rôle capital dans la formation des vaisseaux.

Les *fibres élastiques* atteignent leur plus grand développement dans les couches profondes du péritoine et notamment dans le feuillet pariétal.

Le *tissu sous-séreux* est constitué par un tissu conjonctif lâche, par un grand nombre de fibres élastiques et par de la graisse en plus ou moins grande

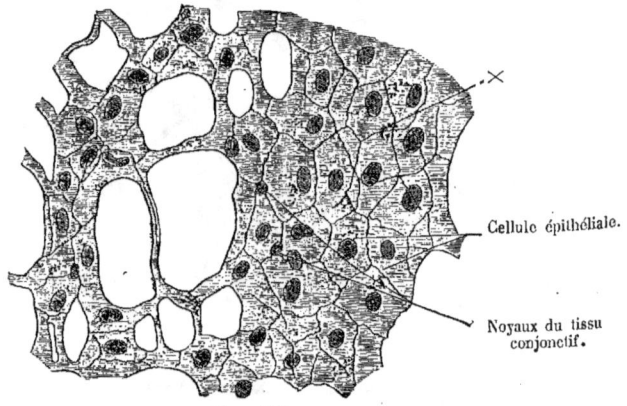

Cellule épithéliale.

Noyaux du tissu conjonctif.

Fig. 182.

Fragment du grand épiploon du lapin (Gross. 240). — Faisceaux conjonctifs, les uns larges, les autres minces, formant des mailles. La striation des faisceaux est masquée par le montage au baume. En X, on voit par transparence les cellules épithéliales de la face opposée (**Technique n° 125**).

abondance. Là où le péritoine jouit d'une grande mobilité, le tissu sous-séreux est en grande abondance ; au niveau du foie et de l'intestin il est tellement réduit, comme quantité, qu'il ne forme plus une couche distincte.

En certaines régions, par exemple dans le ligament large de l'utérus, on trouve dans le tissu sous-séreux un riche réseau de fibres musculaires lisses.

Le péritoine est peu riche en *vaisseaux sanguins* et en *nerfs*. Ces derniers se terminent en partie dans des corpuscules de Vater. Les *lymphatiques* siègent dans les couches superficielles et profondes du péritoine.

TECHNIQUE

N° 95. Cellules épithéliales plates de la cavité buccale. — On enlève avec un scalpel, en grattant la face supérieure de sa propre langue, un peu de mucus, qu'on examine dans une goutte d'une solution de sel de cuisine. Outre les cellules épithéliales plates isolées et pâles, on rencontre également des leucocytes (corpuscules salivaires), et si le grattage est un peu plus accentué, on trouve les extrémités des papilles filiformes souvent entourées d'une masse sombre finement granuleuse (micrococci). A côté des amas de microcoques on aperçoit des mycéliums (leptothrix buccalis). On peut colorer la préparation en déposant sur le bord de la lamelle couvre-objet une goutte de picro-carmin. On substitue ensuite à la matière colorante une goutte de glycérine acidulée et étendue d'eau, et l'on peut conserver la préparation si elle ne renferme pas un trop grand nombre de bulles d'air.

N° 96. Glandes à mucus. — Les glandes à mucus des lèvres ont l'aspect de nodules de la grosseur d'un grain de millet et peuvent être vues même à l'œil nu. Pour les préparations microscopiques, il faut couper sur la muqueuse de la lèvre inférieure (pas sur le bord) des fragments de 1 cent. environ : on les fixe dans 50 cent. cubes d'acide sulfo-picrique de Kleinenberg et après 24 heures on les durcit dans 50 cent. cubes d'alcool progressivement renforcé. Trois jours après, on peut faire les coupes. On les fera nombreuses, pas trop minces, et on les colorera à l'hématoxyline de Hansen. On choisit à l'œil nu celles qui renferment un conduit excréteur, et l'on monte dans le baume d'après les procédés ordinaires. Ces coupes doivent être examinées à un faible grossissement (fig. 128).

N° 97. Section de dents. — Il faut prendre des dents aussi fraîches que possible ; s'il s'agit de coupes transversales on prend un fragment de 2 mm. de large environ ; s'agit-il au contraire de coupes longitudinales, il faut coller la dent entière avec de la cire à cacheter sur un bouchon et la traiter ainsi qu'il est indiqué au **n° 60**. Les coupes longitudinales sont préférables, car elles montrent dans une préparation toutes les parties constitutives de la dent (fig. 129, 130, 131). Si l'on veut préparer des dents d'adulte, par la décalcification, il faut procéder comme au **n° 62**. L'émail se dissout complètement, de sorte qu'il ne reste que la dentine et le cément.

N° 98. Odontoblastes. — On plonge les dents extirpées d'une mâchoire de nouveau-né dans environ 60 cent. cubes de liquide de Müller ; après une immersion de 6 jours on réussit à enlever facilement la pulpe avec une petite pince ; on coupe ensuite aux ciseaux un fragment de la grosseur d'une lentille de la surface de la pulpe, et on le dissocie dans une goutte de liquide de Müller. Lamelle couvre-objet, légère pression et examen à l'aide de fort grossissement. On aperçoit sur les bords de la préparation les longs prolongements des odontoblastes. On y voit également des odontoblastes complètement isolés (fig. 133). Si l'on veut conserver la préparation on fait passer pendant deux minutes sous la lamelle un courant d'eau distillée qu'on remplace ensuite par du picro-carmin ; une fois la coloration faite, on monte dans la glycérine acidulée et étendue d'eau.

N° 99. — Les prismes de l'émail peuvent être obtenus en dissociant la surface de la partie latérale des dents, préparées comme au **n° 98**, dans une goutte de liquide de Müller, et en l'examinant à un fort grossissement. On obtiendra des groupes de trois prismes ou plus, ils sont caractérisés par leurs contours foncés, et une striation transversale plutôt peu nette (fig. 132). On monte dans la glycérine. On reconnaît la forme prismatique des prismes de l'émail en faisant sur les dents des coupes fines parallèles à la surface (1). Des portions isolées de ces coupes montrent des hexagones réguliers, c'est-à-dire la coupe transversale des prismes de l'émail (fig. 132).

N° 100. Développement des dents. — Pour cette étude il faut choisir, pour les premières périodes, des embryons de porc ou de mouton qu'on trouve facilement à l'abattoir. Pour la première période, les embryons qui conviennent le mieux sont ceux de 6 cent. environ (fig. 135) ; pour la seconde période ceux de 10 à 11 cent. Pour les périodes ultérieures (fig. 138) les maxillaires inférieurs du chien et du chat nouveau-nés donnent de très bonnes préparations. On fixe les têtes dans 100 cent. cubes d'acide sulfo-picrique de Kleinenberg (12-24 heures) et on les durcit dans 80 à 120 cent. cubes d'alcool progressivement renforcé. Après que les têtes ont séjourné 6 à 8 jours dans de l'alcool à 90°, elles sont décalcifiées dans 100 cent. cubes d'eau distillée additionnés de 1 ou 2 cent. cubes d'acide azotique. Après décalcification complète (3 à 8 jours), on durcit de nouveau dans l'alcool. On coupe après 5 ou 6 jours les maxillaires inférieurs, on divise par le milieu ; les maxillaires plus grands seront coupés transversalement par morceaux de 1 à 2 cent. de longueur qu'on colore en bloc (2) à l'aide de carmin boraté. Après coloration et décoloration complète les coupes doivent séjourner dans l'alcool absolu plusieurs jours. Il faut ensuite les inclure dans le foie et pratiquer des coupes transversales. Il est nécessaire de préparer un grand nombre de coupes épaisses (20 à 40), car on ne peut utiliser que les coupes qui portent sur le milieu de la dent. On monte dans le baume.

Il arrive parfois que l'organe de l'émail se sépare de la papille de telle sorte qu'il reste entre eux un espace libre.

La dentine est souvent d'un rouge très nuancé. La cause de ces variétés de tons réside dans les différences d'âge des diverses couches.

N° 101. Papilles filiformes, fongiformes, caliciformes ; follicules linguaux. — On excise sur la muqueuse qui recouvre la partie supérieure de la langue de l'homme des fragments de 2 cent. de côté ; il faut qu'un peu de muscle adhère encore à la face inférieure des fragments excisés. Pour les papilles fongiformes, il faut choisir un fragment de la pointe, pour les papilles filiformes on prendra sur le milieu, et c'est sur un fragment de la base qu'il faudra rechercher les papilles caliciformes. Pour les follicules linguaux dont on voit à l'œil nu l'orifice punctiforme, c'est aussi à la base de la langue qu'il faudra les étudier. On prend donc un fragment de muqueuse de 2 cent. de côté et on le plonge dans 100 à 200 cent. cubes de liquide de Müller. On devra changer le liquide plusieurs fois. Après 14 jours les morceaux sont lavés et durcis dans l'alcool progressivement renforcé. On fera des coupes épaisses, longitudinales, pour les papilles filiformes. On colo-

(1) L'émail des dents peut se couper sans décalcification préalable.
(2) Malgré la longueur du procédé, la coloration en bloc est préférable à la coloration de chaque coupe séparée, quand surtout il est nécessaire de colorer beaucoup de coupes pour des recherches délicates.

rera ces coupes avec l'hématoxyline de Hansen et l'on montera dans le baume (fig. 139, 141).

Les fragments qui ont servi pour les coupes dessinées fig. 142 et 145 avaient été durcis dans 50 cent. cubes d'alcool absolu. Les langues de lapin peuvent être plongées en entier dans 200 cent. cubes de liquide de Müller ; quant au traitement ultérieur il est le même que celui que nous venons d'exposer. Des coupes transversales épaisses passant par la partie antérieure de la langue donnent de bons renseignements sur la disposition des muscles. A la base de la langue on voit à l'œil nu de belles glandes à mucus, et des glandes à sécrétion albumineuse.

N° 102. Tonsilles. — Les tonsilles des adultes ne donnent que des figures peu instructives. La préparation est la même que celle indiquée n° 101. Les amygdales de lapins et de chats sont préférables pour l'étude de ces organes. Pour les découvrir il faut procéder de la manière suivante. On dissèque la partie antérieure du cou, on coupe la trachée et l'œsophage au ras du sternum à l'aide de ciseaux forts. On saisit avec une pince l'extrémité supérieure de la trachée et l'on dissèque à l'aide de ciseaux les deux conduits (on coupe à cette occasion les cornes de l'os hyoïde) ; on monte en rasant la face antérieure de la colonne vertébrale jusqu'au pharynx. Arrivé dans ce point, on incise la paroi pharyngienne, on coupe ensuite les muscles insérés sur la partie médiane du maxillaire inférieur depuis l'angle de la mâchoire jusqu'au frein de la langue. Pour les lapins on doit couper les deux commissures des lèvres et dégager avec des ciseaux introduits par la bouche le frein de la langue et le muscle génioglosse. On attire ensuite la trachée en bas, on pousse la langue entre les branches du maxillaire et l'on coupe les derniers points d'attache tout près de l'os. La langue est alors placée sur une table, la face supérieure regardant en haut ; on coupe avec des ciseaux fins la paroi postérieure du pharynx jusqu'au larynx et l'on écarte les lèvres de l'incision, les tonsilles apparaissent alors comme deux saillies ovalaires d'environ 5 millimètres placées de chaque côté de la paroi du pharynx. On peut les fixer dans 60 cent. cubes d'acide sulfo-picrique de Kleinenberg et les durcir dans 50 cent. cubes d'alcool progressivement renforcé. On peut colorer à l'hématoxyline de Hansen ou à l'éosine et à l'hématoxyline. Enfin on monte dans le baume.

N° 103. Œsophage. — On fixe des fragments de 2 centimètres de côté environ de l'œsophage de l'homme, ou des fragments de 2 centimètres de long comprenant tout le tube œsophagien du lapin ou du chat dans 60 cent. cubes de liquide de Müller, et on les durcit dans 50 cent. cubes d'alcool progressivement renforcé. Coloration à l'hématoxyline de Hansen ; montage au baume (fig. 146).

N° 104. Estomac. Tuniques. — Pour les préparations topographiques de l'estomac et de ses tuniques, on met des fragments de 2 à 5 centimètres pendant 2 à 5 jours dans 100 à 150 cent. cubes d'acide acétique à 3 0/0. Il faut renouveler le liquide après une demi-heure, on durcit ensuite ces fragments dans de l'alcool progressivement renforcé (60 cent. cubes). Les coupes épaisses et non colorées sont conservées dans le baume (fig. 147).

N° 105. Glandes stomacales à l'état frais. — On excisera de la grosse tubérosité de l'estomac d'un lapin, récemment sacrifié, un petit fragment de 2 centimètres de côté. On sépare la tunique musculaire qui adhère faiblement à la muqueuse, et pour cela on saisit cette dernière par son bord gauche à l'aide d'une pince et l'on excise avec des ciseaux fins une bande très étroite (0,5 à 1 mm. de largeur), cette bande est dissociée dans une goutte de solution de sel de cuisine à 0,5 0/0. On réussit sans grande peine à isoler le corps et la base des glandes de la grosse tubérosité. Les corps des cellules de revêtement (fig. 183) apparaissent clairement. Les cellules principales ne sont pas visibles. On peut colorer les noyaux au picro-carmin et conserver la préparation dans la glycérine diluée. Il faut une dissociation très soigneuse pour isoler les glandes pyloriques.

Fig. 183.

Moitié inférieure d'une glande isolée provenant du grand cul-de-sac de l'estomac d'un lapin (Gross. 240). La ligne nettement délimitée M, correspond à la membrane propre.

N° 106. Epithélium stomacal isolé. — On plonge un fragment de 1 cent. cube de muqueuse stomacale pendant 5 heures dans 30 cent. cubes d'alcool au tiers de Ranvier. Dans la plupart des cellules, la partie muqueuse occupe une grande place ; on voit donc ainsi des images analogues à celles de la figure 15 c. On peut colorer sous la lamelle couvre-objet avec du picro-carmin, et conserver la préparation dans la glycérine diluée et acidulée.

N° 107. Glandes. — L'estomac de chien ou chat, de préférence, à jeun depuis 1 à 2 jours, fournit d'excellentes préparations. L'estomac de lapin ne doit pas être employé à cause du petit volume des cellules principales. On plonge des fragments de muqueuse d'environ 1 centimètre de côté, dans 10 cent. cubes d'alcool absolu, que l'on renouvelle après une demi-heure et en doublant la quantité d'alcool. La forme des glandes peut déjà être reconnue dans les coupes de moyenne épaisseur ; il n'y a qu'un seul inconvénient, c'est que les tubes des glandes sont très rapprochés les uns des autres. Cet inconvénient est moins prononcé chez l'homme, mais son estomac ne peut être utilisé que plusieurs heures après la mort. Pour étudier la structure plus fine des glandes ainsi que de l'épithélium superficiel, il faut faire des coupes très fines en ayant soin d'inclure les fragments dans du foie.

a) Pour les glandes de la grosse tubérosité, les cellules principales et les cellules de revêtement, il faut colorer à l'hématoxyline de Hansen des coupes verticales et plutôt parallèles, ces coupes sont bien lavées et portées de 3 à 6 minutes dans la solution de rouge du Congo à 1/30 0/0, on lave, et on monte au baume. Sur les coupes épaisses tout est coloré en rouge ; les grosses cellules de revêtement colorées en rouge masquent les cellules principales plus petites. Il faut rechercher les parties les plus fines des coupes, surtout le fond des glandes où les cellules de revêtement n'abondent pas. On reconnaît alors les cellules de revêtement, même à un faible grossissement, comme formant des taches rouges non continues sur un fond rosé. Les coupes réussies offrent à un fort grossissement des cellules principales plus petites légèrement colorées en bleu. La lumière très étroite des glandes de la grosse tu bérosité est encore plus visible sur les coupes transversales des conduits. Les prolongements latéraux du conduit principal ne peuvent être observés que sur des coupes extrêmement bien faites (fig. 149).

b) Les glandes du pylore se préparent en faisant des coupes verticales et transversales de la muqueuse, en les colorant avec l'hématoxyline de Hansen et en les montant dans le baume. La lumière des glandes du pylore est plus large que celle des glandes de la grosse tubérosité (fig. 151).

N° 108. Glandes de Brünner. — On coupera l'estomac et le duodénum d'un chat une heure environ après la mort (1), on les ouvre tous les deux dans le sens de la longueur ; on chasse le contenu en agitant doucement dans une solution de sel de cuisine et l'on plonge la partie pylorique et la moitié supérieure du duodénum, c'est-à-dire un fragment de la longueur de 5 à 6 centimètres pendant 3 à 6 jours dans 100 cent. cubes d'acide azotique à 3 0/0. Ultérieurement on procède comme il est indiqué n° 104. On fait des coupes longitudinales qui portent simultanément sur le pylore et le duodénum. On colore, mais la chose est difficile avec l'hématoxyline de Hansen, et l'on conserve dans la glycérine ou dans le baume (fig. 156).

N° 109. Épithélium de l'intestin grêle et villosités intestinales. — On taille dans l'intestin grêle d'un lapin récemment sacrifié, un fragment d'environ 1 centimètre de longueur, on l'ouvre dans le sens de la longueur et l'on chasse le contenu intestinal, en y versant avec précaution une solution de sel de cuisine à 0,75 0/0. On saisit le fragment par le bord gauche avec une petite pince et on y découpe à l'aide de ciseaux fins une bandelette étroite qu'on place avec une goutte de solution de sel de cuisine sur une lame porte-objet reposant sur un fond noir. A l'œil nu, on peut déjà voir les villosités dépasser le bord de la bandelette. La préparation est ensuite examinée sous la lamelle couvre-objet à un faible grossissement. On aperçoit les villosités les unes allongées, les autres rétractées, ces dernières se reconnaissent aux replis qui les sillonnent (fig. 184). Par ce procédé on ne voit aucun détail. Si l'on pose une lamelle les villosités comprimées s'écartent les unes des autres et deviennent plus claires, on reconnaît nettement l'épithélium cylindrique et au-dessous le réseau artériel. Si l'épithélium contient des cellules caliciformes, elles apparaissent sous la forme de taches brillantes et arrondies. Pour étudier l'épithélium on peut :

Fig. 184.

Villosité intestinale d'un lapin. — Cette villosité présente des plis de contraction (Gross. 70).

a) Dissocier le petit fragment ; les cellules cylindriques se détachent, soit séparément, soit par groupes, et on peut les examiner, à un fort grossissement. Il arrive assez fréquemment de trouver des cellules cylindriques bombées et boursouflées et l'on voit le plateau basal décomposé en bâtonnets très apparents. Les cellules caliciformes sont reconnaissables, quand elles existent, à leur éclat uniforme. Une bonne ob-

(1) Si on prend les organes immédiatement après la mort, la musculature lisse de l'intestin se contracte et les parois intestinales se ratatinent complètement.

servation permet de voir nettement le contour de leur orifice. Parfois les cellules épithéliales se séparent difficilement de la couche sous-jacente ; en pareil cas on attend une heure, et l'épithélium est dès lors suffisamment macéré pour pouvoir se détacher facilement.

b) Pour avoir des préparations durables, il faut plonger 1 centimètre environ d'intestin, ouvert dans le sens longitudinal, dans 30 cent. cubes de liquide de Müller ; on ôte le fragment 3 à 5 jours après, on gratte la surface muqueuse avec la pointe d'un scalpel, et on mélange une parcelle du produit de grattage avec une goutte de glycérine diluée. Le tout est recouvert d'une lamelle et la préparation est examinée à un fort grossissement (fig. 154, A).

N° 110. Intestin grêle. — Pour préparer les coupes de l'intestin grêle, il faut plonger des fragments de 2 à 4 centimètres de long de l'intestin d'un lapin (ou mieux d'un chien ou d'un chat jeunes) dans 100 à 200 cent. cubes d'acide azotique à 3 0/0. Après six heures les fragments sont durcis dans l'alcool progressivement renforcé.

On peut faire des coupes transversales à travers tout le canal intestinal, généralement on n'obtient ainsi que des parties de villosités. Si l'on veut obtenir des villosités entières il faut couper avec un rasoir dans le sens longitudinal un fragment d'intestin durci, ensuite on l'étale avec des épingles sur une plaque en liège, la muqueuse regardant en haut. A l'œil nu, on voit les villosités qui font saillie. On pratique alors sur ce morceau d'intestin des coupes transversales épaisses que l'on colore avec l'hématoxyline de Hansen et que l'on conserve dans le baume. On trouve assez fréquemment des cellules caliciformes dans l'épithélium (fig. 154, B). L'intestin de l'homme doit, avant d'être plongé dans l'acide azotique, être coupé et lavé dans ce même liquide. Il est bon de prendre des fragments d'environ 5 centimètres, de les étaler immédiatement sur du liège et de les durcir après les avoir ainsi fixés. Si l'intestin n'est pas très frais, tout l'épithélium de la surface se détache en masse, de sorte que les villosités conjonctives restent à nu. Les coupes de l'intestin faites parallèlement à la surface, fournissent de très bonnes préparations microscopiques. Il arrive fréquemment que sur ces coupes transversales les glandes tombent et ne laissent à leur place que la tunique propre conjonctive.

Les préparations faites d'après cette méthode montrent toutes les cellules caliciformes également transparentes, également volumineuses, elles ne donnent aucun renseignement sur la façon dont elles se présentent à leurs différents stades. Pour les bien étudier il faut procéder de la façon suivante :

N° 111. Triple coloration de l'intestin. — De petits fragments sont fixés dans le liquide chromo-osmio-acétique, durcis dans l'alcool progressivement renforcé et ensuite traités comme il a été dit **n° 10** (page 21).

N° 112. Plaques de Peyer. — Chez le lapin, on les voit à travers la paroi avant même d'ouvrir l'intestin ; chez les chiens et les chats on ne les voit pas toujours à cause de la grande épaisseur de la tunique musculaire. Ces derniers animaux ont constamment des plaques au point où l'intestin grêle débouche dans le gros intestin. Chez les lapins on coupe les fragments de l'intestin contenant des plaques de Peyer, et l'on procède comme il est dit nᵒ **110**.

Chez les chats on coupe, dans le sens de la longueur, la partie inférieure de l'iléon (environ 2 cent.) ainsi qu'un égal fragment de cæcum, puis on étale le tout sur une plaque de liège, la paroi muqueuse tournée en haut. Le plus souvent il existe là une espèce de boue qui résiste assez au lavage et qui colle ensuite les villosités de telle sorte qu'on n'obtient que des coupes obliques de villosités. Traiter ensuite comme il a été indiqué nᵒ **110**. L'appendice vermiculaire du lapin contient dans son cul-de-sac des nodules très rapprochés qui laissent à la muqueuse si peu d'espace, qu'il est difficile de s'orienter sur les coupes transversales ; ces coupes semblent très compliquées surtout pour les débutants. La fixation dans une solution à 0,1 0/0 d'acide chromique et le durcissement consécutif par l'alcool progressivement renforcé, rend les centres germinatifs très clairs, mais cette méthode n'est pas aussi bonne pour les autres éléments que par l'acide azotique.

Nᵒ 113. Gros intestin. — Les fragments vides sont traités comme il est indiqué au nᵒ **111**. Les fragments remplis de matières sont coupés, lavés et étalés sur une plaque de liège.

Nᵒ 114. Glandes du gros intestin du lapin à l'état frais. — On coupe un fragment de 1 centimètre environ de la partie la plus inférieure du gros intestin, et on le met sur une lame bien sèche. Après l'avoir ouvert à l'aide de ciseaux, on l'étale de façon à ce que la face muqueuse regarde en haut ; on y verse une goutte de solution de sel de cuisine à 0,75 0/0 et l'on coupe avec des ciseaux fins une très mince bandelette. On la transporte dans une goutte de solution de sel de cuisine sur une autre lame, et avec des aiguilles l'on détache la muqueuse de la couche musculaire. Après avoir dissocié soigneusement, on recouvre d'une lamelle en comprimant légèrement. On voit très bien à un faible grossissement les tubes des glandes (fig. 185), très difficilement au contraire leur embouchure. La face des cellules glandulaires qui regarde la lumière de la glande est souvent granuleuse. Un fort grossissement permet d'apercevoir un bel épithélium cylindrique vu tantôt de côté, tantôt de face. Souvent le contenu des cellules caliciformes n'est pas clair comme sur des coupes, il est plutôt sombre.

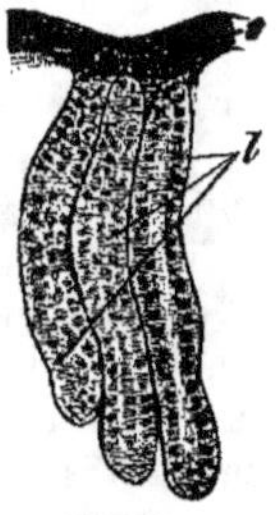

Nᵒ 115. Vaisseaux de l'estomac et de l'intestin. — On injecte les vaisseaux par l'aorte descendante, on plonge les organes dans 50 à 200 cent. cubes de liquide de Müller, et on les durcit dans l'alcool de plus en plus concentré. D'un côté, on pratique des coupes épaisses (jusqu'à 1 mm. d'épaisseur), et on les conserve non colorées dans le baume (fig. 159). D'un autre côté on fait des préparations de surface qui sont très instructives si l'on prend soin de changer la mise au point, et d'employer un faible grossissement. Dans ce but on peut plonger des fragments de gros intestin de 1 centimètre dans l'alcool absolu, ensuite dans 5 cent. cubes d'essence de térébenthine, et les monter ensuite dans le baume. Il est facile également de détacher la muqueuse de la partie musculaire et de monter chacune de ces couches séparément dans le baume.

Fig. 185.

e. Epithélium. — *l.* Glandes de l'intestin (Gross. 80).

Nᵒ 116. Plexus d'Auerbach et de Meissner. — Pour la préparation de ces plexus il faut des intestins à paroi musculaire peu épaisse ; les intestins de lapin et de cochon d'Inde conviennent bien, mais non ceux du chat. Il n'est pas nécessaire que l'intestin soit complètement frais, les intestins grêles d'enfants morts depuis plusieurs jours peuvent être encore utilisés. On prépare d'abord 200 cent. cubes d'acide acétique étendu d'eau : 10 gouttes d'acide acétique cristallisé (ou 25 gouttes d'acide acétique ordinaire) pour 200 cent. cubes d'eau distillée. On détache un morceau d'intestin grêle du mésentère, 10 à 30 centimètres environ, et on chasse le contenu de ce fragment en exerçant une légère pression au moyen du doigt. On lie l'extrémité inférieure et après avoir versé à la partie supérieure l'acide acétique étendu d'eau, on pose une seconde ligature sur l'extrémité supérieure, et l'on plonge le morceau dans le restant d'acide acétique. Une heure après on change le liquide. Au bout de 24 heures, on transporte l'intestin dans de l'eau distillée ; et à l'aide de ciseaux, l'on incise à côté de l'insertion mésentérique, en prenant des fragments de 1 centimètre de long environ. On réussit aisément à séparer avec des pinces la muqueuse de la couche musculaire, ces deux couches ne sont bien adhérentes qu'au niveau de l'insertion mésentérique.

a) *Plexus d'Auerbach.* — Si l'on dispose un papier noir sous le cristallisoir, on voit déjà à l'œil nu les petites nodosités du plexus d'Auerbach. Un fragment de la couche musculaire d'environ 1 centimètre, placé sur une lame avec une goutte d'acide acétique étendue d'eau, constitue une très belle préparation, même quand on l'examine à un faible grossissement (fig. 160, A). Si l'on désire conserver la préparation, il faut placer les morceaux pendant une heure dans environ 30 cent. cubes d'eau distillée qu'on change plusieurs fois. On les porte ensuite pendant 8 à 16 heures dans 5 à 10 cent. cubes d'une solution à 1 0/0 d'acide osmique maintenue dans l'obscurité. On lave rapidement à l'eau distillée et l'on conserve dans la glycérine étendue d'eau. Les préparations traitées par l'acide osmique ne sont pas aussi belles que celles qu'on obtient avec l'acide acétique. Chez le cobaye on peut facilement détacher les deux couches musculaires l'une de l'autre (1) ; le plexus adhère alors à l'une d'elles ; des fragments, plongés pendant une heure dans de l'eau distillée, peuvent être ensuite traités par le chlorure d'or ; il ne faut pas prendre l'intestin de l'homme, parce que chez lui les deux couches musculaires sont colorées en rouge en même temps que le plexus, et celui-ci est en partie masqué.

b) *Plexus de Meissner.* — On gratte avec un bistouri l'épithélium de la muqueuse isolée, on place un morceau d'environ 1 centimètre sur l'objectif, et l'on recouvre d'une lamelle sur laquelle on exerce une légère pression. Il faut examiner à un faible grossissement (fig. 160, B).

Pour conserver la préparation on peut procéder comme il est indiqué nᵒ 116 ; mais il est préférable d'étaler le morceau avant de le plonger dans l'huile de lavande, et de le comprimer un peu afin de chasser complètement l'alcool.

_____

(1) Mais seulement au cas où on a rempli l'intestin immédiatement après la mort. Il est probable que si chez l'homme ces deux couches sont toujours adhérentes, c'est que l'intestin n'est jamais frais.

On voit, outre les nerfs, beaucoup de vaisseaux qu'il est facile de reconnaître autant par leur structure que par la position transversale des noyaux de leur tunique musculaire.

N° 117. Glandes parotide, sous-maxillaire et sublinguale. — Les pièces provenant de l'organisme humain quand elles sont prises en hiver peuvent être utilisées, même 3 ou 4 jours après la mort. Des fragments de 0,5 à 1 centimètre de côté sont placés dans 30 cent. cubes de liquide de Zenker.

Un des fragments est coloré en masse au moyen du carmin boraté, un autre est inclus dans du foie, pour être débité en coupes aussi fines que possible. Il n'est pas nécessaire que les coupes soient larges, il suffit qu'elles aient 2 mm. de côté. On colore à l'hématoxyline de Hansen pendant 3 minutes. Il faut transporter les coupes, pendant la coloration, avec grande précaution, parce que les plus fines s'émiettent très facilement. On fait une double coloration avec l'éosine et l'on monte dans le baume (les coupes très fines, après la coloration à l'hématoxyline, pourront être examinées dans de l'eau, car les limites des cellules sont alors bien plus nettes). Si les colorations réussissent, les conduits salivaires et les croissants sont rouges. Dans la glande sublinguale et dans les cellules muqueuses de la glande sous-maxillaire, la membrane propre apparaît également colorée en rouge ; mais il ne faut pas la confondre avec la coupe des bords des croissants, ceux-ci sont granuleux tandis que la membrane propre est homogène (fig. 161). Les cellules muqueuses paraissent très claires sur les préparations au carmin boraté ; sur les préparations à l'hématoxyline, elles sont tantôt claires, tantôt colorées en bleu plus ou moins foncé (fig. 161). Ce qui se colore est un réticulum qui se trouve à une certaine période de fonctionnement dans chaque cellule muqueuse. Les pièces intermédiaires très courtes de la glande sous-maxillaire sont très difficiles à trouver ; sur la parotide on les voit, au contraire, facilement (il en est de même chez le lapin). Parmi les culs-de-sac terminaux, on ne peut utiliser pour l'étude que les morceaux qui sont exactement divisés par le milieu (fig. 161, 1, 2, 3) et dont la lumière est visible ; les coupes obliques ou tangentielles (fig. 161, 4, 5, 6, 7), qui sont si nombreuses, sont d'une interprétation difficile.

N° 118. Pancréas. — Le pancréas de l'homme ne peut le plus souvent pas être employé. Même technique que pour la parotide, n° 117. L'aspect grenu caractéristique de la portion des cellules glandulaires dirigée du côté de la lumière du canal ne peut être observé dans les préparations au baume (fig. 164,B). Par contre si l'on prend sur un chat un petit fragment de pancréas frais, et si on le dissocie dans une goutte d'eau salée à 0,75 0/0, on voit même à un faible grossissement que les cellules sont comme tachées ; une portion de ces cellules est claire, l'autre est grenue. Un grossissement plus fort donne des images analogues à celles représentées fig. 164, A.

N° 119. Cellules hépatiques. — On coupe un foie frais et l'on gratte la surface avec un bistouri dirigé obliquement. La substance hépatique obtenue par le grattage est portée sur une lame dans une goutte de solution saline et recouverte d'une lamelle. On examine successivement à un faible et à un fort grossissement (fig. 168). Outre les cellules hépatiques, la préparation contient de nombreux globules sanguins colorés et non colorés.

N° 120. Lobules hépatiques. — De petits morceaux (environ 2 cent.) de foie de cochon sont plongés dans 30 à 50 cent. cubes d'alcool absolu. La division en lobules hexagonaux, qu'on peut déjà bien observer à l'œil nu sur la surface du foie, apparaît encore beaucoup plus clairement sur les surfaces de coupe après une minute de séjour dans l'alcool. L'orifice de la veine centrale se voit également très bien. Après 3 jours de durcissement, on peut pratiquer des coupes que l'on colore par l'hématoxyline de Hansen. Sur ces coupes la division en lobules est très nette, même quand on n'emploie qu'un faible grossissement; mais si l'on veut étudier les cellules hépatiques ou les conduits biliaires, il vaut mieux avoir recours à d'autres préparations.

N° 121. Foie de l'homme. — On prend des fragments de foie humain aussi frais que possible (1), ces fragments doivent avoir 2 centimètres de côté, on les fixe pendant 4 semaines dans 200 cent. cubes de liquide de Müller et on les durcit ensuite dans 100 cent. cubes d'alcool progressivement renforcé. On examine des coupes non colorées, les unes parallèles, les autres perpendiculaires à la surface, on en colore d'autres à l'hématoxyline de Hansen et l'on monte dans la résine Damar.

Coloration à l'hématoxyline de Boehmer et mieux à l'éosine, montage au baume. A cause du peu de développement du tissu conjonctif inter-lobulaire, les lobules sont peu distincts. La délimitation des lobules se distingue bien mieux à l'œil nu qu'au microscope. Pour l'orientation il faut que le débutant considère que les coupes isolées des vaisseaux correspondent à des veines hépatiques, tandis que plusieurs vaisseaux ensemble correspondent à des vaisseaux de la *veine porte*, à des ramifications de l'artère hépatique et des conduits biliaires, donc à des espaces interlobulaires. Les coupes exactement transversales des veines centrales sont faciles à reconnaître parce qu'elles constituent un centre de rayonnement pour les travées de cellules hépatiques (fig. 169).

N° 122. Capillaires et tissu conjonctif intralobulaire. — Pour les mettre en évidence, il faut prendre quelques coupes fines, doublement colorées du foie de l'homme (**n° 121**), les agiter pendant 2 à 3 minutes dans un tube à essai à moitié rempli d'eau distillée. Les cellules hépatiques se détachent en partie (fig. 178); les bords de la préparation sont examinés dans une goutte d'eau. Les préparations ainsi traitées peuvent être conservées dans le baume, mais les faisceaux délicats du tissu conjonctif disparaissent.

N° 123. Vaisseaux sanguins hépatiques. — a) On tue un lapin sous le chloroforme, sans le saigner, on prend des fragments de foie de 2 centimètres de côté et on les plonge dans 50 cent. cubes d'alcool absolu. Deux jours après on voit déjà à la surface du fragment hépatique l'injection naturelle des vaisseaux marquée par des taches brunes situées au milieu des lobules. Des coupes épaisses, pratiquées parallèlement à la surface, sont

_____

(1) Pour l'étude de la vésicule biliaire et des gros conduits biliaires, il ne faut employer que des foies absolument frais, car la bile qui est alcaline imprègne après la mort toutes les parois ambiantes et les rend impropres aux recherches microscopiques.

montées sans coloration aucune dans le baume. Grossissement faible. Souvent il n'y a que les coupes superficielles du foie qui contiennent des vaisseaux remplis.

b) Parmi toutes les injections artificielles, celles du foie sont celles qui réussissent le mieux. On injecte du bleu de Prusse soit dans la veine porte, soit dans la veine cave inférieure. Dans ce dernier cas, on doit avoir soin d'ouvrir l'animal au-dessus du diaphragme, de laisser reposer le cœur sur le diaphragme et de lier la canule dans la veine cave inférieure en passant par l'oreillette droite.

Le foie injecté est plongé d'abord en entier dans environ 500 cent. cubes de liquide de Müller ; après 6 jours on peut exciser des fragments d'environ 2 centimètres sur les parties qui paraissent le mieux injectées ; on les replonge ensuite de 2 à 3 semaines dans environ 150 cent. cubes de liquide de Müller et enfin on les durcit dans 100 cent. cubes environ d'alcool progressivement renforcé. Les coupes épaisses de ce foie doivent être montées non colorées dans le baume (fig. 172, 173, 174).

Nº 124. Lumières glandulaires par la méthode de Golgi.— De petits fragments sont prélevés à la base de la langue, sur l'estomac, les glandes salivaires et le foie, on les plonge pendant trois jours dans le mélange osmio-bichromique. — En hiver, il faut mettre à l'étuve. On les laisse encore trois jours dans la solution de nitrate d'argent. Si la coloration ne réussit pas la première fois, on recommence. Les coupes traitées par la méthode de Golgi peuvent être avantageusement colorées. Parfois on colore dans le foie les fibres en grille (*Gitterfasern*).

Nº 125. Épithélium péritonéal.— On procède comme il a été indiqué au nº 39, seulement, au lieu d'employer le mésentère qui d'ailleurs peut être utilisé, on prend le grand épiploon. Les fragments sont colorés à l'hématoxyline de Hansen et montés au baume.

F. — ORGANES DE LA RESPIRATION.

1. — Larynx.

La *muqueuse laryngée* est la continuation de la muqueuse pharyngée ; elle comprend comme cette dernière un épithélium, une tunique propre, et une sous-muqueuse qui relie la muqueuse aux couches sous-jacentes.

L'*épithélium* est presque partout un épithélium vibratile stratifié à cils dirigés du côté du pharynx ; au contraire les cordes vocales vraies, la partie antérieure du cartilage aryténoïde et la surface inférieure et postérieure de l'épiglotte sont tapissées par un épithélium pavimenteux stratifié.

La *tunique propre* est composée de nombreuses fibres élastiques et de tissu conjonctif fibrillaire qui, chez les animaux, s'épaissit pour constituer sur les confins de l'épithélium une membrane propre. La tunique propre renferme un grand nombre de leucocytes migrateurs. On trouve même dans la muqueuse des ventricules de Morgagni du chien et du chat, des follicules solitaires. La muqueuse contient des papilles, surtout dans les portions pourvues d'un épithélium pavimenteux stratifié, le bord libre des cordes vocales et leur partie postérieure. Sur la face de l'épiglotte qui regarde le larynx on trouve aussi quelques papilles isolées dans lesquelles sont de petits boutons gustatifs.

La *sous-muqueuse* contient des glandes muqueuses tubuleuses et ramifiées, de 0. 2 à 1 mm. de diamètre.

Les *cartilages* du larynx sont surtout constitués par du cartilage hyalin offrant les mêmes particularités que le cartilage costal.

C'est cette structure que présentent le cartilage thyroïde, le cricoïde et la majeure partie des aryténoïdes. L'épiglotte, les cartilages de Wrisberg et de Santorini, ainsi que les apophyses vocales des aryténoïdes sont formés de cartilage élastique. Quelquefois les cartilages corniculés sont constitués par du fibro-cartilage.

Entre vingt et trente ans commence l'ossification du cartilage thyroïde et du cricoïde.

Le larynx est riche en *vaisseaux sanguins* et en *nerfs*. Les vaisseaux forment plusieurs (2 ou 3) réseaux étalés en surface et auxquels fait suite un réseau capillaire situé immédiatement au-dessous de l'épithélium. Les *vaisseaux lymphatiques* forment aussi deux réseaux, le plus superficiel est constitué par des vaisseaux étroits et se trouve situé sous le réseau des capillaires sanguins.

Les nerfs contiennent sur leur trajet des ganglions nerveux microscopiques ; les uns se terminent par des corpuscules en masse et les autres par des boutons gustatifs.

2. — Trachée.

La muqueuse à cils vibratiles de la trachée est constituée de la même façon que celle du larynx. La différence porte sur les faisceaux élastiques qui forment dans la trachée un réseau serré où les faisceaux longitudinaux prédominent. Ce réseau recouvre les glandes. Les cartilages sont hyalins. La partie postérieure de la trachée est formée par des fibres musculaires lisses, qui sont disposées transversalement et qui souvent sont recouvertes d'une couche de fibres longitudinales.

Les glandes à mucus de la paroi postérieure sont remarquables par leurs dimensions (2 mm.). Elles traversent souvent la couche musculaire, de sorte qu'elles se trouvent en partie situées au-dessous d'elle.

Les vaisseaux sanguins, les lymphatiques et les nerfs se comportent comme dans le larynx.

3. — Bronches et poumons.

Les poumons sont des glandes alvéolaires composées, constituées, comme toutes les autres glandes, par un système excréteur, et par un système sécrétoire, ici respiratoire. Le système excréteur est représenté par le larynx, la trachée et les bronches. Chaque bronche se divise à son entrée dans le poumon ; chaque bronche se subdivise ensuite soit dichotomiquement, soit en émettant de petites branches latérales ; son calibre diminue peu à peu, et finalement elle se résout en ramifications très fines, ne s'anastomosant jamais. Toutes les ramifications dont le diamètre n'est pas inférieur à 0,5 mm. ont une structure identique.

Au-dessous de ce calibre commence la partie respiratoire des poumons. Sur la paroi des petites bronches se montrent des excavations hémisphériques isolées et irrégulièrement disposées ; elles portent le nom d'*alvéoles* : ces bronchioles terminales portent le nom de *bronchioles respiratoires*. Elles se continuent avec les conduits alvéolaires qui ne s'en distinguent que par un plus grand nombre d'alvéoles pariétaux. Les conduits alvéolaires se divisent à leur tour à angle droit pour former les *infundibula* dont les parois portent un grand nombre d'alvéoles.

Chaque infundibulum, qui serait mieux nommé vésicule terminale, est ouvert non seulement du côté du conduit alvéolaire avec lequel il communique largement, mais aussi du côté des alvéoles voisins auquel il est relié par de fins canaux nommés pores.

Toute la partie respiratoire du poumon est constituée par des *lobules* de 0,3 à 3 centimètres, séparés les uns des autres par un tissu conjonctif interstitiel qui contient les vaisseaux et nerfs du poumon, et tous les conduits dont le calibre est supérieur à 1 mm. 1/2.

La structure des bronches et de leurs grosses ramifications est la même que celle de la trachée. Mais les ramifications ultérieures se modifient progressivement ; ces modifications portent d'abord sur les cartilages et les muscles. Les *cartilages* ne forment plus des anneaux en C, et la partie cartilagineuse des bronches est représentée par des plaques irrégulières occupant n'importe quelle portion de la paroi bronchique. Elles diminuent avec le diamètre des bronches pour disparaître complètement dans les bronchioles dont le diamètre est inférieur à 1 mm.

Les fibres musculaires forment une couche annulaire occupant toute la circonférence du tube bronchique, en dedans des plaques cartilagineuses. L'é-
paisseur de cette couche musculaire diminue avec le diamètre des bronches ;
on trouve pourtant encore des faisceaux musculaires même dans les conduits
alvéolaires. Les infundibula en manquent totalement.

La *muqueuse* des bronches présente des replis longitudinaux ; elle est cons-

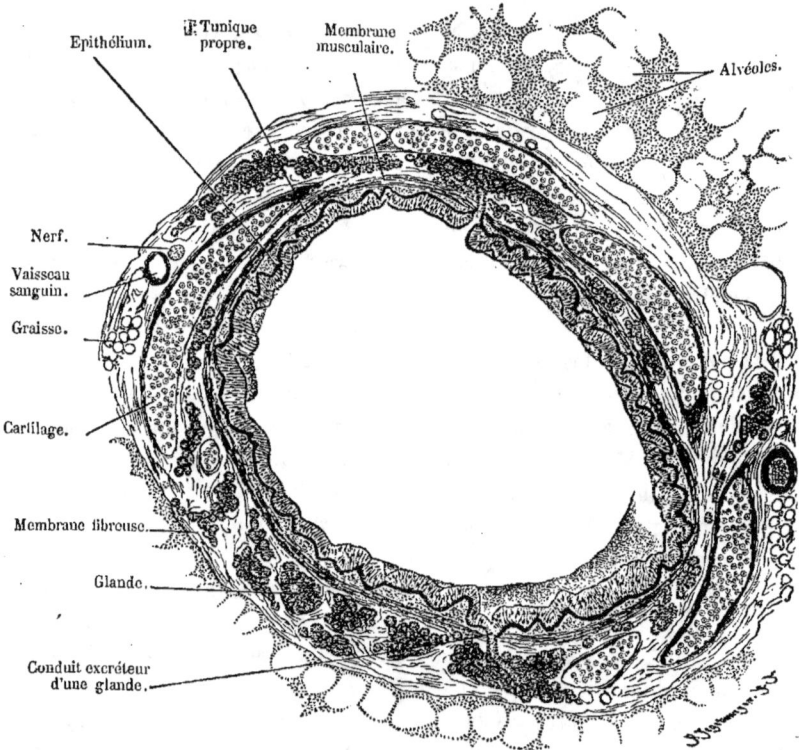

Fig. 186.

Coupe transversale d'une ramification bronchique de 2 mm. d'épaisseur, chez l'enfant (Gross. 30.
Technique n° 127).

tituée par une tunique conjonctive propre, tapissée par un épithélium vibratile stratifié, mélangé de quelques cellules caliciformes ; dans les bronches les
plus fines cet épithélium se trouve réduit à une seule couche. La tunique propre contient des réseaux longitudinaux de faisceaux élastiques et des leucocytes en nombre variable. On y trouve également des nodules lymphatiques
isolés d'où s'échappent des leucocytes qui passent à travers l'épithélium et arrivent dans le tube bronchique. Partout où les cartilages se rencontrent, on

voit aussi des glandes ramifiées *tubuleuses* situées dans *la tuniqu e musculaire* (fig. 186). On les trouve en grand nombre et elles ne com mencent à disparaître que dans les bronchioles respiratoires.

Immédiatement en dehors de la couche cartilagineuse, il existe une tunique constituée par des faisceaux conjonctifs et des faisceaux élastiques enveloppant toute la bronche ainsi que les vaisseaux et les nerfs qui l'accompagnent.

La portion respiratoire du poumon considérée dans sa structure se distingue de la précédente par la disparition des plaques cartilagineuses et des glandes, et par son épithélium.

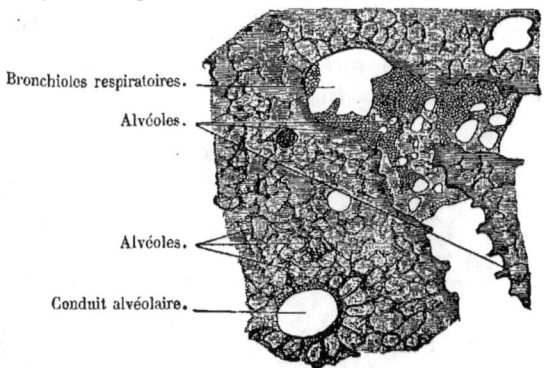

Bronchioles respiratoires.

Alvéoles.

Alvéoles.

Conduit alvéolaire.

Fig. 187.

Coupe d'un poumon d'homme adulte. — La bronchiole respiratoire se divise à droite en deux branches. Sur une certaine étendue on voit sa paroi inférieure dans la coupe. A ce niveau l'ouverture des alvéoles est vue en haut. Dans la branche inférieure on voit les alvéoles par côté. L'épithélium de la bronchiole est un épithélium mixte. L'épithélium des alvéoles n'est que partiellement visible à ce grossissement (**Technique n° 128**).

. Les *bronchioles respiratoires*, qui font suite aux plus petites bronches, ont encore primitivement un épithélium vibratile disposé sur une seule couche, mais les cellules ne tardent pas à perdre dans le trajet ultérieur du conduit leurs cils vibratiles, elles deviennent cubiques et on voit apparaître entre elles une seconde variété de cellules épithéliales, affectant la forme de grandes plaques minces et dépourvues de noyaux. Ces plaques ont reçu le nom d'*épithélium respiratoire*. La ligne de démarcation entre l'épithélium cubique et l'épithélium respiratoire n'est pas bien tranchée ; de telle sorte qu'on peut remarquer sur une partie de la bronchiole un épithélium cubique et sur une autre partie de la même bronchiole un épithélium plat, respiratoire ; ou bien on peut voir des groupes de cellules cubiques entourées d'épithélium respiratoire et réciproquement. Les dernières ramifications bronchiques contiennent donc un épithélium mixte (fig. 187 et 188). La transition entre l'épithélium cubique et l'épithélium aplati des conduits alvéolaires se fait progressivement. Les cellules cubiques des bronchioles disparaissent peu à peu pour faire place aux cellules polygonales des alvéoles. L'épithélium des *conduits alvéolaires* et des *alvéoles* est identique ; il est formé par les grandes plaques déjà décrites, sans noyaux, et par de petites cellules polygonales disposées par petits groupes ou isolées qui rappellent les cellules épithéliales cubiques des bronchioles. Au point de vue embryologique, ces plaques sans noyau dérivent des cellules épithéliales cubiques, elles prennent cette forme aplatie au moment où la paroi alvéolaire se distend sous l'effort respiratoire. Les alvéoles d'embryons âgés et d'enfants morts-nés ne sont tapissés que par des cellules cubiques.

La paroi des conduits alvéolaires et des alvéoles possède, outre les faisceaux musculaires déjà mentionnés, une paroi fondamentale légèrement striée et beaucoup de faisceaux élastiques. Ces faisceaux sont disposés circulaire-

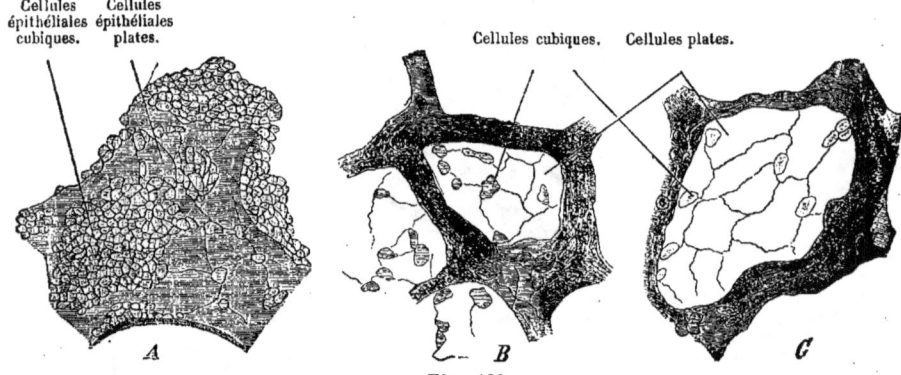

Fig. 188.

La figure 188 A et B représente une *coupe de poumon humain*, la figure 188 C une *coupe d'un poumon de chat* âgé de 9 jours (Gross. 240). — A. Epithélium mixte d'une bronchiole respiratoire. — B et C. Alvéoles vus à des niveaux différents. Le rebord alvéolaire est sombre. On voit que l'épithélium qui le recouvre est le même que celui qui tapisse le fond de l'alvéole qui est clair. Les noyaux des cellules ne sont pas visibles **(Technique n° 128).**

ment autour des conduits alvéolaires ; à l'entrée de l'alvéole (base) les faisceaux élastiques forment un anneau d'où partent les fines fibrilles qui constituent la charpente de la paroi alvéolaire. Les anneaux élastiques des alvéoles forment en s'unissant les cloisons alvéolaires (fig. 189).

Le tissu conjonctif qui se trouve *entre les lobules pulmonaires* contient des faisceaux élastiques fins, des cellules conjonctives isolées et, chez l'adulte, des granulations pigmentaires noires et de petites parcelles de charbon aspirées pendant l'inspiration. Le tissu conjonctif est plus développé chez l'enfant, la délimitation des lobules est par conséquent plus nette. La partie superficielle des poumons est recouverte par la *plèvre viscérale* qui contient du tissu conjonctif, des faisceaux élastiques nombreux et fins et une couche de cellules épithéliales aplaties et polygonales. La *plèvre pariétale* qui a une structure identique est moins riche en faisceaux élastiques.

Vaisseaux sanguins des poumons. — Les branches de l'artère pulmonaire

Anneaux élastiques.   Fibres ondulées.

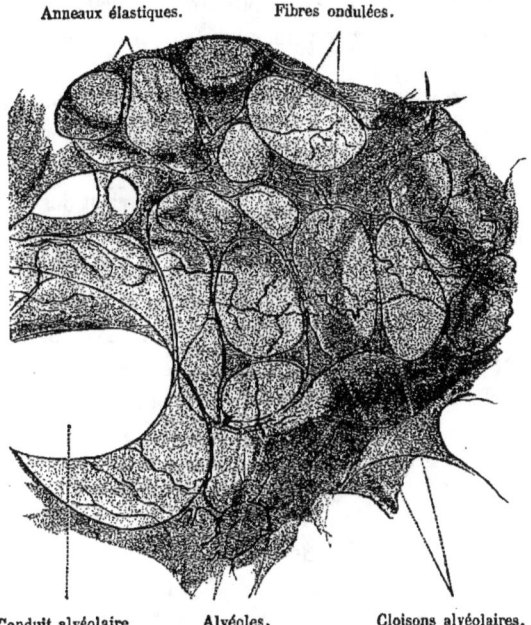

Conduit alvéolaire.   Alvéoles.   Cloisons alvéolaires.

Fig. 189.

Coupe transversale du poumon du lapin (Gross. 220). Coloration des fibres élastiques (**Technique n° 129, b**).

pénètrent dans le hile du poumon et cheminent le long des bronches, des bronchioles et des conduits alvéolaires entre les infundibula où elles se ramifient en formant un réseau capillaire très serré, situé immédiatement sous

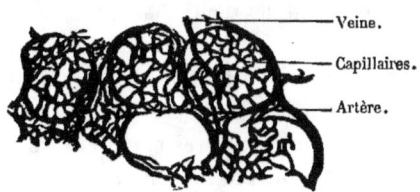

Veine.

Capillaires.

Artère.

Fig. 190.

Coupe d'un poumon d'enfant injecté par l'artère pulmonaire (Gross. 80). — Des cinq alvéoles représentés, les trois supérieurs sont complètement injectés (**Technique n° 130**).

l'épithélium aplati des bronchioles terminales, des conduits alvéolaires et des alvéoles. Les veines apparaissent à la base de chaque alvéole (fig. 190) et se réunissent en troncules qui suivent le trajet des bronches et des artères. Les parois bronchiques sont nourries par des vaisseaux sanguins propres, les *artères bronchiques*, qui forment un réseau capillaire profond, destiné aux glandes et aux muscles, et un réseau capillaire superficiel destiné à la tunique propre. Elles aboutissent soit aux veines bronchiques, soit aux veines pulmonaires.

Vaisseaux lymphatiques. — Il existe un réseau lymphatique *superficiel* bien développé, situé sous la plèvre, et un réseau *profond* situé dans le tissu conjonctif interlobulaire. Ce dernier réseau comporte des troncules pourvus de valvules qui aboutissent, en suivant le trajet des bronches, aux ganglions lymphatiques du hile du poumon.

Les *nerfs* pulmonaires sont nombreux et viennent du pneumogastrique et du grand sympathique. Ils sont formés tantôt par des fibres à myéline et tantôt par des fibres sans myéline ; leur trajet se trouve interrompu par de petits groupes de cellules ganglionnaires. Les terminaisons nerveuses sont encore inconnues ; elles sont surtout en rapport avec les parois des vaisseaux sanguins.

ANNEXE.

Glande thyroïde.

La glande thyroïde est une glande tubuleuse composée, dont le conduit excréteur, qui débouche dans le foramen cœcum de la langue (*conduit glosso-thyroïdien*), s'oblitère déjà pendant la vie embryonnaire et disparaît en laissant à peine quelques traces de son existence ; à ce moment la glande thyroïde n'est constituée que par des tubuli complètement fermés réunis en petits lobules par un tissu conjonctif lâche. Les tubuli sont de dimension variable (40 à 120 μ en diamètre), fermés à leurs deux extrémités ; ils sont tapissés d'une seule couche de cellules épithéliales cubiques implantées sur une membrane propre amorphe. Les tubuli contiennent une masse homogène visqueuse, la *substance colloïde*, qu'on trouve également dans les vaisseaux lymphatiques de la glande thyroïde.

Les *vaisseaux sanguins* qui sont très nombreux aboutissent à un réseau capillaire qui entoure les tubuli. Les *vaisseaux lymphatiques*, également très nombreux, forment un réseau situé entre les tubuli. Les *nerfs* sont rares ; ils suivent le trajet et les divisions des vaisseaux sanguins et forment des réseaux répartis autour des vaisseaux et autour des cavités glandulaires. On n'a pas observé de ramifications entre les cellules épithéliales.

Dans le voisinage du corps thyroïde on trouve plusieurs *corpuscules épi-*

théliaux d'un volume de quelques millimètres, ils se composent de travées de cellules épithéliales, de vaisseaux capillaires et de tissu conjonctif. Ils représentent probablement des restes de corps thyroïdes accessoires, arrêtés à divers stades du développement, et qui, dans certaines circonstances, peuvent se transformer en vrai tissu du corps thyroïde, avec substance colloïde.

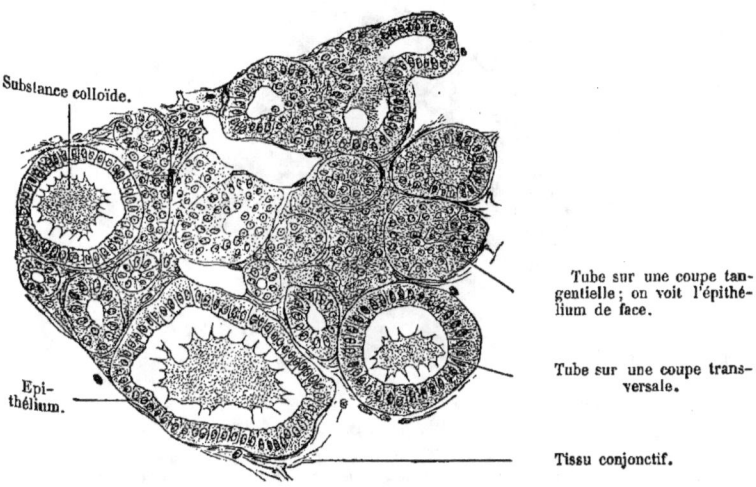

Fig. 191.

Un lobule d'une coupe fine du corps thyroïde d'un homme adulte (Gross. 220. **Technique n° 131**). — Il faut bien remarquer sur cette coupe combien le calibre des tubes est variable.

Thymus.

Le thymus, organe épithélial au commencement du développement, conserve ce caractère pendant une époque embryonnaire très courte, car bientôt l'épithélium se détruit, à peine en reste-t-il quelques traces, et du tissu adénoïde le remplace (1). Le thymus se compose chez l'enfant de lobes mesurant de 4 à 11 millimètres ; ces lobes sont entourés de tissu conjonctif fibrillaire mêlé à des fibres élastiques fines. Ce tissu conjonctif envoie des cloisons dans chaque lobe isolé, d'où résulte une subdivision en lobules plus petits d'un volume de 1 millimètre. Chacun de ces lobules se compose de tissu adénoïde plus dense à la périphérie qu'au centre, de sorte qu'on peut distinguer une portion corticale (fig. 192) plus sombre, et une portion médullaire plus claire. Dans la substance médullaire, se trouvent des corpuscules concentriques,

(1) Il ne faut pas croire que le tissu adénoïde soit une transformation de l'épithélium ; le tissu adénoïde du thymus prend naissance dans le tissu conjonctif embryonnaire.

striés, en nombre variable, d'un diamètre de 15 à 180 μ, qui sont des amas d'épithélium altéré. On les nomme *corpuscules de Hassal* (fig. 193).

Les *vaisseaux sanguins* sont très abondants et présentent un réseau capillaire dans la portion médullaire et un dans la portion corticale.

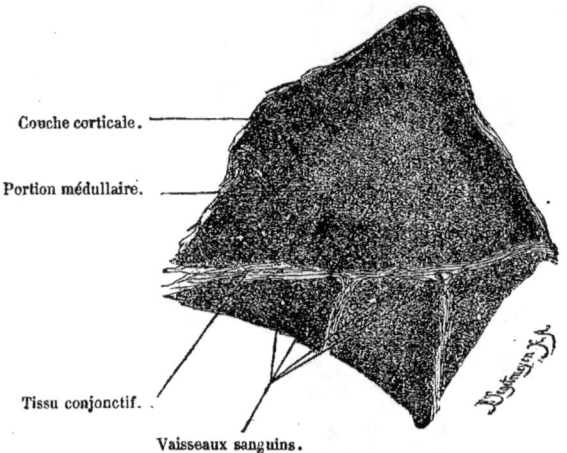

Couche corticale.

Portion médullaire.

Tissu conjonctif.

Vaisseaux sanguins.

Fig. 192.

Coupe d'un lobule du thymus d'un lapin de 7 jours. — La coupe ne comprend que la partie superficielle des lobules inférieurs, de sorte qu'à ce niveau on ne voit que la substance corticale (**Technique n° 132**).

Les *vaisseaux lymphatiques* sont également assez abondants, les plus gros troncs se trouvent à la surface du thymus, leurs branches cheminent le long des cloisons conjonctives, et pénètrent de là dans la substance médullaire.

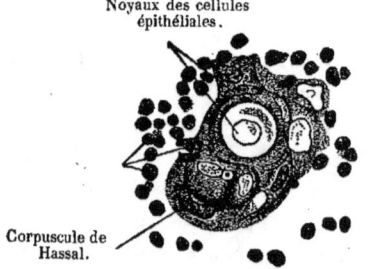

Noyaux des cellules
épithéliales.

Corpuscule de
Hassal.

Fig. 193.

Corpuscule de Hassal, sur une coupe de thymus d'un jeune chien (Gross. 560. **Technique n° 132**).

Plus tard le tissu du thymus subit des transformations et notamment la plus grande partie du tissu adénoïde disparaît étant remplacé par de la graisse.

TECHNIQUE

N° 126. Larynx, trachée, glande thyroïde. — Il faut disséquer la trachée (1) à partir de la poignée du sternum et l'enlever avec l'œsophage (voir n° 102).La langue peut être excisée en même temps.On laisse le corps thyroïde fixé au larynx.Le tout est plongé pendant 2 à 6 semaines dans 200 à 400 centimètres cubes de liquide de Müller ; on lave ensuite pendant une heure à l'eau courante et on durcit finalement dans 200 cent. cubes d'alcool progressivement concentré. Huit jours après on peut pratiquer des coupes longitudinales et transversales sur les cordes vocales et sur la trachée et le corps thyroïde ; les coupes sont colorées pendant 5 minutes environ à l'hématoxyline de Hansen et montées dans le baume. Les coupes transversales des cordes vocales sont les plus instructives ; on peut étudier sur ces coupes la muqueuse, les glandes, les muscles, les vaisseaux et nerfs, et les cartilages.

N° 127. Bronches. — On sacrifie un jeune chat en le décapitant ; on ouvre le thorax et on enlève soigneusement les poumons et la trachée. On fixe le poumon dans le liquide de Müller comme au n° **126** et on le durcit dans l'alcool progressivement renforcé. Au bout de huit jours on découpe à peu près 1 cent. cube de poumon qui contient un fragment bronchique longitudinal qu'on isole à l'aide de ciseaux du tissu pulmonaire environnant ; on inclut la bronche dans du foie et on pratique des coupes transversales fines qu'on colore à l'hématoxyline de Hansen et qu'on monte dans le baume (fig. 155). Il faut employer aussi cette méthode pour les alvéoles et les conduits alvéolaires.

N° 128. Épithélium pulmonaire. — On ne réussit cette préparation qu'en se servant d'animaux tout récemment tués ; les chats jeunes (pas les nouveau-nés), qu'on sacrifie en les décapitant, fournissent d'excellents sujets d'étude. On enlève soigneusement la trachée et les bronches, et avec une seringue de verre on les remplit d'une solution diluée de nitrate d'argent (2). On place ensuite une bonne ligature sur la trachée et l'on plonge le tout pendant 1 à 12 heures dans le restant de la solution de nitrate d'argent en ayant soin de garder les pièces dans l'obscurité. On lave ensuite rapidement les poumons avec de l'eau distillée et on les plonge dans environ 150 cent. cubes d'alcool progressivement concentré, après quoi on peut les conserver autant que l'on veut dans l'obscurité.

La réduction du nitrate d'argent peut être obtenue soit 1 heure soit plus tard après l'injection. A cet effet on expose les poumons dans l'alcool à la lumière solaire où ils brunissent en quelques minutes. On pratique ensuite des coupes avec un rasoir bien aiguisé (il faut éviter d'exercer une trop forte pression sur la pièce). Le tissu pulmonaire est, malgré le durcissement à l'alcool, encore très mou et on ne peut faire que des coupes assez épaisses. C'est en coupant parallèlement à la surface que l'on obtient les meilleurs résultats.

(1) Le chat adulte convient très bien pour ces sortes de préparations.
(2) 50 cent. cubes d'une solution à 1 0/0 dans 200 cent. cubes d'eau distillée.

On plonge les coupes pendant 10 à 60 minutes dans 5 à 10 cent. cubes d'eau distillée à laquelle on a ajouté un fragment de sel de cuisine gros comme un pois, et pour finir on monte dans le baume sans coloration (1).

Il n'est pas facile de s'orienter sur de telles coupes ; on commencera l'examen à un faible grossissement.

Les petits alvéoles sont faciles à reconnaître ; les lacunes plus volumineuses correspondent aux conduits alvéolaires. L'épithélium se voit généralement mieux à un grossissement moyen (80 diamètres) ; les cellules épithéliales ne sont d'ailleurs pas partout également nettes. Les cellules cubiques ont une coloration généralement un peu plus brunâtre. Il faut chercher un bon endroit et les examiner à un fort grossissement (240 diam.) ; il faut avoir bien soin de varier la mise au point pour se rendre compte des reliefs de la préparation. On ne voit en effet avec un fort grossissement que le fond ou les parties latérales d'un alvéole. Les pores qui font communiquer les alvéoles voisins ne sont visibles que sur les poumons dont les voies aériennes ont été injectées.

Nᵒ 129. Faisceaux élastiques des poumons. — On obtient les faisceaux élastiques des poumons en découpant aux ciseaux un fragment d'environ 1 cent. carré sur un poumon frais ou non ; on étale ce fragment sur une lame, on le couvre d'une lamelle et on y laisse arriver quelques gouttes de potasse caustique étendue de moitié d'eau. La potasse diluée détruit tous les tissus à l'exception des faisceaux élastiques dont on peut facilement, à l'aide d'un fort grossissement (240 diam.), étudier le volume et la disposition. Si l'on veut avoir des préparations à conserver, on durcit dans l'alcool absolu des fragments de 1 à 2 cent. cubes ; au bout de 48 heures on fait des coupes que l'on colore à l'orcéine et qu'on monte dans le baume.

Nᵒ 130. Vaisseaux sanguins des poumons. — On injecte les poumons au bleu de Prusse par l'artère pulmonaire, on les fixe ensuite dans du liquide de Müller et on les durcit dans l'alcool. On pratique des coupes épaisses de préférence parallèles à la surface du poumon (fig. 190).

Nᵒ 131. Corps thyroïde. — Le corps thyroïde est durci comme il a été indiqué au nᵒ 126 ; on fait des coupes fines et l'on colore au picro-carmin pour monter dans la résine Damar (fig. 191). Les masses colloïdes rétractées sont colorées en jaune intense. Si l'on monte dans la glycérine des coupes épaisses, on peut y observer souvent les vaisseaux lymphatiques remplis de substance colloïde.

Nᵒ 132. Thymus. — On fixe le thymus d'un jeune animal en le laissant dans le liquide de Müller de 2 à 5 semaines ; ou durcit dans l'alcool progressivement renforcé et on monte dans la résine Damar (fig. 192). Il faut se garder de confondre les vaisseaux coupés transversalement avec les corpuscules de Hassal. La préparation dessinée (fig. 193) provient d'un thymus fixé dans l'acide chromo osmio-acétique et coloré à la safranine.

_____

(1) Il ne faut pas tenter de colorer les noyaux, parce qu'on colore en même temps les noyaux des capillaires, ce qui complique énormément la figure.

G. — ORGANES URINAIRES.

1. — Reins.

Les reins sont des glandes composées. Ils sont constitués entièrement par

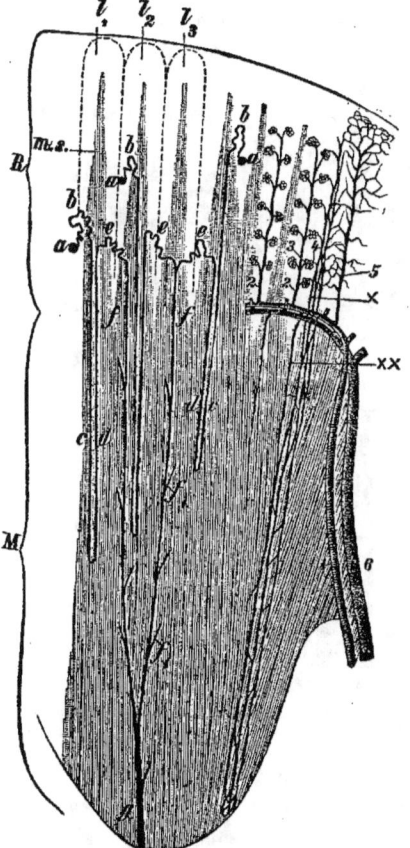

Fig. 194.

Schéma du trajet des canaux urinifères, à gauche ; du trajet des vaisseaux du rein, à droite. — R. Substance corticale. — M. Substance médullaire. — ms. Rayons médullaires. — l₁, l₂, l₃. Trois lobules rénaux. — a. Glomérule de Malpighi. — b. Tube contourné. — c. Branche descendante. — d. Branche ascendante de l'anse de Henle. — e. Pièce intermédiaire. — f. Tubes collecteurs. — f₁. Fragments de tubes collecteurs. — g. Conduit papillaire. — 1. Branche de l'artère rénale. — 2. Artère interlobulaire. — 3. Vaisseau afférent. — 4. Vaisseau efférent. — 5. Veine interlobulaire. — 6. Branche de la veine rénale.

Fig. 195.

Canaux urinifères isolés provenant d'un lapin âgé de 4 semaines (Gross. 30). — a. Glomérule de Malpighi. — b. Tube contourné. — c. Branche descendante. — d. Branche montante de l'anse de Henle. — f. Tube collecteur. — g. Conduit papillaire (**Technique** n° **133**, b).

des tubes, les *tubes urinifères*. Même à l'œil nu on remarque une grande différence entre les couches centrales du rein, entre la substance corticale et la
substance médullaire. Cette différence provient principalement de ce fait que
les canaux urinifères sont *sinueux* dans la substance corticale, tandis que dans
la substance médullaire ils affectent une direction *rectiligne*.

Chaque canalicule rénal commence dans la substance corticale par une
expansion sphérique, le *glomérule de Malpighi* (fig. 194) séparé des *tubuli
contorti* par un étranglement appelé col du glomérule ; au tube contourné fait

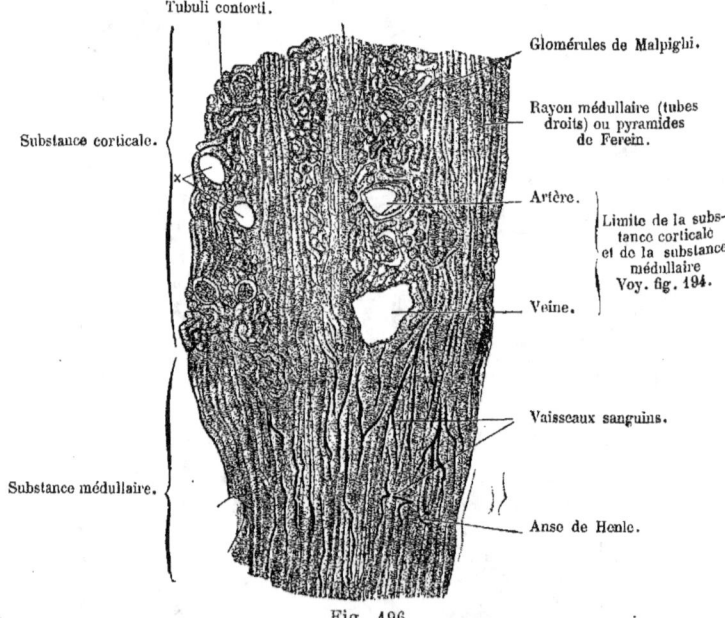

Fig. 196.

Fragment d'une coupe d'un rein humain ; la coupe va de la substance corticale vers la substance médullaire (Gross. 20). — En X deux glomérules de Malpighi sont tombés de la préparation (**Technique n° 134**).

suite une portion rectiligne dirigée d'abord vers le centre du rein et se recour-
bant ensuite pour former une anse, l'*anse de Henle* ; celle-ci présente à considérer une branche descendante (*c*) et une branche ascendante (*d*) ; la branche
ascendante se continue par une portion contournée, la *pièce intermédiaire* (*e*),
puis le tube reprend de nouveau une direction rectiligne et devient conduit
collecteur (*f, f*.) Les tubes collecteurs reçoivent pendant leur trajet centripète d'autres pièces intermédiaires ; ils se réunissent à angle aigu avec les
tubes collecteurs avoisinants, et forment finalement des canaux volumineux
qui se dirigent vers le sommet de la papille rénale où ils aboutissent. Ce sont
là les canaux connus sous le nom de *conduits papillaires* (*g*). Les anses de

Henle et les tubes collecteurs portent le nom de *canaux droits*. Chaque cana-licule urinaire présente donc un trajet indépendant jusqu'au tube collecteur. Les anses de Henle et les parties périphériques des tubes collecteurs s'unis-sent en groupes, pendant qu'ils se dirigent vers la substance médullaire, et ils constituent les *pyramides de Ferein*. La structure histologique des cana-licules urinaires diffère beaucoup suivant les parties que l'on considère, aussi est-il indispensable d'envisager chaque partie en particulier. Les corpuscules de Malpighi, qui ont 0,13 à 0,22 mm. de diamètre, sont formés par un pelo-ton de vaisseaux sanguins, le glomérule, coiffé d'une capsule spéciale, la *capsule de Bowman*. Celle-ci enveloppe le glomérule à la façon dont le péri-carde entoure le cœur. On peut donc distinguer à la capsule de Bowman deux feuillets, un interne (*feuillet viscéral*) très adhérent au glomérule — consti-

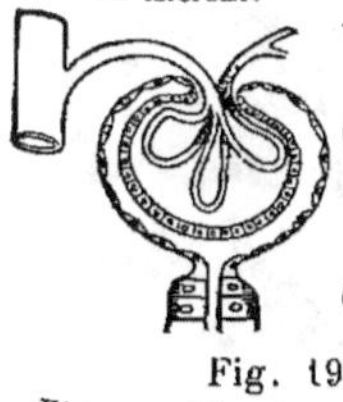

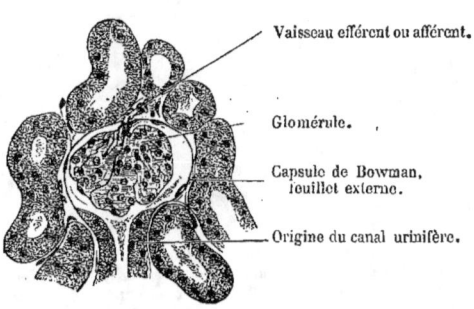

Vaisseau afférent.

Vaisseau efférent.

Capsule de Bow-man.

Canal urinifère.

Fig. 197.

Figure schématique. A gauche, artère qui du côté droit donne naissance à un vaisseau afférent. Celui-ci se divise en plusieurs branches, qui se recourbent, et vont donner naissance au vaisseau efférent dirigé à droite. Les trois anses consti-tuent le glomérule, qui est entouré par la capsule de Bowman dont les deux feuillets sont visibles. De la partie infé-rieure de la capsule part le canal urini-fère.

Vaisseau efférent ou afférent.

Glomérule.

Capsule de Bowman, feuillet externe.

Origine du canal urinifère.

Fig. 198.

Coupe d'un rein de souris (Gross. 240). L'épithélium qui re-vêt le glomérule, c'est-à-dire le feuillet viscéral de la capsule de Bowman, n'est pas visible (**Technique n° 136**).

tué chez les jeunes animaux par des cellules cubiques qui s'aplatissent de plus en plus avec le temps — et un feuillet externe (*feuillet pariétal*) qui est constitué par des cellules aplaties et polygonales (fig. 197).

Le feuillet externe de la capsule se continue par le col glomérulaire avec la paroi du tube contourné, qui à ce niveau mesure de 0,04 à 0.06 mm. de diamètre avec une lumière très étroite. Le protoplasma des différentes cellules à ce niveau est presque confondu ; il est granuleux et présente des striations qui correspondent aux granulations rangées en séries ; ces radia-tions sont surtout apparentes du côté de la base des cellules, et avec des grossissements moyens elles ressemblent à des bâtonnets (fig. 199). Le noyau des cellules est constamment situé du côté de la base, et la portion de la cel-lule tournée du côté de la lumière du tube présente constamment un plateau, en brosse.

La branche descendante de l'anse de Henle est très large, sa lumière mesure de 9 à 15 μ de large. Les cellules épithéliales qui la tapissent sont aplaties, souvent les noyaux sont presque à l'extrémité de la cellule (fig. 200,1). La branche montante mesure de 23 à 28 μ de diamètre ; sa lumière est étroite. Les cellules qui la revêtent ressemblent aux cellules des tubes contournés, elles sont cependant un peu plus basses (fig. 200,2). La transition entre la portion épaisse de l'anse de Henle et la portion mince n'a pas lieu toujours au sommet de cette anse. Les portions intermédiaires mesurent de 39 à 44 μ, leurs cellules épithéliales sont des cellules coniques ou cylindriques ; elles ont un brillant particulier. Les *canaux collecteurs* deviennent d'autant plus volumineux qu'ils se rapprochent davantage du sommet de la papille; les plus

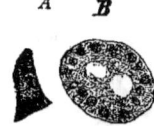

Fig. 199.

A. *Cellule isolée d'un tube contourné.* La base de la cellule présente une striation très fine. — B. *Coupe transversale d'un tube contourné.* On voit les bâtonnets sous forme de stries très fines. Les deux préparations proviennent d'un rein de chat (Gross. 240. **Technique n° 134**).

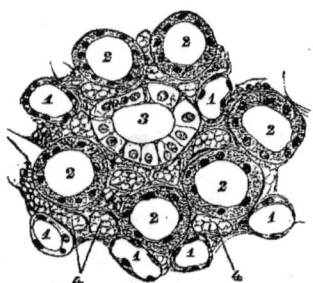

Fig. 200.

Coupe transversale de la substance médullaire d'un rein humain (Gross. 240). La coupe passe à la base d'une papille. — 1. Branche descendante. — 2. Branche ascendante de l'anse de Henle. — 3. Canal collecteur. — 4. Vaisseau rempli de globules rouges (**Technique n° 134**).

étroits ont un diamètre de 45 μ, les plus larges (conduits papillaires) ont un diamètre de 200 à 300 μ. Les cellules épithéliales sont tantôt des cellules claires cylindriques, tantôt des cellules foncées (fig. 200,3) dont la hauteur augmente avec le calibre du canal collecteur.

Les canaux urinifères possèdent dans toute leur longueur, au-dessous de la couche épithéliale, une paroi propre homogène, qui atteint sa plus grande épaisseur au niveau de la portion descendante de l'anse de Henle. Ils sont entourés d'une légère couche de tissu conjonctif lâche (tissu conjonctif interstitiel). Ce tissu se condense à la surface du rein sous forme d'une membrane fibreuse, *tunique albuginée*, qui, outre les fibres conjonctives, renferme des fibres musculaires lisses. Le tissu conjonctif interstitiel accompagne également les vaisseaux dans le rein.

Vaisseaux sanguins du rein. — L'artère rénale se divise, au niveau du hile du rein, en un certain nombre de branches qui, après avoir fourni de petits rameaux à la tunique albuginée et aux calices, pénètrent dans le parenchyme

rénal au niveau des papilles (fig. 194) ; elles vont directement sans se ramifier jusqu'à la limite de la substance médullaire et de la substance corticale.
Là, les artères se coudent à angle droit et cheminent le long de la limite cor-
tico-médullaire et forment des arcades à convexité périphérique. De la partie convexe de cette voûte se détache d'une manière régulière des rameaux
périphériques (1), les *artères interlobulaires* (fig. 194, 2, 201). Celles-ci
émettent latéralement de petites branches dont chacune alimente un glomérule. Chaque artère interlobulaire fournit un certain nombre de divisions
terminales, les unes vont à la capsule, d'autres vont à la substance médullaire,
d'autres enfin vont au glomérule (vaisseaux afférents). Celui-ci est constitué

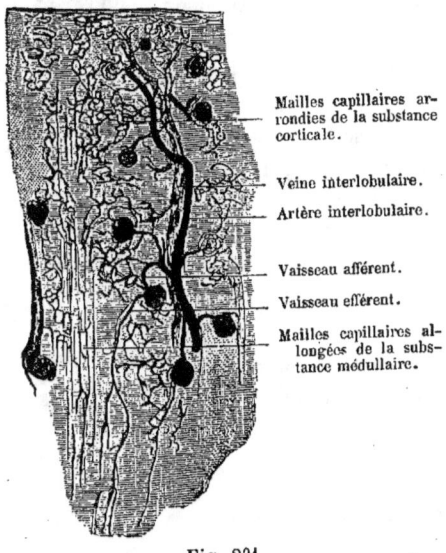

Mailles capillaires ar-
rondies de la substance
corticale.

Veine interlobulaire.

Artère interlobulaire.

Vaisseau afférent.

Vaisseau efférent.

Mailles capillaires al-
longées de la subs-
tance médullaire.

Fig. 201.
Coupe longitudinale d'un rein de cobaye injecté (Gross.30.
Technique n° 137).

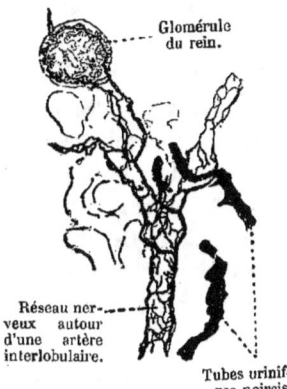

Glomérule
du rein.

Réseau ner-
veux autour
d'une artère
interlobulaire.

Tubes urinifè-
res noircis.

Fig. 202.
Coupe d'un rein de souris (Gross.
180. Technique n° 138).

par une division brusque de ces artères, en un certain nombre de petites
branches, qui ne tardent pas à se réunir (2) pour former un nouveau vaisseau
artériel auquel on donne le nom de *vaisseau efférent* (fig. 193, 4, 201) ; il est
un peu plus petit que le vaisseau qui dessert le glomérule ou *vaisseau afférent* (fig. 194, 3, 201). Le vaisseau efférent se résout en un réseau capillaire
à mailles allongées dans la substance médullaire, et à mailles arrondies au

(1) On comprend sous le nom de *lobules du rein* des territoires corticaux difficiles à délimiter au microscope. L'axe du lobule est constitué par un rayon émané
de la substance médullaire ; de chaque côté, il est limité par une artériole, l'*artère
interlobulaire*. La figure 194 représente 3 de ces lobules.

(2) Chaque glomérule est donc un *rete mirabilis* artériel (Voy. page 103).

niveau des tubes contournés ; de ces derniers réseaux naissent les *veines interlobulaires* (fig. 194, 5, 201), situées à côté des artères du même nom, dans tout le reste de leur parcours ; les autres veines suivent également le trajet des artères. Les veines des couches les plus externes se réunissent en groupes étoilés (*étoiles de Verheyen*), tributaires des veines interlobulaires. Cette description de vaisseaux s'applique à la substance corticale et aux pyramides de Ferein ; la substance médullaire est irriguée par les artères droites qui proviennent en partie des vaisseaux efférents des glomérules les plus profonds, et en même temps les plus volumineux (194, X, 201), et en partie directement des branches centripètes des artères interlobulaires ou des artères arciformes (fig. 194, XX). Les veines médullaires se ramifient en un réseau à mailles allongées entourant les conduits papillaires, et aboutissent aux veines arciformes situées à la limite de la substance médullaire et de la substance corticale.

La veine rénale et ses branches ne possèdent pas de valvules. Dans la capsule aussi bien que dans l'intérieur du parenchyme rénal, on voit parfois des artères se continuer directement avec les veines.

Les *vaisseaux lymphatiques* du rein sont situés les uns superficiellement dans les enveloppes du rein ; d'autres accompagnent les rameaux artériels qui pénètrent dans le parenchyme.

Les *nerfs* forment un réseau qui suit le trajet des artères jusqu'au glomérule (fig. 202). Les tubes contournés sont entourés de fibres nerveuses dont les plus fines ramifications traversent la membrane propre et vont se terminer par des extrémités libres entre les cellules épithéliales.

2. — Conduits excréteurs du rein.

Calices, bassinet et uretère. — Ces organes sont constitués par 3 couches, qui sont, en allant de dedans en dehors, une couche muqueuse, une couche musculaire et une couche fibreuse (fig. 203).

La tunique propre de la *muqueuse* (*t*) est constituée par des fibres conjonctives fines, riches en éléments cellulaires : elle se continue sans ligne de démarcation nette avec la couche sous-muqueuse (*s*). Cette tunique propre est tapissée par un épithélium pavimenteux stratifié disposé sur un petit nombre de couches ; la couche supérieure est constituée par des cellules cylindriques ou cubiques et par quelques cellules aplaties (épithélium dit de transition).

Parfois on trouve de ces grosses cellules plates avec plusieurs noyaux.

La *tunique musculaire* est formée par une couche longitudinale interne et une couche circulaire externe de fibres musculaires lisses. Au niveau de la moitié inférieure de l'uretère, il existe une couche externe non continue de fibres musculaires lisses à direction longitudinale.

La *tunique fibreuse* est formée par des faisceaux de tissu conjonctif lâche ;

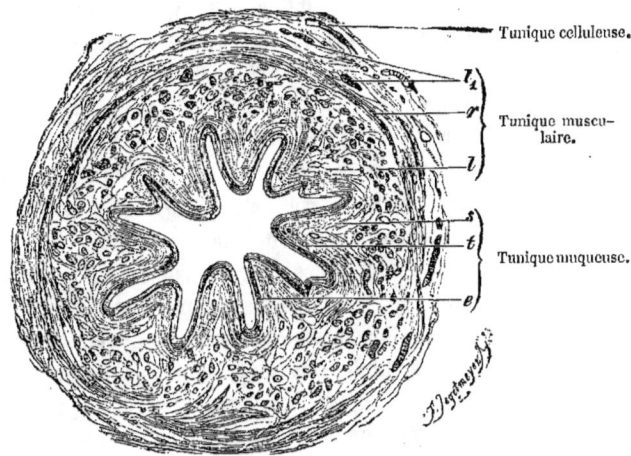

Fig. 203.

Coupe transversale de la portion inférieure de l'urétère de l'homme (Gross. 15). — *e.* Epithélium. — *t.* Tunique propre. — *s.* Sous-muqueuse. — *l.* Couche musculaire longitudinale interne. — *p.* Couche musculaire circulaire. — *l.* Couche musculaire longitudinale externe (**Technique n° 139**).

la muqueuse du calice tapisse la surface de la papille rénale et les faisceaux musculaires circulaires forment autour de la papille un véritable sphincter.

Les *vaisseaux sanguins et lymphatiques* sont très nombreux, notamment

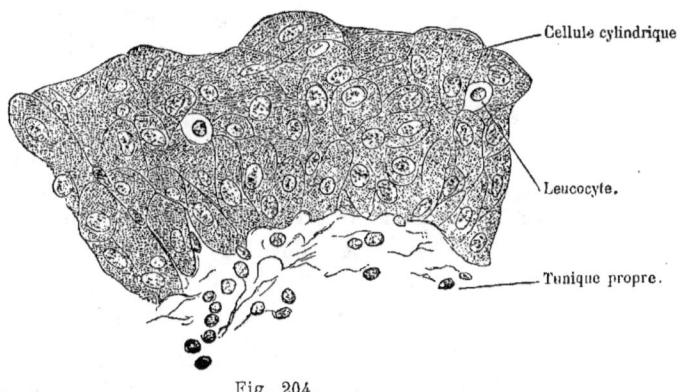

Fig. 204.

Coupe perpendiculaire de la muqueuse vésicale de l'homme (Gross. 560. **Technique n° 140**).

dans la muqueuse ; les *nerfs* se répandent surtout dans la couche musculaire ; certaines fibres nerveuses pénètrent jusqu'à la couche épithéliale.

La *vessie* est également formée par une tunique muqueuse, une tunique musculaire et une tunique fibreuse. L'épithélium ressemble complètement à celui du bassinet et de l'uretère. Il est impossible de les différencier. Dans la tunique propre il existe des follicules lymphatiques isolés. La tunique musculaire est composée de trois couches lisses : une couche interne et une couche externe longitudinales et une couche moyenne circulaire. Ces différentes couches sont tellement imbriquées qu'il est impossible d'établir une délimitation précise entre elles. Au niveau du trigone vésical, la couche musculaire longitudinale interne est renforcée et la couche musculaire circulaire forme le sphincter interne du col de la vessie. Les vaisseaux sanguins et lymphatiques se comportent comme dans l'uretère. Le long des nerfs on trouve de petits amas de cellules ganglionnaires.

Dans la tunique propre de la partie inférieure du bassinet et de la partie supérieure de l'uretère, ainsi que dans la vessie, on trouve parfois des corpuscules ronds ou allongés qui ont été pris à tort pour des glandes. Ce sont des dépressions de l'épithélium superficiel, il n'y a pas de lumière glandulaire, et parfois d'ailleurs on trouve le tractus épithélial qui les rattache à la muqueuse.

L'*urèthre de la femme* est formé par une muqueuse et une couche musculaire très puissante. La tunique propre de la muqueuse est formée par un tissu conjonctif finement fibrillaire contenant un grand nombre de cellules. Le tissu conjonctif forme à la surface de l'urèthre un grand nombre de saillies papillaires qui sont d'autant plus développées qu'on se rapproche davantage du méat urinaire. Un épithélium pavimenteux stratifié recouvre la muqueuse ; plus souvent encore c'est une seule couche d'épithélium cylindrique ; on y trouve des glandes tubuleuses isolées ou ramifiées, mais en petit nombre. Il y a un petit groupe de glandes qui se trouve à l'orifice de l'urèthre et qu'on nomme glandes péri-uréthrales.

La tunique musculaire est formée par une couche longitudinale interne et une couche circulaire externe de fibres musculaires lisses séparées par une couche conjonctive contenant un grand nombre de fibres élastiques. La muqueuse est riche en vaisseaux sanguins.

Les veines forment un réseau qui arrive jusque sous la couche musculaire longitudinale, elles constituent là une sorte de corps spongieux ayant quelque analogie avec le corps caverneux de l'urèthre de l'homme.

L'*urèthre de l'homme* est constitué comme celui de la femme par une tunique muqueuse et par une tunique musculaire, mais sa structure est différente suivant la région uréthrale que l'on considère. Dans la partie prostatique, l'épithélium ressemble à celui de la vessie ; dans la partie membraneuse cet épithélium se transforme en un épithélium cylindrique stratifié et devient épithélium cylindrique simple dans la portion caverneuse. A partir de la fosse naviculaire, la muqueuse uréthrale est tapissée par un épithélium pavimenteux stratifié. La membrane propre de cette muqueuse est pourvue, surtout dans la fosse naviculaire, de papilles très développées ; des glandes tubuleuses isolées et ramifiées (*glandes de Littre*) se trouvent dans toute la longueur de la muqueuse uréthrale. La tunique musculaire contient dans sa partie prostatique une couche longitudinale interne et une couche circulaire externe de fibres lisses. Les fibres longitudinales forment encore dans la portion membraneuse une couche importante, mais elles cessent complètement dans la portion caverneuse. La couche circulaire disparaît également dans la partie antérieure de la portion caverneuse. La muqueuse de l'urèthre de l'homme est riche en *vaisseaux sanguins* (Voy. corps caverneux, p. 278).

Les *vaisseaux lymphatiques* sont sous-jacents aux vaisseaux sanguins.

TECHNIQUE

N° 133. Dissociation des canaux urinifères. — Le rein des jeunes animaux, par exemple des chats nouveau-nés, est excellent pour ce genre d'étude. On partage le rein en deux portions, une moitié *a*) est mise de côté pour être étudiée à l'état frais et l'autre *b*) divisée en petits morceaux comprenant la substance médullaire et la substance corticale est plongée dans environ 30 cent. cubes d'acide chlorhydrique.

a) On dissocie des fragments de la grosseur d'un pois dans une goutte de solution de sel de cuisine à 0, 75 0/0 ; à un faible grossissement on voit les glomérules rouges, ainsi que les tubes contournés et les tubes droits ; les tubuli contorti sont foncés, granuleux, les autres parties sont claires. Un fort grossissement permet de voir nettement les noyaux des parties claires des canalicules rénaux ; les contours cellulaires se reconnaissent surtout dans les canaux collecteurs. On n'aperçoit dans les tubuli contorti que la fine striation de la base des cellules glandulaires ; les contours cellulaires et les noyaux ne sont pas visibles.

b) Au bout de 2 heures environ, on met les fragments de rein dans un petit cristallisoir contenant 30 cent. cubes d'eau distillée et on agite légèrement ; la surface des fragments se désagrège complètement, on laisse le tout reposer pendant 12 heures ; l'eau est enlevée ensuite soigneusement. Une goutte du résidu ainsi obtenu est placée sur la lame porte-objet ; on y voit de nombreux canalicules rénaux isolés. Si l'on veut obtenir des canalicules rénaux en plus grande masse, il faut porter le restant des fragments, non encore complètement dissociés, dans un verre de montre dans lequel on a disposé une lamelle épaisse et versé l'eau distillé en quantité suffisante pour submerger la lamelle. On cherche alors à isoler les canalicules avec les aiguilles. Si la dissociation réussit — une loupe ou un faible grossissement en rend facilement compte — on aspire soigneusement l'eau avec une pipette ou avec un papier à filtrer. On enlève alors la lamelle ; on nettoie la surface libre et on la place avec les canaux urinifères qui lui adhèrent sur une lame où on a eu le soin de disposer préalablement une goutte de glycérine diluée. On peut ensuite colorer au picro-carmin sous la lamelle (fig. 195).

Nᵒ 134. Substance corticale et substance médullaire. — Pour des coupes, on peut fixer l'autre rein de chat ou des fragments d'autres reins de 2 à 3 centimètres dans environ 200 à 300 cent.cubes de liquide de Müller, et les durcir après 4 semaines dans environ 100 cent. cubes d'alcool progressivement renforcé. Il faudra examiner à la loupe et à un faible grossissement les coupes transversales et longitudinales de la substance médullaire et corticale non colorées dans une goutte de glycérine diluée. Des coupes fines, pratiquées perpendiculairement au sommet de la papille et passant par les conduits papillaires, d'autres passant par la base de la papille (fig. 196) et par la substance corticale, seront colorées à l'hématoxyline de Hansen et montées au baume.

On peut faire des coupes épaisses portant à la fois sur la substance corticale et sur la substance médullaire. A la limite de ces deux substances, les coupes non colorées et montées dans la glycérine sont intéressantes à examiner à un faible grossissement et fournissent une bonne vue d'ensemble. Les vaisseaux sanguins sont souvent remplis de globules rouges, on peut les suivre sur une assez longue étendue.

Nᵒ 135. — Les tubes droits et les anses de Henle sont surtout très bien colorés sur les coupes longitudinales de reins de jeunes animaux traités comme il a été indiqué au **nᵒ 134**.

Nᵒ 136. Glomérules et capsule de Bowman. — Pour bien voir le moyen d'union de la capsule avec les canalicules urinaires, il faut prendre un rein de souris. On fixe et on durcit la moitié du rein dans 15 cent. cubes d'alcool absolu qu'on change après quelques heures. Au bout de 3 jours et même plus tôt, on pratique des coupes fines dans la portion corticale et on les colore pendant 2 à 3 minutes dans de l'hématoxyline de Hansen, on monte ensuite dans le baume (fig. 198). Le feuillet interne de la capsule ne peut être distingué à cause des noyaux des parois vasculaires qui sont colorés de la même façon.

Nᵒ 137. Vaisseaux du rein. — On peut injecter isolément un rein, le fixer dans environ 300 cent. cubes de liquide de Müller et le durcir après 4 semaines dans environ 150 cent. cubes d'alcool progressivement concentré. Les étoiles de Verheyen se voient à l'œil nu. Les coupes longitudinales et transversales épaisses non colorées seront étudiées à la loupe et à l'aide d'un faible grossissement (fig. 201).

Nᵒ 138. — Pour étudier les nerfs du rein, on traite de petits fragments de l'organe par la méthode de Golgi (fig. 201).

Nᵒ 139. Bassinet et uretère. — On fixe des fragments d'un cent. carré environ du bassinet et des fragments de 1 à 2 cent. de longueur de l'uretère dans 100 cent. cubes de liquide de Müller et on les durcit après 14 jours dans environ 100 cent. cubes d'alcool progressivement concentré.

Les coupes seront colorées à l'hématoxyline de Hansen et montées dans le baume (fig. 201).

N° 140. Vessie. — On procède comme au **n° 139.**

N° 141. Cellules épithéliales du bassinet, de l'uretère et de la vessie. — On place un fragment d'environ 1 cent. carré de chacune de ces parties (l'uretère doit être ouvert) dans environ 30 cent. cubes d'alcool au tiers de Ranvier. Dissociation et coloration au picro-carmin. Conservation dans la glycérine diluée et acidulée.

N° 142. Urèthre de la femme. — On coupe un fragment d'environ 2 cent. de longueur sur un urèthre de femme ainsi que la partie vaginale qui y adhère. On le fixe dans 100 à 200 cent. cubes de liquide de Müller et on le durcit après 2 à 3 semaines dans environ 100 cent. cubes d'alcool progressivement renforcé. On colore les coupes transversales avec l'hématoxyline de Hansen et on monte dans le baume.

N° 143. Urèthre de l'homme. — On prend des fragments longs de 1 à 3 cent. des parties prostatique, membraneuse et caverneuse de l'urèthre, de même qu'une portion de la fosse naviculaire et on traite comme il a été dit au **n° 142.** Il ne faudra pas confondre les coupes transversales des lacunes de Morgagni (c'est-à-dire les pertuis borgnes de la muqueuse uréthrale), avec les coupes des glandes.

H. — ORGANES GÉNITAUX.

A. — Organes génitaux de l'homme.

1. — Testicules.

Les testicules sont des glandes constituées par des canalicules ramifiés, les canalicules testiculaires ou spermatiques, entourés d'une enveloppe conjonctive. Cette enveloppe, *tunique albuginée* (fig. 205) ou fibreuse des auteurs, est une membrane résistante enveloppant complètement le parenchyme testiculaire, formant à la partie postéro-supérieure du testicule une sorte de renflement saillant, le *corps d'Highmore*. Ce renflement donne naissance à un certain nombre de feuillets (*septula testis*), qui vont en divergeant du côté de l'albuginée et divisent le parenchyme testiculaire en autant de lobules pyramidaux dont la base est située sur la tunique albuginée et dont le sommet correspond au corps d'Highmore.

La tunique albuginée est constituée par un tissu conjonctif et fibrillaire, dont la surface libre est tapissée d'une seule couche de cellules épithéliales plates ; la face interne repose sur une couche conjonctive lâche ; celle-ci ren-

ferme un grand nombre de vaisseaux et porte le nom de *tunique vasculaire*;
elle adhère aux cloisons testiculaires.

Le corps d'Highmore est constitué par un tissu conjonctif dense et renferme un réseau de canaux s'anastomosant fréquemment entre eux ; c'est le
rete testis (*rete vasculosum* de Haller).

Les cloisons testiculaires sont formées par des faisceaux conjonctifs en
connexion avec l'enveloppe conjonctive de chaque canalicule testiculaire.
Le tissu conjonctif interstitiel est riche en éléments cellulaires ; parmi ces

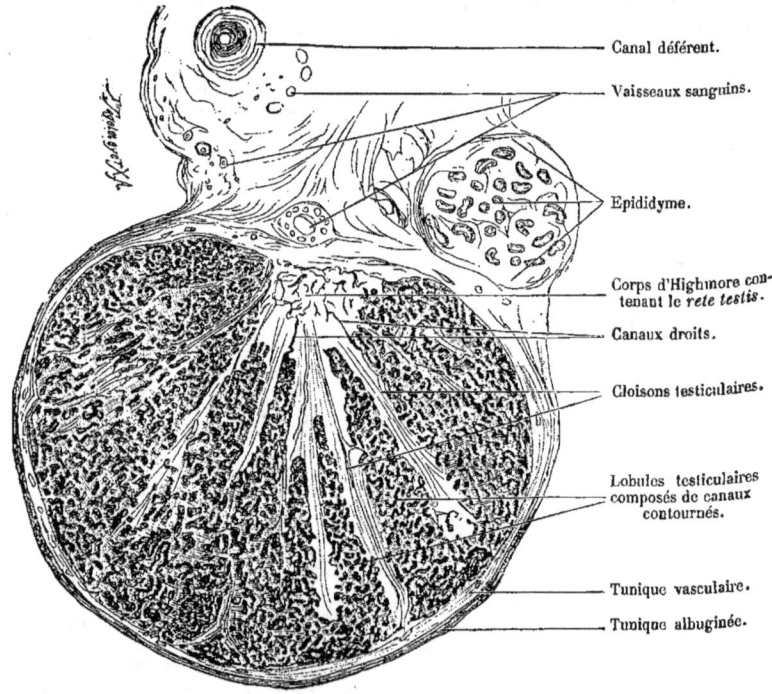

Fig. 205.
Coupe transversale d'un testicule de nouveau-né (Gross. 10. **Technique n° 144**).

cellules, les unes sont plates, d'autres sont arrondies, parfois elles contiennent
des granulations pigmentaires ou graisseuses.

Les canaux testiculaires comprennent dans leur trajet trois portions : la
première portion est représentée par les *tubes contournés*, la seconde par les
tubes droits, se continuant avec la troisième partie, le *rete testis*.

Les tubes contournés sont des canalicules arrondis de 140 μ d'épaisseur,
sur l'origine desquels on n'est pas encore bien fixé : ils s'anastomosent probablement à la périphérie sous la tunique vasculaire et forment ainsi un

réseau (1) d'où partent de nombreux canaux qui se dirigent vers le corps d'Highmore en décrivant de nombreuses sinuosités. Pendant ce trajet les canaux s'anastomosent à angle aigu, et leur nombre diminue. Les tubes contournés se continuent non loin du corps d'Highmore avec les tubes droits (fig. 205). Leur calibre à ce niveau diminue notablement, ils n'ont plus que 20 à 25 μ de large ; bientôt ils pénètrent dans le corps d'Highmore où ils forment le *rete testis*. Leur diamètre mesure alors 25 à 180 μ.

La paroi des tubes contournés est constituée, en allant de dehors en dedans, par les couches suivantes : 1° par plusieurs couches concentriques de cellules conjonctives aplaties ; 2° par une membrane propre très mince ; 3° par des cellules glandulaires disposées sur plusieurs couches, et offrant un aspect différent suivant leur état fonctionnel.

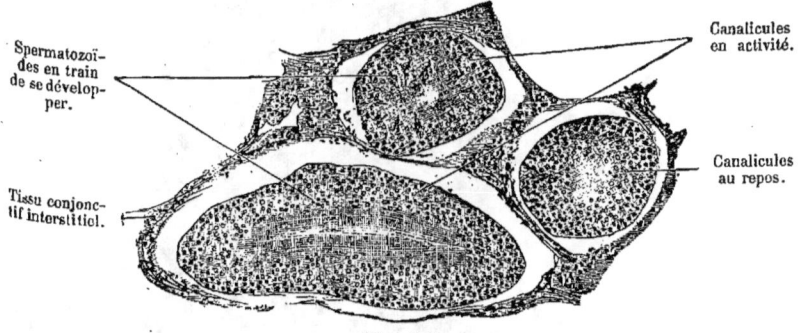

Fig. 206.

Coupe transversale d'un testicule de taureau (Gross. 50). Par la fixation et le durcissement, l'épithélium glandulaire s'est rétracté, de sorte qu'il s'est formé des lacunes entre la couche épithéliale et le tissu conjonctif interstitiel **(Technique n° 145)**.

L'épithélium est à l'état de repos, alors les canalicules apparaissent tapissés par plusieurs rangées de cellules rondes, dont les noyaux se colorent d'une façon plus ou moins intense (fig. 206) ; à l'état d'activité on trouve une série de figures, se rapportant à la formation du sperme, spermatogénèse. La couche de cellules épithéliales voisines de la membrane propre, *couche périphérique*, se compose de deux variétés de cellules, les unes, *cellules de Sertoli* (fig. 207), n'ont rien à faire avec la production des spermatozoïdes ; les autres cellules au contraire, les *spermatogonies* (cellules fondamentales), sont les véritables producteurs du sperme. Elles se multiplient par division indirecte et se transforment en de grandes cellules, qui se placent au-dessus d'elles. Celles-ci sont des cellules mères qui par leurs divisions répétées produisent deux et quatre cellules, les *spermatides* (cellules séminales), situées dans les couches les plus rapprochées du centre. Ces dernières deviennent

(1) On voit aussi des canaux terminés en culs-de-sac.

des filaments séminaux (*spermatosomes*) ; le noyau forme la tête du sperma-
tide et une petite partie du protoplasma forme la queue (1).

Un grand nombre de spermatides vont alors s'accoler à une cellule de
Sertoli (2) qui pendant ce temps s'est allongée vers le centre du canal. C'est
probablement de cette façon que les spermatides reçoivent leurs matériaux
de nutrition.

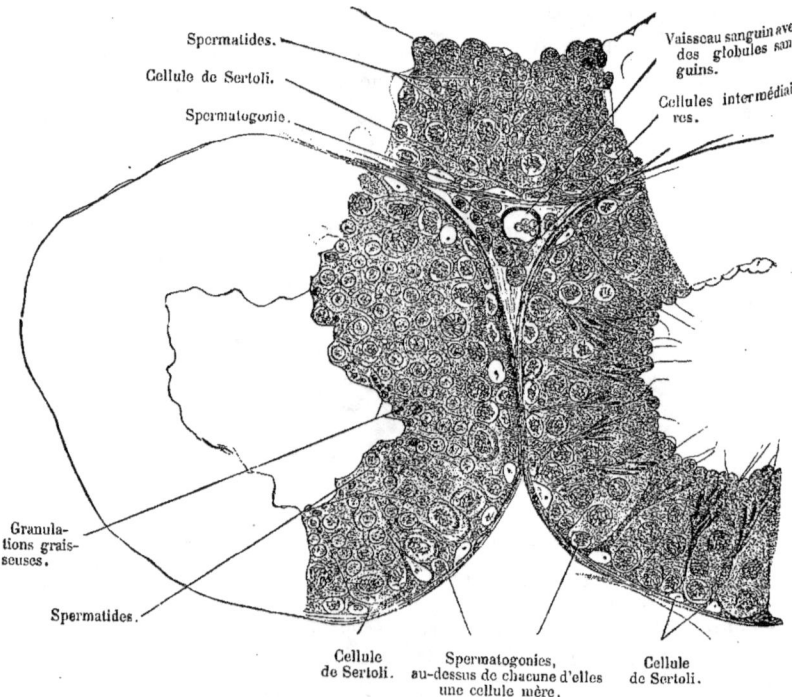

Fig. 207.

Coupes de tubes séminifères d'une souris (Gross. 360). Il faut examiner comment les noyaux des
spermatides d'abord ronds (en bas à gauche) deviennent ovoïdes (en haut) et se transforment en têtes de
spermatozoïdes (à droite en bas) (**Technique n° 146**).

Les parois des *canalicules droits* sont constituées par une membrane propre et par une simple couche de cellules cylindriques basses.

Les canaux du *rete testis* sont pourvus d'une couche unique de cellules
épithéliales aplaties.

(1) La portion de réunion (page 273) qui présente la réaction de la paranucléine
(page 36) résulte probablement du centrosome.

(2) C'est ainsi que se forme le *spermatoblaste* des auteurs, V.**Technique n° 147**.

Les *artères* des testicules sont des branches de l'artère spermatique, elles pénètrent dans les cloisons testiculaires venant les unes du corps d'Higmore, les autres de la tunique vasculaire. Elles se résolvent en un réseau capillaire qui entoure les canalicules testiculaires. Les *veines* qui leur font suite cheminent à côté des artères. Les *vaisseaux lymphatiques* forment un réseau situé sous la tunique albuginée, et en relation avec les capillaires lymphatiques qui entourent les canalicules spermatiques.

Les *nerfs* forment un réseau autour des vaisseaux sanguins. Quelques auteurs pensent que de ce réseau partent des fibres traversant la membrane propre des tubes et allant se terminer par des renflements entre les cellules épithéliales.

2. — Sperme.

Le produit de sécrétion du testicule, le *sperme*, est constitué presque exclusivement par des spermatozoïdes. Ceux-ci ont la forme d'une épingle, on leur distingue une tête et une queue (fig. 208). Chez l'homme la tête a une longueur de 3 à 5 μ, une largeur de 2 à 3 μ ; elle est aplatie, et vue de côté, elle semble piriforme à petite extrémité dirigée en avant, mais, vue de face, elle paraît ovalaire et arrondie en avant, avec une portion claire à la région antérieure (fig. 208).

La queue, examinée à un très fort grossissement, présente un filament qui occupe toute sa longueur, c'est le filament axile formé par de fines fibrilles. On distingue plusieurs parties dans la queue ; on trouve tout d'abord, faisant immédiatement suite à la tête, la pièce d'union ou pièce intermédiaire affectant la forme d'une spirale, mesurant 6 μ de long sur 1 μ de large ; puis vient la pièce principale, d'une longueur de 40 à 60 μ qui va s'amincissant progressi-

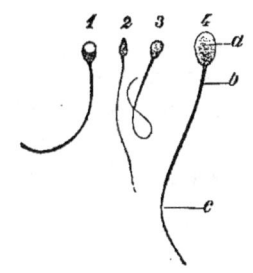

Fig. 208.

1.2.3. Spermatozoïdes de l'homme (Gross.560).— 1. Spermatozoïde vu de face. — 2. Vu de côté. — 3. Queue enroulée en anneau. — *4. Spermatozoïde du taureau : a.* tête ; *b.* pièce intermédiaire ; *c.* portion principale. La portion terminale, ainsi que la délimitation entre chaque partie ne sont pas visibles à ce grossissement (**Technique n° 148**).

vement. La pointe de la queue ou *pièce terminale* est formée par le filament axile qui se prolonge librement sur une étendue de 10 μ environ (1). Les *spermatozoïdes* sont remarquables par leur grande résistance, résis-

---

(1) On ne peut ici s'étendre sur la forme des spermatozoïdes chez les différents animaux. Le spermatozoïde en spirale, découvert d'abord chez les oiseaux et les amphibies caudés, a été également trouvé chez quelques mammifères, le rat par exemple. Il n'est pas certain que jusqu'ici on l'ait rencontré chez l'homme.

tance qu'ils doivent probablement aux sels calcaires qui entrent dans leur composition. Leurs mouvements serpentins tiennent uniquement à la queue qui pousse la tête devant elle : ces mouvements manquent généralement dans le produit de sécrétion pur du testicule ; ils ne se montrent que dans le sperme dilué mélangé dans les voies d'excrétion naturelle avec la sécrétion des ampoules des conduits spermatiques, des vésicules séminales, de la prostate et des glandes de Cowper. Dans ce mélange le mouvement se conserve quelque temps après la mort (24 à 48 heures), et même pendant plus longtemps dans les produits de sécrétion des organes génitaux de la femme. L'eau arrête les mouvements, mais on peut les voir apparaître à nouveau si l'on ajoute à la préparation des liquides organiques à réaction alcaline. D'ailleurs ces liquides, de même que la solution de sel de cuisine à 1 0/0, favorisent les mouvements des spermatozoïdes, tandis que les acides et les sels métalliques les font cesser. Une fois immobilisés, les spermatozoïdes s'enroulent souvent en cercle (fig. 208, 3).

3. — Canaux excréteurs du sperme.

Ces conduits excréteurs se composent de l'épididyme, du canal déférent, des vésicules séminales et des canaux éjaculateurs (1). Les canaux efférents du testicule naissent au nombre de 15 de l'extrémité supérieure du *rete testis* ; après avoir décrit un trajet des plus sinueux, ces canaux se réunissent en au-

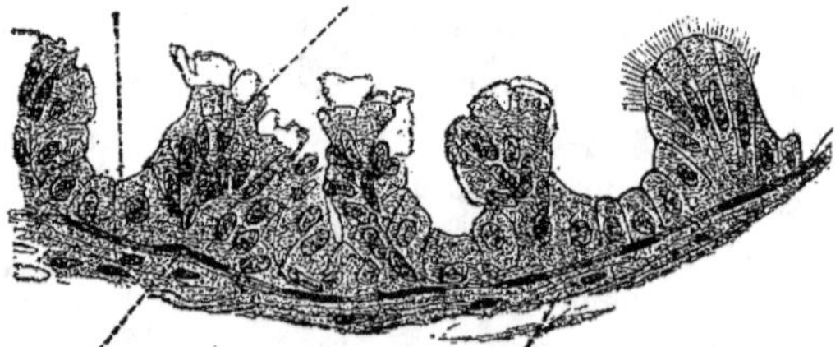

Cellules cubiques.   Cellules cylindriques.

Fibres musculaires lisses.   Tissu conjonctif.

Fig. 209.

Coupe transversale d'un conduit efférent de l'homme adulte. Le coin droit de la figure est schématisé (Gross. 360). On n'y voyait pas de cils quoique ceux de l'épithélium du canal épididymaire fussent bien conservés (**Technique n° 151**).

tant de lobules coniques, dont l'ensemble constitue la tête de l'épididyme. Le canal épididymaire se trouve formé par la réunion des canalicules effé-

(1) Les canaux droits et le *rete testis* appartiennent également aux canaux spermatiques excréteurs, mais ils ont été décrits avec la glande testiculaire à cause des rapports intimes qu'ils affectent avec elle.

rents ; il se continue au niveau de la queue de l'épididyme avec le canal déférent.

Les conduits efférents sont tapissés par un épithélium qui n'est pas partout semblable ; des groupes d'épithélium cylindrique à cils vibratiles, alternent avec d'autres groupes d'épithélium cubique simple ; ces derniers ressemblent à des glandes alvéolaires isolées, sans cependant qu'il y ait à leur niveau de dépression de la membrane propre (fig. 209). Une membrane propre striée et une couche circulaire formée par plusieurs plans de fibres musculaires lisses, complètent la paroi du conduit efférent.

Le canal de l'épididyme est tapissé par un épithélium stratifié, à cils vibratiles (fig. 210), ses sinuosités sont maintenues par du tissu conjonctif lâche, riche en vaisseaux : aux approches du conduit spermatique la couche musculaire circulaire s'épaissit.

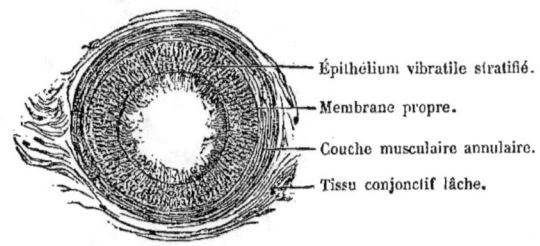

— Épithélium vibratile stratifié.

— Membrane propre.

— Couche musculaire annulaire.

— Tissu conjonctif lâche.

Fig. 210.

Coupe perpendiculaire d'un canal épididymaire de l'homme (Gross. 80. **Technique nᵒ 151**).

Le conduit spermatique se compose soit d'une double rangée d'épithélium cylindrique, soit d'un épithélium disposé en plusieurs couches et ressemblant à l'épithélium pavimenteux stratifié (épithélium de transition, p. 264); au-dessous on trouve une couche de tissu conjonctif formant la tunique propre, et la sous-muqueuse, puis une couche interne circulaire et une couche externe longitudinale de fibres musculaires lisses et enfin une tunique adventice formée de fibres conjonctives mêlées à des fibres élastiques. Cette dernière contient surtout dans la portion comprise entre le testicule et le canal inguinal des faisceaux longitudinaux de fibres musculaires (fig. 211). Au commencement du conduit spermatique se trouve dans la sous-muqueuse également une couche mince de fibres musculaires lisses, longitudinales. La partie terminale du canal déférent se dilate en forme d'ampoule dont les parois sont amincies, mais présentent la même structure. Dans la muqueuse de l'ampoule on trouve des glandules ramifiées ; l'épithélium formé par des cellules cylindriques contient de nombreuses granulations de pigment.

(1) Ces fibres appartiennent probablement à la tunique vaginale commune du cordon spermatique ; elles constituent le muscle crémaster interne.

Les *vésicules séminales* présentent la même structure. Les *conduits éjacu-lateurs* se composent d'une couche simple d'épithélium cylindrique et de couches minces de fibres musculaires lisses : l'interne est circulaire, et l'externe longitudinale ; ils comprennent en outre une adventice contenant des plexus veineux abondants, serrés.

Les *nerfs* forment un premier réseau autour des vaisseaux sanguins, un autre dans la musculeuse de l'épididyme et un autre plus abondant encore dans le conduit spermatique. Ce dernier pourvu de ganglions lymphatiques, *plexus myo-spermatique,* donne naissance à des fibres fines qui se continuent jusqu'à la muqueuse.

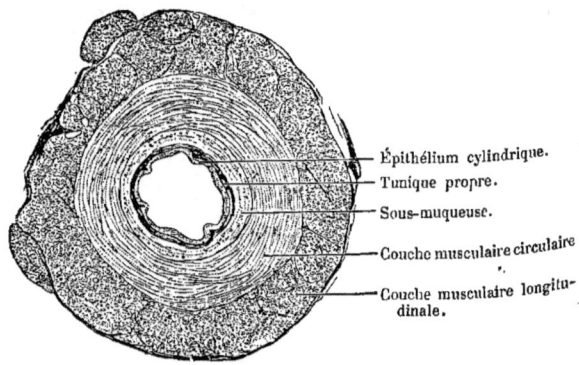

                                Fig. 211.

Portion initiale du canal déférent de l'homme (Gross. 20). Les fibres musculaires longitudinales de la sous-muqueuse sont coupées perpendiculairement, et apparaissent comme de petits anneaux ou comme des points (**Technique n° 151**).

Le *paradidyme* (organe de Giraldès) situé entre les éléments du cordon re-présente ainsi que le *vas aberrans de Haller* un reste embryonnaire du sinus uro-génital. Tous les deux se composent d'un canal tapissé par un épithélium cubique ou cylindrique à cils vibratiles, et entouré de tissu conjonctif vascu-laire.

L'*appendice testiculaire* (hydatide de Morgagni) est un lobule solide pourvu d'un court pédicule, et composé de tissu conjonctif riche en vaisseaux recou-vert d'épithélium à cils vibratiles.

Le pédicule contient un canalicule tapissé d'épithélium cylindrique.

L'appendice de l'épididyme, inconstant, est une vésicule contenant un li-quide clair et tapissé par des cellules cubiques. C'est que la signification des deux appendices n'est pas encore complètement élucidée ; on ne sait pas s'ils re-présentent des restes de l'extrémité supérieure du conduit de Müller em-bryonnaire se transformant en trompe chez la femme, ou des restes du rein primitif.

4. — Glandes accessoires des organes génitaux de l'homme.

Le tissu glandulaire entre pour une petite part dans la constitution de la *prostate*, qui est surtout formée par des fibres musculaires lisses. Cette substance glandulaire se compose de 30 à 50 glandes tubuleuses isolées et ramifiées, qui se distinguent par leur laxité. Ces glandes débouchent dans l'urèthre par l'intermédiaire de deux gros canaux principaux et par une foule de petits canaux accessoires. Les cellules glandulaires de la prostate sont des cellules cylindriques basses, disposées sur une seule couche. On trouve dans les gros conduits excréteurs un épithélium de transition analogue à celui de la partie prostatique de l'urèthre. Dans les culs-de-sac glandulaires, on rencontre chez les vieillards les *calculs prostatiques*, qui sont des masses arrondies stratifiées ayant jusqu'à 0,7 mm. de diamètre. Les fibres musculaires lisses qui se trouvent en grande quantité entre les lobules glandulaires prennent un plus grand développement au niveau de l'origine de l'urèthre et forment à ce niveau une couche musculaire circulaire plus épaisse (sphincter interne de la vessie) ; à l'extrémité antérieure de la prostate les fibres musculaires lisses se condensent également ; des faisceaux de fibres striées provenant du muscle transverse du périnée viennent s'y adjoindre, pour constituer le muscle sphincter externe de la vessie. La prostate possède un grand nombre de *vaisseaux sanguins*. On ne sait rien de précis sur la distribution des *nerfs* qui s'y rendent.

Les *glandes de Cowper* sont des glandes en tube composées dont les larges culs-de-sac sont revêtus d'une simple couche de cellules cylindriques claires, et dont les conduits excréteurs sont tapissés par 2 à 3 couches de cellules cubiques.

5. — Pénis.

Le pénis est constitué par 3 corps cylindriques spongoïdes : les deux corps caverneux du pénis et le corps spongieux de l'urèthre enveloppés par des aponévroses et la peau.

Les *corps caverneux* du pénis sont constitués par une *tunique albuginée* et par un *tissu de nature spongieuse*. La tunique albuginée est une membrane conjonctive résistante de 1 mm. d'épaisseur en moyenne, contenant un grand nombre de fibres élastiques ; on peut lui distinguer une couche longitudinale externe et une couche circulaire interne. Le tissu spongieux est formé par des faisceaux de fibres musculaires lisses mélangés de travées et de lames conjonctives qui, reliées par des anastomoses nombreuses, forment un réseau dont les mailles sont tapissées par une simple couche de cellules épithéliales plates. Ces mailles ou lacunes sont remplies de sang veineux. Les artères à parois épaisses tantôt se résolvent en réseaux capillaires, tantôt débouchent dans les lacunes profondes des corps caverneux. Les *capillaires* forment un réseau placé sous la tunique albuginée, le réseau cortical superficiel (fin) qui est en connexion avec un réseau veineux à capillaires larges disposé sur plusieurs couches. Ce dernier est situé dans les couches superficielles du tissu spongieux et disparaît dans les espaces veineux de ce même tissu.

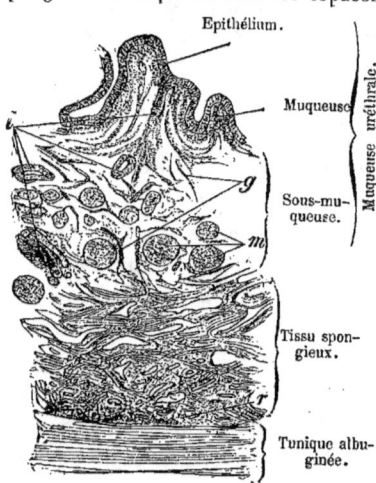

Fig. 212.

Fragment d'une coupe transversale de la portion caverneuse de l'urèthre de l'homme (Gross. 20). — *l*. Glandes de Littre. Le trait inférieur indique le corps glandulaire, les supérieurs montrent différentes parties des canaux excréteurs. — *g*. Vaisseaux sanguins. — *m*. Coupe transversale de fibres musculaires longitudinales. — *r*. Réseau cortical superficiel (**Technique n° 152**).

Les *artères hélicines* sont des ramuscules situés dans les espaces fins de tissu conjonctif, elles forment des anses sur le pénis à l'état de flaccidité ; quand on pratique une injection incomplète, ces vaisseaux semblent se terminer en culs-de-sac. Les *veines* qui rapportent le sang des corps caverneux du pénis (*veines émissaires*) naissent en partie du gros réseau cortical et en partie de la profondeur du tissu spongieux. Elles aboutissent à la veine dorsale du pénis après avoir perforé la tunique albuginée.

Le *corps caverneux de l'urèthre* est formé de deux parties différentes ; la partie centrale est formée par le réseau veineux notablement développé de la couche sous-muqueuse de l'urèthre ; la partie périphérique ressemble, quant à sa structure, au corps caverneux du pénis, mais on n'y trouve pas la communication directe des artères avec les espaces veineux.

La tunique albuginée est formée uniquement par une couche circulaire de tissu fibreux. Le gland du pénis est formé de veines très enroulées maintenues par un tissu conjonctif très développé, qui contient de fines artérioles ainsi que des capillaires.

B. — Organes génitaux de la femme.

1. — Ovaire.

Les ovaires sont constitués par du tissu conjonctif et par de la substance glandulaire. Le tissu conjonctif de l'ovaire est disposé sur plusieurs couches. Extérieurement on voit la *tunique albuginée* (fig. 213), formée par un certain nombre de lamelles conjonctives entrecroisées ; cette tunique se modifie peu à peu pour constituer la couche corticale de l'ovaire (fig. 213) ; celle-ci contient la *substance glandulaire* ; elle est en connexion avec la *substance médullaire* qui est très riche en vaisseaux sinueux contenus dans des travées de fibres musculaires lisses. La substance glandulaire est formée par de nombreuses vésicules sphériques épithéliales (chez la femme on en compte environ 36.000), les *follicules ovariens*, dont chacun contient un ovule. La plupart des follicules sont microscopiques ($40\,\mu$) ; ils forment, dans les couches

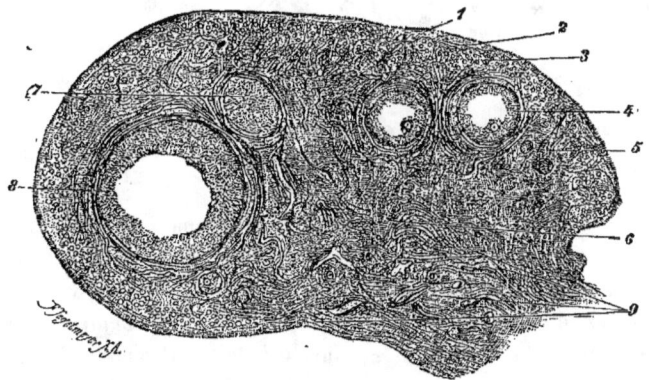

Fig. 213.

Coupe transversale d'un ovaire d'une petite fille de huit ans (Gross. 10). — 1. Épithélium germinatif. — 2. Tunique albuginée encore peu développée. — 3. Zone la plus externe de la substance corticale, cette zone contient de nombreux follicules. — 4. Follicules assez volumineux. — 5. Partie interne de la substance corticale. — 6. Substance médullaire avec nombreuses artères sinueuses. — 7. Follicule coupé par sa périphérie. — 8. Gros follicule dont le cumulus proligère n'est pas détaché de la coupe. — 9. Hile de l'ovaire renfermant de larges canaux veineux (**Technique n° 153**).

superficielles de la substance corticale où ils sont situés (fig. 213), une zone arciforme qui ne manque qu'au hile de l'ovaire, point d'entrée des vaisseaux. Les follicules situés dans la profondeur sont assez volumineux, mais les plus gros, facilement appréciables à l'œil nu, peuvent occuper, à leur plus grand degré de développement, l'espace qui s'étend de la substance médullaire à la tunique albuginée.

La face superficielle de l'ovaire est tapissée par l'*épithélium germinatif* (fig. 213), c'est-à-dire par une couche unique de très petites cellules cylindriques basses.

Seul le premier développement des ovules s'accomplit pendant la vie embryonnaire ; le développement ultérieur de l'œuf jusqu'à sa maturité parfaite ne peut être observé à ses différents stades que sur un ovaire capable de fonctionner.

Pendant la période fœtale les cellules de l'épithélium germinatif se divisent en deux couches ; les cellules de la couche profonde augmentent de volume et forment les ovules primordiaux renfermant un noyau volumineux et un nucléole, les cellules de la couche supérieure forment une sorte d'anneau autour de l'œuf. On voit encore cette disposition après la naissance (fig. 214). L'œuf se divise encore une fois, puis entouré de cette couronne

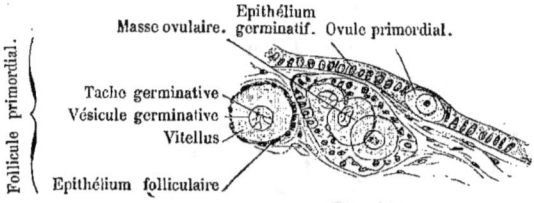

Fig. 214.

Coupe d'ovaire provenant d'une petite fille de 4 mois (Gross. 240). L'œuf primordial a un gros noyau avec des nucléoles. La masse ovulaire contient trois ovules entourés de cellules cylindriques (**Technique n° 153**).

de cellules indifférentes, il s'enfonce dans le stroma ovarien pendant qu'au niveau de l'épithélium germinatif de nouveaux œufs primordiaux se forment, qui à leur tour s'enfoncent dans le parenchyme. La cellule ovulaire avec les cellules indifférentes qui l'entourent forment la *masse ovulaire*. Plus tard les cellules épithéliales indifférentes ainsi que le tissu conjonctif se multiplient autour de chaque ovule et le séparent des ovules voisins. Ainsi se trouve constitué le *follicule primordial*, masse sphérique composée d'un ovule enveloppé par des cellules épithéliales, et par une membrane conjonctive. C'est de cette façon aussi que se développe le follicule ovarique pendant la période fœtale. Bientôt les cellules de l'épithélium folliculaire deviennent plus hautes (fig. 215), elles forment plusieurs couches, l'œuf devient plus volumineux, s'entoure d'une couche excentrique, la couche corticale, qui s'épaissit progressivement et présente de fines stries rayonnées ; cette couche corticale ainsi différenciée prend le nom de *zone pellucide*. L'accroissement de l'œuf s'accompagne de modifications du côté de son protoplasma. La plus grande partie se transforme en une masse granuleuse, le *deutoplasma* ; et il ne reste du protoplasma primitif, qu'une zone située autour du noyau qui quitte le

centre de la cellule, et une couche fine recouvrant la périphérie de l'ovule.
Le deutoplasma et le protoplasma ovulaire constituent le *vitellus*, le noyau,
la vésicule germinative, le nucléole, la *tache germinative*. On a remarqué
sur cette dernière des mouvements amiboïdes.

Le follicule continue à s'accroître par suite de la multiplication incessante
des cellules de l'épithélium folliculaire. Une lacune prend naissance entre ces
cellules, se remplit de liquide, le *liquide folliculaire*. Ce liquide provient en
partie d'une transsudation des vaisseaux sanguins qui entourent le follicule,
et en partie de la liquéfaction de chaque cellule de l'épithélium folliculaire,
il s'accroît progressivement de telle sorte que bientôt le follicule représente
une vésicule remplie de liquide, il prend alors le nom de *follicule de Graaf*, son
diamètre atteint 0.5 à 12 mm. Autour des gros follicules, le tissu conjonctif
du stroma ovarique forme des couches concentriques entrecroisées qu'on a

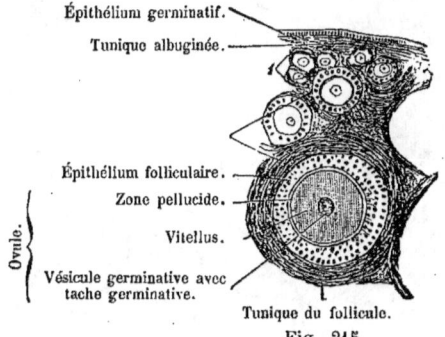

Fig. 215.

Coupe de la substance corticale d'un ovaire de lapine (Gross. 90). — 1. Follicule primordial. —
2. Follicule avec une couche unique de cellules cylindriques (**Technique n° 153**).

désignées sous le nom de *gaine du follicule* (fig. 215). Le follicule de Graaf est
donc constitué par une enveloppe de tissu conjonctif, la gaine folliculaire, formée elle-même de deux couches : l'une externe, la tunique *fibreuse* (fig. 216)
et l'autre interne, la tunique *propre*, riche en cellules et en vaisseaux sanguins.
Au-dessous on rencontre l'épithélium folliculaire disposé sur plusieurs couches. Sur un follicule frais on peut le dissocier en gros fragments ; cette couche est connue depuis longtemps sous le nom de *membrane granuleuse*. A un
certain endroit cette membrane s'élargit pour constituer le *cumulus proligère*
dans lequel l'ovule est contenu. Les cellules épithéliales les plus voisines de
la zone pellucide rayonnent autour de l'œuf et forment la *couronne radiée*
(fig. 217). La plus grande partie du contenu du follicule est constituée par le
liquide folliculaire.

Dès que le follicule de Graaf est arrivé à sa maturité complète, il crève au
niveau de la partie dirigée du côté de la face supérieure de l'ovaire ; ce point

est d'ailleurs reconnaissable avant la déhiscence du follicule à la saillie qui se
dessine sur la paroi et à l'amincissement qu'elle subit. L'œuf arrive dans la
cavité pelvienne, et le follicule ainsi vidé se transforme en *corps jaune* (*corpus luteum*) ; si l'œuf expulsé n'est pas fécondé le corps jaune disparaît au
bout de quelques semaines, c'est ce que l'on appelle un faux corps jaune ; si
au contraire il y a fécondation, le follicule devient un corps jaune vrai, dont
le diamètre peut atteindre environ 1 cent., celui-ci se conserve pendant des
années. Ce corps jaune est d'abord constitué par une membrane fibreuse (tunique fibreuse primitive) et par une masse jaune due en partie à la proliféra-

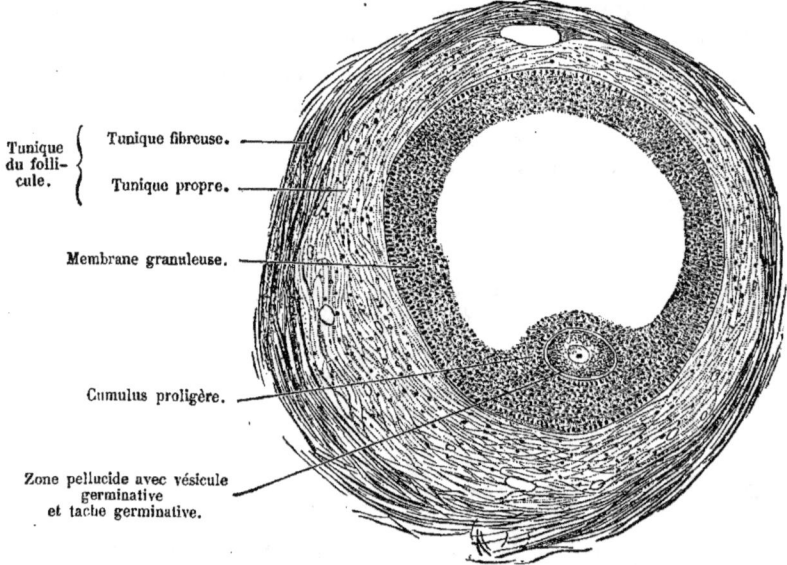

Fig. 216.

Coupe d'un follicule de Graaf provenant d'une jeune fille de 8 ans (Gross. 90). L'espace paracentral renfermait le liquide folliculaire (**Technique n° 153**).

tion des cellules de la tunique propre et en partie aux restes de l'épithélium
folliculaire, qui a subi la dégénérescence graisseuse. Au milieu on voit une
cavité remplie de sang. Ce sang provient de la rupture des vaisseaux de la tunique propre.

Plus tard une partie des cellules se transforme en tissu conjonctif jaune,
le centre se décolore et à la place du sang apparaît une masse granuleuse
contenant quelquefois des *cristaux d'hématoïdine*.

Les follicules primitifs n'arrivent pas tous à une maturité complète. Un
grand nombre de ces petits follicules, de même que quelques gros follicules,
subissent une véritable régression.

Les *artères* des ovaires, branches de l'artère ovarique interne et de l'artère utérine, pénètrent par le hile, se divisent dans la substance médullaire

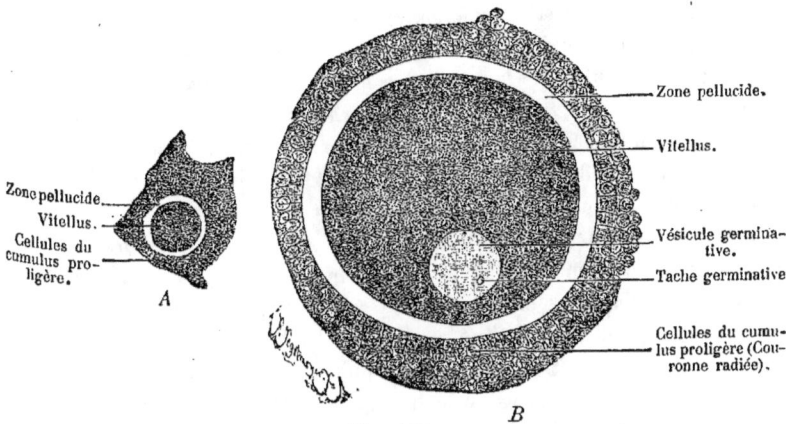

Fig. 217.

A. *Follicule de Graaf de la vache* (Gross. 50). — B. *Follicule de Graaf de la vache* (Gross. 240. Technique n° 154).

et se caractérisent par leur trajet sinueux (fig. 218). De la substance médullaire, elles remontent dans la substance corticale où elles fournissent des

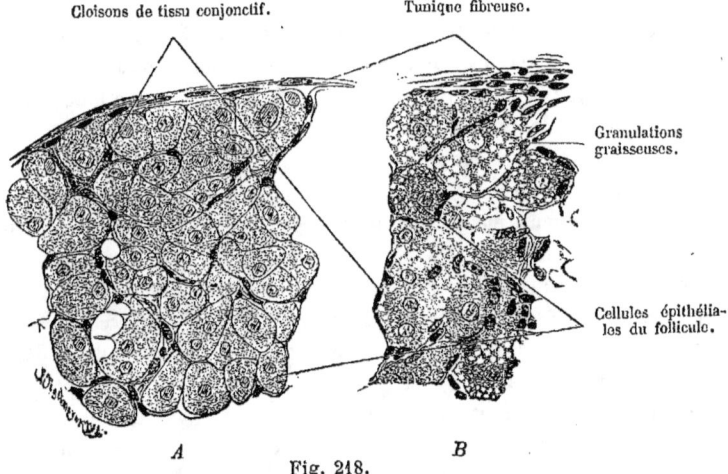

Fig. 218.

A. *Portion du corps jaune d'un lapin.*
B. *Portion du corps jaune d'un chat* (Gross. 260). En B les cellules épithéliales du follicule sont en dégénérescence graisseuse, des gouttelettes de graisse plus ou moins grandes remplissent les cellules (Technique n° 153).

réseaux capillaires abondants à la tunique propre du follicule. Les *veines* forment près du hile de l'ovaire un large plexus. Les *vaisseaux lymphatiques*, en grand nombre, peuvent être suivis jusqu'au niveau de la tunique propre du follicule.

Les nerfs, les uns sans myéline, les autres avec myéline, pénètrent pour la plupart au niveau du hile avec les vaisseaux sanguins et se dirigent vers la substance médullaire. Quelques-uns, la plupart sans myéline, vont jusqu'à la substance corticale, là ils forment un réseau qui entoure les follicules, et ils envoient des branches à la paroi des vaisseaux. Il n'est pas encore absolument démontré que des fibres nerveuses pénètrent entre les cellules épithéliales des plus gros follicules.

L'*époophoron* (parovaire) et le *paroophoron* sont des restes d'organes embryonnaires. Le premier est situé près du hile de l'ovaire sur ses parties latérales (chez le chat, la souris et d'autres animaux, il est placé à l'intérieur même du hile) ; il est constitué par des canalicules terminés en culs-de-sac, canaux sinueux et tapissés par un épithélium cylindrique à cils vibratiles.

L'*époophoron* est un reste de la portion génitale du corps de Wolff. Le *paroophoron* est situé dans la partie médiane de l'aileron moyen du ligament large et est formé de canalicules ramifiés et tapissés de cellules cylindriques ; il représente un reste de la portion urinaire du corps de Wolff.

2. — Trompes et utérus.

La paroi de l'oviducte, trompe utérine, trompe de Fallope, se compose de 3 couches ; elle comprend : 1° une muqueuse ; 2° une musculeuse, et 3° un revêtement séreux. La muqueuse présente une série de plis longitudinaux, de sorte que la coupe transversale de la lumière de la trompe a une forme étoilée. Les plis offrent leur maximum de développement dans le pavillon de la trompe ; à ce niveau ils sont de plus réunis entre eux par de petits plis obliques. La muqueuse épaisse se compose : 1° d'une couche simple de cellules épithéliales cylindriques à cils vibratiles ; le courant des cils est dirigé vers l'utérus; 2° d'une tunique propre riche en cellules conjonctives; 3° d'une muscularis mucosæ très mince, de fibres musculaires lisses à direction longitudinale, et 4° d'une sous-muqueuse formée par une mince couche de tissu conjonctif fibrillaire. Dans la couche musculaire on distingue une couche circulaire interne épaisse, et une couche longitudinale, externe et mince, de fibres musculaires lisses. Le revêtement séreux est formé par une couche abondante de tissu conjonctif lâche et par le péritoine. Les vaisseaux sanguins sont très abondants surtout dans la muqueuse, où ils forment un réseau capillaire à mailles étroites. Les veines les plus grosses cheminent le long des plis de la muqueuse. On ne connaît pas encore très bien les lymphatiques des trompes. Les nerfs forment (chez le porc) un réseau très riche dans la muqueuse, les ramifications vont vers l'épithélium. On ne sait pas si elles pénètrent entre les cellules.

La paroi de l'utérus se compose également d'une muqueuse, d'une musculeuse et d'une séreuse (fig. 220). Après la puberté la muqueuse présente une épaisseur de 1 mm.environ ; elle est tapissée par une seule couche d'épithélium cylindrique à cils vibratiles ayant une hauteur de 30 μ en moyenne (*a*) ; le cou-

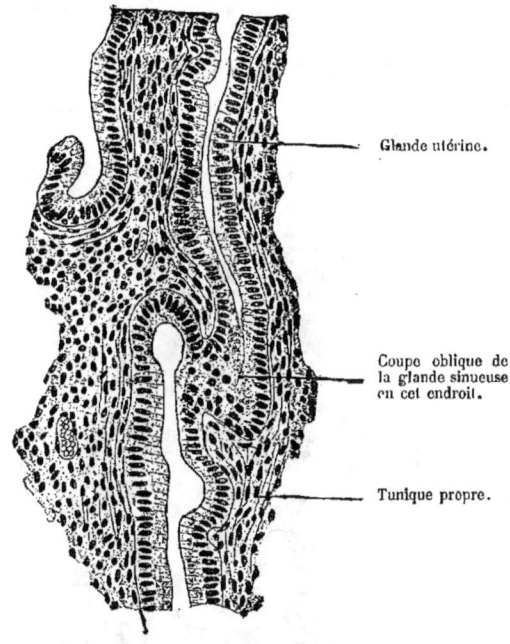

Glande utérine.

Coupe oblique de la glande sinueuse en cet endroit.

Tunique propre.

Fig. 219.
Coupe de muqueuse utérine d'une femme de 28 ans (Gross. 240). Les cils très fins ne se voyaient pas sur la préparation (**Technique n° 158**).

rant vibratile est dirigé vers le col de l'utérus. La tunique propre (fig. 219) se compose de tissu fibreux à fibres fines contenant de nombreuses cellules conjonctives et des leucocytes ; on y trouve également une légère quantité de substance intermédiaire, homogène ; elle renferme de plus beaucoup de glandes simples ou ramifiées ayant un trajet plus droit à la partie supérieure, et plus sinueux dans la profondeur ; ces glandes se terminent en cul-de-sac à la limite de la couche sous-muqueuse. Elles ne sécrètent pas de produit spécifique, et sont tapissées d'un épithélium cylindrique simple à cils vibratiles analogue à l'épithélium superficiel. Une membrane délicate, limite les glandes du côté de la tunique propre. Il n'y a pas de sous-muqueuse. La musculeuse se compose de fibres musculaires lisses, réunies en faisceaux, entre-

croisées dans diverses 'directions, de sorte qu'il est impossible d'établir une
délimitation précise des couches. On en distingue généralement trois : 1° une
couche interne, sous-muqueuse, formée par des faisceaux longitudinaux ;
2° une moyenne, la plus puissante, formée principalement de faisceaux musculaires circulaires, et qui contient des veines larges (d'où le nom de couche
vasculaire) et 3° une couche formée par des faisceaux tantôt circulaires, tantôt longitudinaux (ces derniers immédiatement sous la séreuse), *couche supra-vasculaire* (fig. 220).

Les faisceaux longitudinaux de cette couche passent en partie dans la couche
musculaire des trompes, et en partie dans le tissu conjonctif sous-séreux des
plis péritonéaux voisins.

La séreuse n'offre pas d'autres particularités.

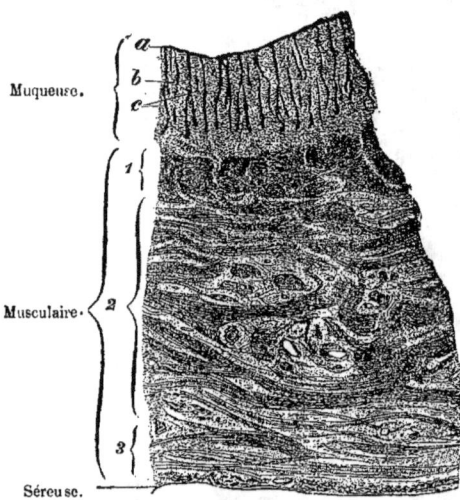

Fig. 220.

Coupe perpendiculaire de la portion médiane de l'utérus d'une jeune fille de 15 ans (Gross. 10).
— *a*. Épithélium. — *b*. Tunique propre. — *c*. Glandes. — 1. Stratum sous-muqueux. — 2. Stratum
vasculaire. — 3. Stratum supra-vasculaire (**Technique n° 157**).

La muqueuse est plus épaisse dans le col de l'utérus, et porte dans les deux
tiers supérieurs une couche simple de cellules épithéliales (1) à cils vibratiles, haute en moyenne de 60 μ, tandis que vers l'orifice externe de l'utérus
on rencontre des papilles recouvertes d'épithélium pavimenteux stratifié. En
dehors des glandes en tubes isolées, on trouve encore des glandes muqueuses
pourvues de diverticules ; par suite de la rétention de leurs produits de sécrétion ces glandes se transforment en kystes, les œufs de Naboth.

(1) Ces cellules deviennent parfois caliciformes.

La musculeuse dans le col offre trois couches très nettes : une couche musculeuse interne, une externe longitudinale et une couche moyenne circulaire.

Les *vaisseaux sanguins* de la couche musculaire sont surtout très développés dans la couche vasculaire. Les branches terminales se dirigent par un trajet sinueux vers la muqueuse où elles forment un réseau capillaire entourant les glandes, et aboutissant finalement à un réseau capillaire situé immédiatement au-dessous de la surface. Les *vaisseaux lymphatiques* naissent par des extrémités en culs-de-sac et forment dans la muqueuse un réseau à larges mailles. De celui-ci partent des troncs qui traversent la musculeuse et se réunissent à un réseau sous-séreux de canaux lymphatiques plus gros. Des nerfs très nombreux, les uns sont à myéline, les autres sans myéline ; ils se ramifient, en grande partie, dans la musculeuse. Les fibres perdent leur gaine de myéline et se terminent de la même façon que dans les couches musculaires de l'intestin (page 220).

Les *nerfs* forment dans la muqueuse un réseau épais d'où naissent des branches qui montent jusqu'au-dessus de l'épithélium, en partie même elles pénètrent dans l'épithélium. Les cellules étoilées et fusiformes qu'on colore en noir en même temps que les nerfs, par la méthode de Golgi, n'appartiennent pas plus aux éléments nerveux que les cellules analogues de la muqueuse intestinale.

Pendant *la menstruation* et *la grossesse* la muqueuse utérine subit une série de modifications qui nécessitent une description détaillée. Au moment de la menstruation, la muqueuse utérine devient plus épaisse, elle atteint jusqu'à 6 millimètres. Cet épaississement est dû à l'augmentation de la substance homogène intermédiaire et à la multiplication des éléments cellulaires. Les glandes s'allongent, les vaisseaux sanguins, surtout les veines et les capillaires, se dilatent.

Ce processus dure à peu près cinq jours, au bout de ce temps il se forme une extravasation sanguine dans les couches sous-épithéliales (fig. 221), celles-ci se détruisent et s'éliminent en même temps que l'épithélium (mais sous forme de petits lambeaux) ; les vaisseaux sanguins existant à ce niveau se déchirent et le flux menstruel survient (1).

Ce stade dure environ 4 jours, suit la période de régénération qui comprend de 5 à 10 jours, les vaisseaux capillaires se rétrécissent, des capillaires nouveaux se forment, l'épithélium glandulaire fournit par division des

---

(1) On a dit que l'épithélium se détachait en grands lambeaux ; la déchirure des vaisseaux sanguins a été mise en doute ; la sortie du sang se ferait par diapédèse.

éléments nouveaux pour remplacer l'épithélium de la surface disparu, et le tissu de la tunique propre se complète en même temps.

La muqueuse de l'*utérus gravide* présente trois régions distinctes : 1° la caduque basale (D. sérotine), la portion de la muqueuse, à laquelle se trouve fixé l'œuf ; 2° la caduque vraie qui tapisse le reste du corps de l'utérus : 3° la caduque capsulaire (caduque réfléchie), laquelle s'élevant des bords de la ca-

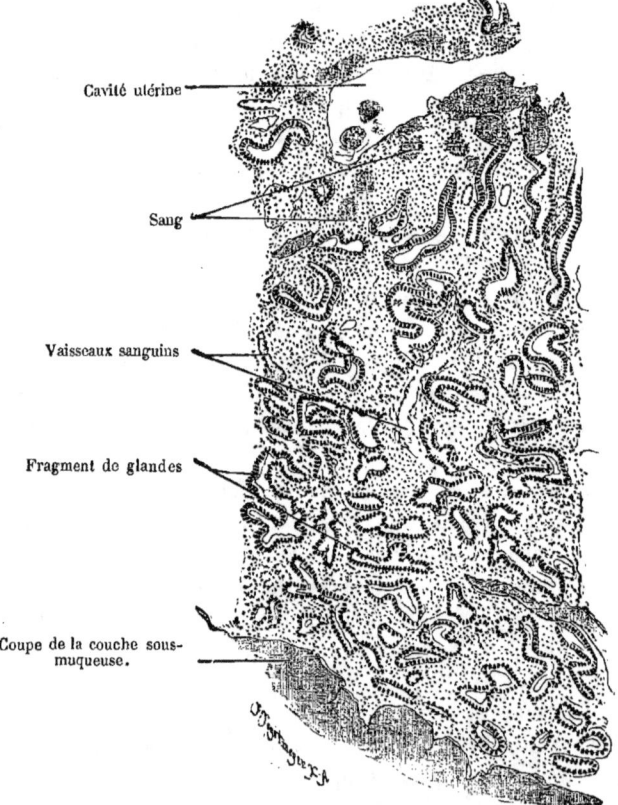

Cavité utérine

Sang

Vaisseaux sanguins

Fragment de glandes

Coupe de la couche sous-muqueuse.

Fig. 221.

Coupe perpendiculaire d'une muqueuse utérine au moment de la menstruation (Gross. 42. **Technique n° 158**).

duque basale recouvre la portion de l'œuf proéminant librement dans la cavité utérine.

La *caduque basale* par suite de son union avec les enveloppes de l'œuf est assez compliquée, elle sera exposée en dernier lieu.

La *caduque vraie* présente les mêmes modifications que la muqueuse utérine au moment de la menstruation, mais à un degré plus prononcé ; à la fin de la 5e semaine de la grossesse elle a une épaisseur d'à peu près 1 centimètre. L'épithélium de la surface a disparu, les vaisseaux sanguins, surtout les superficiels sont fortement élargis, et les veines sont dilatées sous forme de grands sinus. Les cellules de la tunique propre sont abondamment multipliées, particulièrement dans la moitié supérieure de la muqueuse, tandis que dans la moitié inférieure (souvent plus épaisse) les glandes utérines hypertrophiées deviennent onduleuses et se dilatent. On peut donc distinguer deux couches dans la caduque vraie : une couche superficielle compacte, et une couche profonde spongieuse. La couche compacte se compose en grande partie de *cellules déciduales* (fig. 225) arrondies, ovalaires, pourvues de prolongements ; ces cellules sont très grandes (elles mesurent 0,03 à 0,15 mm.), elles contiennent d'ordinaire un ou plusieurs noyaux. Quelquefois le nombre des noyaux s'élève jusqu'à 30 ; ces grandes cellules déciduales sont désignées sous le nom de cellules géantes. A partir du 4e mois, les cellules déciduales se caractérisent par une coloration brunâtre. La portion supérieure des glandes à direction relativement rectiligne contenue dans la couche compacte occupe peu d'espace. La couche spongieuse contient la partie inférieure onduleuse de ces glandes ; elles sont tellement dilatées qu'il n'existe plus entre elles que des bandes conjonctives étroites contenant des vaisseaux sanguins. L'épithélium glandulaire tombe et dégénère déjà à la fin du premier mois de la grossesse, il reste cependant dans la couche profonde de l'épithélium normal qui sera le point de départ de la régénération après l'accouchement. Bientôt la caduque vraie s'amincit ; les vaisseaux sanguins commencent à s'atrophier au commencement du 3e mois, et au 5e mois l'embouchure des glandes ne se retrouve plus dans la couche compacte ; les glandes sont oblitérées ; dans la couche spongieuse elles existent sous forme de fentes parallèles à la paroi utérine ; l'épaisseur de la caduque vraie est réduite au 8e mois à 2 millimètres.

La *caduque capsulaire* (caduque réfléchie) n'offre une épaisseur appréciable que sur le bord de la caduque basale (D. serotina), elle présente à ce niveau des fentes glandulaires parallèles à la surface, comme la caduque vraie, et des cellules déciduales ; dans le reste de son étendue, c'est une membrane mince, qui ne se retrouve plus dans la deuxième moitié de la grossesse. On n'est pas encore bien fixé sur ce qu'elle devient. D'après certains auteurs, elle s'unit à la caduque vraie, d'après d'autres elle subit la dégénérescence hyaline. Cette dernière hypothèse paraît la plus vraisemblable, parce que chez les mammifères on voit la muqueuse utérine subir des processus de destruction, de ce genre. La caduque basale (sérotine) subit les mêmes transformations que la caduque vraie ; elle se divise également en une couche spongieuse et en couche compacte, celle-ci contenant des cellules déciduales.

Les fentes provenant des glandes utérines altérées, existent dans la première de ces deux couches jusqu'au 5° mois de la grossesse, mais on ignore si les fentes qu'on y retrouve dans les mois ultérieurs jusqu'à la fin de la grossesse correspondent réellement aux espaces glandulaires, il s'agirait plutôt d'espaces vasculaires dilatés, n'ayant aucun rapport d'origine avec les fentes glandulaires. La couche compacte et l'épithélium de la surface s'unissent avec des portions des enveloppes de l'embryon pour former le placenta.

3. — Placenta.

La structure compliquée du placenta humain devient facile à comprendre en étudiant son développement. Le processus est le suivant : l'épithélium utérin s'épaissit et se transforme en *syncytium*. On comprend sous le nom de syncytium une masse protoplasmique à plusieurs noyaux sans limites cellulaires, et résultant de la fusion de plusieurs cellules. Les vaisseaux capillaires maternels s'accroissent, ils vont de la couche compacte vers ce syncytium tandis que les villosités du chorion, une des enveloppes de l'embryon (1) située à la surface libre du syncytium, pénètrent dans le syncytium. Les capillaires maternels perdent de très bonne heure leur épithélium et deviennent, en se dilatant fortement, des espaces intervilleux ; les villosités fœtales s'allongent, se ramifient, et ne se trouvent séparées des espaces intervilleux que par le syncytium réduit en une couche très mince.

Dans la suite du développement les portions du placenta fournies par l'embryon et par la muqueuse utérine, désignées respectivement sous le nom de placenta fœtal et de placenta maternel, présentent une série de particularités que nous allons décrire.

Le *placenta fœtal* se compose d'une membrane conjonctive épaisse, la membrane choriale, qui contient les ramifications des vaisseaux du cordon ombilical. La face du chorion tournée vers l'embryon est recouverte par l'amnios, membrane lisse, composée d'une couche mince conjonctive et d'un épithélium pavimenteux à une seule couche, tapissant la surface libre. La face opposée du chorion, tournée vers le placenta utérin, présente des *villosités choriales* nombreuses, abondamment anastomosées, dont les ramifications se terminent en partie librement (*prolongements libres*) et s'unissent en partie avec la couche compacte du placenta utérin, ces derniers prolongements sont désignés sous le nom de *racines d'implantation* (fig. 222).

Les villosités choriales dans leurs branches les plus fortes se composent

(1) Pour le développement des enveloppes fœtales, chorion et amnios, voir les traités d'embryologie.

d'un tissu conjonctif plutôt fibrillaire ; dans leurs ramifications plus fines, d'un tissu conjonctif plutôt muqueux (1). Leur surface libre, ainsi que la surface libre du chorion qui se trouve entre les origines des villosités est recouverte d'épithélium. Cet épithélium se compose dans le premier mois de la grossesse de deux couches différentes. La couche la plus profonde est formée par un épithélium à cellules cubiques, bien délimitées les unes des autres ; ces cellules sont sans aucun doute d'origine fœtale et portent le nom d'ectoderme

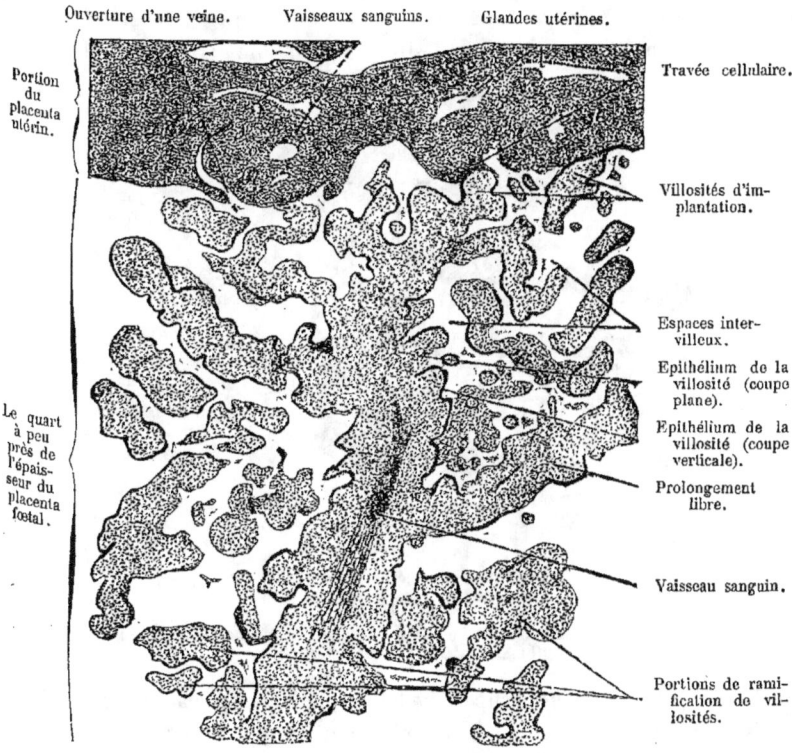

Fig. 222.

Coupe verticale d'un placenta humain, du 4ᵉ mois de la grossesse. Les espaces intervilleux n'étaient pas remplis de sang sur la préparation (Gross. 30. **Technique nᵒ 159**).

des villosités (*chorion*). La couche superficielle ne contient pas de cellules séparées les unes des autres ; elle se compose d'une masse se colorant fortement, contenant des noyaux disposés irrégulièrement, c'est le syncytium (2).

(1) Dans les premiers mois il existerait des villosités composées seulement d'épithélium.

(2) Le syncytium est donc une partie du placenta utérin, et a été décrit ici à cause de son rapport intime avec l'ectoderme des villosités.

Ce syncytium des villosités ou du chorion dérive de l'épithélium utérin (1).
Plus tard les deux couches se modifient. La couche profonde s'épaissit sur la
membrane choriale en certains endroits irrégulièrement disséminés, mais sur
les villosités elle devient presque partout de plus en plus aplatie ; après le
4ᵉ mois il en reste encore des traces, mais dans les 3 derniers mois on ne la
retrouve plus. Dans certains endroits la couche profonde se conserve encore
sur les villosités, elle forme là des épaississements *des nodules cellulaires*
et *des colonnes cellulaires* (surtout au sommet des villosités) qui établissent la communication entre les villosités d'implantation (Haftwurzeln) et la

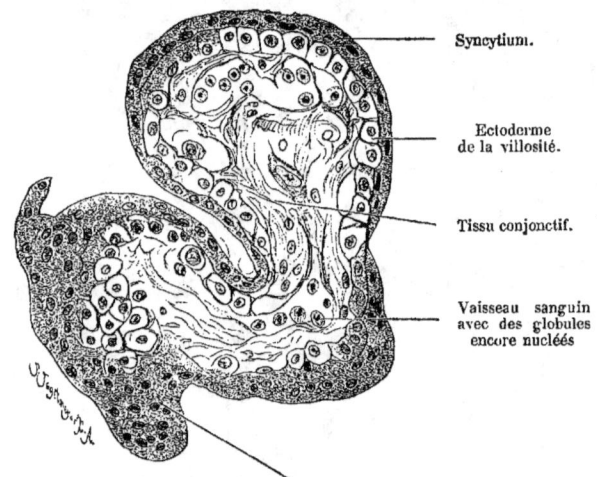

Syncytium.

Ectoderme
de la villosité.

Tissu conjonctif.

Vaisseau sanguin
avec des globules
encore nucléés

Coupe oblique de l'épithélium de la villosité.

Fig. 223.

Coupe transversale d'une villosité choriale humaine de la 4ᵉ semaine de la grossesse
(Gross. 260. **Technique nº 159**).

couche compacte. La couche superficielle, le syncytium, s'épaissit sur les villosités, il forme des petits *ilots de prolifération* qui augmentent petit à
petit et finissent par se confondre.

Les villosités du placenta à terme sont recouvertes de syncytium seulement (fig. 224). Le syncytium disparaît sur la membrane choriale, et à la surface libre de la caduque basale ; en même temps on voit apparaître dans ces
deux endroits (2) une masse hyaline, réfringente, se colorant fortement, sou-

(1) Des prolongements longs, en forme de massue contenant plusieurs noyaux,
partent souvent de ce syncytium et pénètrent dans les espaces intervilleux. Les coupes obliques de ces prolongements peuvent être confondues par des commençants
avec des cellules géantes.

(2) Sur la caduque basale on trouve plus tard deux couches de fibrine qui contien-

vent creusée de fentes et de lacunes ; cette masse a reçu le nom de *fibrine canaliculée hyaline* (fig. 224).

Son origine n'est pas encore bien déterminée, elle est probablement en partie d'origine maternelle.

Chaque villosité choriale renferme une branche de l'artère ombilicale, dont les anastomoses donnent naissance à des capillaires de calibre irrégulier si-

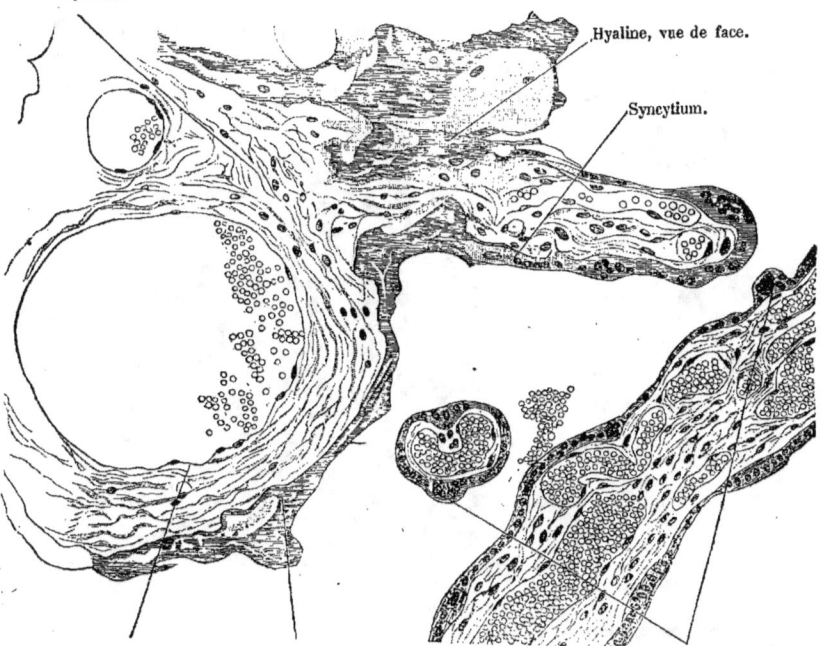

Tissu conjonctif.

Hyaline, vue de face.

Syncytium.

Vaisseau sanguin.   Hyaline (vue de côté).   Ilots de prolifération.

Fig. 224.

Portion d'une coupe transversale d'un placenta humain à terme. Portions de coupes de villosités. (Gross. 260. **Technique n° 159**).

tués immédiatement sous l'épithélium ; une branche de la veine ombilicale ramène le sang. Le système vasculaire du placenta fœtal est complètement fermé, une communication directe entre le sang fœtal et maternel est impossible.

La portion maternelle, le *placenta utérin*, est représentée sur le délivre par une membrane mince, la couche compacte de la caduque basale que nous nommons *plaque basale*. Elle se compose de cellules déciduales, de cellules

nent entre elles l'ectoderme des villosités, lequel s'est étendu des colonnes cellulair es sur la couche compacte.

géantes, de tissu conjonctif et de vaisseaux. De la surface tournée vers le placenta naissent des cloisons conjonctives d'épaisseur variable, les *septa placentæ* ; ces cloisons unissent les groupes de villosités choriales qui constituent les *cotylédons*. Elles se terminent librement sans atteindre la membrane choriale. Ce n'est qu'au niveau du bord placentaire que ces cloisons s'unissent à la membrane choriale et forment par leur union une bordure étroite, *anneau de fermeture sous-chorial*.

Les artères du placenta utérin pénètrent dans le placenta à travers la couche musculaire de l'utérus ; elles se caractérisent par leur trajet en tire-bouchon (1), elles cheminent sans se diviser vers les septa placentæ, aboutissant

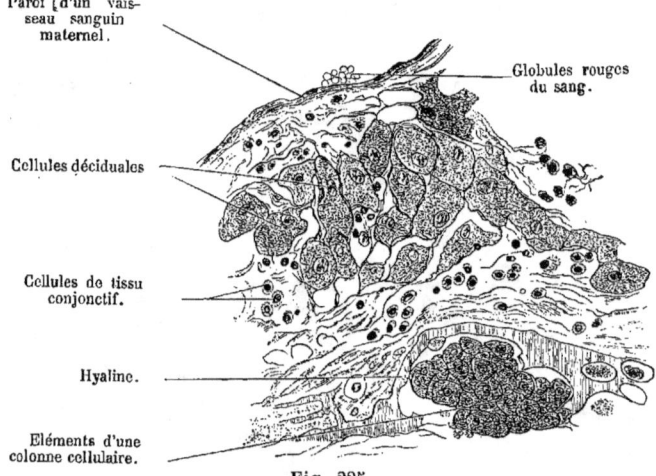

Paroi [d'un vaisseau sanguin maternel.

Globules rouges du sang.

Cellules déciduales

Cellules de tissu conjonctif.

Hyaline.

Eléments d'une colonne cellulaire.

Fig. 225.

Portion d'une coupe transversale d'un placenta humain du 3e mois de la grossesse. Cette coupe correspond à la partie de la figure 222 comprise entre le trait indiquant une glande utérine, et celui indiquant une travée de cellules (Gross. 260. **Technique n° 159**).

dans les *espaces intervilleux* (ce sont les capillaires maternels dilatés). A l'entrée des artères dans le placenta, leurs parois diminuent d'épaisseur et finalement il ne reste plus que l'épithélium des vaisseaux, et une mince couche de tissu conjonctif fibrillaire à noyaux ronds et allongés. Les veines suivent une direction oblique descendante vers les espaces intervilleux, dans lesquels elles s'ouvrent par des orifices relativement grands. L'ouverture est régulièrement un peu rétrécie ; sur les bords veineux on trouve presque toujours des villosités d'implantation ; des prolongements libres des villosités pénètrent même dans l'ouverture des veines. La paroi des veines est égale-

(1) Ceci explique pourquoi sur une coupe transversale on rencontre la même artère plusieurs fois.

ment réduite et se compose seulement d'endothélium et d'une couche conjonctive plus mince que celle des artères et moins nettement séparée des tissus voisins.

Les ouvertures des veines ne se trouvent pas dans les septa placentæ (1) mais dans les intervalles qui les séparent. Le courant sanguin pénètre par les septa sur le bord du cotylédon dans les espaces intervilleux, il est ramené par les veines situées au contraire du côté du centre du cotylédon. Chaque cotylédon constitue de cette façon un territoire ayant une irrigation indépendante de sang maternel.

Après l'accouchement toutes les caduques sont également éliminées ; la régénération de l'épithélium utérin se fait par les restes des épithéliums glandulaires contenus dans la profondeur de la couche spongieuse.

4. — Vagin et organes génitaux externes.

Le vagin comprend une tunique muqueuse, une tunique musculaire et une tunique fibreuse.

La *muqueuse* est constituée : 1° par un épithélium pavimenteux stratifié ; 2° par une tunique propre recouverte de papilles, celles-ci sont formées par un fin réseau de fibres conjonctives mélangées de quelques fibres élastiques et de leucocytes en nombre variable. Les leucocytes se réunissent parfois en forme de follicules solitaires ; on trouve alors dans la couche épithéliale correspondante de nombreux globules migrateurs. La couche la plus profonde de la muqueuse est formée par une sous-muqueuse constituée par des faisceaux de tissu conjonctif lâche et par de grosses fibres élastiques. Les glandes manquent dans la muqueuse vaginale.

La *tunique musculaire* du vagin est formée par une couche interne circulaire et par une couche longitudinale externe de fibres lisses.

La *couche fibreuse* qui est la plus externe est une membrane conjonctive résistante, riche en fibres élastiques.

Les *vaisseaux sanguins* et *lymphatiques* disposés en réseaux, occupent la tunique propre de la muqueuse et la couche sous-muqueuse. Entre les faisceaux de la tunique musculaire se trouve un réseau serré de larges veines. Les *nerfs* forment dans la tunique fibreuse du vagin un plexus riche en petits ganglions nerveux. Leur trajet ultérieur est inconnu.

La muqueuse des organes génitaux externes diffère de celle du vagin. Elle contient dans le voisinage du clitoris et du méat urinaire de nombreuses

---

(1) Sur le bord du placenta seulement, on trouve des ouvertures des veines dans les septa.

glandes à mucus de 0, 5 à 3 mm. et au niveau des petites lèvres des *glandes sébacées* de 0, 2 à 2 mm. non pourvues de poils.

Le *clitoris* reproduit en petit la structure du pénis ; à l'extrémité correspondante au gland on trouve des *corpuscules tactiles* ainsi que des terminaisons nerveuses en massue.

Les *glandes de Bartholin* correspondent aux glandes de Cowper chez l'homme Les grandes lèvres présentent une structure analogue à celle de la peau.

Le mucus vaginal est acide, il contient des cellules épithéliales pavimenteuses desquamées et des leucocytes ; assez fréquemment on y trouve un petit infusoire, le *trichomonas vaginalis*.

TECHNIQUE

N° 144. Testicule. — Pour les préparations d'ensemble du testicule, il faut prendre le testicule et l'épididyme d'enfants nouveau-nés (1), qu'on sectionne transversalement (2) ; on plonge ensuite les deux fragments dans environ 50 cent. cubes d'acide picrique de Kleinenberg et on les durcit dans environ 30 cent. cubes d'alcool progressivement renforcé. Des coupes transversales épaisses, mais complètes, seront colorées à l'hématoxyline de Hansen et à l'éosine ; on monte enfin dans le baume. Il faut examiner ces préparations à la loupe ou à l'aide d'un faible grossissement.

N° 145. Canalicules séminifères. — Pour étudier la structure intime des canalicules séminifères, il faut plonger dans environ 200 cent. cubes de liquide de Zenker des fragments de 2 cent. d'un testicule de taureau récemment abattu. Après 24 jours environ, on les durcit dans 50 cent. cubes d'alcool progressivement renforcé. Les coupes faites aussi fines que possible sont colorées à l'hématoxyline de Hansen et montées dans le baume. A un faible grossissement (50 d.) on peut déjà distinguer les canaux qui sont en pleine activité de ceux qui sont à l'état de repos. On reconnaît les canalicules qui fonctionnent aux têtes fortement colorées en bleu des jeunes spermatozoïdes (fig. 206).Les noyaux des cellules périphériques sont souvent colorés d'une façon plus intense que ceux des cellules qui se trouvent plus rapprochées de la lumière du canalicule.

N° 146. — On obtient encore de meilleures préparations quand on fixe un testicule entier de souris dans 10 cent. cubes du mélange de chlorure de platine, acide osmique et acide acétique. On laisse 24 heures dans ce mélange, on lave à l'eau courante plusieurs heures et l'on durcit dans l'alcool progressivement renforcé. Les coupes non colorées sont montées dans la résine Damar.

---

(1) Dans les testicules de lapin, de chat ou de chien,le corps d'Highmore est situé non pas au bord, mais au centre du testicule.
(2) Les testicules non sectionnés ne peuvent être suffisamment durcis, la tunique albuginée étant très résistante.

N° 147. Éléments testiculaires.— Pour les isoler, on plonge 1 cent. environ de testicule frais de taureau dans environ 20 cent. cubes d'alcool au tiers de Ranvier, et après 5 à 6 heures on dissocie dans une goutte du même alcool le contenu des canalicules. On colore au picro-carmin sous la lamelle et on monte dans la glycérine diluée. Il faut faire ces dissociations au niveau des différentes régions du testicule, on obtient ainsi (fig. 226) fréquemment des cellules de Sertoli qui adhèrent aux spermocytes ou aux filaments spermatiques qui en proviennent. On croyait autrefois qu'il s'agissait de spermatoblastes.

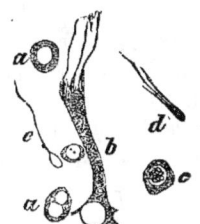

Fig. 226.

Éléments isolés du testicule du taureau (Gross. 240). — *a.* Spermatogonies. — *b.* Spermatoblaste. — *c.*Spermatocystes.—*d.*Spermatozoïde incomplètement développé. — *e.* Spermatozoïde complètement développé.

N° 148. Éléments du sperme.— On dépose sur une lame bien propre une goutte du liquide laiteux obtenu en râclant une coupe fraîche de l'épididyme, et on y ajoute une goutte d'une solution de chlorure de sodium ; on couvre la préparation d'une lamelle et on examine à un fort grossissement. Quelque temps après on dépose sur le bord de la lamelle une goutte d'eau distillée. Les mouvements (1) des spermatozoïdes cessent aussitôt ; la tête de la plupart d'entre eux se présente de face, la queue se replie en forme d'anneau (fig. 208, 3). Les spermatozoïdes incomplètement développés portent encore des restes de protoplasma. On peut conserver les spermatozoïdes en laissant sécher du sperme délayé dans de l'eau sur le porte-objet, on couvre ensuite d'une lamelle et l'on borde à la paraffine. A une lumière trop vive, l'examen de ces préparations est difficile à cause des reflets.

N° 149. — La constatation des **spermatozoïdes** présente un grand intérêt en **médecine légale**. S'agit-il par exemple de savoir si des taches qu'on trouve sur une chemise de toile sont faites par du sperme ? On découpe dans les parties tachées de petits lambeaux d'environ 5 à 10 mm., on les plonge dans un verre de montre rempli d'eau distillée pendant 5 à 10 minutes, et on dissocie quelques fibres du petit lambeau sur une lamelle, on examine à un fort grossissement (500 d.), surtout les bords de chaque fibre de toile à laquelle les spermatozoïdes sont habituellement collés. Généralement les têtes se séparent, elles sont reconnaissables à leur éclat particulier, à leur volume moindre pourtant chez l'homme que chez les animaux.

N° 150. Spermatozoïdes de la grenouille. — La grenouille mâle se reconnaît aux papilles volumineuses du pouce. On ouvre la cavité abdominale ; les testicules se présentent sous la forme de deux corps ovalaires (ressemblant à ceux des mammifères), ils se trouvent situés de chaque côté de la colonne vertébrale. Le contenu liquide pris sur un testicule coupé transversalement, délayé dans une goutte de solution de sel de cuisine, montre de grands spermatozoïdes dont la tête est mince et très allongée et dont la queue

(1) Pour l'observation du spermatozoïde en spirale qui ne peut être faite qu'avec un très fort grossissement (objectif à immersion), je recommande les spermatozoïdes du rat examinés dans l'eau.

est si fine qu'elle passe inaperçue à première vue. Les jeunes spermatozoïdes se trouvent réunis en faisceaux.

N° 151. Épididyme. Canal déférent et vésicules séminales. — On fixe des fragments de 1 à 2 cent. dans environ 200 cent. cubes de liquide de Müller, pendant 14 jours ; on les durcit ensuite dans 60 cent. cubes environ d'alcool progressivement renforcé. Les coupes sont colorées à l'hématoxyline de Hansen et montées au baume (fig. 209 et 211).

N° 152. Prostate. — La prostate et les différentes parties des conduits urinaires de l'homme doivent être examinées par fragments de 2 à 3 cent, comme il a été indiqué n° **151** (fig. 212).

N° 153. Ovaires. — Les ovaires de petits animaux seront fixés tout entiers ; ceux d'animaux plus grands et ceux de la femme seront sectionnés transversalement par rapport à leur axe longitudinal et plongés ensuite dans 100 à 200 cent. cubes de liquide de Zenker ; on les durcit pour finir dans environ 100 cent. cubes d'alcool concentré. Pour avoir une bonne vue d'ensemble (fig. 213), il faut faire des coupes épaisses, sinon le contenu des gros follicules se détache facilement. Chaque coupe ne porte pas sur de grands follicules ; souvent il faut faire un grand nombre de coupes avant de tomber sur une bonne préparation. On colorera à l'hématoxyline de Hansen ou au carmin boraté. On monte dans le baume.

N° 154. Ovules. — On obtient les ovules frais de la façon suivante. On se procure à l'abattoir des ovaires frais de vache. Les grands follicules de Graaf forment des saillies vésiculeuses qui ont le volume d'une lentille et se laissent facilement décortiquer avec des ciseaux. On porte le follicule isolé sur une lame et on le perce avec une aiguille (1). Dans le liquide qui s'écoule on trouve l'œuf, entouré des cellules du cumulus proligère, on peut examiner la préparation (fig. 217) à un faible grossissement sans lamelle. Si l'on veut employer un grossissement plus fort, on dépose de chaque côté de l'œuf un morceau de papier et on place délicatement une lamelle par dessus.

Le débutant avant de réussir à trouver un œuf sacrifiera forcément quelques follicules. L'œuf ne sort pas dès qu'on a piqué, on ne le trouve qu'après avoir dissocié le follicule à plusieurs reprises.

N° 155. Œufs de grenouille. — On place sur une lame un fragment de la grandeur d'une lentille, de l'ovaire frais d'une grenouille, et on perce tous les gros œufs noirs de manière à en faire jaillir le contenu, le reste est alors plongé dans un verre de montre rempli d'eau distillée où on le secoue avec des aiguilles. En plaçant le verre de montre sur un support noir, on voit les petits follicules non encore pigmentés. On place le fragment lavé sur une lame propre et on la recouvre d'une lamelle. Les œufs de grenouille posèdent une grosse vésicule germinative ; la tache germinative disparaît rapidement et généralement on ne la voit pas. Par contre on trouve dans le vitellus une tache sombre, le noyau vitellin. Dans le voisinage de l'œuf, on voit une mem-

---

(1) L'aiguille doit porter sur la partie du follicule qui repose sur la lame, autrement le liquide folliculaire sort en jet et entraîne l'œuf.

brane finement striée possédant des cellules à sa partie interne ; c'est la gaine du follicule avec la couche unique d'épithélium folliculaire.

Nº 156. Trompes. — Pour la préparation des trompes, on plonge des fragments de 1 à 2 cent. dans environ 50 cent. cubes d'acide azotique à 3 0/0. On les durcit 5 heures après dans environ 60 cent. cubes d'alcool progressivement concentré. Coloration à l'hématoxyline de Hansen et conservation dans le baume.

Nº 157. — Pour des préparations d'ensemble d'utérus humain, il faut employer des organes de personnes jeunes. On fixe suivant le volume, soit l'utérus entier soit des fragments de 2 cent. de côté dans 100 cent. cubes de liquide de Zenker (page 4) et on durcit dans de l'alcool progressivement renforcé, on colore à l'hématoxyline de Hansen et à l'éosine. On monte dans la résine Damar (fig. 220). Sur ces préparations, les glandes sont souvent peu nettes (1). Les utérus bicornes que l'on trouve chez beaucoup d'animaux laissent plus facilement voir les glandes tortueuses ; la disposition des couches musculaires n'est pas la même que chez la femme, elle est plus régulière.

Nº 158. — Pour la préparation de la muqueuse utérine on coupe des fragments de 1 cent. de côté qu'on traite de la même façon qu'au nº 157. A cause des sinuosités des glandes on n'obtient jamais que des portions de glandes (fig. 219). Les cils s'observent rarement sur préparation fixée.

Nº 159. — Le placenta est traité comme au **nº 158** (2). Les fragments doivent être inclus soit dans la celloïdine, soit dans la paraffine (Voir annexe) avant d'être coupés; dans le dernier cas, il est nécessaire de coller les coupes (Voir annexe chap. IV) pour empêcher les ramifications nombreuses des villosités coupées dans toutes les directions de se détacher. Ce sont des préparations délicates.

I. — PEAU

La peau (*integumentum commune, cutis*) est formée principalement de tissu conjonctif ; celui-ci cependant ne se trouve nulle part à nu, partout il est revêtu d'une couche épithéliale qui lui adhère intimement. La partie conjonctive s'appelle *derme*, la partie épithéliale *épiderme*. Les annexes du tégument externe, les ongles et les cheveux ainsi que les racines des cheveux enfoncées dans la profondeur du derme et les glandes sont des produits de l'épiderme.

(1) La figure 220 est dessinée d'après une préparation non colorée. Les glandes n'étaient pas aussi nettes que sur le dessin.

(2) La fixation dans l'alcool absolu donne également de bonnes préparations (fig. 223).

1. — Tégument externe.

DERME. — La face supérieure du derme est parcourue par un grand nombre de sillons qui tantôt s'entrecroisent et limitent des figures losangiques, tantôt affectent un trajet parallèle plus ou moins long et circonscrivent des bandelettes étroites. Les figures losangiques se voient sur presque toute la surface du corps, tandis que les bandelettes sont bornées à la face palmaire de la main et la plante du pied. Sur toute la surface du corps on trouve de petites saillies arrondies, les *papilles*, dont le nombre et le volume varient beaucoup suivant la région que l'on considère. Les plus nombreuses et les plus volumineuses (jusqu'à 0,2 mm. de hauteur) se trouvent au creux de la main et à la plante des pieds ; les moins développées se montrent au visage.

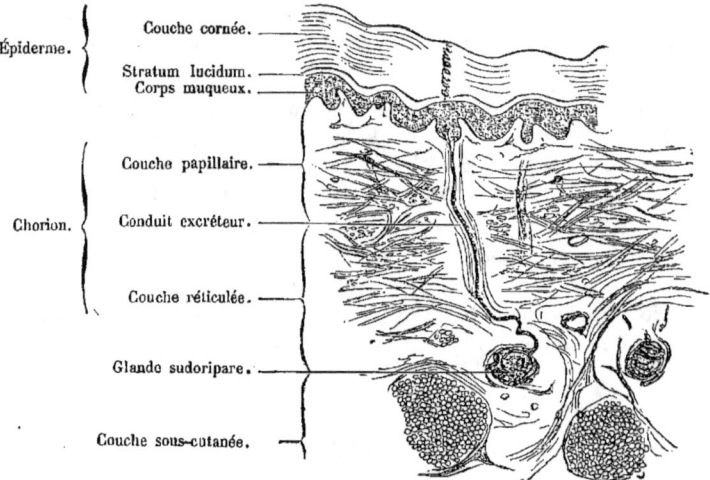

Épiderme. { Couche cornée.
Stratum lucidum.
Corps muqueux.

Chorion. { Couche papillaire.
Conduit excréteur.
Couche réticulée.
Glande sudoripare.
Couche sous-cutanée.

Fig. 227.

Coupe perpendiculaire de la peau du doigt d'un homme adulte (Gross. 25). Avec la technique employée et ce grossissement, le *stratum granulosum* n'est pas visible (**Technique n° 160**).

Le derme est formé principalement de faisceaux de tissu conjonctif qui s'entrecroisent, forment des réseaux et sont mélangés de faisceaux élastiques, de cellules et de faisceaux musculaires lisses. Les faisceaux de tissu conjonctif sont très fins dans les couches supérieures du derme et forment par leur réunion une couche dense ; ils sont un peu plus épais dans les couches profondes ; ils forment là, en s'entrecroisant à angle aigu, un réseau à larges mailles. On distingue donc deux couches dans le derme : une supérieure à papilles, la *couche papillaire*, et une couche profonde, la *couche réticulaire* ; ces deux couches ne sont pas nettement séparées l'une de l'autre ; le passage de l'une à l'autre se fait par une transition à peine sensible (fig. 227).

La couche réticulaire adhère dans la profondeur à un réseau fasciculaire de tissu conjonctif lâche, dont les mailles contiennent des amas de cellules adipeuses, et qui porte le nom de tissu conjonctif sous-cutané. L'accumulation de masses adipeuses dans les mailles de cette couche donne naissance au panicule adipeux. Les faisceaux qui forment le tissu cellulaire sous-cutané adhèrent plus ou moins intimement aux aponévroses musculaires ou au périoste. Les faisceaux élastiques, plus fins dans la couche papillaire que dans la couche réticulaire, forment dans le derme des réseaux uniformément distribués. L'élément cellulaire est représenté par des cellules tantôt aplaties, tantôt fusiformes, tantôt par des leucocytes, tantôt enfin par des cellules adipeuses. Le nombre des éléments cellulaires est très variable. Les fibres musculaires sont presque toutes des fibres musculaires *lisses*; elles s'insèrent pour la plupart aux follicules

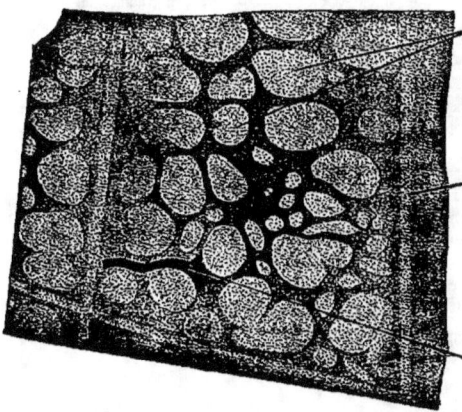

Dépressions qui étaient occupées par les papilles.

Dépression correspondant à un sillon du chorion.

Portion d'un conduit excréteur d'une glande en peloton.

Fig. 228.

Epiderme détaché de la face dorsale du pied humain, vu par sa face profonde. La préparation est pour ainsi dire le moulage, tandis que la surface du chorion occupée par les papilles représente la matrice. Ce qui est saillant sur le chorion est représenté ici en creux et vice versa (Gross. 120. **Technique n° 161**).

pileux, et ne forment une couche continue qu'au niveau d'un petit nombre de points du corps humain (dartos, aréole du sein). Des *fibres musculaires striées* ne se rencontrent guère que dans la peau du visage où elles ne sont que des expansions radiées des muscles de la mimique.

ÉPIDERME. — L'épiderme est formé par un épithélium pavimenteux stratifié, dans lequel on peut distinguer au moins deux couches nettement séparées l'une de l'autre, une couche profonde, molle, dite aussi *corps muqueux* (*couche de Malpighi*), qui remplit les creux situés entre les papilles du derme, et une couche superficielle solide, la *couche cornée*. Ces deux couches sont exclusivement formées de cellules épithéliales d'aspects différents, suivant les points où on les considère.

Les cellules de la rangée profonde de la couche muqueuse sont cylindriques à noyaux allongés ; à cette rangée font suite plusieurs couches de cellules arrondies, munies de nombreuses dentelures très fines. Ces dentelures sont des prolongements filiformes qui traversent la petite zone de ciment intercellulaire et assurent la réunion des cellules entre elles, d'où leur nom de *ponts intercellulaires* (fig. 14). Dans la couche muqueuse, les cellules sont en voie de multiplication continue par division indirecte du noyau (karyo-

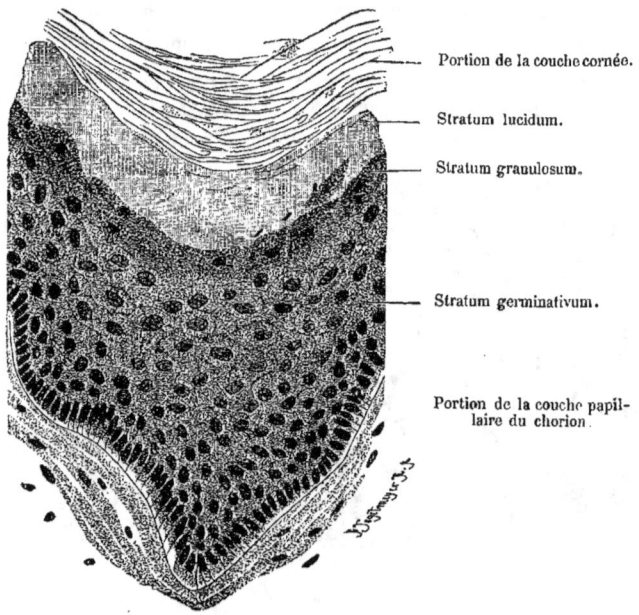

Portion de la couche cornée.

Stratum lucidum.

Stratum granulosum.

Stratum germinativum.

Portion de la couche papillaire du chorion.

Fig. 229.
Portion d'une coupe de la peau de la plante du pied d'un homme adulte (Gross. 360. **Technique n⁰ 160**).

kinèse) : d'où le nom fort approprié de *couche germinative* donné au corps muqueux de Malpighi.

La couche cornée (*stratum corneum*) ne présente pas partout une structure identique ; on peut distinguer deux types principaux : 1⁰ dans l'épiderme épais (de la paume de la main et de la plante des pieds : la couche cellulaire la plus rapprochée de la couche muqueuse se distingue par de petites granulations très brillantes (granulations d'éléidine) dues à une transformation de certaines parties du protoplasma cellulaire (1). Cette

_____

(1) Ces granulations ne peuvent pas être confondues avec la kératine, celle-ci est insoluble dans la solution de potasse caustique, tandis que l'éléidine est soluble dans cette même solution.

couche porte le nom de *stratum granulosum* ; en se réunissant, les granulations forment, avec les parties non cornées du protoplasma, une seconde couche uniformément brillante, le *stratum lucidum*. Cette couche est recouverte par la couche cornée.Toutes les parties non cornées des cellules de cette couche se dessèchent au contact de l'air ; il en résulte que chaque cellule contient un réseau corné et s'entoure d'une membrane également cornée. Les ponts intercellulaires eux-mêmes subissent la transformation cornée. Le noyau se dessèche, mais l'excavation qui le contenait se conserve encore pendant longtemps. Ces cellules, en partie cornées et en partie desséchées, sont légèrement aplaties ; 2° au niveau des régions où l'épiderme est aminci, le *stratum granulosum* est mince et interrompu par des lacunes. Le *stratum lucidum* manque complètement. Les cellules de la couche cornée subissent en leur totalité la transformation cornée : elles sont très aplaties et se réunissent en lamelles. Le dernier vestige du noyau disparaît également.

La face supérieure de la couche cornée desquame continuellement ; mais la perte ainsi subie est compensée par la progression des éléments de la couche muqueuse. La coloration de la peau tient à l'existence de *granulations pigmentaires* fines situées dans les cellules et entre les cellules des rangées les plus profondes du *stratum mucosum*.

Dans certains endroits, par exemple la région anale, on trouve dans le chorion des cellules conjonctives pigmentaires.

Il existe sur l'origine du pigment de l'épiderme deux opinions différentes ; les uns le font venir du tissu conjonctif, les autres de l'épithélium. Les premiers, dont l'opinion quant à présent prédomine, admettent que le pigment est apporté aux cellules épidermiques par des cellules conjonctives pigmentées (théorie du transport) ; ces cellules vont du chorion dans l'épiderme et y sont résorbées. On trouve en effet dans le follicule pileux, chez l'homme par exemple, des accumulations très variables de pigments entre les cellules du poil ; il y a là des cellules, mais il n'est pas bien certain que ce soient des cellules conjonctives. D'autre part certaines accumulations ne sont pas des cellules, elles occupent simplement les fentes intercellulaires.

L'embryologie qui nous apprend que le pigment se produit d'abord dans l'épithélium des poils, sans l'intermédiaire du tissu conjonctif, plaide en faveur de la seconde opinion. Le pigment de la rétine est également, et le fait n'est pas douteux, de pure origine épithéliale.

2. — Ongles.

Les ongles sont des plaques cornées reposant sur une peau spécialement modifiée pour constituer le lit de l'ongle. Ce lit de l'ongle est limité de chaque côté par un bourrelet aplati en avant et bordant un sillon dans lequel est logé le bord latéral de l'ongle (fig. 230).

Le bord inférieur de l'ongle, *racine unguéale*, se trouve situé dans un sillon identique mais plus profond ; il porte le nom de *matrice de l'ongle* (1), c'est au niveau de ce sillon qu'a lieu l'accroissement de l'ongle (fig. 230).

Le lit de l'ongle comprend un chorion et une couche épithéliale. Les faisceaux conjonctifs du derme ont un trajet en partie longitudinal, parallèle à l'axe longitudinal du doigt, et en partie perpendiculaire à cet axe, allant du périoste de la phalangette à la superficie.

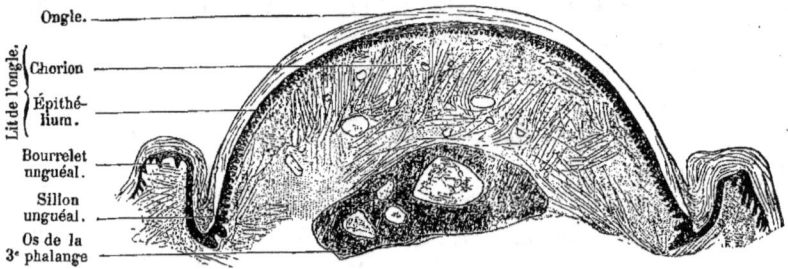

Fig. 230.

Portion dorsale d'une coupe de doigt d'enfant au niveau de la 3ᵉ phalange (Gross. 15). Les cannelures du lit de l'ongle ressemblent à des coupes transversales de papilles (**Technique nₒ 162**).

La surface supérieure du derme ne possède pas de papilles, mais de fines bandelettes longitudinales. Celles-ci commencent en bas à la matrice, augmentent progressivement de hauteur, et se terminent brusquement, à l'endroit où l'ongle se détache de son lit. L'épithélium est pavimenteux stratifié, sa structure est identique à celle du corps muqueux. Il recouvre les bandelettes, remplit les sillons qui existent entre elles et s'arrête exactement au niveau de la matrice seulement, l'épithélium se continue insensiblement avec l'ongle. c'est à ce niveau que les éléments nécessaires à l'accroissement de l'ongle sont fournis par les cellules épithéliales toujours en voie de division. C'est la raison pour laquelle on désigne cette couche épithéliale sous le nom de *couche germinative de l'ongle*.

Les limites de la matrice sont visibles à l'œil nu, elle constitue la *lunule*, espace blanc convexe à sa partie antérieure, remarquable par l'épaisseur de sa couche germinative. Le bourrelet unguéal présente la même structure que la peau environnante. Le corps muqueux de ces bourrelets se continue avec la couche germinative de l'ongle. Leur couche cornée arrive jusqu'au sillon

(1) D'autres auteurs nomment matrice tout le lit de l'ongle, parce qu'ils pensent que la croissance de l'ongle se fait sur toute sa largeur.

péri-unguéal et recouvre ainsi une partie du rebord unguéal ; mais il s'arrête bientôt en s'amincissant (fig. 230).

L'ongle lui-même est formé par des écailles épidermiques cornées très étroitement reliées entre elles ; elles se distinguent des lamelles de la couche cornée de l'épiderme parce qu'elles contiennent un noyau (fig. 231).

Fig. 231.
*Éléments de l'ongle de l'homme (Gross. 240. **Technique n° 163**).*

3. — Poils et follicules pileux.

Les cheveux et les poils sont des filaments cornés, flexibles et élastiques, qui recouvrent presque toute la surface du corps. On appelle tige ou poil la partie qui s'avance librement au-dessus de la peau ; la portion obliquement enfoncée dans la peau porte le nom de *racine* du poil ou du cheveu ; cette por-

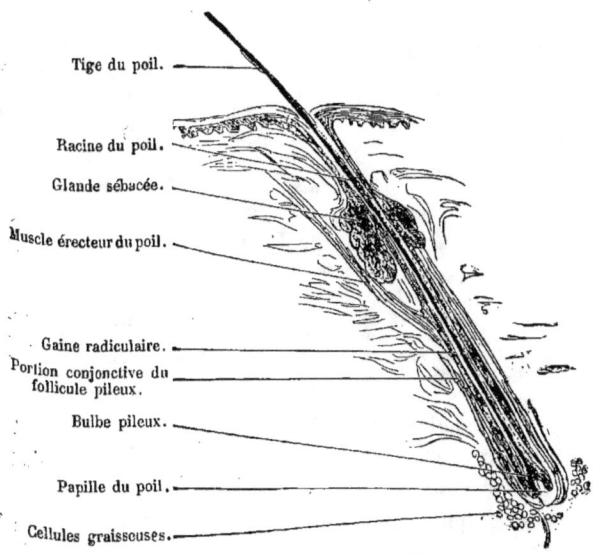

Tige du poil.

Racine du poil.

Glande sébacée.

Muscle érecteur du poil.

Gaine radiculaire.

Portion conjonctive du follicule pileux.

Bulbe pileux.

Papille du poil.

Cellules graisseuses.

Fig. 232.
*Coupe d'un cheveu humain (Gross. 20. **Technique n° 167**).*

tion porte à son extrémité inférieure une sorte de bouton creux, le *bulbe pileux*, contenant une production dermique, la *papille* du poil (Fig. 232).

Chaque racine de poil se trouve située dans une sorte de gaine, le *follicule pileux*, à la constitution duquel concourent le derme et l'épiderme ; la partie fournie par l'épiderme s'appelle *gaine radiculaire* ; celle qui tire son origine du derme s'appelle *follicule pileux conjonctif*. Dans le follicule pileux aboutissent latéralement 2 à 5 glandes, les glandes des follicules pileux, *glandes sébacées*. De la face supérieure du derme partent obliquement des faisceaux de fibres musculaires lisses, qui constituent le *muscle érecteur* du poil. Ces faisceaux contournent une glande sébacée et viennent s'insérer au sac fibreux du follicule ; le point d'insertion de ces faisceaux se trouve toujours à la par-

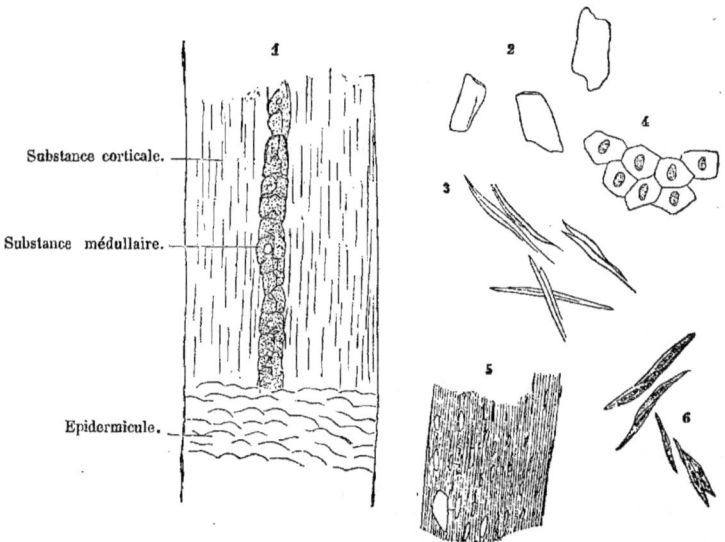

Substance corticale.

Substance médullaire.

Epidermicule.

Fig. 233.

Éléments d'un poil humain et du follicule pileux (Gross. 240).— 1.Poil blanc. — 2. Écailles de l'épidermicule. — 3. Cellules de la substance corticale de la tige. — 4. Cellules de la couche de Huxley.— 5. Cellules de la couche de Henle ressemblant à une membrane fenêtrée.— 6. Cellules de la substance corticale de la racine (**Technique n°ˢ 165 et 166**).

tie latérale du follicule pileux ; comme leur direction est oblique par rapport au poil, leur contraction a pour effet le redressement du follicule pileux et consécutivement du poil.

Le *poil* est formé de cellules épithéliales qui sont disposées en 3 couches nettement séparées :

1° La membrane supérieure, cuticulum pileux, qui recouvre la superficie ;

2° La substance corticale, qui forme la majeure partie de la masse pileuse.

3° La substance médullaire qui est située dans l'axe.

La *membrane supérieure* est formée par des écailles superposées, imbriquées comme des tuiles, cellules cornées, sans noyau. La *substance corticale* est formée, dans la partie libre, de cellules épithéliales allongées, cornées, pourvues d'un noyau linéaire et intimement unies entre elles. Dans la racine les cellules de la substance corticale s'arrondissent et se ramollissent au fur et à mesure que l'on se rapproche davantage du bulbe pileux, en même temps les noyaux tendent à reprendre la forme sphérique. La *substance médullaire* manque dans beaucoup de poils ; là même où elle se trouve dans les plus gros elle ne s'étend pas dans toute leur longueur. Elle est constituée par des cellules épithéliales cubiques finement granuleuses, qui sont généralement disposées en rangée double et contiennent un noyau rudimentaire.

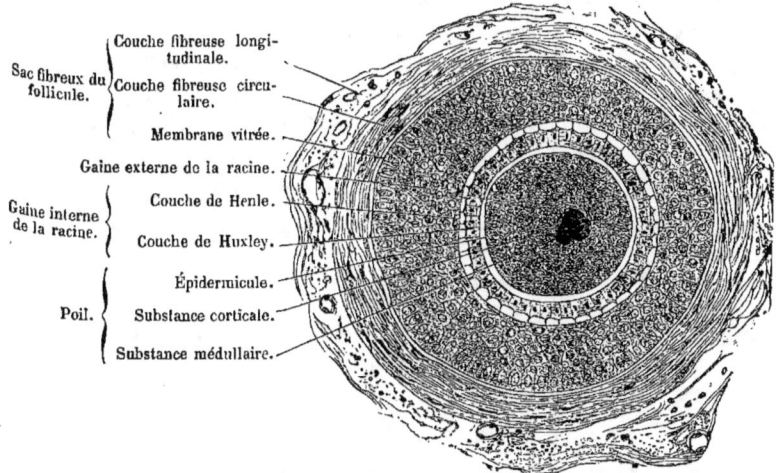

Couche fibreuse longitudinale.
Sac fibreux du follicule.
Couche fibreuse circulaire.
Membrane vitrée.
Gaine externe de la racine.
Couche de Henle.
Gaine interne de la racine.
Couche de Huxley.
Épidermicule.
Poil.
Substance corticale.
Substance médullaire.

Fig. 234.
Coupe parallèle du cuir chevelu de l'homme (Gross. 240). Coupe perpendiculaire d'un cheveu et d'un follicule pileux dans la moitié inférieure de la racine (**Technique n° 167**).

Les cheveux colorés contiennent du *pigment* tantôt dissous, tantôt sous forme de grains ; ce pigment se voit dans l'intérieur des cellules de la substance corticale ou entre ces cellules. En outre, dans chaque poil qui a atteint son développement complet, on trouve de petites bulles d'air situées dans les espaces intercellulaires soit de la substance corticale, soit de la substance médullaire.

Le *follicule pileux* des poils les plus fins (*poils follets*) n'est formé que par la gaine épidermoïdale ; dans les poils plus forts le derme participe aussi à sa structure. Dans le follicule pileux des gros poils, nous distinguerons les couches suivantes : extérieurement une couche fasciculaire longitudinale formée de faisceaux de tissu conjonctif riche en vaisseaux et en nerfs ; ensuite vient une couche plus épaisse de faisceaux disposés circulairement, cette couche se termine du côté interne par une membrane assez analogue aux membranes élastiques, c'est la *membrane vitrée*. Ces trois couches sont des dérivés du derme et portent ensemble le nom de *sac fibreux du follicule*. En dedans de la membrane vitrée se trouve la *gaine radiculaire externe*, qui n'est qu'un prolongement de la couche muqueuse; elle est formée par un épithélium pavimenteux stratifié et aboutit à la gaine interne. Celle-ci présente à la partie externe du follicule pileux une structure identique à celle de la couche cornée, mais, au-dessous de l'embouchure des glandes sébacées, la gaine interne se divise en deux couches nettement distinctes. La couche externe, *couche de Henle*, est formée d'une couche simple ou double de cellules épithéliales sans noyau, on voit seulement çà et là un noyau stratifié tandis que la couche interne, *couche de Huxley*, est constituée par une couche unique de cellules à noyau. La face interne de cette couche est tapissée par une membrane, la *gaine cuticulaire*, qui présente la même structure que l'épidermicule du poil. A la base du follicule, la gaine radiculaire externe va s'amincissant et disparaît; les couches de la gaine interne se confondent peu à peu et passent dans les cellules rondes du bulbe pileux où elles disparaissent. On les distingue encore pourtant du follicule pileux par leur pigmentation.

DÉVELOPPEMENT DES POILS.

La première ébauche du poil et du follicule pileux apparaît vers la fin du troisième mois de la vie embryonnaire, sous la forme d'une saillie épider-

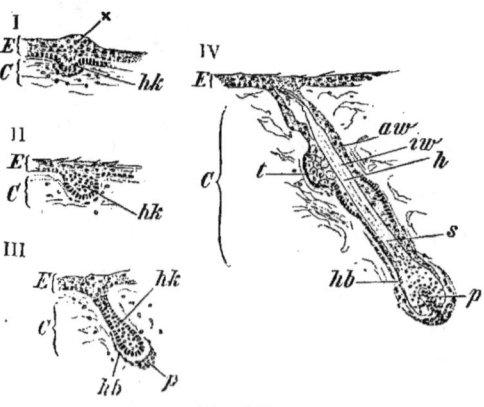

Fig. 235.

I. *Coupe perpendiculaire de la peau de la joue d'un embryon humain de 4 mois.* — II, III, IV. *Peau du front à 5 mois 1/2* (Gross. 80).— E. Epiderme encore constitué par les cellules nucléées. — C.Chorion. — X. Saillie pileuse. — hk. Germe pileux. — hb. Sac fibreux du follicule. — p. Papille. — aw. Gaine externe. — s. Cordon axile ; poil h. — Dans la portion supérieure de ce cordon on voit déjà la séparation de la gaine radiculaire interne iw et du poil h. — t. Follicule glandulaire (**Technique n° 168**).

mique qui se développe aux dépens de la couche cylindrique la plus profonde du corps muqueux ; en même temps l'épiderme envoie un prolongement qui pénètre dans le derme, et qui représente le *germe pileux* (fig. 235).

La saillie épidermique ne tarde pas à disparaître ; le germe pileux s'allonge ; son extrémité inférieure s'épaissit et prend la forme d'une massue (III). Pendant ce temps le tissu conjonctif du derme donne naissance à la papille (III, *p*) et au sac conjonctif du follicule pileux (III, *hk*). Le germe pileux se divise ensuite en une couche externe, et en une couche interne en forme de cordon occupant l'axe du germe pileux (IV, *s*). La couche externe devient la gaine externe de la racine (*aw*), la portion périphérique du cordon axial devient la gaine interne de la racine, la portion centrale forme le poil proprement dit (*h*).

Les glandes sébacées (*t*) annexées aux follicules pileux, se développent par bourgeonnement de la gaine externe de la racine.

Après la naissance et jusqu'à un âge assez avancé, les poils peuvent se développer de la même manière.

Accroissement du poil et de la gaine radiculaire. — L'accroissement du poil, de la gaine cuticulaire et de la gaine radiculaire interne se fait par la multiplication incessante par karyokinèse, des cellules épithéliales qui se trouvent sur le bulbe pileux ; ces cellules deviennent cornées et repoussent devant elles celles qui avaient déjà subi antérieurement la transformation cornée. Les cellules les plus vieilles se trouvent ainsi être à l'extrémité du cheveu, les plus jeunes composent les couches en rapport immédiat avec le bulbe. La gaine radiculaire externe s'accroît en sens inverse de la membrane vitrée ; les cellules se multiplient et se dirigent vers l'axe du poil.

REMPLACEMENT DES POILS.

Après la naissance, les poils subissent une mue totale ; cette mue se produit également chez l'homme adulte avec la seule différence qu'elle n'est ni constante ni périodique. Voici en quoi elle consiste : le bulbe pileux subit la transformation cornée, et est représenté par une sorte de massue fibrillaire.

Les poils de ce genre s'appellent poils en massue (fig. 236). Ils se détachent de la papille, la gaine radiculaire est vide et à son extrémité inférieure on trouve une papille atrophiée. Au bout d'un temps souvent assez long les éléments épithéliaux de la gaine radiculaire vide se multiplient et forment un nouveau germe pileux. Celui-ci subit dès lors les mêmes modifications

que le germe pileux embryonnaire. Le poil nouveau qui se développe re-
pousse le poil ancien et le remplace (1).

4. — Glandes de la peau.

Les *glandes sébacées* sont des glandes isolées, alvéolaires, ramifiées ou non.
On leur distingue un conduit excréteur très court (fig. 237, A *a*) et un corps glandulaire formé par un nombre plus ou moins grand d'alvéoles (*t*) ; le conduit

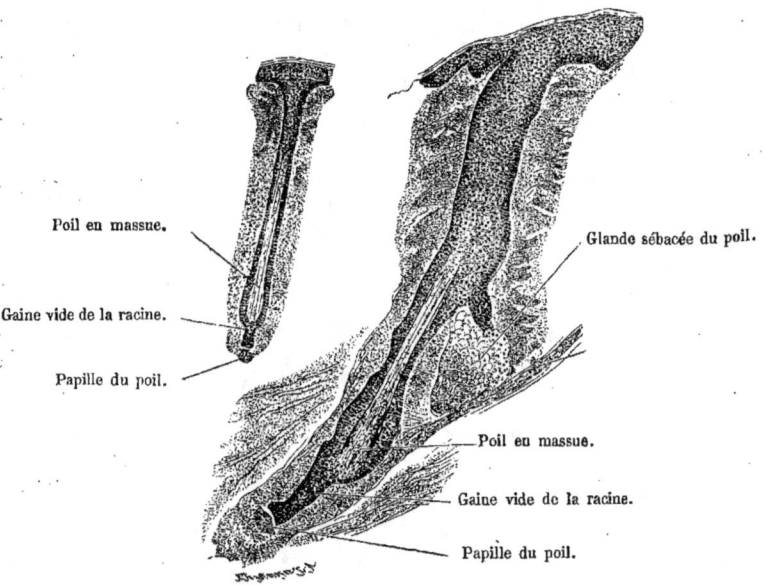

Poil en massue.

Gaine vide de la racine.

Papille du poil.

Glande sébacée du poil.

Poil en massue.

Gaine vide de la racine.

Papille du poil.

Fig. 236.
Portion d'une coupe du cuir chevelu poilu d'un homme adulte (Gross. **40. Technique n⁰ 169**).

excréteur est tapissé par un prolongement de la gaine externe de la racine
du poil, par un épithélium pavimenteux stratifié par conséquent ; cette
couche épithéliale diminue progressivement avant de se continuer avec le revêtement épithélial du corps glandulaire. Ce dernier épithélium est constitué
par une couche extrêmement basse (B). En dedans de ces cellules, on
trouve d'autres cellules polygonales ou arrondies d'un volume très variable
(2, 3, 4) : ces cellules remplissent le tube glandulaire et présentent toutes les
formes transitoires entre la cellule et les produits de sécrétion. Ceux-ci, qui

(1) Le poil en massue ne pousse plus ; la chute est un phénomène passif. Elle
commence quand les cellules épithéliales qui se trouvent au-dessous de la massue
se multiplient sans subir la transformation cornée.

constituent le *sebum*, consistent en une substance semi-liquide pendant la vie,
formée de graisse et de détritus cellulaires ; tandis que les glandes sébacées
des gros poils semblent constituer des annexes du follicule pileux (fig. 232),
dans les poils follets au contraire ce sont les poils qui paraissent être des annexes des glandes sébacées extrêmement développées (fig. 237, A).

Les glandes sébacées suivent étroitement la distribution des poils : on les
trouve donc répandues sur tout le corps, elles ne font défaut que dans la
paume des mains et la plante des pieds. Toutefois il existe des glandes sébacées qui ne sont nullement en connexion avec les follicules pileux ; c'est ainsi
qu'on en rencontre au niveau des bords muqueux des lèvres, dans les petites
lèvres de la vulve, dans le gland et le prépuce où elles constituent les *glandes
de Tyson.*

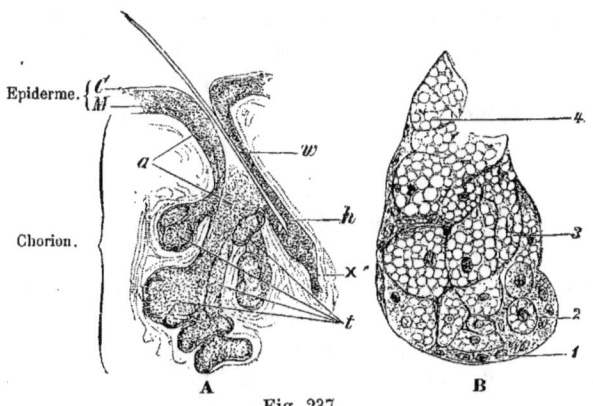

Fig. 237.

A. *Coupe de l'aile du nez d'un enfant* (Gross. 40). — *C*. Couche cornée. — *M*. Corps muqueux. —
t. Glande sébacée composée de 4 lobules. — *a*. Conduit excréteur. — *w*. Poil follet en train de tomber. —
h. Follicule pileux, avec un poil *nouveau en formation* à sa base X.
B. *Peau de l'aile du nez d'un enfant nouveau-né* (Gross. 240). Cul-de-sac d'une glande sébacée renfermant des cellules glandulaires à différents états de fonctionnement. — 1. Cellules cubiques. — 2. Cellules
rondes plus volumineuses dont le protoplasma présente la première apparition des gouttes de sébum,
complètement développées en 3, 4, cellules dont le noyau est entièrement disparu **(Technique n° 170)**.

Les glandes sébacées siègent toujours dans les couches les plus superficielles du chorion et notamment dans la couche papillaire. Leur volume varie
entre 0,2 et 2,2 millimètres : ces dernières grosses glandes siègent dans la
peau du nez où leurs conduits excréteurs sont visibles même à l'œil nu.

Les *glandes sudoripares* sont des tubes longs, non ramifiés, terminés
en une sorte de peloton arrondi. On leur distingue donc un conduit excréteur et un glomérule (fig. 227).

Le *conduit excréteur* affecte un trajet rectiligne ou légèrement sinueux
à travers le chorion, pénètre dans l'épiderme entre deux papilles, prend
la forme d'une spirale dans la couche cornée et débouche à la surface de la

peau, au niveau d'un orifice visible à l'œil nu, par un pore sudoral. La paroi du conduit excréteur est formée par plusieurs couches de cellules cubiques reposant sur une couche conjonctive formée par des faisceaux à direction longitudinale.

Le *glomérule* est un canal unique (1) plusieurs fois enroulé sur lui-même, constitué par une membrane propre, très fine, tapissée d'une simple couche de cellules cubiques ; ces cellules sont pourvues de granulations pigmentaires et graisseuses. Lorsque le glomérule est fortement développé, on trouve entre la membrane propre et les cellules glandulaires des fibres musculaires lisses, à direction longitudinale.

Les glandes sudoripares sécrètent un liquide ordinairement graisseux destiné à lubréfier le tégument externe ; ce n'est que sous l'influence de modifications dans l'innervation que les glandes sudoripares sécrètent un liquide aqueux, la *sueur* proprement dite. Les glandes sudoripares sont répandues sur toute la surface du corps et ne manquent qu'au niveau du gland et de la face interne du prépuce ; elles sont très nombreuses à la paume de la main et à la plante des pieds.

5. — Vaisseaux et nerfs de la peau.

Les *artères* de la peau naissent d'un réseau situé dans le tissu cellulaire sous-cutané : partant de ce réseau, des branches montent perpendiculairement dans la peau, les ramifications s'anastomosent les unes avec les autres et avec les ramifications des artères voisines ; elles forment ainsi un réseau situé dans la couche profonde du derme : c'est le réseau cutané. Les artères qui vont à la peau ne sont pas des artères terminales. Dans ce parcours elles fournissent deux réseaux capillaires indépendants les uns des autres. Le réseau le plus profond est destiné au tissu adipeux (fig. 238, *a'*). Le réseau superficiel entoure en forme de bouquet les glandes sudoripares (*a''*). Un troisième réseau est constitué par les branches terminales de l'artère (*a'''*). Il siège dans la couche sous-papillaire du derme et donne naissance à des anses capillaires qui montent dans les papilles. Les ramifications les plus fines ne s'anastomosent pas entre elles ; elles forment de véritables artères terminales.

Les *veines* naissent d'un réseau parfois simple, quelquefois double, situé également dans la couche papillaire du derme et recevant le sang qui vient des anses capillaires des papilles, des follicules pileux et des glandes séba-

(1) Au niveau des aisselles et au niveau de l'anus le peloton glandulaire comprend parfois plusieurs branches.

cées. La réunion de toutes ces petites veinules donne naissance à un petit tronc qui suit le trajet de l'artère et qui reçoit les veinules qui viennent des glandes sudoripares et des nodules graisseux. Ainsi se trouve constitué un troisième réseau. On constate en outre que les veinules des glandes sudoripares donnent naissance à un rameau qui accompagne le conduit excréteur pour aller se jeter dans le réseau veineux de la couche papillaire (fig. 238, v X). La papille du poil reçoit un rameau artériel indépendant.

Du troisième réseau veineux partent de grosses veines qui vont jusque dans les couches profondes de la peau, où se trouve un quatrième réseau parallèle à la surface de la peau, c'est le réseau sous-cutané. De ce réseau par-

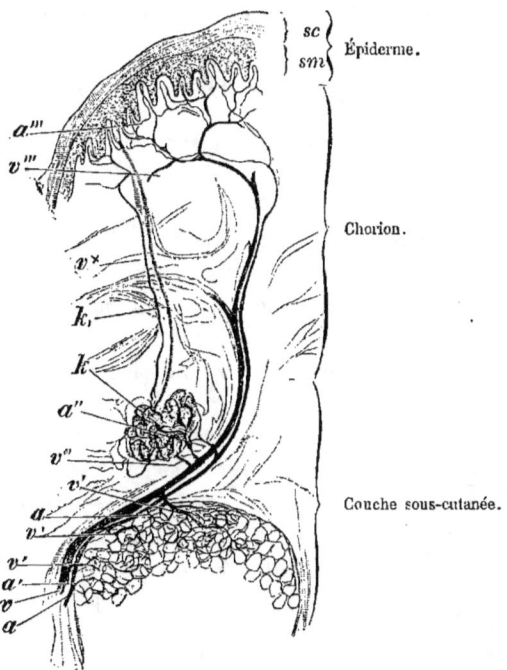

Fig. 238.

Coupe perpendiculaire de la peau de la plante du pied de l'homme (Gross. 50). — *sc*. Couche cornée. — *sm*. Corps muqueux. — *a*. Artère. — *v*. Veine. — *a' v'*. Branches vasculaires pour le tissu adipeux. — *a" v"*. Branches pour les glomérules glandulaires. — *a'" v'"*. Branches pour les papilles. — *k*. Glomérule glandulaire. — *k¹*. Conduit excréteur. — *v* X. Veine qui longe le conduit **(Technique n° 171)**.

tent des troncs qui vont après un trajet plus ou moins long se rendre dans les grosses veines.

Les *vaisseaux lymphatiques* forment deux réseaux capillaires étalés en surface, le premier réseau à mailles étroites, siège dans la couche papillaire du derme, au-dessous du réseau vasculaire sanguin. Le second réseau, à larges mailles, occupe la couche du tissu cellulaire sous-cutané. Il existe en outre des réseaux lymphatiques spéciaux autour des follicules pileux,.des glandes sébacées, et des glandes sudoripares.

Les *nerfs* de la peau sont extrêmement nombreux à la paume des mains et à la plante des pieds ; ils se terminent tantôt dans la couche sous-cutanée sous forme de corpuscules de Vater, tantôt dans des corpuscules et dans des cellules tactiles ; enfin quelques-uns se terminent sous la forme de fibres intra-épithéliales. On rencontre également des fibres nerveuses à myéline au voisinage des poils, dans les points où débouchent les glandes sébacées. Au niveau du poil, la myéline disparaît et la fibre pénètre sous la forme d'un cylindre-axe dans la membrane vitrée du follicule pileux (1)·

6. — Glande mammaire.

Pendant la grossesse et la lactation, la glande mammaire est constituée par 15 à 20 glandes alvéolaires, réunies entre elles par un tissu conjonctif lâche à cellules adipeuses.

Chacune de ces glandes possède un conduit excréteur propre, débouchant à la surface du mamelon, et présentant au niveau de sa partie terminale une dilatation fusiforme connue sous le nom de *sac galactophore*. Ce conduit reçoit des branches provenant des alvéoles glandulaires. Ces alvéoles, très serrés les uns contre les autres, sont réunis par du tissu conjonctif pour former de petits lobules.

Fig. 239.

Coupe de la mamelle d'une lapine en gestation (Gross. 240). — *f.* Graisse dans les cellules glandulaires. — *m.* Membrane propre (**Technique n°173**).

Les conduits excréteurs sont constitués par une couche de faisceaux conjonctifs circulaires, soutenant la membrane propre, qui est tapissée elle-même par un épithélium cylindrique (2). Les alvéoles ou les culs-de-sac glandulaires sont tapissés par une simple couche de cellules épithéliales dont la hauteur varie beaucoup. Lorsque l'alvéole est à l'état de réplétion, les cellules épithéliales sont aplaties ; elles deviennent cubiques et même cylindriques lorsque l'alvéole est vide. Dans ce dernier cas les cellules contiennent même des gouttelettes de graisse·

Une membrane propre soutient ces cellules ; cette membrane est elle-

(1) Dans les poils tactiles des animaux, les fibres nerveuses pénètrent jusque dans la gaine externe de la racine où elles se terminent dans des cellules tactiles.

(2) Il n'est pas rare de rencontrer dans les conduits excréteurs un épithélium pavimenteux stratifié à la place d'un épithélium cylindrique.

même entourée d'un tissu conjonctif lâche, contenant en plus ou moins grand nombre des leucocytes et des cellules plasmatiques. Dès que la lactation est finie, la glande subit une atrophie progressive qui consiste tout d'abord dans un développement abondant du tissu conjonctif qui se trouve normalement entre les cellules du tissu glandulaire (fig. 240). Les lobules diminuent de volume, les alvéoles disparaissent ; chez les personnes âgées, les alvéoles et les lobules ont complètement disparu : il ne reste plus de glande que les conduits excréteurs.

Chez les enfants des deux sexes, la glande mammaire est constituée principalement par du tissu conjonctif contenant les conduits excréteurs terminés par des parties renflées : les alvéoles glandulaires manquent totalement. Il en est de même de la glande mammaire chez l'homme adulte.

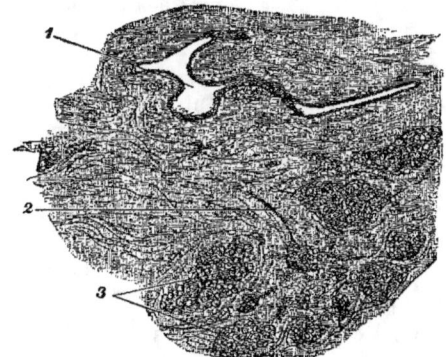

Fig. 240.

Coupe de la mamelle d'une femme dont le dernier accouchement date de 2 ans (Gross. 50). — 1. Conduit excréteur volumineux.— 2. Petit conduit excréteur.— 3. Lobules glandulaires, séparés par du tissu conjonctif (**Technique** n° **172**).

Chez la femme, jusqu'au moment de la grossesse, la glande mammaire forme un corps discoïde, constitué par du tissu conjonctif et par les conduits excréteurs. Les alvéoles glandulaires sont très peu nombreux et occupent les fines terminaisons des conduits excréteurs.

La peau du mamelon et celle de sa base se distinguent par une *pigmentation* très accentuée ; les granulations pigmentaires siègent dans la couche la plus profonde de l'épiderme : on y rencontre également des papilles très développées, des fibres musculaires lisses disposées en partie circulairement autour des points d'abouchement des conduits excréteurs et en partie perpendiculairement au sommet du mamelon. Autour de la base du mamelon, il existe chez les femmes enceintes ou nourrices des glandes mammaires accessoires connues sous le nom de *glandes* (tubercules) *de Montgomery.*

Les *vaisseaux sanguins* arrivent de tous côtés à la glande mammaire et forment un riche réseau capillaire enveloppant l'aréole du mamelon.

Quant aux nerfs, les uns sont vaso-moteurs, les autres affectent la même disposition qu'au niveau des glandes salivaires.

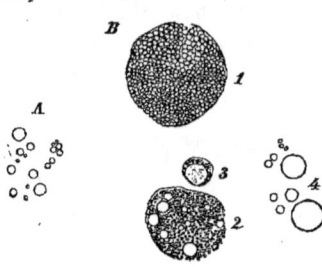

Fig. 241.

A. *Globules du lait d'une nourrice* (Gross. 560. **Technique nᵒ 174**). — B. *Éléments du colostrum d'une femme enceinte* (Gross. 560). — 1. Cellule non colorée contenant des gouttelettes de graisse.— 2. Cellule colorée contenant de petites gouttelettes de graisse. — 3. Leucocyte. — 4. Globules du lait (**Technique nᵒ 175**).

LAIT. — Au microscope le *lait* est constitué par un liquide clair, contenant en suspension de grosses gouttelettes graisseuses de 2 à 5 μ connues sous le nom de *corpuscules du lait*. Du fait que ces gouttelettes graisseuses ne fusionnent pas, on en infère l'existence d'une fine membrane cellulaire (caséine). Le lait contient en outre des cellules isolées renfermant des gouttelettes graisseuses et qu'on croit être des leucocytes.

Avant l'accouchement, et dans les premiers jours qui suivent l'accouchement, les éléments du lait excrété sont essentiellement différents. Outre les corpuscules déjà décrits, ce lait contient des cellules spéciales nucléées et renfermant des gouttelettes graisseuses soit incolores, soit jaunâtres : ce sont les corpuscules du *colostrum*. On ne sait pas encore le rôle que joue l'épithélium glandulaire dans la formation des corpuscules du lait et des corpuscules du colostrum. Mais il est certain que les cellules glandulaires ne se détruisent pas pendant la sécrétion ; il est probable que la graisse se forme dans les cellules glandulaires pour tomber ensuite dans la lumière de la glande.

TECHNIQUE

Nᵒ 160. Structure de la peau : glandes sudoripares. — On coupe des fragments de 1 à 2 centimètres du côté de la pulpe des doigts ou de la paume de la main, tout en conservant une mince couche de graisse sous-jacente : on plonge ces fragments dans 30 cent. cubes d'alcool absolu ; pour éviter l'enroulement des fragments, on les fixe sur de petites plaques de liège par leur face épidermique et on plonge le tout dans l'alcool absolu. Le lendemain, les fragments sont détachés de ces plaques et plongés dans 50 cent. cubes d'alcool à 90ᵒ pendant 3 à 4 semaines.

Il faut faire des coupes fines et des coupes épaisses : celles-ci sont indispensables lorsqu'on veut étudier le conduit excréteur des glandes sudoripares dans toute sa longueur. On colore au carmin aluné pendant 10 minutes (fig. 227). Déjà à l'œil nu on voit les glomérules colorés en rouge ; on monte dans le baume et on examine à un faible grossissement. Sur les coupes épaisses, les papilles sont peu claires, étant entourées par la couche de Malpighi colorée en rouge intense : pour bien voir les terminaisons contournées en pas-de-vis des conduits excréteurs, il faut examiner la préparation à un faible éclairage, ou à un éclairage latéral.

Pour l'étude de la couche granuleuse, je recommande de faire la coloration en masse au carmin boraté pendant 2 ou 3 jours. Les granulations sont alors colorées en rouge intense.

Nᵒ 161. — On obtient de belles préparations des couches superficielles de l'épiderme en fixant dans 30 cent. cubes d'alcool absolu des fragments d'épiderme qui se détachent des cadavres dans les salles de dissection. On colore 2 minutes à l'hématoxyline de Hansen et on monte au baume.

Nᵒ 162. Ongles. — On fixe la dernière phalangette d'un enfant de 8 à 12 ans (il faut prendre la phalangette du petit doigt s'il s'agit d'un adulte) pendant 2 à 4 semaines dans 100 ou 200 cent. cubes de liquide de Müller. On la durcit ensuite dans 100 cent. cubes environ d'alcool progressivement renforcé ; on décalcifie, on durcit de nouveau et on fait des coupes transversales épaisses ; on colore au carmin aluné ; monter dans le baume (fig. 230). La substance de l'ongle montre souvent des couches inégalement colorées : sur les ongles de cadavres déjà avancés, la couche germinative se détache souvent des rainures.

Nᵒ 163. Éléments de l'ongle. — On prend un fragment d'ongle de 1 à 2 mm. de large qu'on chauffe jusqu'à ébullition dans un tube à essai contenant 5 cent. cubes environ de potasse concentrée. On porte le fragment dans une goutte de potasse sur une lame et on dissocie. Recouvrir le tout d'une lamelle. On voit à un fort grossissement des cellules comme en représente la figure 231 : comme point de comparaison, on examinera les cellules de la couche cornée, qu'on obtient facilement en raclant la pulpe digitale avec le bord mousse d'un scalpel. Les écailles polygonales qu'on obtient ainsi seront examinées à un fort grossissement dans une goutte d'eau distillée.

Nᵒ 164. Poils. — Des poils sont placés dans une goutte d'une solution de sel de cuisine sur une lame, et on examine à un faible, puis à un fort grossissement : le cheveu blanc, le poil de la barbe conviennent bien pour ce genre de préparation.

La cuticule du cheveu de l'homme est très fine et laisse très difficilement voir l'imbrication en tuile des cellules. On ne voit le plus souvent que des lignes finement ondulées. Au contraire, la laine de mouton possède une cuticule qu'on voit très bien ; il en est de même de beaucoup de poils d'animaux.

Nᵒ 165. Éléments du poil. — Un fragment de 1 à 2 cent. de long d'un cheveu est placé sur une lame dans une goutte d'acide sulfurique pur et on recouvre d'une lamelle. Si l'on comprime la lamelle avec une aiguille, des fibrilles se détachent de la substance corticale. On chauffe légèrement la lame, on comprime de nouveau la lamelle en la déplaçant légèrement, et on obtient ainsi un grand nombre d'éléments libres, écailles de la cuticule et cellules corticales.

N° 166. Éléments du follicule pileux et du poil. — On excise de la lèvre supérieure d'un homme un fragment de 2 cent. de côté qu'on place dans l'acide acétique dilué (5 cent. cubes d'acide acétique pour 100 cent. cubes d'eau distillée). Après un séjour de 48 heures, les poils peuvent être dissociés dans une goutte d'eau distillée (fig. 233). Les cellules de la couche de Henle forment de petites membranes qui nagent dans la préparation et rappellent à s'y méprendre les membranes fenêtrées (fig. 233, 5). Il n'est pas rare de voir à la base d'un follicule pileux un poil de remplacement comme dans la figure 236.

N° 167. Poil et follicule pileux. — On excise dans le cuir chevelu, aussi frais que possible, des fragments de 2 à 3 cent. de côté et on durcit dans 200 cent. cubes de solution de bichromate de potasse à 2. 5 0/0. Au bout de 4 à 8 semaines on lave de 1 à 3 heures à l'eau courante et on durcit à l'abri de la lumière dans 100 cent. cubes d'alcool progressivement renforcé. Il est très difficile de faire des coupes longitudinales portant sur toute la longueur du follicule pileux. Il faut d'abord se rendre compte à l'œil nu de la direction des cheveux : pour obtenir une figure comme celle représentée dans la figure 232, il faut monter dans la glycérine des coupes épaisses et non colorées. Les coupes fines ne portent le plus souvent que sur des portions du follicule pileux. Il est plus facile d'obtenir des coupes transversales fines ; mais il faut avoir soin de couper non pas parallèlement à la surface de la peau, mais perpendiculairement à la direction longitudinale du cheveu. On obtient ainsi sur une seule coupe des sections de cheveux et des follicules pileux à des hauteurs variables : ces coupes seront colorées au carmin dilué, et ensuite dans l'hématoxyline de Hansen. Il vaut peut-être mieux colorer d'abord à l'hématoxyline et ensuite au picro-carmin. On monte dans le baume. Les plus belles coupes sont celles qui passent au travers du follicule pileux immédiatement au-dessus du bulbe (fig. 234).

N° 168. Développement des cheveux. — Sur la peau du front et pas du cuir chevelu d'un embryon humain de 5 à 6 mois, on excise des fragments de 2 cent. de côté environ : ces fragments sont placés sur plaques de liège comme au n° 160, et fixés pendant 14 jours dans 100 à 200 cent. cubes de liquide de Müller. On les durcit ensuite dans 100 cent. cubes d'alcool progressivement renforcé. Colorer les fragments avec le carmin boraté ou l'hématoxyline de Hansen. Les fragments sont ensuite inclus dans le foie : on coupera le plus exactement possible dans la direction des follicules pileux : cela est plus facile qu'avec le cuir chevelu des adultes. Monter dans le baume. Les coupes montrent tous les stades de développement (fig. 234). Les tubérosités ne peuvent être vues que sur un épiderme très bien conservé (il est macéré généralement sur les embryons humains) ; on les trouve plus facilement chez les embryons d'animaux (p. ex. le veau).

N° 169. Mue des cheveux. — On l'étudie sur les coupes sagittales de paupières d'enfant. Opérer comme au n° 190.

N° 170. Glandes sébacées. — Fixer et durcir l'aile du nez d'un enfant nouveau-né dans 100 cent. cubes de solution de bichromate de potasse à 25 0/0 ; on colore des coupes minces (fig. 237) et d'autres épaisses (fig. 237, B) au carmin faible et à l'hématoxyline de Hansen. Monter dans le baume. On rencontre rarement sur une coupe mince le follicule du poil et les glandes sébacées. L'aile du nez d'un adulte ne fournit pas de belles préparations microscopiques à cause du volume des glandes sébacées pourvues d'un large canal excréteur. On peut voir à l'œil nu des glandes sébacées avec des follicules sébacés en enlevant l'épiderme macéré d'un vieux cadavre.

Nᵒ 171. Vaisseaux de la peau. — Injecter toute une main d'enfant avec du bleu de Prusse à partir de l'artère cubitale (l'art. tib. post. s'il s'agit du pied), fixer avec 1 à 2 litres de liquide de Müller, enlever au bout de quelques jours des morceaux (de 2 à 3 cent. de côté) de la main (ou de la plante du pied) qu'on fixe par un séjour de 2 à 4 semaines dans 100 à 200 cent. cubes de liquide de Müller et qu'on durcit ensuite dans 100 cent. cubes environ d'alcool progressivement renforcé. Il faut faire des coupes épaisses et les conserver non colorées dans le baume. Les papilles ne sont reconnaissables sur ces coupes que par l'existence des anses capillaires. Pour un œil non exercé, il semble que les anses arrivent jusque dans la couche muqueuse.

Nᵒ 172. Vue d'ensemble de la glande mammaire. — Fixer et durcir le mamelon et une partie de la glande (de 3 à 4 cent. de côté) dans 60 à 100 cent. cubes d'alcool absolu. Autant que possible prendre des glandes de femmes ayant accouché assez récemment, puis de femmes jeunes non accouchées, etc. Faire des coupes verticales à travers le mamelon et dans une direction quelconque à travers la glande ; colorer à l'hématoxyline de Hansen. Monter dans le baume.

Nᵒ 173. Structure fine de la glande mammaire. — Mettre de petits morceaux encore chauds de la mamelle (de 3 à 5 mm. de côté) d'un animal en gestation ou en lactation dans 5 cent. cubes d'acide chromo-osmio-acétique ; au bout de 1 à 2 jours durcir la pièce dans 30 cent. cubes environ d'alcool progressivement concentré. Les coupes, aussi fines que possible, seront colorées par la safranine et montées dans le baume (fig. 239). Les images seront souvent difficiles à interpréter à cause des petites cellules glandulaires (chez le lapin).

Nᵒ 174. Éléments du lait. — Déposer sur une lame porte-objet une goutte d'eau salée, recevoir sur une lamelle une goutte de lait qu'on obtiendra par expression de l'aréole d'une nourrice, et mettre la lamelle sur la solution salée. Fort grossissement (fig. 241, A).

Nᵒ 175. Éléments du colostrum. — On opère comme au nᵒ 174 sur une femme enceinte, peu de temps avant l'accouchement. Éviter de presser sur la lamelle. Les granulations des corpuscules du colostrum ne deviennent en général bien apparentes qu'après l'addition d'une goutte de picro-carmin ; elles paraissent alors comme des taches d'un rouge mat.

J. — APPAREIL DE LA VISION.

L'appareil visuel comprend le globe de l'œil, le nerf optique, les paupières et l'appareil lacrymal.

A.— Globe de l'œil.

Le globe oculaire est une sphère creuse, dont le contenu est en partie fluide, en partie solide. La paroi de la sphère comprend trois membranes : 1° la tunique externe, membrane fibreuse, qui se subdivise en portion antérieure transparente, la *cornée*, et portion postérieure opaque, la *sclérotique* ; 2° la tunique moyenne, riche en vaisseaux, et qui se divise en *choroïde, corps ciliaire et iris* ; et 3° la tunique interne, *rétine*, qui contient les terminaisons nerveuses du nerf optique.

Les parties figurées du globe de l'œil sont le *cristallin* et le *corps vitré*.

1. — Tunique externe.

Cornée. — Elle comprend 5 couches, qui d'avant en arrière sont (fig. 242): 1° l'épithélium cornéen ; 2° la membrane basale antérieure ou lame élastique antérieure ; 3° la substance propre de la cornée ; 4° la membrane basale postérieure ; 5° l'endothélium cornéen (fig. 242).

1) L'*épithélium cornéen* est un épithélium pavimenteux stratifié ; la couche profonde est composée de cellules cylindriques, à contours nettement dessinés ; la couche moyenne est formée de 3 à 4 rangées de cellules arrondies (et même davantage chez certains animaux); la couche superficielle comprend plusieurs rangées de cellules aplaties, présentant encore un noyau. L'épaisseur de la couche épithéliale est chez l'homme de 0,03 mm. Au niveau du limbe cornéen, cet épithélium se continue avec celui de la conjonctive bulbaire.

2) La *membrane basale antérieure* (lame élastique antérieure, membrane de Bowman) est une membrane d'apparence homogène, facilement constatable chez l'homme et dont l'épaisseur atteint 0, 01 mm. Sa face antérieure est pourvue de fins sillons et de crêtes qui assurent son union avec les cellules cylindriques de l'épithélium cornéen. Par sa face profonde elle se confond insensiblement avec la substance propre de la cornée, dont elle ne paraît être qu'une transformation.

3) Le *tissu propre de la cornée* forme la couche la plus épaisse. Cette

couche est composée de fines fibrilles, à trajet rectiligne, unies entre elles par un ciment interfibrillaire de manière à former des faisceaux d'épaisseur à peu près égale. Les faisceaux à leur tour sont réunis en lames aplaties par un ciment interfasciculaire ; ces lames forment de nombreuses couches superposées, et unies par un ciment interlamellaire. Les lames sont disposées parallèlement à la surface cornéenne ; les fibres d'une lame ont une di-

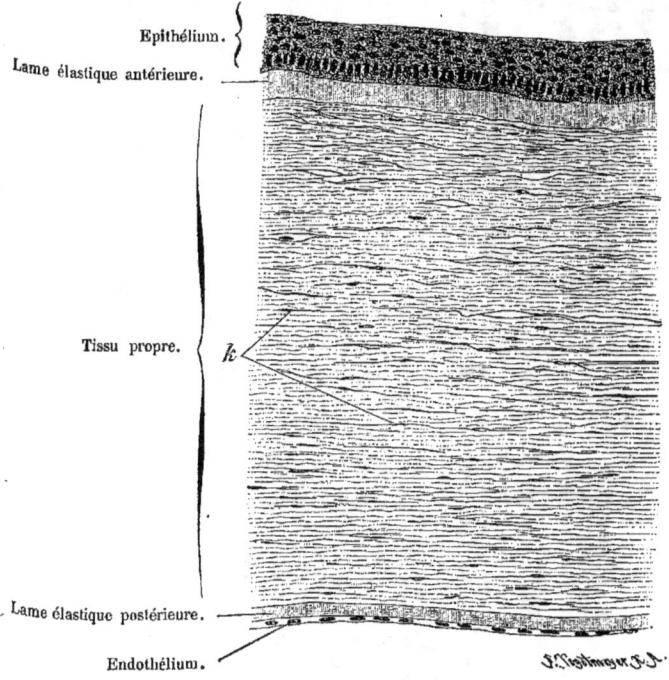

Epithélium.

Lame élastique antérieure.

Tissu propre. k

Lame élastique postérieure.

Endothélium.

Fig. 242.

Coupe perpendiculaire de la cornée de l'homme (Gross. 100. **Technique nº 176,** *b*).

rection perpendiculaire à celles de la lame sous-jacente. Aussi vient-on à pratiquer une coupe verticale suivant l'un des méridiens de la cornée, on y voit se succéder régulièrement des faisceaux coupés en long et des faisceaux coupés en travers. Les couches voisines sont unies entre elles par des faisceaux à direction oblique (*fibres arciformes*) ; ces faisceaux sont surtout bien développés dans les couches superficielles du tissu cornéen. Dans le ciment se trouve creusé un système de canalicules à mailles irrégulières (ces mailles sont rectangulaires chez beaucoup d'animaux, la grenouille p. ex.), les *canalicules nourriciers* (canalicules cornéens), qui s'élargissent en maints points en lacunes ovales, les *lacunes nourricières* (fig. 243). Les lacunes sont comprises entre les lames, tandis que les canalicules se trouvent aussi entre les faisceaux. Canalicules et lacunes contiennent un liquide séreux ; en outre on y trouve des cellules, qui sont de deux sortes : a) les *cellules fixes* de la cor-

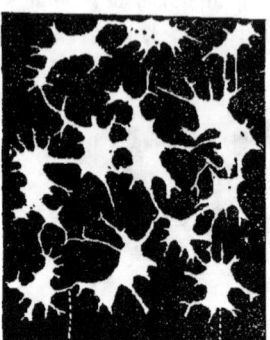

Canaux nourriciers.   Lacunes nourricières.
Fig. 243.

Cornée du bœuf, coupe parallèle à la sur-
face. Le système canaliculaire est clair sur un
fond sombre (Gross. 240. **Technique n° 181).**

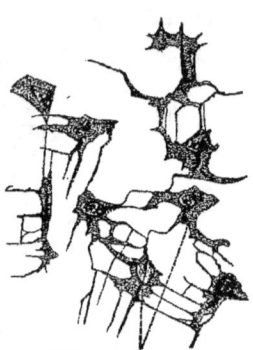

Cellules de la cornée.
Fig. 244.

Cornée du lapin, coupe parallèle à la sur-
face. Cellules fixes de la cornée (Gross. 240.
Technique n° 183).

née, qui sont des cellules du tissu conjonctif aplaties, accolées à l'une des parois du système canaliculaire, et pourvues d'un gros noyau (fig. 244) et b) les *cellules migratrices* (leucocytes).

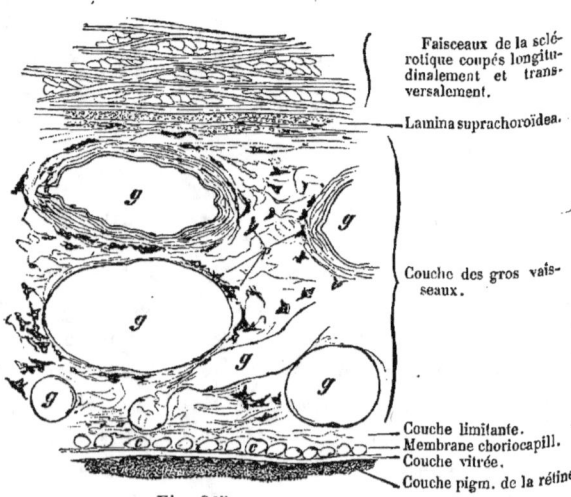

Faisceaux de la sclé-
rotique coupés longitu-
dinalement et trans-
versalement.

Lamina suprachoroïdea.

Couche des gros vais-
seaux.

Couche limitante.
Membrane choriocapill.
Couche vitrée.
Couche pigm. de la rétine.

Fig. 245.

Coupe comprenant une portion de la sclérotique et la choroïde tout entière (Gross. 100). — g. Gros
vaisseaux.— p. Cellules pigmentaires.— c. Coupe transversale de capillaire (**Technique n° 176,** *c).*

4) La *membrane basale postérieure* (membrane de Descemet, lame élastique postérieure) est une membrane vitreuse, élastique, d'une épaisseur de 0,006 mm. La surface postérieure présente, chez l'homme adulte, à la périphérie de la cornée des excroissances hémisphériques, verruqueuses.

5) L'*endothélium cornéen* comprend une seule couche de cellules polygonales, aplaties, munies de noyaux légèrement proéminents.

Sclérotique. — Elle est constituée principalement par des faisceaux connectifs, qui s'intriquent suivant des directions variées, surtout dans le sens du méridien et de l'équateur. En outre on y rencontre des réseaux de fines fibres élastiques, ainsi que des cellules plates du tissu conjonctif, situées, comme celles de la cornée, dans des lacunes nourricières, dont la disposition est ici plus irrégulière. Entre la sclérotique et la choroïde, on trouve un tissu lâche, richement pourvu de fibres élastiques, de cellules ramifiées pigmentaires et de cellules plates non pigmentées (cellules endothéliales) ; quand on sépare la sclérotique de la choroïde, cette couche reste attachée en partie à l'une, en partie à l'autre de ces membranes ; elle porte le nom de *lamina supra-choroïdea* ou *lamina fusca* de la sclérotique. L'épaisseur de la sclérotique, qui est de 1 mm. en arrière, diminue à mesure qu'on approche du pôle antérieur de l'œil.

2. — Tunique moyenne.

1º Choroïde. — Elle est remarquable par sa riche vascularisation. Les vaisseaux sont disposés sur deux couches : la couche superficielle, sous-jacente à la *lamina supra-choroïdea*, couche des gros vaisseaux (fig. 245), présente des ramifications artérielles et veineuses contenues dans un stroma composé de fines fibrilles élastiques et de nombreuses cellules pigmentaires étoilées. Le stroma contient en outre, au voisinage des grosses artères du tissu conjonctif fibrillaire, des fibres musculaires lisses et des cellules plates non pigmentées, réunies en fines membranes (membranes endothéliales). La couche profonde, *membrane chorio-capillaire*, se compose d'un réseau serré de gros capillaires, entre lesquels on ne trouve pas d'éléments figurés. Entre ces deux couches vasculaires se trouve la *couche limitante de la substance fondamentale*, qui manque en général de pigment et se compose de fins réseaux de fibres élastiques ; à sa place on rencontre, chez les ruminants et les solipèdes, des faisceaux de tissu conjonctif à direction ondulée, qui donnent aux yeux de ces animaux leur éclat métallique. Cette membrane brillante est connue sous le nom de *tapetum fibrosum*. Le *tapetum cellulosum* des carnassiers, également irisé, est au contraire formé de plusieurs couches de cellules plates, qui contiennent de nombreux et fins cristaux.

Au-dessous de la membrane chorio-capillaire se trouve la *membrane vitreuse*, lamelle amorphe, d'une épaisseur de 2 μ, qui représente sur sa face externe un fin dessin quadrillé ; sur sa face interne, l'empreinte du pigment rétinien produit le dessin d'un carrelage polygonal. La membrane vitreuse se rapproche par sa structure des membranes élastiques.

II° Corps ciliaire. — Il se compose des procès ciliaires et de l'anneau musculaire, muscle ciliaire, qui les surmonte.

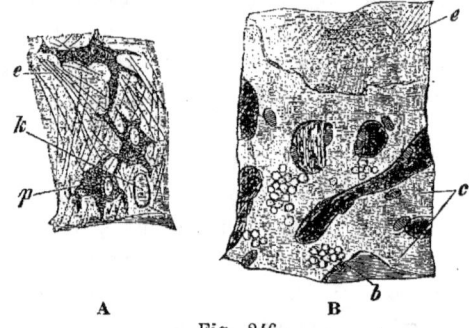

Fig. 246.

A. *Dissociation de la choroïde humaine* (Gross. 240). — *p*. Cellules pigmentaires. — *e*. Fibres élastiques. — *k*. Noyau d'une cellule plate non pigmentaire. Les corps cellulaires ne sont pas visibles (**Technique n° 177,** *a*).

B. *Fragments de choroïde et de la membrane vitrée y attenante* (Gross. 240). — *c*. Capillaire large contenant encore par endroits des globules sanguins. — *e*. Membrane vitrée finement quadrillée (**Technique n° 177,** *a*).

Les *procès ciliaires*, au nombre de 70 à 80, sont des replis dirigés suivant les plans méridiens ; ils commencent au niveau de l'*ora serrata* par une saillie d'abord légère, puis s'accusent de plus en plus jusqu'à atteindre la hauteur de 1 millim. ; ils se terminent brusquement au niveau du bord du cristallin. Chaque procès ciliaire se compose de tissu conjonctif fibrillaire, riche en faisceaux élastiques, et est limité en dedans par un prolongement de la membrane vitreuse, remarquable à ce niveau par les replis entre-croisés qu'elle présente. Ce sont les vaisseaux des procès ciliaires qui fournissent le liquide intra-oculaire.

Le *muscle ciliaire* est un anneau musculaire, d'une épaisseur de 0,8 mm. en avant, et d'une largeur de 3 mm. environ ; il naît au niveau de la paroi interne du canal de Schlemm. Les fibres musculaires lisses qui le composent présentent trois directions différentes. Nous distinguerons :

1) Des fibres méridiennes (fig. 247, 4), immédiatement sous-jacentes à la sclérotique et atteignant la partie lisse de la choroïde en arrière ; on les connaît sous le nom de *muscle tenseur de la choroïde*.

2) Des fibres radiées, sous-jacentes aux précédentes, qui de dehors en dedans prennent de plus en plus une direction radiée (convergeant vers le cen-

tre du globe oculaire) et s'incurvent en arrière, toujours dans le champ du corps ciliaire, pour prendre une direction circulaire (5).

3) Des fibres circulaires (équatoriales), dites encore *fibres annulaires de Müller* (6).

III° IRIS. — Il se compose d'un stroma divisé en trois couches : en avant le prolongement de l'endothélium cornéen, en arrière le prolongement modifié de la rétine le recouvre. Nous distinguerons cinq plans dans l'iris :

1) L'*endothélium de la face antérieure* se compose, comme celui de la cornée, d'une seule couche de cellules plates, polygonales.

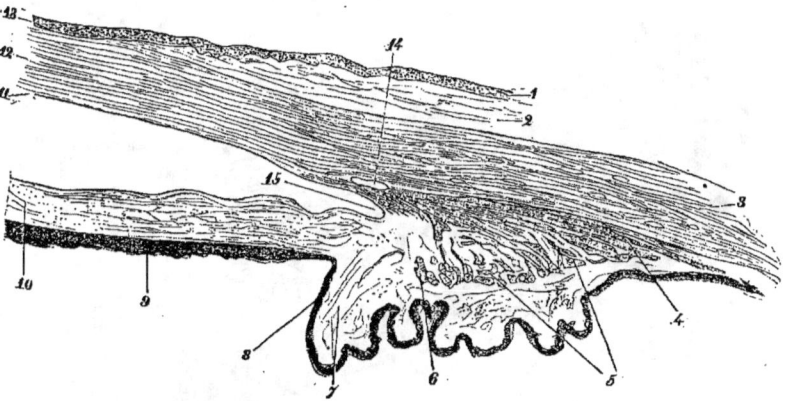

Fig. 247.

Coupe méridienne à l'union de la cornée et de la sclérotique de l'homme (Gross. 30). — 1. Epithélium. — 2. Tissu conjonctif de la conjonctive. — 3. Sclérotique. — 4, 5, 6, 7, 8. Corps ciliaire. — 4. Fibres méridiennes. — 5. Fibres radiées. — 6. Fibres radiées du muscle ciliaire. — 7. Procès ciliaire. — 8. Portion ciliaire de la rétine. — 9. Portion irienne de la rétine. — 10. Stroma de l'iris. — 11, 12, 13. Cornée. — 11. Membrane basale postérieure. — 12. Substance propre. — 13. Epithélium. — 14. Canal de Schlemm. — 15. Angle de l'iris (**Technique n° 176, a**).

2) La *couche limitante antérieure* (couche réticulée) se compose de 3 à 4 plans de réseaux, formés par des cellules conjonctives étoilées. Ce tissu réticulé, analogue au réticulum du tissu adénoïde, se confond peu à peu en arrière avec,

3) La *couche vasculaire*, qui contient de nombreux vaisseaux à direction rayonnante (vers la pupille), plongés dans un stroma lâche de fins faisceaux conjonctifs. Les gaines conjonctives qui enveloppent les vaisseaux et les nerfs sont particulièrement épaisses.

Dans la couche vasculaire on rencontre des faisceaux musculaires lisses, dont les uns sont concentriques au bord pupillaire de l'iris et forment un muscle d'une épaisseur de 1 mm. (*sphincter de la pupille*), dont les autres, beaucoup plus rares, prennent à partir de ce dernier une direction radiée, sans constituer une couche distincte (*muscle dilatateur de la pupille*). Dans la couche limitante antérieure et dans la couche vasculaire, on rencontre en proportion variable des cellules pigmentaires, qui font cependant défaut dans les yeux bleus.

4) La *couche limitante postérieure* est une membrane vitreuse, de nature élastique.

5) La *couche pigmentaire* (portion irienne de la rétine) formée de deux plans, l'antérieur contenant des cellules pigmentaires fusiformes, le postérieur des cellules pigmentaires polygonales. Les granulations pigmentaires sont tellement abondantes dans cette couche que l'étude des éléments anato-

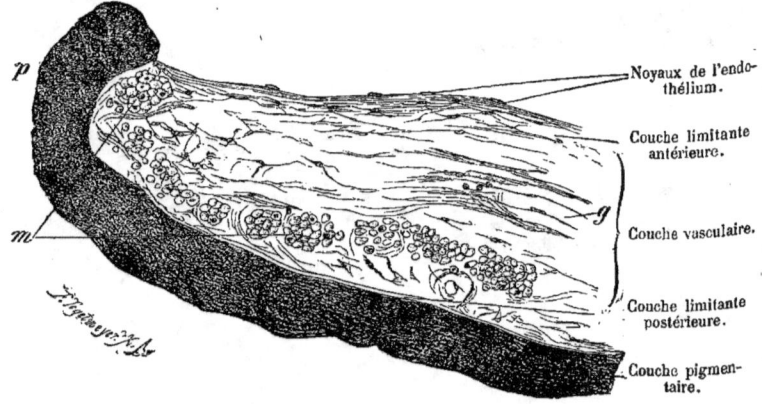

Fig. 248.

Coupe perpendiculaire à travers la portion pupillaire de l'iris de l'homme (Gross. 100). Un cinquième environ de l'iris est représenté. — *g*. Vaisseaux sanguins avec gaine conjonctive épaisse. — *m*. Muscle sphincter de la pupille coupé transversalement. — *p*. Bord pupillaire de l'iris (**Technique n° 177**, *c*).

miques devient impossible généralement. Dans les yeux d'albinos, le pigment manque. La face postérieure de la couche pigmentaire serait encore recouverte par une très fine membrane, membrane limitante interne de la rétine.

LIMBE CORNÉEN. — On désigne sous ce nom la zone de transition entre la sclérotique et la cornée, région particulièrement intéressante à cause des connexions entre l'iris, la cornée et le corps ciliaire.

Le passage de la sclérotique à la cornée se fait directement ; les faisceaux conjonctifs de la sclérotique, à direction plus onduleuse, passent sans interruption dans la cornée où ils prennent une direction rectiligne ; le système des canaux nourriciers de la sclérotique communique avec celui de la cornée. La zone de transition, peu précise sous le microscope, se fait suivant une ligne oblique, la circonférence de la cornée étant coupée en biseau aux dépens de sa face antérieure. La partie la plus postérieure de la substance propre de la cornée, ainsi que la membrane basale postérieure, rencontrent à la

périphérie le bord ciliaire de l'iris ; cette région constitue l'angle irien
(fig. 247, 15). A ce niveau l'iris envoie vers la face postérieure de la membrane basale postérieure des faisceaux conjonctifs, les *prolongements iriens*
qui acquièrent chez certains animaux (bœuf, cheval) un développement considérable et constituent ce qu'on a appelé le *ligament pectiné de l'iris* ; les
prolongements sont à peine marqués chez l'homme.

La membrane basale postérieure s'unit aux prolongements iriens ; à sa
périphérie, en effet, cette membrane se dissocie en fibrilles, qui se confondent avec les prolongements iriens ; ces fibrilles sont encore renforcées par
l'appoint des tendons élastiques et du tissu conjonctif intermusculaire du
muscle ciliaire, et l'appoint beaucoup plus faible de faisceaux provenant de
la sclérotique. Tous les tissus se rencontrent en même temps au niveau du
limbe cornéen, cornée, sclérotique, iris et muscle ciliaire entrent donc pour une
part dans la constitution des fibres étendues dans l'angle irien : ces fibres sont
enveloppées par l'endothélium qui passe de la face postérieure de la membrane basale postérieure sur la face antérieure de l'iris. Les mailles limitées
par les fibres, en libre communication avec la chambre antérieure de l'œil,
et baignées par la même humeur, prennent le nom d'*espaces de Fontana* ; elles
sont très peu développées chez l'homme.

3. — Tunique interne.

RÉTINE. — La *rétine* s'étend depuis le point d'entrée du nerf optique jusqu'au bord pupillaire de l'iris ; dans ce parcours, elle se divise en trois
zones :

1° La *portion optique* de la rétine, qui constitue l'expansion proprement
dite du nerf optique. Cette portion, la seule sensible à la lumière, tapisse
tout l'hémisphère postérieur du globe oculaire, presque jusqu'au corps ciliaire et se termine à ce niveau, par une ligne nette, dentelée, visible même
sans le secours du microscope, l'*ora serrata*.

2° La *portion ciliaire* de la rétine, s'étendant depuis l'*ora serrata* jusqu'au
bord ciliaire de l'iris.

3° La *portion irienne* de la rétine, qui tapisse la face postérieure de l'iris
depuis le bord ciliaire, jusqu'au bord pupillaire.

1. — PORTION OPTIQUE DE LA RÉTINE.

La *portion optique* de la rétine se divise en deux couches, une externe, la
couche des cellules visuelles (*couche neuro-épithéliale*), et une interne, la *couche cérébrale* ; chacune de ces divisions se subdivise à son tour en plusieurs
couches, la couche neuro-épithéliale en quatre, la couche cérébrale en cinq.

Si l'on y ajoute encore la couche pigmentaire (épithélium pigmentaire), qui se rattache embryologiquement à la rétine et se trouve immédiatement sous-jacente à la choroïde, on obtient six couches, qui sont en allant du dehors en dedans :

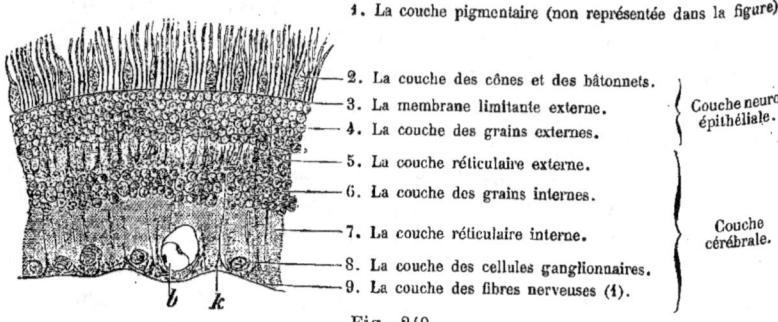

1. La couche pigmentaire (non représentée dans la figure).

2. La couche des cônes et des bâtonnets.
3. La membrane limitante externe.   } Couche neuro-épithéliale.
4. La couche des grains externes.

5. La couche réticulaire externe.
6. La couche des grains internes.
7. La couche réticulaire interne.   } Couche cérébrale.
8. La couche des cellules ganglionnaires.
9. La couche des fibres nerveuses (1).

Fig. 249.

Coupe perpendiculaire de la rétine humaine (Gross. 240). La couche des fibres nerveuses est peu épaisse, parce que la coupe ne passe pas par le fond de l'œil. — *b.* Vaisseaux sanguins. — *k.* Coin des fibres rayonnées (**Technique n° 177,** *e*).

Les éléments des couches précédentes ne sont pas tous de nature nerveuse c'est-à-dire épithéliale ; il en est qui représentent la *substance de soutènement,* qui n'est cependant pas de nature conjonctive (v. *moelle épinière,* p. 149). Les éléments les plus importants de la substance de soutènement sont les *fibres rayonnées* (fibres de soutènement de Müller), cellules allongées, qui traversent toute l'épaisseur de la rétine, depuis la surface interne jusqu'au niveau des cônes et des bâtonnets : leur extrémité interne est constituée par un pied,

Épithélium pigmentaire.
Cônes et bâtonnets.
Membrane limitante externe.
Couche des grains externes.
Couche réticulaire externe.
Couche des grains internes.   *n*
Couche réticulaire externe.
Couche des cellules gangli.   *k*
Couche des fibres nerveuses   *l*

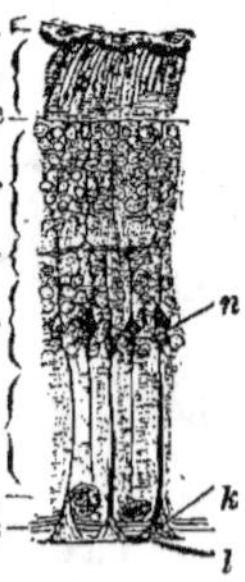

Fig. 250.

Coupe perpendiculaire de la rétine du lapin (Gross. 240). — *k.* Pied en coin des fibres radiées. — *n.* Portion nucléée des mêmes fibres. — *l.* Membrane limitante interne (**Technique n° 177,** *e*).

élargi en forme de coin, le *coin des fibres rayonnées* (*k*). Leurs pieds, intimement soudés entre eux, donnent l'illusion d'une membrane située à la face interne de la rétine, la membrane limitante interne (fig. 250, *l*). De l'extrémité effilée du coin partent les fibres de soutènement, qui vont s'amincissant toujours de plus en plus à travers la couche réticulaire interne (sans entrer en connexion avec celle-ci), puis atteignent la couche des grains internes ; à ce niveau, elles émettent de fines expansions, arrondies ou aplaties, et présentent un noyau (fig. 250, *n*) ; à partir de là, les fibres traversent la couche

(1) La membrane limitante interne, qui n'a pas d'existence propre (voir fibres de soutènement de Müller), peut être comptée comme une 10e couche.

réticulaire externe et celle des grains externes en donnant partout des expansions de soutènement, jusqu'à la membrane limitante externe, avec laquelle elles se confondent. Outre ces fibres rayonnées, il existe dans la couche réticulaire externe des cellules de soutènement concentriques ; ce sont des cellules aplaties parallèlement à la surface, munies de longs prolongements, les unes nucléées, les autres sans noyau. Aux environs de la papille on trouve aussi des cellules ganglionnaires. De la face externe de la membrane limitante externe se détachent encore de fines fibres, qui entourent comme d'un treillage les bases des cônes et des bâtonnets (fig. 251), et qui s'appellent fibres en corbeille (*Faserkorbe*).

Enfin la plus grande partie des deux couches réticulaires et la petite quantité de substance cimentante de la couche ganglionnaire sont des dépendances de la substance de soutènement.

Étudions maintenant pratiquement les différentes couches de la rétine ; on compte de dedans en dehors les couches suivantes :

Couche cérébrale. — La couche des *fibres nerveuses* est composée de cylindres-axes sans myéline, groupés en faisceaux prenant une disposition plexiforme ; son épaisseur la plus grande correspond au point de pénétration du nerf optique ; de là, les fibres rayonnent jusqu'au niveau de l'*ora serrata* : dans ce trajet, on voit continuellement des fibres gagner la périphérie pour se mettre en relation avec les couches plus superficielles de la rétine. La disposition radiée des fibres est interrompue au niveau de la *macula lutea*.

Les cylindres-axes sont en majeure partie des fibres centripètes qui proviennent des cellules ganglionnaires situées dans la rétine, d'autres moins nombreux sont des prolongements des cellules ganglionnaires du cerveau, ils appartiennent à des fibres centrifuges, ils se terminent par des extrémités libres dans la couche granuleuse interne (fig. 251).

La couche des *cellules ganglionnaires* (ganglion du nerf optique) se compose d'une seule couche de grandes cellules ganglionnaires multipolaires, munies d'un prolongement centripète indivis (*prolongement cylindraxile*) du côté de la couche des fibres du nerf optique, et d'un ou plusieurs prolongements ramifiés (prolongements protoplasmiques) du côté de la couche réticulaire interne ; à ce niveau les prolongements ramifiés forment un treillis aplati dans le sens de la surface et constituent, grâce à leurs anastomoses avec les prolongements des autres cellules ganglionnaires, un réseau serré inextricable (fig. 251).

La couche *réticulaire interne* (couche granuleuse, névrospongium) comprend un fin réseau de substance de soutènement, qui supporte une trame nerveuse serrée formée par tous les prolongements des cellules ganglionnaires de la rétine.

La couche des *grains internes* ; les éléments qu'on décrit sous le nom de grains sont de nature très différente. La couche la plus interne est formée par de grosses (1) cellules ganglionnaires, qui envoient des prolongements ramifiés dans la couche réticulaire interne. De la plupart d'entre elles — mais non de toutes — on voit partir un prolongement cylindraxile qui gagne la couche des fibres du nerf optique (fig. 251). Les autres couches sont formées surtout de petites cellules ganglionnaires bipolaires (*ganglion de la rétine*) dont le prolongement central atteint la couche réticulaire interne et s'y dé-

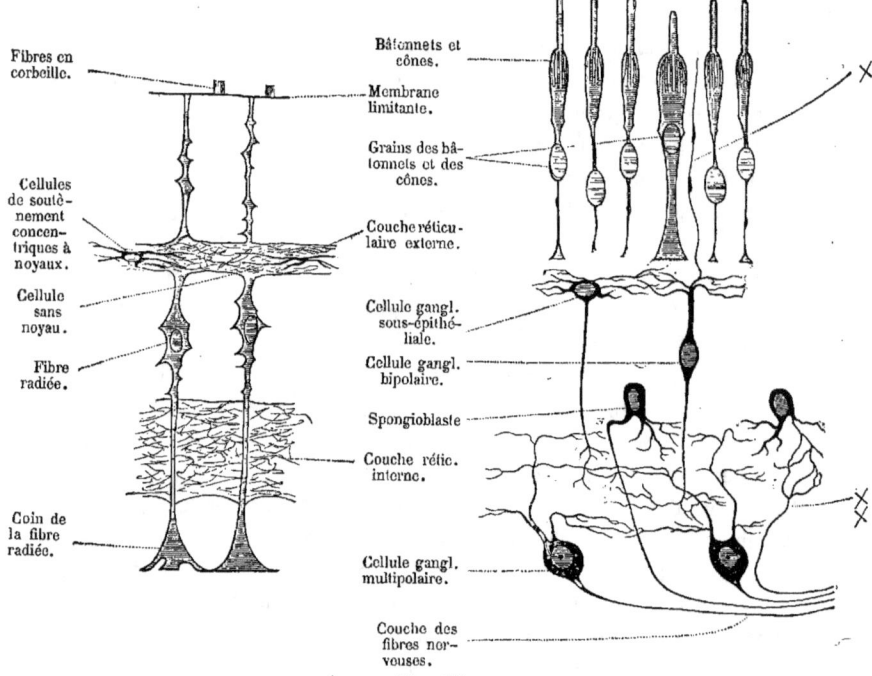

Fig. 251.

Schéma des éléments de la rétine. A gauche éléments de soutènement, à droite éléments nerveux et épithéliaux.

compose en fines fibrilles, tandis que le prolongement périphérique gagne la couche réticulaire externe. Là il se bifurque, prend une direction parallèle à la surface et se décompose en fibrilles très fines qui se perdent dans un réseau sous-épithélial, formé par l'anastomose des prolongements des cellules ganglionnaires voisines.

(1) Ces cellules s'appelaient autrefois spongioblastes parce qu'on croyait à tort d'ailleurs qu'elles donnaient naissance au névrospongium. Il faut simplement les considérer comme des éléments du ganglion du nerf optique.

Toutes les cellules ganglionnaires bipolaires envoient un prolongement qui monte entre les cellules visuelles ; ce prolongement se termine par un petit renflement près de la membrane limitante (fig. 251). On trouve enfin dans cette couche des noyaux de fibres radiées.

A la limite externe de la couche granuleuse interne se trouvent des cellules étoilées, les unes plus petites, les autres plus volumineuses. Avec leurs nombreux prolongements elles entrent pour une grande part dans la constitution de la couche sous-épithéliale. Un prolongement va vers la couche réticulaire interne où il se termine par de fines ramifications, elles fournissent en outre un autre prolongement, le prolongement nerveux qui suit d'abord un trajet horizontal, se recourbe ensuite et passe sous la couche des fibres nerveuses (fig. 251).

La couche *réticulaire externe* (couche intermédiaire, couche sous-épithéliale) constitue également un fin réseau de soutènement, qui contient le réseau nerveux que nous venons de décrire. Les cellules qu'on rencontre dans cette couche sont les cellules concentriques de soutènement, ainsi que des *cellules ganglionnaires sous-épithéliales* ; ces dernières ne sont autre chose que des éléments dissociés du ganglion de la rétine, elles ne se distinguent des cellules ganglionnaires bipolaires que par leur forme aplatie ; au point de vue de leur terminaison, elles se confondent complètement avec elles.

Couche neuro-épithéliale. — Cette couche comprend deux espèces d'éléments : les *cellules à cônes* et les *cellules à bâtonnets*. Dans ces deux espèces, on trouve le noyau dans la moitié inférieure de la cellule ; la moitié supérieure, sans noyau, se trouve nettement séparée de l'inférieure par une membrane percée d'orifices (membrane limitante externe). D'où l'apparence de plusieurs couches : une interne, formée par la portion des cellules visuelles contenant le noyau, est dénommée couche des grains externes ; une externe, portion sans noyau, est dite couche des cônes et des bâtonnets. Entre les deux, se trouve la membrane limitante externe.

1) *Cellules visuelles à bâtonnets.* — Leurs portions externes sont constituées par les *bâtonnets*, cylindres allongés (60 μ de longueur, 2 μ d'épaisseur) comprenant un *segment externe* homogène et un *segment interne* finement granuleux. Les segments externes sont le siège exclusif du pourpre rétinien. Le segment interne présente à sa partie externe un corps ellipsoïde fibrillaire, l'*appareil filamenteux* (Fadenapparat). Les moitiés internes des cellules visuelles à bâtonnets sont appelées *fibres à bâtonnets* ; ce sont des fibres très fines, pourvues d'un renflement renfermant un noyau, le *grain des fibres*. Le noyau est pourvu de 1 à 3 bandes transversales claires. L'extrémité basale de la cellule forme une sorte de petit renflement sans prolongement (fig. 251).

2) *Cellules visuelles à cônes.* — Leurs moitiés externes, les cônes, présen-

tent également un segment externe et un segment interne. Les segments externes sont coniques et plus courts que les parties correspondantes des bâtonnets. Les segments internes sont épais, renflés ; la superposition de ces parties donne aux cônes l'aspect d'une bouteille. — Le segment interne des cônes renferme aussi un appareil filamenteux.

Les moitiés internes des cellules visuelles à cônes sont dites *fibres des cônes* ; ces dernières sont larges et reposent par leurs pieds élargis en forme de cône sur la couche réticulaire externe. Le renflement contenant le noyau, *le grain des cônes*, se trouve en général immédiatement en dedans de la membrane limitante externe. Le nombre des bâtonnets est de beaucoup supérieur à celui des cônes ; on trouve en moyenne 3 à 4 bâtonnets entre 2 cônes voisins (fig. 249).

La partie basale des cellules visuelles située au-dessus de la couche réticulaire externe forme nettement une couche spéciale à forme striée et rayon-

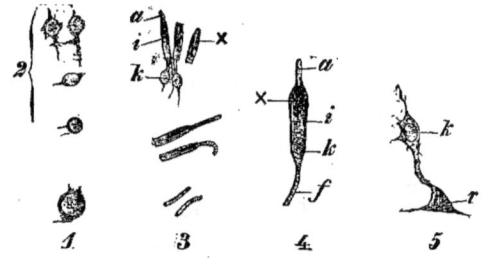

Fig. 252.

Éléments isolés de la rétine du singe (Gross. 240).

1. Cellule tronquée du ganglion du nerf optique.

2. Éléments de la couche des grains internes.

3. Cellules visuelles à bâtonnets et fragments des mêmes cellules. A la partie inférieure deux segments externes dont l'un présente la striation transversale, commencement de la décomposition en plaquettes transversales. Au-dessus deux bâtonnets. Le segment externe du bâtonnet inférieur est décomposé. Au-dessus, cellules à bâtonnets complètes. — *a*. Segment externe. — *i*. Segment interne. — *k*. Grain des bâtonnets.— *x*. Appareil filamenteux.

4. Cellules visuelles à cônes. — *a*. Segment externe. — *i*. Segment interne. — *k*. Grain du cône. — f. Fibre de cône brisée à sa partie inférieure. — *x*. Appareil filamenteux.

5. Cellule de soutènement de Müller. — *k*. Noyau de la cellule. — *r*. Coin de la fibre radiée (**Technique n° 180**).

nante (fig. 249) ; cette couche, *couche des fibres de Henle*, est d'une épaisseur remarquable dans la région de la macula (voir plus bas) et diminue assez souvent d'une façon irrégulière en allant vers l'ora serrata.

L'*épithélium pigmentaire* comprend une seule couche de cellules hexagonales, qui du côté de leur face externe, c'est-à-dire du côté de la choroïde où se trouve logé le noyau, ne contiennent pas de pigment (fig. 250) tandis que leur portion interne renferme de nombreuses granulations pigmentaires, en forme de bâtonnets d'une longueur de 1 à 5 μ. De cette face interne on voit

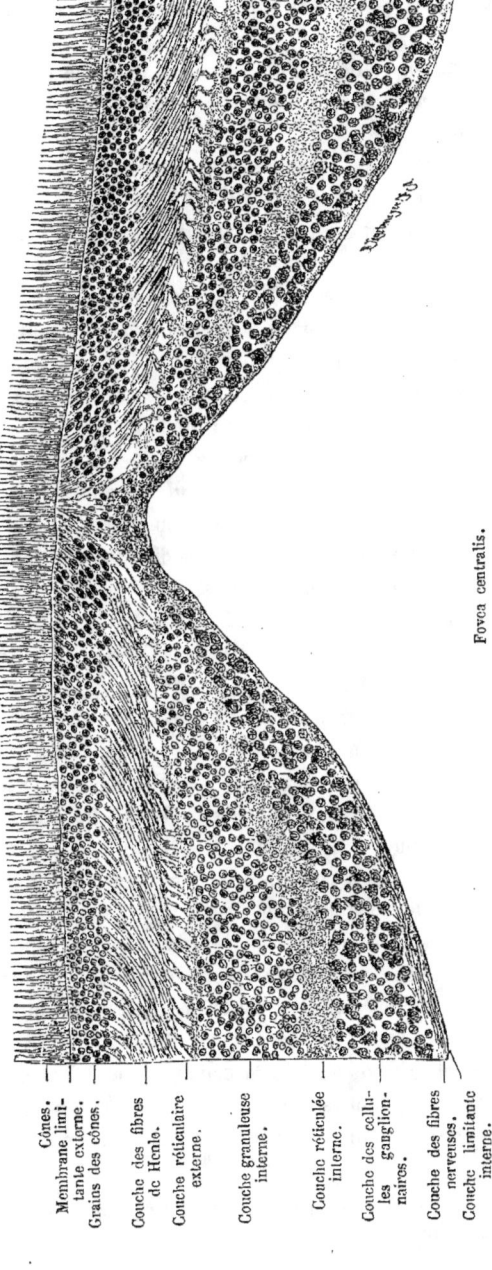

Cônes.
Membrane limi-
tante externe.
Grains des cônes.

Couche des fibres
de Henle.

Couche réticulaire
externe.

Couche granuleuse
interne.

Couche réticulée
interne.

Couche des cellu-
les ganglion-
naires.

Couche des fibres
nerveuses.
Couche limitante
interne.

Zone de pénétration du nerf optique.

Fovea centralis.

Fig. 253.

Coupe horizontale à travers la macula et la partie moyenne de la fovea centralis d'un homme âgé de 60 ans. D'après une préparation du professeur Haab, dessinée par Schaper (Gross. 135). — La couche des fibres nerveuses est plus épaisse du côté de l'entrée du nerf optique (comme toutes les couches d'ailleurs). — Du côté opposé la coupe des fibres nerveuses sectionnées transversalement apparaît sous forme d'un fin pointillé.

se détacher de nombreux et fins prolongements, qui s'insinuent entre les cônes et les bâtonnets. Chez les albinos et dans le tapetum, l'épithélium n'est pas pigmentaire.

La structure de la rétine, telle que nous venons de la décrire, subit au niveau de la *macula lutea* et de la *fovea centralis*, ainsi que vers l'*ora serrata*, d'importantes modifications.

Macula lutea et *fovea centralis*. — Au niveau de la *macula*, la disposition des couches rétiniennes est la suivante. De fines fibres du nerf optique vont de la papille optique directement vers la partie interne de la *macula*, des fibres plus épaisses passant au-dessus et au-dessous des premières décrivent des courbes à convexité supérieure et inférieure, et arrivent sur les parties latérales où elles se réunissent. La couche des cellules ganglionnaires s'épaissit beaucoup ; en effet les cellules ganglionnaires bipolaires, au lieu de ne former qu'une seule couche, s'étagent à ce niveau en plusieurs couches (jusqu'à 9) (1). Les couches réticulaire interne et réticulaire externe ne subissent pas de modifications importantes. La couche neuro-épithéliale n'est plus formée que de cônes. Déjà sur les bords de la *macula*, le nombre des cellules visuelles à bâtonnets diminue pour disparaître complètement dans la *macula* même. Il s'ensuit que les fibres des cônes sont très distinctes et sont décrites comme une couche de fibres. Les grains des cônes, très nombreux, forment dans cette région plusieurs couches.

Au niveau de la *fovea centralis* située au milieu de la *macula*, les couches rétiniennes s'amincissent graduellement, quelques-unes vont jusqu'à disparaître complètement. On voit disparaître d'abord la couche des fibres du nerf optique, puis celle des cellules ganglionnaires, puis la couche réticulaire externe et la granuleuse interne, enfin la couche réticulaire externe ne forme plus qu'un mince liseré, si bien qu'au centre de la *fovea* (*fundus foveæ*) on ne trouve plus que la couche neuro-épithéliale. Un pigment jaune, diffus, infiltre les couches de la portion cérébrale, il ne se rencontre pas dans la couche neuro-épithéliale ; le *fundus foveæ* reste par conséquent incolore.

Dans la région de l'*ora serrata* les couches rétiniennes diminuent rapidement. Déjà avant l'*ora* la couche des fibres du nerf optique et celle des cellules ganglionnaires ont disparu. Des cellules visuelles, celles à bâtonnets, sont les premières à disparaître ; les cellules à cônes subsistent, mais semblent perdre leur segment externe. Puis s'efface la couche réticulaire externe, ce qui amène la fusion des deux couches granuleuses externe et interne ; enfin l'on voit cesser la couche réticulaire interne. Les fibres de soutènement de

(1) La couche granuleuse interne est presque doublée également à cause de la multiplication des éléments qui la composent.

Müller persistent au contraire, et sont même fortement développées. L'*ora serrata* est fréquemment le siège d'altérations séniles. Souvent l'on y rencontre des lacunes qui paraissent d'abord dans la couche granuleuse externe, puis envahissent les couches plus internes (fig. 254).

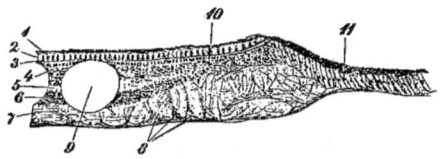

Fig. 254.

Coupe méridienne de l'ora serrata et de la portion ciliaire avoisinante de la rétine d'une femme de 78 ans (Gross. 70).— 1. Épithélium pigmentaire. — 2. Cônes privés de leur segment externe. — 3. Membrane limitante externe.— 4. Couche des grains externes.— 5. Couche réticulaire externe.— 6. Couche des grains internes.— 7. Couche réticulaire interne. — 8. Fibres de soutènement de Müller. — 9. Lacune de la rétine. — 10. Fusion de la couche des grains internes et externes.— 11. Disparition des cellules de la partie ciliaire de la rétine (**Technique n° 177**, *d*).

2. — PORTION CILIAIRE DE LA RÉTINE.

Elle se compose d'une couche unique de cellules cylindriques allongées (fig. 254, 11), qui proviennent par transformation graduelle de la couche résultant de la fusion des couches granuleuses interne et externe. Ces cellules sont pourvues sur leur face profonde (interne) d'une membrane cuticulaire, véritable membrane limitante interne, qu'on ne retrouve pas dans les autres portions de la rétine. Leur face externe se trouve en rapport avec des cellules pigmentaires, qui continuent l'épithélium pigmentaire.

3. — PORTION IRIENNE DE LA RÉTINE OU COUCHE PIGMENTAIRE DE L'IRIS.

Quant aux connexions des éléments de la rétine entre eux, il semble établi aujourd'hui que les cellules ganglionnaires du ganglion du nerf optique ainsi que la plupart des cellules étoilées de la couche granuleuse interne, fournissent les fibres optiques centripètes, pendant que les fibres centrifuges se terminent par des extrémités libres dans la couche granuleuse externe. D'ailleurs il n'existe pas de continuité directe entre les fibres nerveuses et les cellules ganglionnaires. Les cellules ganglionnaires du ganglion rétinien ne semblent avoir aucun prolongement nerveux. Leur connexion avec les autres éléments nerveux est établie par le réseau de fibrilles que l'on trouve dans les deux couches réticulaires. Il y a là probablement quelques anastomoses, quoique le fait ne soit pas démontré. Peut-être l'union se fait-elle par simple contact. La communication avec les cellules visuelles est établie par les prolongements qui se dégagent du réseau sous-épithélial pour se terminer entre les cellules visuelles (mais non dans celles-ci). Il est très vraisembla-

ble, d'après les recherches physiologiques, que les cellules visuelles représentent la portion sensorielle (sensibilité lumineuse) de la rétine.

4. — Nerf optique.

Le nerf optique est entouré dans son trajet intra-orbitaire de gaines, qui
sont les prolongements des enveloppes du cerveau. En premier lieu on trouve
la *gaine dure-mérienne* (fig. 255), formée par des faisceaux conjonctifs longitudinaux compacts. En dedans de celle-ci existe la *gaine arachnoïdienne*,
très délicate, qui envoie en dedans sur la gaine pie-mérienne de nombreuses
travées conjonctives assez épaisses ; la gaine arachnoïdienne n'est au contraire
rattachée à la gaine dure-mérienne que par quelques fines fibres. Puis vient
la plus interne des membranes, la *pie-mérienne*, qui s'applique intimement
sur le nerf optique et envoie de nombreuses cloisons conjonctives envelop-

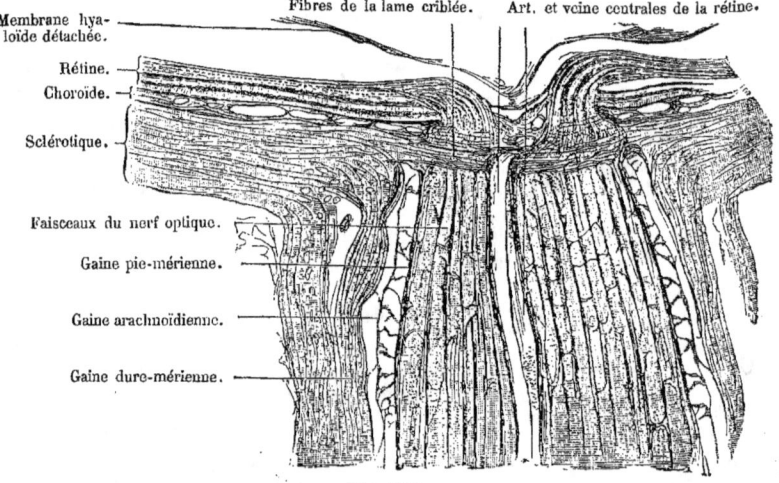

Fig. 255.

Coupe longitudinale du nerf optique de l'homme au niveau de sa pénétration dans le globe oculaire.
— Au-dessus de la lame criblée l'amincissement du nerf optique est très sensible. L'artère et la veine cen-
trales de la rétine sont coupées d'abord longitudinalement, puis perpendiculairement à leur direction
(Technique n° 176, *d*).

pant chacun des faisceaux de fibres nerveuses. Ces cloisons sont réunies les
unes aux autres par des trabécules transversales, d'où résulte la formation
d'un système alvéolaire.

Le tissu de la gaine pie-mérienne ne pénètre pas dans l'intérieur des faisceaux de fibres nerveuses, mais les entoure seulement. Ces faisceaux de fibres
sont formés de fines fibres à myéline, ne possédant pas de gaines de Schwann.

Le ciment qui les unit est constitué par de la névroglie, riche en noyaux ovalaires. Au niveau de la pénétration du nerf optique, dans le bulbe, la gaine dure-mérienne se continue avec la sclérotique ; la gaine arachnoïdienne se résout à son extrémité antérieure en fibres, en sorte qu'il s'établit une communication entre l'espace sub-dure-mérien situé en dehors de la gaine arachnoïdienne, et l'espace sous-arachnoïdien situé en dedans de cette gaine. La gaine pie-mérienne se confond avec la sclérotique, percée à ce niveau de trous nombreux pour le passage des fibres nerveuses ; cette région constitue la *lame criblée (lamina cribrosa)*. La choroïde elle-même contribue pour une part plus petite, il est vrai, à la formation de la *lamina cribrosa*. Au moment où elles pénètrent la lame criblée, les fibres nerveuses perdent leur myéline ; il en résulte une diminution notable du diamètre du tronc nerveux.

Vers son extrémité périphérique, le nerf optique loge dans son axe l'artère et la veine centrales de la rétine ; le tissu conjonctif entourant ces vaisseaux affecte de nombreux rapports avec la gaine pie-mérienne aussi bien qu'avec la *lamina cribrosa*.

5. — Cristallin.

Le cristallin se compose d'une substance propre, qui est recouverte sur sa face antérieure par l'épithélium cristallinien ; le tout est contenu dans la cap-

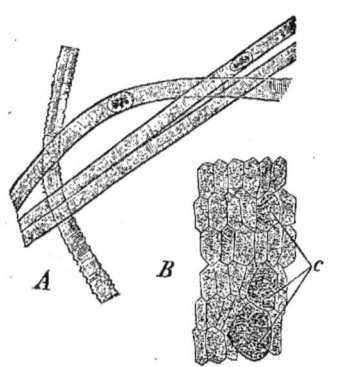

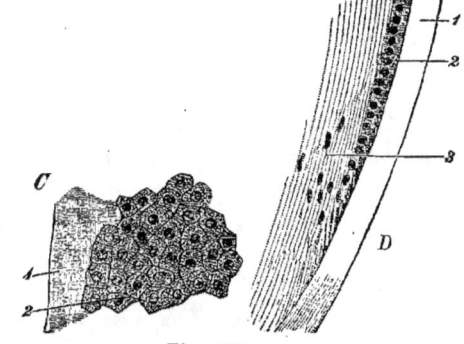

Fig. 256.

Fibres cristalliniennes d'un enfant nouveau-né.

A. *Fibres cristalliniennes isolées ;* trois fibres ont des bords unis ; l'une a des bords dentelés (Gross. 240. **Technique nº 186**).

B. *Coupe perpendiculaire des fibres cristalliniennes de l'homme.— c.Coupe d'extrémité en massue* (Gross. 560. **Technique nº 187**).

Fig. 257.

Capsule cristallinienne et épithélium cristallinien de l'homme adulte.

C. Vue de face (Gross. 240. **Technique nº 188**, *a*).

D. Vue de côté sur une coupe méridienne passant par l'équateur du cristallin. — 1. Capsule. — 2. Épithélium. — 3. Fibres cristalliniennes (Gross. 240. **Technique nº 188**, *b*).

sule du cristallin. Dans la *substance propre* on distingue une couche corticale assez molle et un noyau plus consistant ; des cellules épithéliales, d'une longueur extrême, entrent seules dans sa structure ; ce sont les *fibres cristalliniennes*. Elles ont la forme de prismes hexagonaux allongés, renflés en forme de massue à leur extrémité postérieure. Les fibres cristalliniennes de la substance corticale ont des bords lisses et un noyau ovalaire au niveau de l'équateur ; celles du centre ont des bords dentelés et manquent de noyau. Ces fibres sont unies par un ciment, qui est abondant au niveau des pôles antérieur et postérieur, et produit les images des étoiles cristalliniennes antérieure et postérieure quand on fait macérer le cristallin. Toutes les fibres sont dirigées dans le sens des méridiens, depuis l'étoile antérieure jusqu'à l'étoile postérieure, cependant aucune des fibres ne parcourt toute une moitié du cristallin ; plus son origine se trouve près du pôle antérieur, plus sa terminaison est éloignée du pôle postérieur.

L'*épithélium du cristallin* est formé par une couche unique de cellules cubiques, qui recouvrent la surface antérieure du cristallin jusqu'à l'équateur ; à ce niveau ces cellules s'allongent peu à peu pour former des fibres cristalliniennes (fig. 257, D).

La *capsule cristallinienne* est une membrane vitreuse élastique d'une épaisseur de 11 à 15 μ pour sa face antérieure, de 5 à 6 μ seulement pour sa face postérieure ; elle représente en partie une formation cuticulaire (dérivée des cellules de l'épithélium du cristallin), en partie une formation de nature conjonctive (dérivée d'enveloppes conjonctives embryonnaires).

6. — Corps vitré.

Le *corps vitré* est formé d'une substance liquide, l'humeur vitrée, et de fibres cloisonnant ce liquide. La surface du corps vitré est recouverte d'une membrane plus résistante, la membrane hyaloïde. On trouve encore en certains points du corps vitré quelques fibrilles et de rares cellules. Ces dernières comprennent deux variétés : 1° des cellules arrondies, semblables aux leucocytes ; 2° des cellules contenant des vésicules claires (vacuoles), qui sont probablement en voie de dégénérescence.

7. — Zonule ciliaire.

De la surface de la membrane hyaloïde, au voisinage de l'*ora serrata*, partent des fibres fines, homogènes, qui gagnent le cristallin suivant les plans méridiens. Celles-ci sont attachées à la face interne des procès ciliaires, du sommet desquels on les voit se détacher pour gagner l'équateur du cristallin ;

elles prennent insertion en avant, en arrière et sur l'équateur lui-même. Dans leur ensemble, ces fibres forment une membrane discontinue, la *zonula ciliaris*, le ligament ciliaire, le ligament suspenseur du cristallin. On appelle *canal de Petit* l'espace compris entre les fibres postérieures du corps vitré (1). Ce canal se trouve communiquer avec la chambre postérieure de l'œil.

8. — Vaisseaux de l'œil.

Les vaisseaux de l'œil comprennent deux systèmes très distincts, ne s'anastomosant qu'au niveau de l'entrée du nerf optique.

I. — Distribution des vaisseaux centraux de la rétine (fig. 258). — L'*artère centrale de la rétine* (a) pénètre à 15-20 mm. du bulbe dans l'axe du nerf optique qu'elle parcourt jusqu'au niveau de l'expansion de ce nerf dans la rétine. En ce point, elle se divise en deux branches, l'une supérieure, l'autre inférieure, qui se ramifient à leur tour et fournissent toute la portion optique de la rétine jusqu'à l'*ora serrata*. Dans son trajet dans le nerf optique, l'artère donne de nombreuses et fines branches qui, situées dans les travées pie-mériennes, se répandent entre les faisceaux de fibres nerveuses et s'anastomosent d'une part avec les fines artérioles (b) du tissu adipeux enveloppant le nerf optique, et d'autre part avec des branches des artères ciliaires courtes postérieures (fig. 258, c). Dans la rétine, les capillaires qu'elle fournit arrivent jusqu'au niveau de la couche réticulaire externe (2). Les veines naissent des capillaires, suivent un trajet parallèle à celui des artères, et se réunissent enfin en une veine unique, la *veine centrale de la rétine*, également logée dans l'axe du nerf (fig. 258, a').

Chez l'embryon, l'artère centrale de la rétine fournit une branche, l'*artère hyaloïdienne*, qui traverse le corps vitré et se rend à la face postérieure du cristallin. Cette artère disparaît bien avant la naissance ; mais le canal qui la contient peut se retrouver chez l'adulte, constituant le *canal de Cloquet* ou *canal hyaloïdien*.

II. — Distribution des vaisseaux ciliaires. — Ce système est remarquable par ce fait que les veines et les artères ont un trajet tout différent.

1° Les *artères* sont les artères ciliaires courtes postérieures (fig. 258, chiffres romains) pour la portion lisse de la choroïde ; les artères ciliaires lon-

---

(1) D'autres auteurs appellent de ce nom l'espace triangulaire compris entre les fibres de la zonule qui vont s'attacher à la face antérieure de la capsule et celles qui se rendent à sa face postérieure.

(2) La portion cérébrale seule de la rétine est vasculaire : dans le *fundus foveæ*, où la portion cérébrale manque, on ne rencontre pas de vaisseaux.

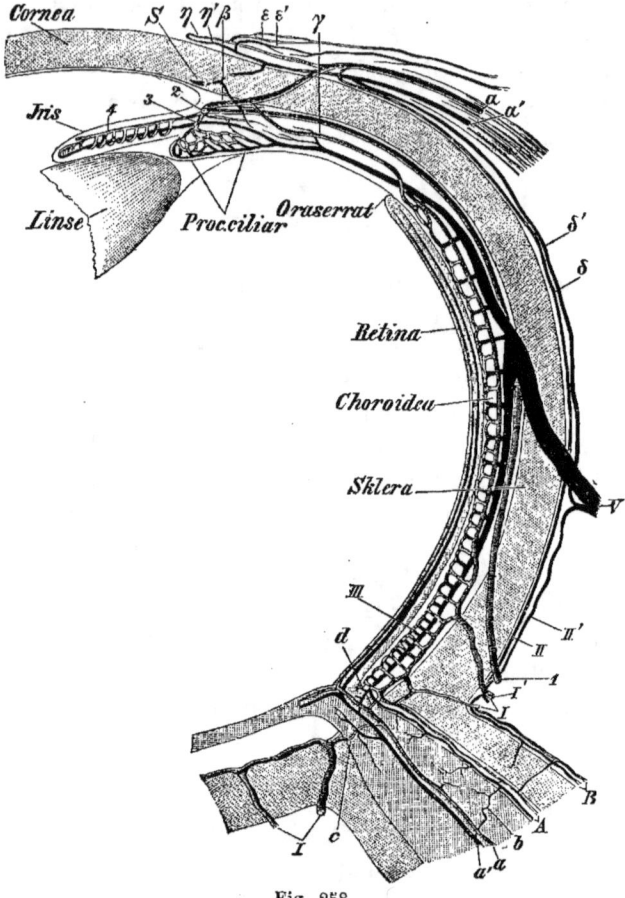

Fig. 258.

Schéma des vaisseaux de l'œil. Tunique externe pointillée, tunique moyenne blanche, tunique interne et nerf optique quadrillés. Les artères sont claires, les veines en noir.

Les petites lettres en italique indiquent le territoire de l'artère et de la veine centrales. — *a*. Artère. — *a'*. Veine centrale de la rétine. — *b*. Anastomose avec les vaisseaux des enveloppes.

Les majuscules italiques indiquent les vaisseaux des gaines. — *A*. Vaisseaux de la gaine interne. — *B*. Vaisseaux de la gaine externe.

Territoire des vaisseaux ciliaires courts postérieurs (chiffres romains). — I. Artère. — I'. Veine ciliaire courte postérieure. — II. Artère épisclérale. — II'. Veine épisclérale et ses branches. — III. Capillaires de la membrane chorio-capillaire.

Territoire des vaisseaux ciliaires postérieurs longs (chiffres arabes). — 1. Artère ciliaire postérieure longue. — 2. Grand cercle de l'iris coupé transversalement. — 3. Branches destinées au corps ciliaire. — 4. Branches destinées à l'iris.

Territoire des vaisseaux ciliaires antérieurs (lettres grecques). — α. Artère. — α'. Veine ciliaire antérieure. — β. Anastomose avec le grand cercle de l'iris. — γ. Anastomose avec la membrane chorio-capillaire. — δ. Branche artérielle épisclérale. — δ'. Branche veineuse épisclérale. — εε'. Branche artérielle et veineuse pour la conjonctive scléroticale. — ηη. Branches destinées au limbe cornéen.

V. Vena vorticosa. — S. Coupe transversale du canal de Schlemm.

gues postérieures (fig. 258, chiffres arabes) et les artères ciliaires antérieures (fig. 258, lettres grecques) pour le corps ciliaire et l'iris.

a) Les *artères ciliaires courtes postérieures*, au nombre de 20 branches environ, perforent la sclérotique aux environs du nerf optique ; après avoir fourni des rameaux (II), qui se distribuent à la moitié postérieure de la surface de la sclérotique, les artères se résolvent en un réseau capillaire à mailles serrées, la *membrane chorio-capillaire* (III). Au point d'entrée du nerf optique, ces artères s'anastomosent avec des branches de l'artère centrale de la rétine (fig. 268, *c*), formant ainsi le *cercle artériel du nerf optique* ; au niveau de l'*ora serrata*, elles s'anastomosent avec des branches récurrentes des artères ciliaires longues postérieures et des artères ciliaires antérieures (ces dernières anastomosées en γ, fig. 258).

b) Les deux *artères ciliaires longues postérieures* (1) perforent également la sclérotique aux environs de l'entrée du nerf optique, l'une des artères est externe, l'autre interne ; elles sont situées entre la sclérotique et la choroïde jusqu'au corps ciliaire, où chacune d'elles se divise en deux rameaux divergents, qui suivent le bord ciliaire de l'iris ; ces artères, en s'anastomosant avec les rameaux des autres ciliaires longues, forment un anneau vasculaire, le *grand cercle de l'iris*, d'où partent de nombreuses branches destinées au corps ciliaire (en particulier aux procès ciliaires) (3) et d'autres à l'iris (4). Près du bord pupillaire de l'iris, les artères forment un second anneau incomplet, le *petit cercle de l'iris*.

c) Les *artères ciliaires antérieures* proviennent des artères musculaires, perforent la sclérotique près du limbe cornéen, et vont d'une part contribuer à la formation du grand cercle de l'iris (β), d'autre part irriguer le muscle ciliaire et fournir des branches récurrentes anastomotiques pour la membrane chorio-capillaire (δ). Au moment de perforer la sclérotique, ces artères fournissent des branches postérieures pour la moitié antérieure de la sclérotique, et des branches antérieures (γ) pour la conjonctive bulbaire (S) et le limbe cornéen (*n*). La cornée est privée de vaisseaux ; à sa périphérie seulement, on trouve dans les lamelles antérieures de la substance propre un réseau d'anses vasculaires marginales.

2° Toutes les *veines* se dirigent vers l'équateur, où elles se réunissent en quatre (plus rarement cinq ou six) troncules, *venæ vorticosæ*, qui perforent immédiatement la sclérotique (fig. 258) et s'abouchent dans l'une des veines ophthalmiques. De petites veines ciliaires courtes postérieures (fig. 258, I) et ciliaires antérieures parallèles aux artères du même nom, ne suivent pas ce parcours : les veines ciliaires antérieures proviennent du muscle ciliaire, du réseau vasculaire épiscléral (fig. 258, δ), de la conjonctive bulbaire (ε) et du réseau marginal de la cornée (*n*). Les veines épisclérales s'anastomosent encore au niveau de l'équateur avec les *venæ vorticosæ* (en V). Enfin les veines ciliaires antérieures communiquent encore avec le canal de Schlemm (S). Ce canal est une fissure en forme d'anneau entourant la cornée, il est situé dans la sclérotique. On le considère tantôt comme un espace lymphatique, en libre communication avec la chambre antérieure de l'œil, tantôt comme une veine. Il reçoit de petites veines provenant du réseau capillaire du muscle ciliaire.

9. — Lymphatiques de l'œil.

Il n'existe pas à proprement parler de vaisseaux lymphatiques dans l'œil, mais seulement une série d'espaces lymphatiques communiquant entre eux. On peut décrire dans l'œil deux systèmes d'espaces lymphatiques, desservant l'un la partie antérieure, l'autre la partie postérieure de l'œil.

Le système antérieur comprend : 1° les canalicules nourriciers de la cornée et de la sclérotique ; 2° la chambre antérieure, qui communique avec le canal de Schlemm et par la fente capillaire qui existe entre l'iris et le cristallin avec 3° la chambre postérieure de l'œil. Cette dernière est en libre communication avec 4° le canal de Petit. Ces trois derniers espaces sont reliés ensemble et peuvent être remplis par une injection faite dans la chambre antérieure.

Le système postérieur comprend : le canal hyaloïdien ; plus en arrière les fentes situées entre les enveloppes du nerf optique ; l'espace sous-dure-mérien, l'espace sous-arachnoïdien, puis l'étroite fente qui sépare la choroïde de la sclérotique ; l'espace périchoroïdien, et enfin l'espace de Tenon, qui se continue au-dessus de la gaine durale du nerf optique jusqu'au trou optique.

Ces espaces peuvent être injectés par l'espace sous-arachnoïdien du cerveau. Le contenu des espaces est une sérosité provenant des vaisseaux, et alimentant également le corps vitré. La quantité de sérosité qu'on trouve à l'état normal dans l'espace périchoroïdien et l'espace de Tenon est minime. Ces deux espaces permettent les mouvements de la choroïde et du bulbe de l'œil, et doivent être considérés comme des séreuses articulaires.

10. — Nerfs de l'œil.

Les nerfs de l'œil perforent la sclérotique au pourtour du point d'entrée du nerf optique, et se dirigent en avant entre la sclérotique et la choroïde ; après avoir fourni à la choroïde des faisceaux pourvus de cellules ganglionnaires, ils forment un plexus annulaire situé sur le corps ciliaire et contenant des cellules ganglionnaires, le plexus *gangliosus ciliaris*, d'où partent des branches se rendant au muscle ciliaire, à l'iris et à la cornée.

Les nerfs qui se rendent au corps ciliaire se terminent par des ramifications très fines. Les unes gagnent les vaisseaux sanguins ; les autres le muscle ciliaire, soit entre les faisceaux musculaires, soit peut-être dans l'intérieur de la fibre ; quelques branches vont à la partie du corps ciliaire qui touche à la sclérotique et forment là un réseau.

Les nerfs qui vont à l'iris ont une gaine de myéline ; ils forment un réseau et au fur et à mesure qu'ils se rapprochent de la pupille ils perdent leur myéline. Leurs branches terminales se rendent les unes sur les fibres musculaires lisses, ou sur les vaisseaux, pendant que d'autres forment à la partie antérieure de l'iris un réseau très net.

Les nerfs destinés à la cornée passent d'abord dans la sclérotique et forment là un réseau concentrique au limbe cornéen, le *plexus annulaire*, d'où partent des rameaux pour la conjonctive et la cornée. Les premiers se terminent chez l'homme par des boutons sphériques qui se trouvent non seulement sous l'épithélium de la conjonctive, mais même dans la substance propre de la cornée à un ou deux millimètres en dedans de la limite de la conjonctive.

Les nerfs de la cornée, après avoir pénétré dans la substance propre de la cornée, perdent leur gaine de myéline et traversent toute la cornée, réduits à leur cylindre-axe. Ils forment ainsi des réseaux, qui, d'après leur situation, ont été distingués en *plexus fondamental*, situé dans les couches profondes de

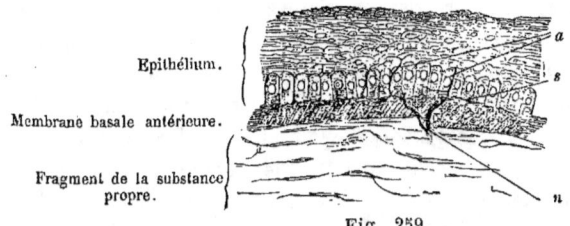

Epithélium.

Membrane basale antérieure.

Fragment de la substance propre.

Fig. 259.

Coupe perpendiculaire de la cornée de l'homme (Gross. 240). — *n*. Nerf se divisant traversant la membrane basale antérieure. — *s*. Plexus sous-épithélial situé sous les cellules cylindriques.— *a*. Fibres s'avançant entre les cellules épithéliales, et appartenant au plexus intra-épithélial (**Technique n° 185**).

la cornée, en *plexus sous-basal* sous-jacent à la membrane basale antérieure et en *plexus sous-épithélial* qu'on trouve immédiatement sous l'épithélium. De ce dernier partent des fibrilles nerveuses très fines, qui s'engagent entre les cellules épithéliales et s'anastomosent enfin entre elles pour constituer un *plexus intra-épithélial*, d'où se dégagent des fibrilles qui se terminent librement entre les cellules épithéliales. On trouve aussi des terminaisons nerveuses dans la sclérotique.

B. — Paupières.

Les paupières sont des replis cutanés, qui contiennent des muscles, du tissu conjonctif soit lâche, soit dense, enfin des glandes. La face superficielle de la paupière garde les caractères ordinaires de la peau ; la face profonde, appliquée sur le globe de l'œil, est au contraire profondément modifiée et constitue la *conjonctive palpébrale*. La peau de la paupière se réfléchit sur le mince bord palpébral et se continue avec la conjonctive palpébrale au niveau de la lèvre postérieure du rebord des paupières. Pour faire une étude d'ensemble de la structure des paupières, le mieux est de faire des coupes verticales (fig. 260).

D'avant en arrière, on rencontre les couches suivantes :

1) La *peau* : fine, renfermant les follicules des poils follets qui la recouvrent ; dans le chorion on trouve de petites glandes sudoripares, ainsi que des cellules conjonctives pigmentées, qu'on trouve rarement dans le chorion d'autres régions. Le tissu conjonctif est très lâche, riche en fibres élastiques fines, pauvre en cellules adipeuses, qui peuvent même manquer complètement. Le chorion devient plus serré vers le bord palpébral et présente alors des papilles plus hautes.

Dans la lèvre antérieure du bord des paupières sont implantés sur 2 ou 3 rangées des poils épais, les *cils*, dont les follicules sont enfoncés très profondément dans le derme. Les cils sont soumis à une mue fréquente ; la durée de chacun d'eux est d'environ 100 à 150 jours ; aussi rencontre-t-on de nombreux poils de remplacement, à différents stades d'évolution. Les follicules des cils sont munis de petites glandes sébacées : en outre, les conduits excréteurs des *glandes dites de Moll* (*m*) viennent également y déverser leur contenu ; les glandes de Moll sont par leur structure analogues aux glandes sudoripares, dont elles diffèrent seulement en ce que leur extrémité profonde forme un peloton moins développé.

2) En arrière de la peau, on trouve les faisceaux transversaux d'un muscle strié, l'*orbiculaire des paupières* : la portion de ce muscle qui est situé en arrière des cils est connue sous le nom de muscle du bord des paupières, *muscle ciliaire de Riolan*.

3) En arrière du muscle, on rencontre l'expansion du tendon du muscle releveur de la paupière ; une portion de ce tendon se confondant avec le tissu conjonctif qu'on rencontre à ce niveau avec le *fascia palpebralis* ; une autre portion va s'insérer au bord supérieur du tarse (1) et contient des fibres musculaires lisses, le *muscle palpébral de Muller, m.p.s.*).

(1) Dans la paupière inférieure, l'expansion du tendon du muscle droit inférieur contient également des fibres musculaires lisses : muscle palpébral inférieur.

4) Le *tarse* est une lame de tissu fibreux, qui assure la solidité de la paupière. Il est immédiatement situé sous la face profonde de la conjonctive palpébrale, avec laquelle il ne forme qu'une couche; le tarse occupe les deux tiers inférieurs de la paupière. C'est dans le tarse que se trouvent incluses les glandes de Meibomius (*m*), corps allongés, présentant un tube excréteur fort long qui débouche en avant du bord des paupières; tout autour de celui-ci viennent se brancher les vésicules glandulaires. Leur structure fine les rapproche des glandes sébacées. A la partie supérieure du tarse et en partie dans l'épaisseur même de cette lame, on rencontre des glandes tubuleuses ramifiées, qui, par leur structure, doivent être rapprochées des glandes lacrymales

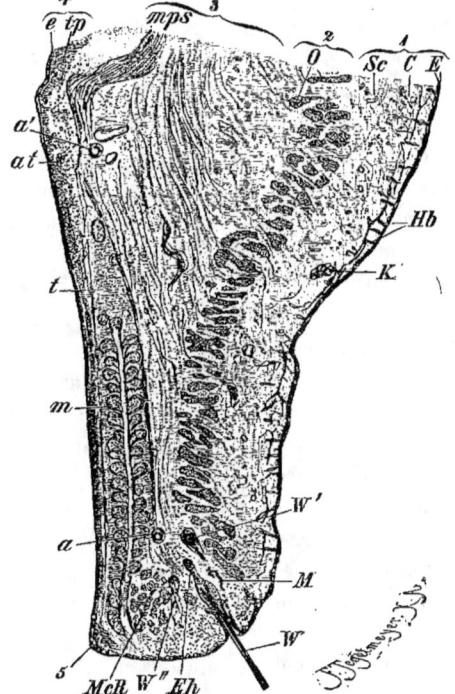

Fig. 260.

Coupe perpendiculaire de la paupière supérieure d'un enfant de six mois (Gross. 10).

1. Peau. — E. Épiderme. — C. Chorion. — *Sc*. Tissu conjonctif sous-cutané. — *Hb*. Follicules pileux des poils follets. — K. Glande sudoripare. — W. Cil avec adjonction d'un cil de rechange (*Eh*). — W'W''. Fragments de follicule de cils. — M. Fragments d'une glande de Moll.

2. Coupe du muscle orbiculaire des paupières. — 0. Coupe perpendiculaire des faisceaux de ce muscle. — *McR*. Muscle ciliaire de Riolan.

3. Tendon épanoui du muscle élévateur de la paupière supérieure. — *mps*. Muscle palpébral supérieur.

4. Conjonctive. — *e*. Épithélium conjonctival. — *tp*. Tunique propre. — *at*. Glandes lacrymales accessoires. — *t*. Cartilage tarse. — *m*. Glande de Meibomius; l'extrémité du conduit excréteur n'est pas comprise dans la coupe. — *a*. Coupe perpendiculaire de l'arc vasculaire palpébral. — *a'*. Coupe perpendiculaire de l'arc externe.

5. Bord palpébral (**Technique n° 190**).

et portent pour cette raison le nom de *glandes lacrymales accessoires* (fig. 260, *at*) ; elles sont abondantes vers la moitié interne (côté nasal) de la paupière.

En arrière du tarse se trouve la *conjonctive* proprement dite, qui comprend un épithélium (*e*) et une tunique propre (*lp*). L'épithélium est cylindrique stratifié ; les couches profondes, assez nombreuses, sont constituées par des cellules arrondies et la couche superficielle, par une seule assise de cellules cylindriques, généralement basses. Ces dernières présentent un liseré cuticulaire mince, hyalin. On trouve également des cellules caliciformes en nombre variable. Au niveau du bord de la paupière, l'épithélium se transforme peu à peu pour se continuer avec l'épithélium pavimenteux stratifié, qui parfois s'étend assez loin sur la conjonctive palpébrale.

La partie inférieure de la conjonctive palpébrale est lisse. Dans la partie supérieure l'épithélium forme des invaginations à festons irréguliers, sillons conjonctivaux (*Conjunctivabuchten*), dont le développement est variable avec les individus : sur des coupes verticales ces sillons lorsqu'ils sont très développés donnent exactement l'image de glandes.

La tunique propre de la conjonctive se compose de tissu conjonctif, de cellules plasmatiques plus ou moins abondantes, et de cellules lymphoïdes, dont l'abondance est également très variable. Ces dernières forment chez certains animaux et particulièrement chez les ruminants de véritables petits amas, dits *glandes trachomateuses*, d'où l'on voit des leucocytes émigrer vers la surface à travers l'épithélium ; chez l'homme on peut également constater cette migration de leucocytes, mais à un degré moindre. Au niveau des sillons conjonctivaux, la tunique propre forme des papilles par suite des invaginations épithéliales que nous venons de mentionner ; d'où le nom de *corps papillaire*.

La conjonctive palpébrale passe en haut (pour la paupière inférieure en bas) sur le bulbe oculaire, dont elle recouvre la surface antérieure. Au niveau du cul-de-sac ainsi formé, *fornix conjunctivæ*, la tunique propre est doublée d'un tissu sous-conjonctival lâche, composé de faisceaux conjonctifs. L'épithélium est le même que sur la portion palpébrale de la conjonctive, la tunique propre est plus pauvre en leucocytes mais contient cependant, même chez l'homme à l'état normal, de petits follicules en nombre variable (jusqu'à 20) et quelques glandes muqueuses. La *conjonctive bulbaire* se modifie, en ce que l'épithélium devient pavimenteux stratifié à quelque distance du limbe cornéen et se continue avec celui de la cornée.

La *troisième paupière rudimentaire* (*pli semi-lunaire*), se compose de tissu conjonctif et d'un épithélium pavimenteux stratifié.

La *caroncule lacrymale* ressemble par sa structure fine à la peau (dont elle diffère seulement par l'absence de *stratum corneum*) ; elle renferme des poils fins, des glandes sébacées et sudoripares.

Les *vaisseaux sanguins* des paupières proviennent de rameaux qui convergent à partir des angles interne et externe de l'œil pour former une première arcade au niveau du bord ciliaire (fig. 260, *a*), l'*arcade tarsienne*, et une seconde arcade près du bord supérieur du tarse, l'*arcade tarsienne externe a'*. Ils se distribuent à la peau, entourent les *glandes de Meibomius*, perforent le tarse et forment un réseau capillaire situé sous l'épithélium conjonctival ; ils fournissent également le *fornix conjunctivæ*, la conjonctive bulbaire et s'anastomosent avec les artères ciliaires antérieures.

Les *vaisseaux lymphatiques* forment un réseau très serré dans la conjonctive tarsienne, un réseau très lâche au contraire à la face antérieure du tarse. Les lymphatiques de la conjonctive bulbaire se terminent d'après les uns en cul-de-sac près du limbe cornéen, tandis que d'après d'autres ils se continueraient par d'étroites voies de dérivation dans le tissu cornéen, et entreraient ainsi en communication avec le système des canaux nourriciers.

Les *nerfs* forment dans le tarse, ainsi que dans la conjonctive palpébrale un réseau serré remarquable par la disposition particulière de ses fibres en forme de peloton. Une partie du réseau du tarse entoure les glandes de Meibomius (1) ; il se compose de beaucoup de fibres nerveuses sans myéline, et de quelques fibres à myéline ; une autre partie se termine dans la paroi des vaisseaux sanguins. Du réseau conjonctival naissent des fibres nerveuses à myéline ; celles-ci, cheminant obliquement vers le bord des paupières et la conjonctive palpébrale, perdent leur gaine de myéline et pénètrent les unes directement dans l'épithélium où elles se terminent par des extrémités libres, les autres présentent des renflements terminaux situés immédiatement sous l'épithélium.

Des renflements terminaux de ce genre se trouvent en grand nombre non seulement au bord palpébral (dans les papilles) et dans la conjonctive palpébrale, mais encore dans la conjonctive bulbaire et au niveau du bord de la cornée.

Appareil lacrymal.

La *glande lacrymale* est une glande tubuleuse composée, possédant de nombreux canaux excréteurs. Ces canaux (fig. 261, B) sont tapissés par un épithélium cylindrique disposé sur deux couches et se continuent avec de longues pièces intermédiaires, d'un diamètre étroit, tapissées par un épithélium cubique. Ces dernières enfin aboutissent à des tubuli, recouverts de cellules glandulaires séreuses.

---

(1) On ne sait pas encore d'une manière certaine, si les fibres nerveuses pénètrent entre les cellules glandulaires.

La paroi des *canalicules lacrymaux* se compose d'un épithélium pavimenteux stratifié, d'une tunique propre, riche en fibres élastiques et sous l'épithélium en éléments cellulaires, et de fibres musculaires striées dont la direction générale est longitudinale.

Le sac lacrymal et le canal nasal offrent un épithélium cylindrique à deux couches et une tunique propre qui se rapproche du tissu adénoïde. Cette tunique propre se trouve séparée du périoste sous-jacent par un riche réseau veineux.

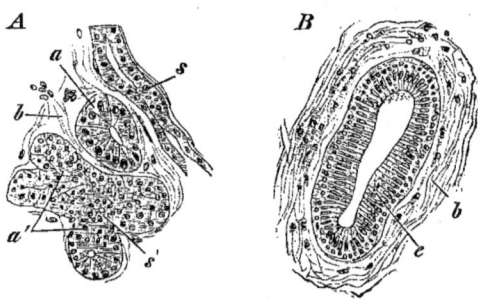

Fig. 261.

Coupe fine d'une glande lacrymale de l'homme.

A. Acini glandulaires.— *a*. Acinus coupé bien perpendiculairement. — *a'*. Groupe d'acini coupés en grande partie obliquement, la lumière d'un seul acinus situé en bas de la figure est seule visible. — *s*. Pièce intermédiaire, l'épithélium en haut et à gauche est cubique, en bas et à droite il est aplati. — *s*. Coupe transversale d'une pièce intermédiaire pourvue d'un épithélium cylindrique assez élevé. — *b*. Tissu conjonctif.

B. Coupe transversale d'un conduit excréteur. — *e*. Épithélium cylindrique disposé sur deux couches. — *b*. Tissu conjonctif (**Technique n° 191**).

TECHNIQUE.

N° 176. Œil. — On énuclée l'œil frais avec précaution, en gardant le nerf optique sur une longueur aussi grande que possible ; on enlève alors avec les ciseaux les muscles et la graisse qui l'entourent, et l'on fait avec un bon rasoir sur l'équateur une incision d'une longueur de 1 cent. environ, intéressant toutes les membranes de l'œil. Le globe est placé alors dans 150 cent. cubes environ d'une solution d'acide chromique à 0,05 0/0 ; après 12 à 20 heures, on achève avec les ciseaux la section déjà commencée de façon à avoir un segment antérieur et un segment postérieur et l'on renouvelle le liquide ; après 12 à 20 heures encore, on lave et l'on durcit les pièces dans 100 cent. cubes d'alcool progressivement renforcé.

N° 176 *a*). Corps ciliaire et iris.— On enlève avec précaution sur le segment antérieur le cristallin, pour en faire des coupes (**n° 187**), puis on prélève un secteur, qu'on inclut dans le foie avec le corps ciliaire et l'iris y attenant et l'on fait des coupes passant par le limbe cornéen. Les coupes épaisses seront colorées avec l'hématoxyline de Hansen et conservées dans le baume (fig. 247).

Nᵒ 176 *b*). Cornée. — Sur les trois quarts restant du segment antérieur du globe oculaire, on excise un morceau de cornée de 5 à 10 mm. de côté, qu'on inclut dans le foie pour faire des préparations destinées à montrer ses différentes couches (fig. 242). Les lamelles alternantes de la substance propre de la cornée ne se voient bien que sur des coupes non colorées dans la glycérine diluée.

Nᵒ 176 *c*). Sclérotique et choroïde. — On prélève sur le segment postérieur de l'œil un morceau d'environ 5 à 10 mm. de côté comprenant les 3 membranes, et l'on fait des coupes assez épaisses, sur lesquelles on peut étudier les couches de la sclérotique et de la choroïde (fig. 245). Colorer à l'hématoxyline de Hansen et monter dans le baume. La rétine se détache ordinairement au moment où l'on pratique les coupes.

Nᵒ 176 *d*). Papille du nerf optique. — On résèque celle-ci en laissant tout autour les trois membranes sur une largeur de 5 mm. ; on l'inclut avec le nerf optique conservé sur une longueur de 1 cent. dans un morceau de foie et l'on pratique des coupes pas trop minces. On dirige le rasoir de la rétine vers la surface à travers la choroïde, la sclérotique et l'axe du nerf optique. Colorer avec du carmin faible et l'hématoxyline de Boehmer et monter dans le baume. Employer des grossissements faibles.

Nᵒ 177. — Enlever le bulbe suivant la méthode donnée nᵘ **176**, inciser suivant l'équateur (1), et placer dans environ 100 à 200 cent. cubes de liquide de Müller ; après 12 à 20 heures le diviser avec les ciseaux en une moitié antérieure et une moitié postérieure. Au bout de deux ou trois semaines on lave pendant 1 à 2 heures dans un faible courant d'eau. On excise alors un morceau comprenant toute l'épaisseur des 3 membranes et ayant environ 8 mm. de côté pour en faire des préparations.

Nᵒ 177 *a*). Préparation de la choroïde par dissociation. — Des lambeaux de la choroïde conservés dans une goutte de glycérine diluée permettent d'étudier soit les gros vaisseaux, soit les capillaires de la couche chorio-capillaire, soit les cellules pigmentaires étoilées et les fibres élastiques, soit la membrane vitreuse dont la striation est en général peu nette. Ces lambeaux isolés peuvent être colorés à l'hématoxyline de Boehmer (fig. 276) et conservés dans le baume, mais les fins détails de structure ne sont pas nets dans ces préparations.

Nᵒ 177 *b*). Rétine. — Le morceau excisé peut encore servir à l'étude des éléments de la rétine ; on dissocie avec précaution un lambeau de la rétine dans une goutte de liquide de Müller en se servant des aiguilles. La plupart des éléments sont fragmentés, mais quelques-uns restent ordinairement intacts. Dans l'œil de l'homme il existe des cônes d'une longueur et d'une beauté remarquables, tandis qu'ils sont petits chez la plupart des mammifères (2). Malheureusement les yeux de l'homme ne peuvent en général être obtenus dans un état de fraîcheur suffisant ; les segments externes des cônes aussi bien que des bâtonnets sont extrêmement délicats et se déforment rapidement après la mort ; ils s'incurvent d'abord en forme de crosse et disparaissent com-

(1) On peut conserver un globe entier pendant 2 à 3 semaines dans le liquide de Müller, le laver et ne le couper en deux qu'avant de le plonger dans l'alcool.
(2) Le lapin surtout ne peut servir à cette étude.

plètement plus tard. Pour obtenir de belles préparations de cônes, il faut examiner des yeux de poissons d'après la méthode sus-indiquée. (Voir plus bas nᵒˢ **179 et 180.**)

Nᵒ 177 *c*). **Iris.**— Le reste du bulbe est porté de l'eau dans 80 cent. cubes d'alcool progressivement concentré. Dès que le durcissement est terminé, on excise l'iris, on l'inclut dans le foie pour pratiquer des coupes suivant le méridien ; on les colore à l'hématoxyline de Hansen et on monte au baume (fig. 248).

Nᵒ 177 *d*). **Rétine, ora serrata.**— Plus tard on enlève un morceau de rétine d'une longueur de 1 cent., comprenant l'*ora serrata* qui paraît à l'œil nu comme une ligne festonnée, on l'inclut dans le foie et on la coupe dans le sens du méridien. Coloration par l'hématoxyline de Hansen et conservation dans le baume (fig. 254).

Nᵒ 177 *e*). **Rétine. Fibres de Müller.** — On procède de même avec un morceau de rétine, pris sur le segment postérieur de l'œil, où la couche des fibres optiques est la plus développée. Les fibres de soutènement de Müller ne se voient bien dans toute leur longueur que sur des coupes exactement perpendiculaires à la surface de la rétine (fig. 249 et 250).

Nᵒ 177 *f*). **Rétine. Macula. Fovea.**— On fait de même des coupes suivant le méridien à travers la *macula* et la *fovea* (1). Les coupes de la *macula* sont faciles ; celles de la *fovea*, si délicate, sont très difficiles à exécuter. La rétine assez adhérente à ce niveau à la choroïde ne doit pas en être séparée ; les coupes comprendront en même temps la rétine et la choroïde.

Nᵒ 178. Rétine d'après la méthode de Golgi.— Les rétines épaisses sont les plus favorables ; il faut prendre la rétine de grands animaux. L'œil est divisé en deux moitiés : l'une antérieure, l'autre postérieure ; le corps vitré est enlevé, et l'on détache de la choroïde, à l'aide de ciseaux et d'une pince, un petit fragment de rétine. On enroule ce fragment en une masse cylindrique ou sphérique, et on le plonge pendant une seconde dans la solution étendue de celloïdine ; on laisse quelques secondes à l'air, jusqu'à ce que la couche de celloïdine soit un peu solidifiée et on met ensuite le fragment dans le mélange de Golgi. L'enroulement a pour but d'éviter la formation de dépôts à la surface. La pièce reste dans le mélange de Golgi pendant 12 à 72 heures ; on la transporte ensuite dans la solution de nitrate d'argent où elle reste pendant 24 heures. On recommence ensuite la même manœuvre. La coloration en noir des bâtonnets et des cônes se produit au bout de 12 heures ; puis de 12 en 12 heures on voit successivement se colorer les cellules bipolaires, les spongioblastes, les cellules du ganglion du nerf optique et les fibres nerveuses, et enfin les cellules de soutènement.

Nᵒ 179. Rétine à l'état frais. — Pour voir à l'état frais les éléments de la rétine, il faut prendre les yeux d'un animal récemment sacrifié. On divise le

---

(1) Parmi les animaux, les singes seuls ont une *macula* et une *fovea centralis*. Par contre on trouve une région d'une structure analogue à celle de la *macula*, mais non pigmentée en jaune, l'*area centralis*, chez le chat, le mouton et probablement chez tous les mammifères.

bulbe suivant l'équateur, on enlève avec précaution le corps vitré du segment postérieur, puis on excise sur la rétine complètement transparente de petits morceaux de 3 mm. de côté environ, qu'on dissocie légèrement sur la lame dans une goutte de l'humeur du corps vitré. On cale la lamelle avec deux petites bandes de papier fin. On n'obtient que rarement des éléments isolés par cette méthode ; ordinairement on a ainsi de belles préparations d'ensemble et l'on voit en coupe optique des cônes et des bâtonnets qui se présentent de champ comme les pièces d'une mosaïque plus petites pour les premiers, plus larges pour les seconds ; sur les préparations où l'épithélium pigmentaire est resté adhérent, l'on voit même à un faible grossissement les cellules régulièrement hexagonales de cet épithélium. Les taches claires dans les cellules sont leurs noyaux (fig. 8). Ces cellules sont également très altérables et perdent bientôt leurs contours nets ; souvent on peut observer les mouvements browniens des granulations pigmentaires.

Nᵒ 180. Rétine. Méthode de choix. — La meilleure méthode pour isoler les éléments de la rétine est la suivante. On place l'œil non ouvert, séparé de la graisse et des muscles (1), dans la solution d'acide osmique à 1 0/0 ; après un séjour de 24 heures on le coupe suivant le plan équatorial et on le fait macérer pendant 2 à 3 jours dans l'eau distillée. On excise alors un lambeau de rétine de 2 mm. de côté avec les ciseaux, et on le dissocie dans une goutte d'eau. On peut colorer alors sous la lamelle avec le picro-carmin et conserver dans la glycérine diluée. On trouve avec de forts grossissements, au milieu de cellules fragmentées, dont on s'explique difficilement la provenance, les éléments tels qu'ils sont représentés dans la figure 252.

Nᵒ 181. Lacunes et canalicules nourriciers de la cornée. — On prend un œil aussi frais que possible ; les yeux de bœuf, pris à l'abattoir, conviennent très bien. On gratte avec le tranchant du scalpel l'épithélium, puis on lave avec un filet d'eau la surface de la cornée ; on enlève alors le segment antérieur de l'œil en avant des insertions musculaires et on le place sur sa face épithéliale ; le corps ciliaire, l'iris, le cristallin sont enlevés avec le scalpel et la pince ; on isole ainsi la cornée et la portion antérieure de la sclérotique, qu'on plonge dans 40 cent. cubes d'une solution de nitrate d'argent à 1 0/0 ; après un séjour de 3 à 6 heures dans une chambre obscure, on porte la pièce dans 50 cent. cubes d'eau distillée en l'exposant à la lumière solaire (pour les détails, voir page 21).

On fait durcir ensuite dans 50 cent. cubes d'alcool progressivement concentré ; les coupes seront faites tangentiellement à la surface ; on y réussit facilement, en couvrant la pulpe de l'index gauche de la cornée comme d'un capuchon. Il est préférable de faire porter les coupes sur la face postérieure de la cornée, où les lacunes et les canalicules sont disposés plus régulière-

(1) Il est bon de prendre l'œil de petits animaux, par exemple d'une salamandre (triton tœniatus), dont la sclérotique est mince et se laisse facilement pénétrer par l'acide osmique. Pour un tel œil 1 à 2 cent. de la solution osmique sont suffisants. La forme des cônes est sensiblement différente de celle qu'ils présentent chez les mammifères ; ils sont épais et pourvus d'un segment externe très allongé ; les bâtonnets sont petits.

ment. Colorer à l'hématoxyline de Hansen et conserver dans le baume. On obtient des images négatives ; les canalicules et les lacunes se détachent en clair sur un fond brun ou jaunâtre (fig. 241). L'examen devra porter surtout sur les bords de la coupe ordinairement plus minces. L'hématoxyline colore en bleu pâle les gros noyaux des cellules fixes ; les contours des cellules sont ordinairement mal accusés.

Nᵒ 182. Cellules fixes de la cornée. — Elles sont mises en évidence par la méthode de l'or ; c'est une modification de la technique indiquée page 23. On exprime un citron frais et l'on filtre le jus à travers une flanelle. On sacrifie alors l'animal (1), dont on détache la cornée, pour la soumettre pendant 5 minutes à l'action du jus de citron ; la cornée devient ainsi transparente. On la lave rapidement (1 minute) dans 5 cent. cubes d'eau distillée, pour la porter ensuite dans 10 cent. cubes de la solution de chlorure d'or à 1 0/0 pendant 1/4 d'heure à l'abri de la lumière. On transvase alors la cornée avec des baguettes de verre dans 10 cent. cubes d'eau distillée, on la lave rapidement, puis on l'expose au jour dans 50 cent. cubes d'eau distillée, acidifiée par 2 gouttes d'acide acétique. La réduction est obtenue au bout de 24 à 48 heures.

La pièce est mise dans 10 cent. cubes d'alcool à 70 0/0 dans l'obscurité. Le jour suivant on excise un petit morceau de la cornée et l'on en détache de fines lamelles sur la face postérieure avec le scalpel et l'aiguille, qui ne devront agir que sur les bords de la préparation. Avec quelque précaution, on réussit pleinement. Les lamelles sont conservées dans le baume et fournissent de très belles images.

Nᵒ 183. Cellules de la cornée. — La méthode de Drasch fournit de belles préparations ; on se sert d'yeux pris non plus sur des animaux récemment sacrifiés, mais sur des cadavres conservés pendant 12 à 24 heures dans un endroit frais. On détache de petits morceaux de la cornée (de 6 mm. de côté environ), qu'on porte dans 5 cent. cubes de la solution de chlorure d'or à 1 0/0 plus 5 cent. cubes d'eau distillée et on laisse pendant une heure dans l'obscurité ; il faut avoir soin d'agiter de temps en temps la pièce avec une baguette de verre. Les morceaux sont portés alors avec des tiges de verre dans 30 cent. cubes d'eau distillée, dans laquelle ils reposeront à l'abri de la lumière pendant 8 à 16 heures, puis on les expose au jour dans 25 cent. cubes d'eau distillée additionnée de 5 cent. cubes d'acide formique. Une fois la réduction opérée, les morceaux d'un violet foncé sont durcis dans de l'alcool progressivement concentré ; après 6 jours, on fait des coupes minces tangentielles à la surface (fig. 244) et on les conserve dans le baume.

Nᵒ 184. Nerfs et vaisseaux de la cornée fraîche. — On détache la cornée et la partie adjacente de la sclérotique en avant des insertions musculaires, on enlève avec la pince et le scalpel le corps ciliaire, l'iris et le cristallin, puis on excise un lambeau carré de la cornée, qu'on dépose sur une

---

(1) La grenouille, chez laquelle les canalicules de la cornée sont disposés régulièrement et les lamelles postérieures de la cornée sont isolables facilement, est un bon sujet d'étude.

lame en tournant en haut la surface épithéliale ; on recouvre la préparation d'une lamelle, après avoir ajouté une goutte d'humeur vitrée.

On doit examiner cette préparation très épaisse avec des grossissements faibles. On remarquera en éloignant l'objectif que les anses vasculaires sont situées dans les couches les plus superficielles de la cornée près du limbe sclérotical ; les vaisseaux sont le plus souvent encore remplis de sang. Dans ces mêmes points, de même que dans les couches plus profondes, il existe des nerfs à myéline, qui sont groupés en faisceaux ; on ne peut les suivre que pendant un court trajet dans la cornée. Les traînées pigmentaires allongées, qu'on trouve dans les yeux du bœuf, ne doivent pas être confondues avec des nerfs.

On peut mettre en évidence le trajet ultérieur des nerfs en imprégnant au chlorure d'or comme suit.

N° 185. Nerfs de la cornée. — La cornée détachée 12-24 heures après la mort est séparée du corps ciliaire et de l'iris d'après les indications fournies n° **184**. Sur la pièce durcie, on pratique des coupes parallèles à la surface, comprenant l'épithélium et les couches les plus superficielles de la cornée et d'autres perpendiculaires à la surface, qu'on conservera dans le baume (fig. 259).

N° 185 *a*). *Coloration au bleu de méthylène.* — On tue un cobaye, on extirpe l'œil entier et on le débarrasse des muscles et des fragments de conjonctive encore adhérents. On le met dans un verre de montre et l'on fait avec un bon scalpel, au niveau de l'équateur, une incision comprenant toutes les membranes ; le corps vitré qui s'échappe est reçu dans un verre de montre. A l'aide des ciseaux, en passant par la première incision on enlève toute la cornée, on la place sur une lame, la face concave en haut, et l'on détache à l'aide d'un scalpel le corps ciliaire, l'iris et le cristallin encore adhérents. La cornée ainsi nettoyée, est transportée dans un second verre de montre, dans lequel on met de 3 à 10 gouttes de liquide du corps vitré et 3 à 4 gouttes de la solution de bleu de méthylène à 1/15 0/0 (page 20). La couleur doit également couvrir la surface concave de la cornée.

Il est difficile de fixer le temps nécessaire à la coloration, il est bon d'attendre une heure, et d'examiner la cornée, la face convexe en haut, sur une lame sans lamelle, à l'aide d'un faible grossissement (Leitz, obj. 3). Si la coloration n'est pas suffisante on replonge la cornée dans le verre de montre et au bout de 10 minutes on fait un nouvel examen. Aussitôt que les nerfs sont apparents on plonge la cornée pendant 10 à 20 heures dans 20 cent. cubes de solution ammoniacale ; on excise ensuite un fragment et l'on monte dans la glycérine diluée à laquelle on ajoute encore une goutte de la solution ammoniacale. Après un séjour de vingt-quatre heures dans l'obscurité, la préparation est devenue assez transparente pour être examinée avec de forts grossissements.

N° 186. Fibres du cristallin. — Le bulbe est ouvert avec des ciseaux en arrière de l'équateur, le corps vitré et le cristallin sont enlevés ; le pigment qui recouvre les procès ciliaires reste ainsi attaché au bord du cristallin. On sépare alors le cristallin du corps vitré et on le porte dans 50 cent. cubes d'alcool au tiers de Ranvier. Après 2 heures, on pique avec des aiguilles les faces antérieure et postérieure du cristallin pour ouvrir la capsule sur une petite étendue ; l'opération réussit facilement ; peu importe si quelques fibres cristalliniennes restent adhérentes à la capsule. La piqûre détermine l'issue d'un liquide lactescent. On agite alors l'alcool, dans lequel on abandonne le cristallin pendant 10 et même jusqu'à 40 heures.

Après ce séjour, le cristallin se décompose facilement en lamelles ; on porte quelques fibres de l'une des lamelles sur un porte-objet et on les dissocie dans une goutte d'eau salée. Recouvrir d'une lamelle en évitant la pression. Si l'on veut conserver les fibres, il est bon de les colorer au picro-carmin (la coloration se fait en quelques minutes) et d'ajouter sous la lamelle de la glycérine diluée et acidifiée (fig. 256, A).

Nᵒ 187. Coupes transversales des fibres cristalliniennes. — Mettre un cristallin dans 50 cent. cubes d'acide chromique à 0,05 0/0. Il est bon de mettre un peu de ouate au fond du vase, pour empêcher le cristallin d'adhérer et d'éclater ; on arrive au même résultat en agitant souvent le flacon. Après 24 à 48 heures, on décompose le cristallin en lamelles avec des aiguilles, on le porte pendant 10 à 15 heures dans 30 cent. cubes environ d'alcool à 70°, qu'on remplace le lendemain par une égale quantité d'alcool à 90°.

On coupe ensuite avec des ciseaux les lamelles dans la région équatoriale et on inclut le fragment dans le foie de telle manière que les premières coupes passent par la zone la plus voisine de l'équateur du cristallin. Si les fibres sont coupées transversalement, elles apparaissent comme des hexagones à contours très nets : si au contraire ces fibres sont coupées obliquement, on constate sur la coupe, qui ne doit pas être très mince, des lignes irrégulièrement dentelées. Les coupes sont directement portées sur la lame et montées dans la glycérine diluée (fig. 256, B).

Nᵒ 188. Capsule du cristallin et son épithélium. — On place le bulbe oculaire, débarrassé des muscles et de la graisse, dans 100 ou 200 cent. cubes de liquide de Müller.

Nᵒ 188 a). — Pour faire des préparations superficielles de la *capsule du cristallin et de son épithélium*, on incise le bulbe oculaire, au bout de 2 ou 3 jours et on enlève le cristallin ; à l'aide d'une pince à mors très fins, on déchire un fragment de la capsule, qu'on place pendant 5 minutes environ dans un verre de montre rempli d'eau distillée, et on colore ensuite à l'hématoxyline de Hansen.

Les coupes seront montées dans le baume. La capsule est d'un bleu clair uniforme : les noyaux et les contours des cellules épithéliales ressortent admirablement (fig. 257, C). Si l'on veut avoir une préparation de la capsule seule, on enlève un fragment de sa partie postérieure.

Nᵒ 188 b). — Pour faire des coupes de la capsule et de l'épithélium, on laisse le bulbe oculaire pendant 14 jours environ dans le liquide de Müller et on extirpe ensuite le cristallin. On lave pendant une heure environ dans l'eau courante et on durcit dans 50 cent. cubes d'alcool progressivement renforcé. — Les coupes seront faites sur la face antérieure du cristallin, dans le

sens du méridien, puis dans le sens de l'équateur ; on les colore avec l'hématoxyline de Hansen et on les monte dans le baume (fig. 227, D).

Nᵒ 189. Vaisseaux de l'œil. — Pour étudier les vaisseaux de l'œil,
il faut surtout faire des préparations de surface. En ouvrant un œil frais au
niveau de son équateur, on voit macroscopiquement le trajet de l'artère centrale de la rétine. — La préparation des vaisseaux de la choroïde exige une
technique spéciale. Le bulbe oculaire, débarrassé des muscles et de la graisse
qui l'entourent, est placé dans un petit entonnoir qu'on pose sur un petit flacon et, avec des ciseaux et des pinces, on dissèque la sclérotique en commençant au niveau de l'équateur ; avec un peu d'habitude, on arrive à disséquer
toute la sclérotique jusqu'au niveau de l'entrée du nerf optique, sans laisser
léser la choroïde (1).

Il faut surtout éviter de tirer sur la sclérotique : les cordons qui relient la
sclérotique à la choroïde seront coupés avec soin, on enlève ensuite à l'aide
d'un pinceau imbibé d'eau la couche sus-choroïdienne assez adhérente. Ces dernières manipulations mettent facilement en évidence les gros vaisseaux de la
choroïde. Ce sont là les seules recherches qu'on puisse faire sur un œil non
injecté (Voyez **nᵒ 177**, *a*). Quant aux vaisseaux du corps ciliaire et de l'iris,
il est bon d'avoir un œil injecté, fixé dans le liquide de Müller, durci dans l'alcool, qu'on divise en 2 moitiés par une section passant à travers l'équateur de
l'œil. L'iris et le corps ciliaire se laissent facilement détacher de la sclérotique
après l'extirpation du cristallin : il faut les conserver dans le baume. Il est toujours bon de commencer l'examen avec une loupe.

Nᵒ 190. Paupière. — On fixe la paupière supérieure d'un enfant pendant 1 à 3 jours dans 100 cent. cubes environ d'acide chromique à 0,5 0/0.
Après un lavage de 2 heures dans l'eau courante, on durcit cette paupière
dans 50 cent. cubes environ d'alcool progressivement renforcé. Les coupes
épaisses conviennent pour les vues d'ensemble (fig. 260), les coupes minces
servent à étudier les détails (fig. 25, C). Au début, la coloration à l'hématoxyline de Hansen réussit difficilement : elle réussit plus facilement après
que les fragments ont séjourné plusieurs mois dans l'alcool. Monter au
baume.

Nᵒ 191. Glandes lacrymales. — On peut facilement enlever les glandes lacrymales chez l'homme par le cul-de-sac conjonctival sans faire d'incision apparente à la peau. Chez le lapin, la glande est petite et ressemble à de
la chair musculaire pâle. Il ne faut pas la confondre avec la glande de Harder,
située dans l'angle interne de l'œil. Préparer comme au **nᵒ 117**. On peut utiliser même les petits fragments de 1 mm. de côté. Il est très facile de voir le
conduit excréteur et les acini. Il n'en est plus de même des pièces intermédiaires dont l'épithélium, de hauteur très variable, est quelquefois tellement
bas, qu'on peut le confondre avec l'épithélium des capillaires sanguins.

---

(1) Les débutants feront bien de se contenter d'enlever de petits carrés de sclérotique.

K. — ORGANE DE L'OUÏE

L'organe de l'ouïe se compose de trois parties : la plus interne, l'*oreille interne*, comprend l'appareil terminal du nerf acoustique ; les deux autres parties, l'*oreille moyenne* et l'*oreille externe*, sont seulement des appareils accessoires.

1. — Oreille interne.

L'oreille interne se compose de deux vésicules membraneuses logées dans le vestibule osseux et communiquant entre elles par un fin conduit, le *ductus endolymphaticus* ou *utriculo saccularis*. L'une des vésicules, l'*utricule* (saccu- lus ellipticus), est réunie avec des tubes membraneux, les *canaux semi-circu- laires*. Chacun de ces canaux présente au niveau de son ouverture dans la vésicule une dilatation, l'*ampoule*. L'autre vésicule, le *saccule*, est en connexion avec un long tube membraneux enroulé en spirale, le *limaçon*.

Vésicules, canaux semi-circulaires et limaçon forment le *labyrinthe mem- braneux*, et celui-ci est renfermé, sans les remplir complètement, dans des cavités du rocher semblablement disposées, qui constituent le *labyrinthe os- seux*. L'espace que n'occupe pas le labyrinthe membraneux est occupé par un liquide aqueux, la *périlymphe*. Un liquide analogue, l'*endolymphe*, est con- tenu dans l'intérieur du labyrinthe membraneux.

Tandis que les deux vésicules et les canaux semi-circulaires présentent une structure à peu près identique, le limaçon au contraire est différent, c'est pourquoi il est indispensable de le décrire à part.

SACCULE, UTRICULE, CANAUX SEMI-CIRCULAIRES.

Leur paroi se compose de trois couches. De dehors en dedans on trouve un tissu conjonctif riche en fibres élastiques, puis une membrane basale pourvue de petites saillies dont la surface interne est tapissée par un épithélium pavi- menteux disposé sur une seule couche. Cette structure simple change au ni- veau des points où s'épanouissent les branches du nerf acoustique, points qui portent au niveau des deux saccules le nom de taches (*macula*) et au ni- veau des canaux semi-circulaires celui de *crêtes acoustiques*. Le tissu con- jonctif et la membrane basale s'épaississent, l'épithélium pavimenteux se transforme au niveau de la macula et des crêtes en une bordure cuticu- laire partant de l'épithélium cylindrique, et celui-ci se continue avec le neuro- épithélium de la macula. Le neuro-épithélium est également sur une seule couche, et se compose de deux variétés de cellules : 1° de cellules filamen- teuses, ce sont des cellules longues occupant toute la hauteur de l'épithé-

lium, un peu élargies à leur extrémité supérieure et à leur extrémité inférieure et contenant un noyau ovoïde ; elles sont considérées comme des cellules de soutènement ; 2° de cellules ciliées, ce sont des cellules cylindriques
occupant seulement la moitié supérieure de l'épithélium ; elles présentent
dans leur portion inférieure arrondie un gros noyau sphérique et à leur
surface libre des filaments fins et longs agglutinés en une touffe de cils auditifs. Les cellules auditives sont les appareils terminaux du nerf acoustique ;
les fibres nerveuses sont en communication avec elles. Les ramifications à
myéline du rameau vestibulaire du nerf acoustique perdent leur gaine de
myéline au moment de leur pénétration dans l'épithélium, elles se divisent et
montent sous forme de cylindres-axes nus jusqu'à la base des cellules ciliées ;
là chaque fibre se divise en 3 ou 4 branches variqueuses qui cheminent horizontalement, parallèlement à la surface de l'épithélium, en dessous de plusieurs cellules ciliées (1) ; enfin elles s'incurvent et arrivent en contact avec
la surface latérale d'une cellule ciliée, et se terminent par une extrémité libre.
Pendant leur trajet horizontal, on voit naître des rameaux isolés qui montent
et se terminent de la même façon dans les cellules ciliées. Ces terminaisons
n'arrivent pas jusqu'à la surface de l'épithélium. La surface du neuro-épithélium est recouverte par un prolongement de la bordure cuticulaire, une
limitante, qui est perforée par les cils auditifs. Les deux taches acoustiques
sont recouvertes d'une substance molle (une cuticule ?) qui renferme de
nombreux cristaux prismatiques de carbonate de chaux, les otolithes, gros
de 1 à 15 μ ; ils forment ensemble l'otoconia (sable auditif) ; sur les crêtes
acoustiques se trouve ce que l'on appelle la cupule, c'est une couche de mucus invisible sur des préparations fraîches, mais qui se coagule par l'emploi
des liquides fixateurs et devient dès lors apparente.

Les saccules et les canaux semi-circulaires sont fixés par des cordons conjonctifs (ligaments des saccules et des conduits) à la surface interne du labyrinthe osseux tapissé d'un périoste mince, et de cellules conjonctives plates.

LIMAÇON.

Le limaçon membraneux, *ductus cochlearis*, ne remplit pas non plus complètement la cavité du limaçon osseux. Il est contigu par une de ses parois à
la paroi externe du limaçon osseux (2), la paroi supérieure (vestibulaire) ou

---

(1) Ces branches horizontales se pénètrent réciproquement et forment un réseau
à mailles étroites. Ce réseau est mis en évidence par l'emploi d'autres méthodes
que celle de Golgi ; il apparaît composé de granulations fortement réfringentes.
Ces granulations sont les coupes optiques des fibres transversales et les varicosités
des fibres horizontales.

(2) Je suis ici la description habituelle d'après laquelle le limaçon est construit de
telle façon que la base est dirigée vers le bas, le sommet vers le haut ; par consé-

membrane de Reissner confine à la rampe vestibulaire, et l'inférieure (tympanique) ou lame spirale membraneuse, à la rampe tympanique. L'angle au
niveau duquel les parois vestibulaire et tympanique se
rencontrent, répond à l'extrémité terminale de la lame
spirale osseuse. Là, le tissu conjonctif du canal cochléaire
est particulièrement développé et représente un bourrelet, *limbus* ou *crista spiralis*, qui s'étend sur la lame
osseuse spirale, et se termine par un bord tranchant
dirigé en dehors. Ce bord est nommé *labium vestibulare*
(lèvre vestibulaire) ; le bord libre de la lame spirale osseuse, *labium tympanicum* (lèvre tympanique) (1) ; entre
les deux s'étend le *sulcus spiralis internus* (sillon spiral interne) (fig. 269).
Les surfaces internes du canal cochléaire sont recouvertes d'un épithélium
de nature très différente suivant les points ; les surfaces externes, tournées
vers la rampe vestibulaire ou tympanique, sont recouvertes d'un prolongement mince du périoste qui revêt les deux rampes. Sur la paroi externe
du limaçon le périoste s'épaissit en une large bande, en forme de croissant
sur une coupe transversale, le *ligament spiral*, qui s'étend au-dessus comme
au-dessous des points d'origine (Ansatzflüche) du canal cochléaire (fig. 263).

Fig. 262.
*Otolithes du saccule
d'un enfant nouveau-
né* (Gross. 560. Tech-
nique n° 192).

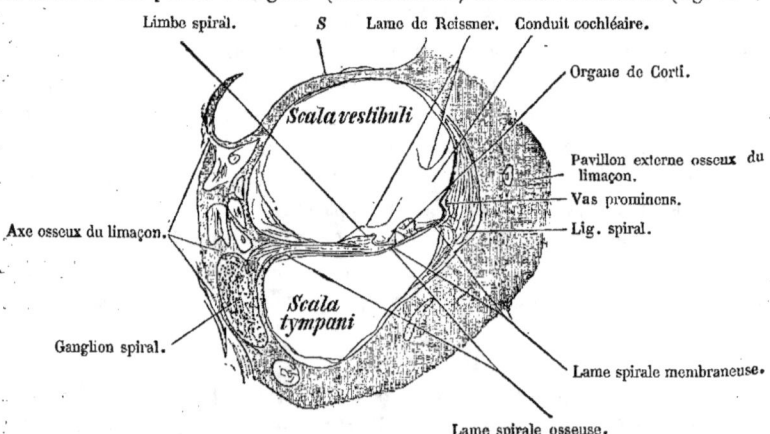

Limbe spiral.   S   Lame de Reissner.   Conduit cochléaire.

Organe de Corti.

Scala vestibuli

Pavillon externe osseux du
limaçon.

Vas prominens.

Axe osseux du limaçon.

Lig. spiral.

*Scala
tympani*

Ganglion spiral.

Lame spirale membraneuse.

Lame spirale osseuse.

Fig. 263.

Coupe du deuxième tour du limaçon d'un enfant nouveau-né (Gross. 25). Le *modiolus* contient des
sections obliques de canaux longitudinaux. — S. Cloison osseuse séparant les 2e et 3e tours du limaçon.
— La membrane de Reissner est déchirée, le fragment supérieur rejeté vers le haut. — La *membrana tectori*
n'est pas visible (Technique n° 194).

quent est *interne* ce qui est voisin de l'axe du limaçon, et *externe* ce qui est à la
périphérie.

(1) Ces noms proviennent encore du temps où l'on rapportait le *limbus spiralis*
à la lame spirale.

Après ce coup d'œil d'ensemble, nous allons maintenant examiner la structure fine des trois parois du limaçon membraneux. D'eux d'entre elles, la paroi externe et la paroi vestibulaire, ont une structure relativement simple, la troisième ou paroi tympanique présente au contraire une structure extrêmement compliquée.

a) La *paroi externe* et le *ligament spiral* comprennent un épithélium et du tissu conjonctif. Celui-ci est formé au voisinage de l'os par des fibres compactes (périoste) et se continue ensuite sous forme de tissu conjonctif lâche, qui constitue la masse principale du ligament spiral. L'épithélium consiste en une couche de cellules cubiques. Un réseau serré de vaisseaux sanguins (bande vasculaire, *stria vascularis*), occupe les trois quarts de la hauteur de

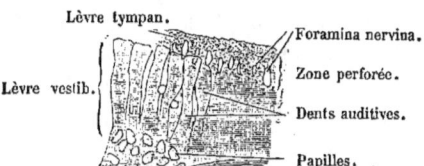

Lèvre tympan.

Foramina nervina.

Lèvre vestib.

Zone perforée.

Dents auditives.

Papilles.

Fig. 264.

Lame spirale du chat (Gross. 240). Coupe parallèle à la surface. Lèvre vestibulaire vue d'en haut ; entre deux dents auditives on voit deux noyaux de cellules épithéliales. A gauche le plan passe au niveau des dents auditives, à droite il comprend la zone perforée (**Technique n° 193**).

la paroi externe du limaçon, et se termine vers le bas par une grosse veine faisant saillie vers la lumière du limaçon, le *vas prominens* (fig. 263). Les capillaires du *stria vascularis* (bande vasculaire) sont très nombreux sous l'épithélium, c'est de ces capillaires que l'endolymphe tire son origine.

b) La *paroi vestibulaire, membrane de Reissner* (fig. 263), consiste en un prolongement du périoste de la rampe vestibulaire ; elle est composée de cellules plates et d'un tissu conjonctif à faisceaux délicats, tapissé, du côté correspondant au canal, par une couche unique de cellules épithéliales polygonales.

c) La *paroi tympanique* se divise en deux parties : 1° le *limbus spiralis* avec le bord libre de la lame spirale osseuse et 2° la lame spirale membraneuse.

1° Le *limbus spiralis* est composé d'un tissu conjonctif compact, riche en cellules fusiformes, qui, par sa partie profonde, s'unit au périoste de la lame spirale, et présente sur sa surface libre des papilles de forme particulière. Elles ont une forme hémisphérique irrégulière ; vers la lèvre vestibulaire (*labium vestibulare*) elles forment des lames minces et longues, les *dents auditives de Huschke* (fig. 264 et 267), qui sont disposées sur un seul rang les unes à côté des autres. Une couche unique de cellules épithéliales très aplaties revêt la surface du *limbus* et se continue sur l'arête du *labium vestibulare* avec l'épithélium cubique du sillon spiral (fig. **267, A**).

Le bord libre de la lame spirale osseuse est percé à sa face supérieure d'une rangée d'orifices en forme de fente, les *foramina nervina* (fig. **264**) à travers lesquels passent les nerfs situés dans la lame osseuse, pour pénétrer dans la couche épithéliale de la lame spirale membraneuse. C'est pourquoi cette partie de la lame spirale osseuse porte le nom de *zone perforée*.

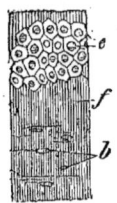

Fig. 265.

Lame spirale membraneuse du chat (Gross. 240). Couches de la zone pectinée dessinées en faisant varier la mise au point. — *e.* Plan supérieur, épithélium indifférent (cellules de Claudius) du conduit cochléaire. — *f.* Plan moyen, fibres de la membrane basale. — *b.* Plan profond, noyaux de la couche de revêtement tympanique **(Technique n°193).**

2° La lame spirale membraneuse est formée par la *membrane basilaire*, c'est-à-dire par la continuation du *limbus spiralis* aussi bien que du périoste de la lame spirale osseuse, puis par le *revêtement tympanique*, continuation du périoste de la rampe tympanique, qui revêt la surface inférieure de la membrane basilaire, et enfin par l'*épithélium du canal cochléaire*, qui recouvre la surface supérieure de la membrane basilaire.

La *membrane basilaire* est constituée par une membrane amorphe, qui renferme des fibres absolument rectilignes s'étendant de la lèvre tympanique jusqu'au ligament spiral, ainsi que des noyaux oblongs. Aussi la membrane présente-t-elle un aspect finement strié (fig. **265,** *f*).

La couche de revêtement tympanique consiste en un tissu conjonctif délicat renfermant des cellules fusiformes, et dont les fibres sont perpendiculaires à la direction des éléments de la membrane basilaire (fig. **265,** *b*).

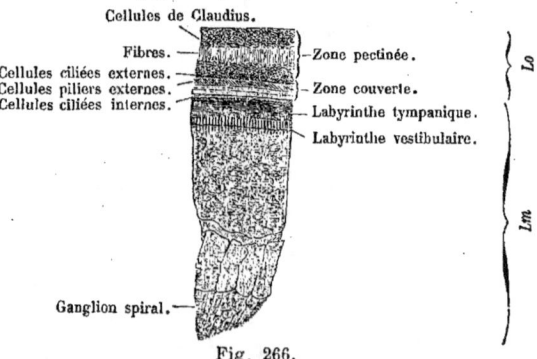

Fig. 266.

Lame spirale du chat vue de la face vestibulaire. La membrana tectoria est enlevée (Gross. 30). *Lo.* Lame spirale osseuse, dans sa moitié inférieure elle forme des creux et des saillies, sur son bord inférieur on voit les cellules du ganglion spiral. — *Lm.* Lame spirale membraneuse. Les cellules de Claudius sont en partie tombées de sorte que l'on aperçoit les fibres de la membrane basale sous forme de fine striation **(Technique n° 193).**

L'épithélium du canal cochléaire, dans la moitié qui est tournée du côté
de l'axe du limaçon, est développé en neuro-épithélium, *l'organe de Corti*,
tandis que la moitié externe correspondant au ligament spiral est formée de
cellules épithéliales indifférentes. On divise à cause de cela la lame spirale
membraneuse en deux zones : une interne, recouverte par l'organe de Corti,
et une externe, la *zone pectinée* (1).

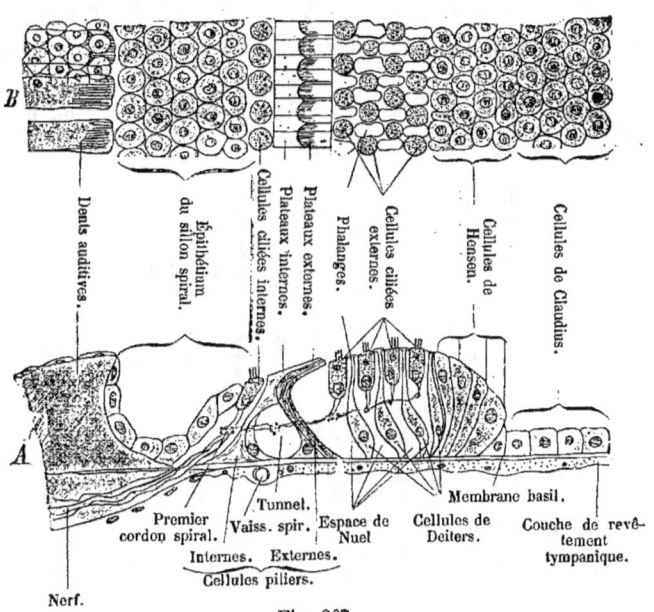

Fig. 267.

Schéma de la structure de la paroi tympanique du canal du limaçon, A. vue de côté. B. vue de face.
La membrana tectoria n'est pas représentée. Les branches nerveuses spirales sont figurées par un point.

Ce qui constitue la partie essentielle des organes de Corti, ce sont les *cellules piliers* (Pfeilerzellen), de forme particulière, qui se trouvent sur deux
rangées dans toute la longueur du canal cochléaire. Les piliers internes forment la rangée interne, les piliers externes la rangée externe (fig. 267). Les
deux étant inclinées obliquement l'une vers l'autre, forment une arcade,
l'arcus spiralis, qui recouvre un espace triangulaire, le *tunnel*, dont la base
répond à la membrane basilaire. Le tunnel n'est autre chose qu'un très
grand espace intercellulaire, qui est rempli d'une masse molle, la substance
intercellulaire. Au point de vue de leur structure ces cellules piliers sont
ainsi constituées : les cellules piliers internes comprennent un pied renflé

(1) Ainsi nommée à cause des stries de la membrane basilaire.

triangulaire, un corps étroit, et une tête concave en dehors. La tête porte un plateau étroit (fig. 267), le corps et le pied des cellules sont entourés d'un peu de protoplasma, qui est un peu plus abondant autour du pied dans le voisinage du noyau. Les cellules externes présentent les mêmes détails, mais la partie qui renferme le noyau est située en dedans du pied ; la tête arrondie repose dans l'excavation concave du pilier interne, le plateau, qui est plus large, étant recouvert en grande partie par celui du pilier interne. En dedans des piliers internes se trouve une couche unique de cellules cylindriques courtes, les *cellules ciliées*, dont la base arrondie n'atteint pas la membrane basilaire et qui portent sur leur surface libre une quarantaine de cils rigides. En dedans des cellules ciliées internes se trouve l'épithélium cubique

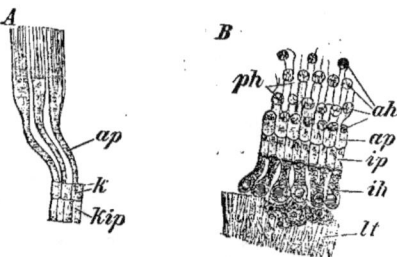

Fig. 268.

Coupe parallèle de la lame spirale membraneuse du chat (Gross. 240).

A. Cellules piliers externes. — *k*. Plateau de ces cellules vues sur un plan supérieur. — *ap*. Corps et pieds des mêmes cellules dessinées en faisant varier la vis micrométrique.— *kip*. Fragments du plateau des cellules piliers internes.

B, *lt*. Lèvre tympanique recouverte en partie par l'épithélium du sillon spiral. — *ih*. Cellules ciliées internes. — *ah*. Cellules ciliées externes entre lesquelles on voit les phalanges *ph* formant la membrane réticulaire. — *ap*. Plateaux des cellules piliers externes. — *ip*. Plateaux des cellules piliers internes (**Technique n⁰ 193**).

du sillon interne. En dehors des cellules externes se trouvent les cellules ciliées externes, qui ressemblent aux cellules ciliées internes, mais sont caractérisées par un corpuscule opaque, situé dans la moitié supérieure de la cellule, le *corpuscule spiral de Hensen* (1). Les cellules ciliées externes ne sont pas disposées sur une seule rangée, mais sur plusieurs, ordinairement quatre ; elles ne sont pas juxtaposées, mais sont séparées l'une de l'autre par des cellules allongées, les *cellules de Deiters*, qui renferment un filament rigide et portent à leur extrémité supérieure un petit plateau cuticulaire ; celui-ci a la forme d'une phalange digitale ; les espaces restant libres entre ces plateaux en phalanges sont remplis par l'extrémité supérieure des cellules ciliées (fig. 268).

Les cellules de Deiters sont des cellules de soutènement qui ont beaucoup

(1) Représenté dans le schéma (fig. 267) par une tache sombre située au-dessous des cils acoustiques.

de rapport avec les cellules-piliers ; comme celles-ci elles comprennent un prolongement (filament rigide) et une partie protoplasmique ; comme elles, elles ont un plateau (ou phalange). La seule différence consiste en ce que le développement du filament rigide est moins avancé dans les cellules de Deiters.

Les phalanges s'unissent entre elles, s'entrecroisent et forment une membrane réticulaire.

Les cellules ciliées externes n'atteignent pas la membrane basilaire ; elles ne remplissent par conséquent que la moitié supérieure des intervalles situés entre les cellules de Deiters, la moitié inférieure de ces intervalles restant libre et constituant ce que l'on appelle les *espaces de Nuel*, ou, comme ils communiquent les uns avec les autres, l'espace de Nuel (fig. 267, A). L'espace de Nuel représente également un espace intercellulaire et est en rapport avec le tunnel.

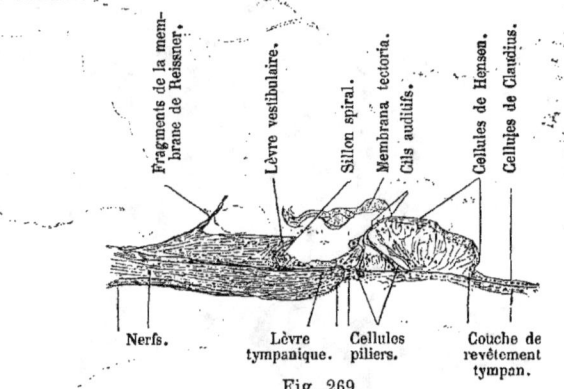

Fig. 269.

Coupe perpendiculaire à travers la moitié périphérique de la lame spirale osseuse, et la lame spirale membraneuse d'un enfant nouveau-né (Gross. 80). La membrana tectoria a été détachée de son insertion sur la lèvre vestibulaire **(Technique n° 194).**

En dehors du dernier rang de cellules de Deiters se trouvent les *cellules de Hensen*, cylindres allongés, qui en diminuant progressivement de hauteur se confondent avec l'épithélium indifférent du canal cochléaire dont les éléments aussi loin qu'ils recouvrent la membrane basilaire, portent le nom de *cellules de Claudius*.

Sur le sillon spiral et l'organe de Corti repose une formation cuticulaire, molle et élastique, la *membrana tectoria* (fig. 269). Elle est fixée à la lèvre vestibulaire et s'étend jusqu'à la rangée la plus externe des cellules ciliées.

Le rameau cochléaire du nerf acoustique pénètre, comme on le sait, dans l'axe du limaçon et donne dans son trajet spiral des branches qui se dirigent vers les racines de la lame spirale osseuse ; là les faisceaux de fibres nerveuses après s'être dépouillés de leur gaine de myéline pénètrent dans une cellule nerveuse qui, comme celle des ganglions spinaux, a une enveloppe conjonctive; la réunion des cellules constitue le ganglion spiral (1) (fig. 263) qui entoure toute la périphérie de l'axe du limaçon. De l'extrémité opposée de chaque cellule naît une nouvelle fibre nerveuse qui s'entoure bientôt d'une gaine de myéline, et forme avec les fibres voisines un réseau à larges mailles

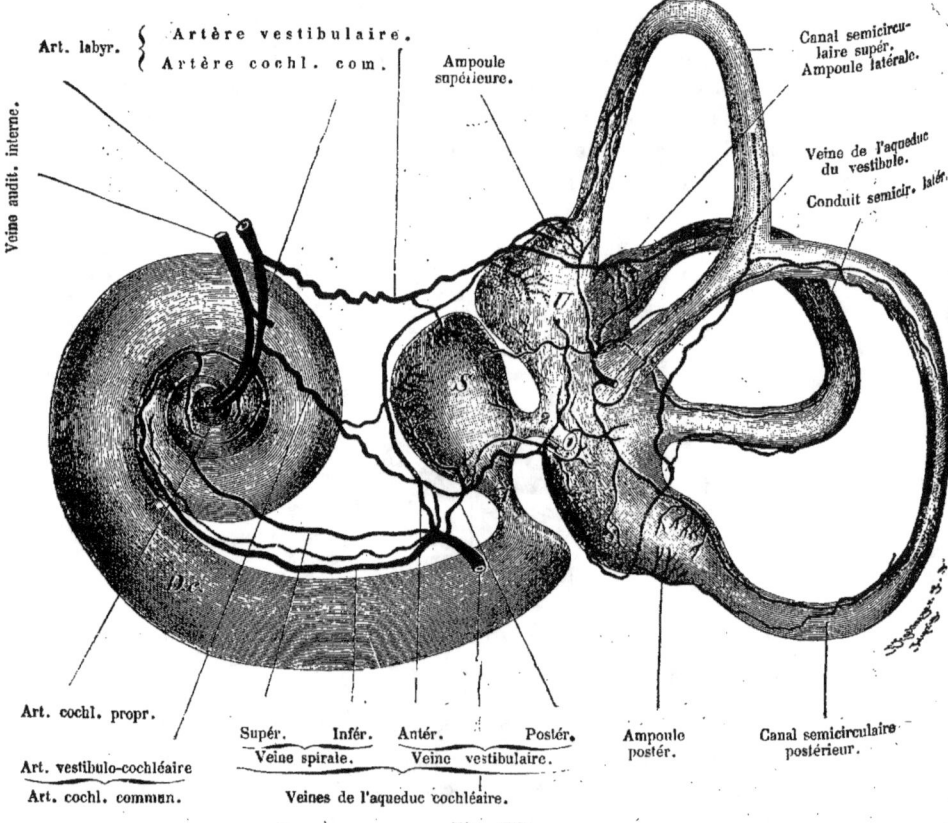

Fig. 270.

Schéma. Vaisseaux sanguins du labyrinthe droit de l'homme. Vue du côté médial et en arrière. — D. c. Canal cochléaire. S. Saccule. — U. Utricule. — 1. Canal d'union. — 2. Canal utriculo-sacculaire. — Le sac endolymphatique est coupé.

compris dans l'épaisseur de la lame spirale osseuse. Les fibres se dirigent vers le *limbus tympanicus*, où elles traversent les *foramina nervina* après

(1) Le ganglion spiral présente la même structure que les ganglions spinaux, avec cette seule différence que les cellules ganglionnaires ici ne sont pas unipolaires mais bipolaires comme dans les ganglions de l'embryon. Le ganglion qui se trouve dans le conduit auditif interne renferme aussi des cellules bipolaires.

avoir perdu leur gaine de myéline et se terminent dans l'épithélium. Ces
fibres sont disposées de façon à former des cordons en spirale, dont le premier se dirige vers la partie interne des cellules piliers internes (fig. 267,A),
le deuxième parcourant le tunnel, le troisième étant situé entre les cellules
piliers externes et les premières cellules de Deiters, les trois derniers dans
les intervalles qui séparent les cellules de Deiters. De ces cordons partent des

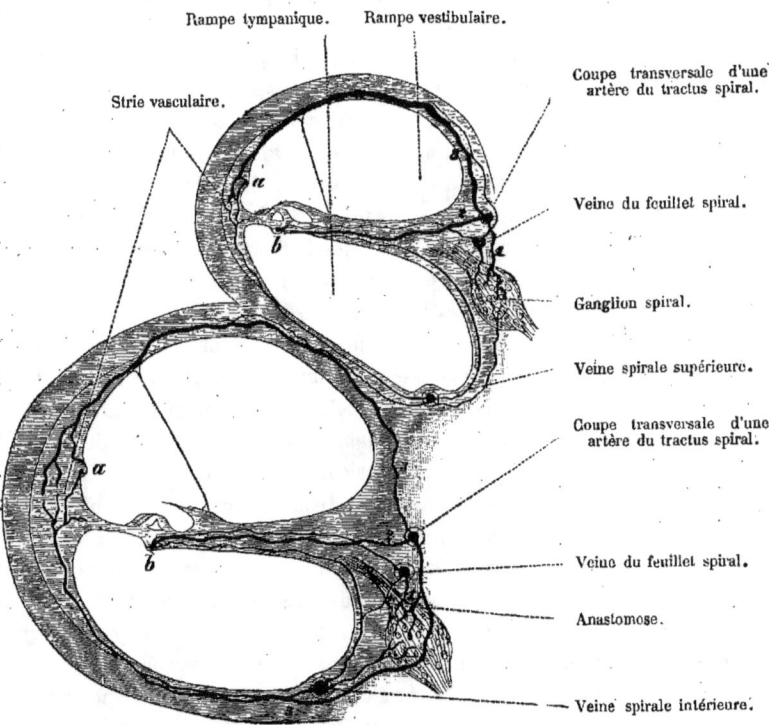

Fig. 271.

Schéma. Coupe verticale à travers la moitié droite de la première et de la deuxième spire du limaçon.

fibres ténues qui se dirigent vers les cellules ciliées, auxquelles elles aboutissent (sans pénétrer dans leur intérieur).

ARTÈRES DU LABYRINTHE. — L'artère auditive ne donne au labyrinthe membraneux qu'une petite branche et une autre petite branche au labyrinthe
osseux ; le plus grand nombre de ces branches pénètre au niveau des trous
d'émergence des Ve, VIIe, VIIIe, IXe et X[e] paires des nerfs crâniens, ainsi
qu'à la surface inférieure du cervelet. Le rameau qui se rend au labyrinthe
membraneux se divise en 2 branches : 1° l'artère vestibulaire (fig. 270)
donne des ramifications au nerf vestibulaire, à la moitié latérale supérieure

du saccule, de l'utricule ainsi qu'aux parties correspondantes des canaux semi-circulaires, supérieur et latéral ; là le réseau vasculaire est à mailles larges, mais au niveau des terminaisons du nerf vestibulaire, des crêtes et des macula, le réseau capillaire est à mailles étroites. 2° L'artère cochléaire commune se divise aussi en 2 branches. Une branche, l'artère vestibulo-cochléaire, fournit par une de ses ramifications à la portion médiane inférieure du saccule, de l'utricule et des canaux semi-circulaires, et se conduit dans ses fines ramifications comme l'artère vestibulaire ; par une autre ramification elle irrigue le premier tiers de la première spire du limaçon. L'autre branche, l'artère cochléaire proprement dite, fournit au reste du limaçon ; elle se divise à son entrée dans l'axe du limaçon en 3 à 4 branches, lesquelles forment le réseau spiral artériel. De celui-ci naissent 30 à 35 branches à direction rayonnée, qui forment trois territoires distincts de capillaires : 1° le canal dans lequel se trouve inclus le ganglion spiral (fig. 271, 1), 2° la lame spirale, et 3° les parois intermédiaire et externe de la rampe.

Les *veines* du labyrinthe suivent trois trajets séparés :

1° La veine de l'aqueduc du vestibule chemine à travers l'aqueduc vestibulaire, recevant le sang des canaux semi-circulaires, et une partie du sang de l'utricule ; elle s'abouche dans le sinus pétreux supérieur (fig. 270).

2° La veine de l'aqueduc du limaçon chemine à travers le canal du même nom, recevant le sang d'une partie de l'utricule, du saccule et du limaçon. Dans le limaçon, les racines veineuses sont disposées de la façon suivante : les veines s'unissent pour former le *vas prominens* (fig. 271, a) et le *vas spirale* (b), elles cheminent dans la paroi tympanique de la rampe, vers la veine à trajet spiral, veine spirale située en dessous du ganglion spiral ; cette dernière veine résulte de la réunion de 2 veines, dont l'inférieure reçoit le sang de la première et d'une portion de la deuxième spire du limaçon, tandis que la veine spirale supérieure reçoit le sang des autres spires. La veine spirale reçoit encore une partie des capillaires qui se trouvent dans le canal du ganglion spiral, et elle est en communication anastomotique avec une veine située au-dessus du canal, la veine du feuillet spiral (fig. 271). Celle-ci reçoit du sang de l'autre portion des capillaires du ganglion spiral, ainsi que de la lame spirale (1) et s'ouvre 3° dans la veine centrale du limaçon. Celle-ci représente la racine principale de la veine auditive interne.

---

(1) La membrane vestibulaire de Reissner n'est pas vasculaire chez l'homme adulte. L'arrangement des vaisseaux sanguins dans le limaçon est tel que la rampe vestibulaire est entourée de préférence par des artères, tandis que la rampe tympanique est entourée principalement de veines. La rampe tympanique limitée à la partie supérieure par la lame spirale membraneuse est ainsi soustraite aux pulsations artérielles.

Cette dernière reçoit encore des veines du nerf acoustique et de l'os et s'ouvre très probablement dans la veine spirale antérieure.

Voies lymphatiques. — L'endolymphe qui se trouve dans l'intérieur du labyrinthe membraneux est en communication avec les espaces lymphatiques sous-dure-mériens par de fins canaux partant du sac endolymphatique. Les espaces péri-lymphatiques (page 356) sont en communication avec l'espace sous-arachnoïdien à l'aide d'un vaisseau lymphatique cheminant à travers l'aqueduc du limaçon. C'est le *canal périlymphatique*. Les vaisseaux sanguins et les nerfs sont entourés de remarquables espaces lymphatiques péri-vasculaires et péri-neuraux qui sont probablement aussi en communication avec l'espace sous-arachnoïdien.

2. — Oreille moyenne.

La muqueuse de la *caisse du tympan* est intimement unie au périoste sous-jacent. Elle est formée par un tissu conjonctif mince et un épithélium cubique, disposé sur une seule couche, qui porte souvent des cils vibratiles au niveau de la base de la caisse, quelquefois aussi sur sa grande circonférence. Des glandes courtes, constituées par des tubes de 0,1 mm. de longueur, se rencontrent çà et là dans la moitié antérieure de la caisse. La muqueuse de la trompe d'Eustache est constituée par un tissu conjonctif fibrillaire, renfermant au voisinage de l'orifice pharyngien de nombreux leucocytes et par un épithélium cylindrique vibratile stratifié ; le courant déterminé par les cils vibratiles est dirigé vers le pharynx. On rencontre des glandes muqueuses nombreuses, surtout dans la moitié pharyngienne de la trompe. Le cartilage de la trompe d'Eustache est hyalin là où il est fixé au conduit osseux et présente çà et là des amas de fibres rigides non élastiques ; plus en avant la substance fondamentale du cartilage renferme des réseaux serrés de fibres élastiques.

Les vaisseaux sanguins forment dans la muqueuse de la caisse du tympan un réseau capillaire à larges mailles, dans la trompe un réseau superficiel à mailles étroites et un réseau profond entourant les glandes muqueuses.

Les vaisseaux lymphatiques de la caisse du tympan circulent dans le périoste.

Nous ne possédons pas encore de données bien précises sur la façon dont les nerfs se terminent.

3. — Oreille externe.

La *membrane du tympan* est constituée par une lame de tissu conjonctif, *lamina propria*, dont les faisceaux fibreux, sur la face dirigée en dehors, sont rayonnés et sont en connexion avec le périoste du sillon tympanique ; sur la face qui regarde la caisse du tympan les faisceaux fibreux sont disposés circulairement. La membrane du tympan est tapissée en dedans par la muqueuse de la caisse, en dehors par le revêtement cutané du conduit auditif externe. Ces deux revêtements sont solidement unis à la *lamina propria*, ils sont lisses et ne portent aucune papille. Là où le marteau est contigu à la membrane du tympan, on observe une couche de cartilage hyalin qui l'enveloppe.

Le conduit auditif externe est tapissé par un prolongement du revêtement cutané, qui se distingue par un grand nombre de grosses glandes pelotonnées particulières, les *glandes cérumineuses*. Ces glandes se rapprochent sous bien des rapports des glandes sudoripares de la peau ; elles présentent comme

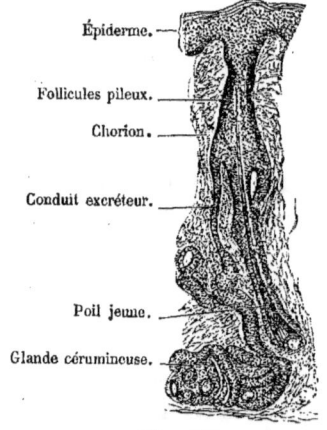

Épiderme.

Follicules pileux.

Chorion.

Conduit excréteur.

Poil jeune.

Glande cérumineuse.

Fig. 272.

Coupe perpendiculaire de la peau au niveau du conduit auditif d'un nouveau-né. Le conduit excréteur de la glande s'abouche dans le follicule pileux (**Technique n° 197**).

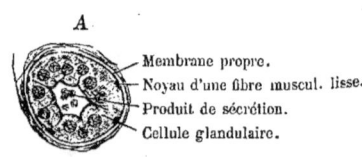

A

Membrane propre.
Noyau d'une fibre muscul. lisse.
Produit de sécrétion.
Cellule glandulaire.

B

Produit de sécrét. Plateau de la cellule.

Cellules glandulaires.
Noyaux de fibres lisses.
Membrane propre.

Fig. 273.

A. *Coupe perpendiculaire d'un conduit glandulaire.* — B. *Coupe longitudinale du même conduit provenant d'un enfant de 12 ans* (Gross. 240. **Technique n° 197**).

celles-ci un canal excréteur tapissé de plusieurs couches de cellules épithéliales ; les canaux du peloton glandulaire possèdent une seule couche de cellules glandulaires, cubiques pour la plupart, implantées sur une membrane propre qui renferme des fibres musculaires lisses (fig. **273**) ; elles se distinguent des glandes sudoripares en ce que les tubes glandulaires ont une lumière plus large, surtout développée chez l'adulte, et en ce que les cellules glandulaires renferment un grand nombre de granulations pigmentaires et de gouttelettes de graisse ; souvent aussi elles présentent un plateau très net. Les canaux excréteurs sont étroits et s'ouvrent chez l'enfant dans les follicules pileux, chez l'adulte à côté des follicules pileux.

La sécrétion, ou *cérumen*, est formée de granulations pigmentaires, de gouttelettes de graisse et de cellules remplies de graisse ; celles-ci proviennent vraisemblablement des glandes des follicules pileux.

Le cartilage du conduit auditif cartilagineux et de la conque auditive est du cartilage élastique.

Les *vaisseaux et nerfs* se comportent comme dans le tégument externe, et présentent seulement quelques particularités dans la membrane du tympan. A côté du manche de marteau descend une artère, qui se divise en branches rayonnées ; le retour du sang se fait par des veines qui cheminent le long du manche du marteau. Ces vaisseaux sont situés dans le revêtement muqueux de la membrane du tympan fourni par le revêtement cutané externe. Le revêtement de la membrane du tympan est également pourvu d'un réseau capillaire serré, qui s'anastomose avec le réseau externe par des branches perforantes.

Des vaisseaux lymphatiques se trouvent de préférence dans la couche cutanée de la membrane du tympan.

Les nerfs forment de fins plexus sous les deux revêtements.

TECHNIQUE

Il importe avant tout de connaître exactement l'anatomie descriptive du labyrinthe ; les difficultés et les insuccès sont dus pour la plupart à une connaissance insuffisante de l'anatomie macroscopique du labyrinthe osseux. Pour commencer la préparation, il faut enlever tous les éléments qui se trouvent sur la partie latérale du promontoire (osselets), afin de bien mettre en évidence ce promontoire.

Nᵒ 192. Otolithes. — On ouvre le promontoire en allant du bord inférieur de la fenêtre ovale jusqu'au bord de la fenêtre ronde ; on aperçoit alors, surtout lorsqu'on examine le rocher sous l'eau, les taches blanches du saccule et de l'utricule ; à l'aide d'une pince très fine on enlève le saccule et on étale un petit fragment de celui-ci sur une lame dans une goutte de glycérine diluée. Les otolithes sont très nombreux ; mais comme ils sont très petits, il faut employer de forts grossissements (240 d.) pour les distinguer nettement (fig. 262). — Il faut éviter d'employer une glycérine trop épaisse qui rend les otolithes absolument invisibles. Lorsqu'on enlève le saccule, on arrache assez fréquemment des fragments de conduits semi-circulaires qu'on peut colorer au picro-carmin et monter dans la glycérine diluée. On n'y voit que l'épithélium et par ci par là sur des coupes optiques transversales la fine membrane vitreuse. Le tissu conjonctif est très peu abondant.

Nᵒ 193. Préparation du limaçon. — Il faut se rappeler que la base du limaçon se trouve au fond du conduit auditif interne et que le sommet est dirigé vers la trompe : l'axe du limaçon est donc horizontal et coupe trans-

versalement l'axe longitudinal de la pyramide du rocher. On isole la partie
libre du limaçon, c'est-à-dire on enlève le promontoire tout près de la fenêtre ronde : on ouvre le sommet du limaçon et, après l'avoir débarrassé de
la portion osseuse superflue, on le plonge dans 20 cent. cubes d'une solution
d'acide osmique à 0,5 0/0 (5 cent. cubes d'acide osmique à 2 0/0 avec 15 cent.
cubes d'eau distillée). Après un séjour de 11 à 30 heures dans l'acide osmique, on lave la préparation pendant 1 heure dans l'eau, et on la porte ensuite
dans 200 cent. cubes de liquide de Müller. De 3 à 20 jours après on ouvre
complètement le limaçon, et on l'examine sous l'eau. On voit les lames spirales, osseuses et membraneuses comme un fin feuillet fixé à l'axe du limaçon. A l'aide d'une pince fine on brise un fragment de la lame spirale osseuse
puis on le porte sur une lame dans une goutte de glycérine diluée, en se servant
non pas de pince mais d'une aiguille et de la spatule. Il est inutile de briser
la portion axile de la lame spirale osseuse pour la porter sur la lame, car ce
feuillet osseux relativement épais permet difficilement de placer la lamelle.
La face vestibulaire de la lame spirale osseuse doit être dirigée en haut et
on reconnaît ces dispositions à l'aide de la mise au point du microscope ; en
élevant le tube on voit les dents auditives (fig. 264) et, pour voir les autres
parties, il faut l'abaisser. A un faible grossissement on ne voit d'abord que
les interstices des dents auditives (fig. 232), les papilles ne sont reconnaissables même à un fort grossissement que 2 à 3 jours après la préparation faite.
La difficulté ne réside pas dans la préparation ; ce qui est difficile, c'est
l'interprétation de cette préparation ; à la moindre variation de hauteur du
tube microscopique, la préparation change immédiatement d'aspect ; la figure 267,B,représente d'une façon schématique la lame spirale membraneuse
examinée par sa surface, le tube microscopique étant remonté, on ne voit
donc que la surface libre de l'image qui est dessinée en A, vue de côté. Il
est certain que, si on baisse le tube microscopique, on ne verra plus les extrémités supérieures des cellules piliers. mais seulement leur corps (sous
forme de circonférences comme coupes optiques) ; il en est de même de la
membrane réticulaire, qu'on ne saurait voir, le tube microscopique étant très
haut ; etc. On peut, si l'on veut, colorer au picro-carmin et monter dans la
glycérine diluée. Les procédés que nous venons de décrire s'appliquent à
l'organe auditif de l'homme (les labyrinthes d'enfant sont excellents) et à
celui du chat.

N⁰ 194. Portion osseuse et membraneuse du limaçon.— Il faut
enlever en sculptant le limaçon d'un labyrinthe d'enfant (1). — La substance
osseuse compacte du limaçon est entourée d'une substance spongieuse tellement molle qu'on peut l'enlever même avec une forte lame de canif. Une fois
le limaçon ainsi isolé, on pratique à l'aide d'un burin dans le limaçon 2 ou
3 petits orifices d'un cent. carré environ pour faciliter la pénétration du liquide fixateur. Ensuite, on le plonge dans 15 cent. cubes d'eau distillée, additionnée de 5 cent. cubes d'acide osmique à 2 0/0. 24 heures après, on le retire

(1) Parmi les limaçons d'animaux, ceux du cobaye et de la chauve-souris conviennent d'autant mieux qu'ils ne sont pas contenus dans une substance osseuse,
spongieuse et qu'ils peuvent être examinés sans qu'on soit obligé de sculpter et
d'ouvrir.

et on lave pendant 1/4 d'heure dans de l'eau courante et on finit par le durcir dans 60 cent. cubes d'alcool progressivement renforcé. — Après durcissement complet, on décalcifie le limaçon dans un mélange d'acide chlorhydrique et de chlorure de palladium. Voici comment il faut faire ce mélange : à 1 cent. cube d'une solution aqueuse de chlorure de palladium à 10 0/0, on ajoute 10 cent. cubes d'acide chlorhydrique, et on mélange le tout à un litre d'eau distillée. — Le limaçon est placé dans 100 cent. cubes de ce mélange qu'on renouvelle souvent. Après décalcification complète, on le durcit de nouveau dans l'alcool, et on finit pour le couper par l'inclure dans le foie ; les coupes doivent passer par l'axe longitudinal du limaçon ; on colore au picro-carmin et on monte dans le baume. — Il n'est pas difficile d'obtenir ainsi des préparations d'ensemble. La lame de Reissner est habituellement déchirée, de sorte que le conduit cochléaire et la rampe du vestibule forment un même espace vide (fig. 263). L'organe de Corti ne ressort pas toujours nettement ; il faut faire des coupes fines perpendiculaires à la direction de l'organe pour avoir des images nettes. La coupe contient ainsi le plus souvent plusieurs cellules piliers internes ou externes, ou bien des fragments de ces piliers seulement : les cellules de Hensen sont gonflées et vitreuses (fig. 260), au point que le débutant éprouve de grandes difficultés pour s'orienter.

N° 195. — Pour les nerfs des macula, des crêtes et du limaçon je recommande de traiter des souris de 10 jours d'après la méthode indiquée à la page 22. On enlève la calotte crânienne, le cerveau et le maxillaire inférieur, puis on plonge la base du crâne pendant 3 à 4 jours dans le mélange osmio-bichromique et pendant 2 jours dans la solution de nitrate d'argent. La plupart du temps cette méthode double donne de bons résultats. On fait des coupes horizontales et verticales à travers les os crâniens décalcifiés. Les premières sont plus faciles à préparer.

N° 196. Coupe transversale de la trompe d'Eustache. — Pour obtenir des coupes contenant le cartilage et la muqueuse, on isole toute la portion pharyngienne de la trompe avec les muscles qui l'entourent et l'on fixe dans 200 à 300 cent. cubes de liquide de Müller : 3 à 6 semaines après, on lave la trompe ainsi fixée dans l'eau courante et on durcit dans 100 cent. cubes d'alcool progressivement renforcé. On peut colorer les coupes avec l'hématoxyline de Hansen et monter ensuite dans le baume. — Ce sont là des préparations d'ensemble, qu'il faut surtout examiner à l'aide de faibles grossissements.

N° 197. Glandes cérumineuses. — On coupe l'oreille avec le conduit auditif cartilagineux en rasant le conduit auditif osseux ; du conduit auditif cartilagineux on excise des fragments de 1 cent. carré environ et on les plonge dans 28 cent. cubes d'alcool absolu. Déjà le lendemain on peut faire des coupes qui doivent être assez épaisses (0 mm. 5), si l'on veut intéresser les glomérules et les conduits excréteurs (fig. 272). Colorer à l'hématoxyline de Hansen. Des coupes plus fines seront examinées dans la glycérine diluée. De cette manière, on réussit à voir les granulations graisseuses et pigmentaires. Les oreilles des enfants nouveau-nés donnent des préparations excellentes ; chez l'adulte, les canaux sont fortement dilatés et ne donnent pas de belles préparations d'ensemble, mais, en revanche, on voit chez l'adulte mieux que chez le nouveau-né le plateau des cellules glandulaires (fig. 273).

L. — ORGANE DE L'OLFACTION

Dans ce chapitre nous décrivons toute la muqueuse nasale. La portion olfactive proprement dite est limitée à la moitié du cornet supérieur ainsi qu'à la partie correspondante de la cloison. Le reste de la muqueuse des fosses nasales, y compris la muqueuse des sinus, doit être rattaché à la muqueuse respiratoire, à l'exception pourtant de la portion qui tapisse le vestibule du nez et qui est un prolongement du revêtement cutané. La muqueuse nasale présente donc à considérer trois portions distinctes.

1. — Région vestibulaire.

La muqueuse de cette région comprend une tunique propre hérissée de papilles, et un épithélium pavimenteux stratifié : on y rencontre de nombreuses glandes sébacées et les follicules des poils du nez (vibrisses).

2. — Région respiratoire.

L'épithélium est stratifié cylindrique à cils vibratiles ; on y voit des cellules caliciformes, tantôt nombreuses, tantôt rares. Au niveau du cornet inférieur, la tunique propre peut atteindre 4 mm. d'épaisseur, elle est formée de tissu conjonctif fibrillaire, et renferme des leucocytes en grand nombre ; les leucocytes sont parfois réunis en follicules solitaires. A ce niveau, il se fait à travers l'épithélium une migration abondante de leucocytes dans la muqueuse nasale.

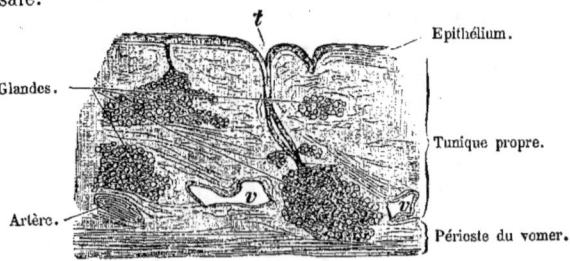

Fig. 274.

Coupe épaisse de la membrane muqueuse de la cloison du nez de l'homme ; région respiratoire (Gross.20). La coupe passe à travers le conduit excréteur de deux glandes. — t. Dépression infundibuliforme.— v. Veines **(Technique n° 199).**

La tunique propre contient chez l'homme des glandes tubuleuses ramifiées dont la sécrétion est en partie muqueuse, en partie albumineuse, glandes mixtes par conséquent. Elles débouchent fréquemment dans des dépressions en *infundibulum*, tapissées par la couche superficielle de l'épithélium qui se prolonge sur elles ; ces dépressions sont visibles à l'œil nu au niveau du cornet inférieur. Dans les sinus, l'épithélium, de même que la tunique propre, devient beaucoup plus mince (0. 02 mm.), mais conserve la même structure ; on n'y rencontre que quelques glandes rares et petites.

3. — Région olfactive.

La muqueuse de cette région se distingue déjà macroscopiquement de celle de la région respiratoire par sa coloration, qui est d'un jaune brun au lieu d'être rosée.— Elle comprend un épithélium, l'*épithélium olfactif*, et une *tunique*.

L'épithélium olfactif comprend deux formes de cellules.

La première variété (fig. 275,*st*) est cylindrique dans sa moitié supérieure, qui renferme un pigment jaune et de petites granulations formant souvent des séries longitudinales. La moitié inférieure est plus étroite, présentant sur ses bords des saillies et des enfoncements ; l'extrémité inférieure est fourchue et les branches des cellules voisines s'unissent et forment ainsi un réseau protoplasmique. Ces cellules portent le nom de *cellules de soutènement*. Les noyaux ovoïdes se trouvent à la même hauteur et sur des coupes verticales ils occupent une zone étroite, la zone des noyaux ovoïdes (fig. 277). Les cellules de la seconde variété (fig. 275 et 276) possèdent une plus grande partie

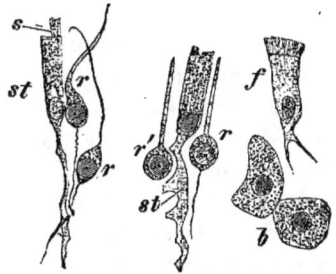

Fig. 275.

Cellules isolées de la région olfactive du lapin (Gross. 560). — *st.* Cellules de soutènement. — *s.* Bouchons de mucus faisant saillie et simulant des cils vibratiles. — *r.* Cellules olfactives ; en r, le prolongement inférieur est détaché. — *f.* Cellule à cils vibratiles. — *b.* Cellules des glandes de Bowman (**Technique n° 198**).

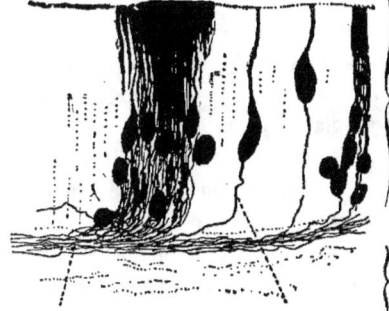

Épithélium.

Tunique propre.

Faisceau du nerf olfactif.   Prolongement centripète d'une cellule olfactive.

Fig. 276.

Coupe verticale de la région olfactive d'une souris jeune (Gross. 480. **Technique n° 201**).

de protoplasma, mais seulement dans le voisinage du noyau qui est plutôt rond ; de là part vers la moitié supérieure un prolongement étroit, cylindrique, portant des cils, et vers la partie inférieure un prolongement fin qui se continue directement avec le cylindre-axe d'une fibre nerveuse.

Ces cellules, les *cellules olfactives*, sont des cellules ganglionnaires, leur prolongement inférieur est une fibre nerveuse centripète. Leurs noyaux ronds pourvus de nucléoles se trouvent à des hauteurs différentes et occupent une zone large, la zone des noyaux ronds (fig. 277) (1). En dehors de ces deux variétés il y a des formes intermédiaires qui se rapprochent davantage tantôt des cellules de soutènement, tantôt des cellules olfactives. A la limite de l'épithélium, vers le tissu conjonctif, il existe un réseau protoplasmique à noyaux, c'est ce que l'on appelle *cellules basales* (fig. 278, *b*). La surface de l'épithélium est couverte d'une membrane délicate, homogène, la membrane olfactive limitante ; elle est perforée par les extrémités des cellules olfactives

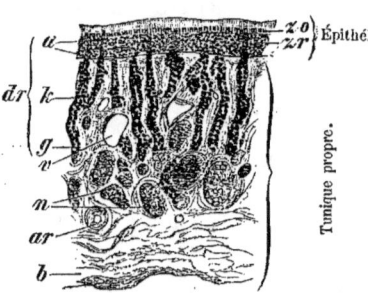

Fig. 277.

Coupe passant par la région olfactive du lapin (Gross. 50). — *zo.* Zone des noyaux arrondis. — *dr.* Glandes de Bowman. — *a.* Conduit excréteur. — *k.* Corps et *g.* fond de la glande. — *n.* Coupe transversale des rameaux du nerf olfactif. — *v.* Veine. — *ar.* Artères. — *b.* Faisceaux de tissu conjonctif coupés en travers (**Technique n° 200**).

pourvues de cils et se trouve elle-même recouverte à son tour d'une masse spéciale (fig. **278**, *s*), considérée par quelques auteurs comme une formation analogue à la bordure cuticulaire de l'épithélium intestinal. D'autres y voient des cils très fins, et d'autres enfin croient qu'il s'agit de filaments du mucus (fig. **275**, *s*).

La tunique propre représente un feutrage lâche composé de fibres conjonctives mêlées à des fibres élastiques fines qui chez quelques animaux (le chat par ex.) est condensé vers l'épithélium en une membrane anhiste. De nombreuses glandes, les glandes olfactives (glandes de Bowman) sont contenues dans la tunique propre ; elles sont soit simples, soit comme chez l'homme en tubes ramifiés. On peut leur distinguer (2) un conduit excréteur situé dans l'épithélium (fig. 277, *d*), un corps glandulaire et des culs-de-sac. Les cellules du corps glandulaire sont pigmentées. Les glandes olfactives (même celles de l'homme) ont été considérées comme des glandes albumineuses. Les recher-

(1) On trouve assez souvent dans la région épithéliale libre des noyaux ronds, au-dessus des noyaux ovoïdes ; ils appartiennent soit à des cellules olfactives disloquées fig. 278), ou bien ils représentent des noyaux de leucocytes migrateurs, assez souvent pigmentés.

(2) Les glandes olfactives dépassent souvent la limite de la région olfactive et se trouvent même dans les parties limitant la région respiratoire.

ches récentes les font considérer comme des glandes muqueuses. La tunique
propre renferme encore les ramifications des nerfs. Les branches du nerf
olfactif sont recouvertes par la dure-mère, et se composent exclusivement de
fibres sans myéline qui se dissocient très facilement en fibrilles ; les fibres
sont les prolongements inférieurs, réunis en faisceaux, des cellules olfactives.
Parties de l'épithélium, les fibres s'incurvent, pénètrent dans la tunique propre et forment par leur réunion avec les fibres voisines, les ramifications olfactives. Les ramifications terminales du nerf trijumeau se trouvent dans la
tunique propre ; des fibres fines montant vers l'épithélium, et s'y terminant
librement appartiennent peut-être au trijumeau (1).

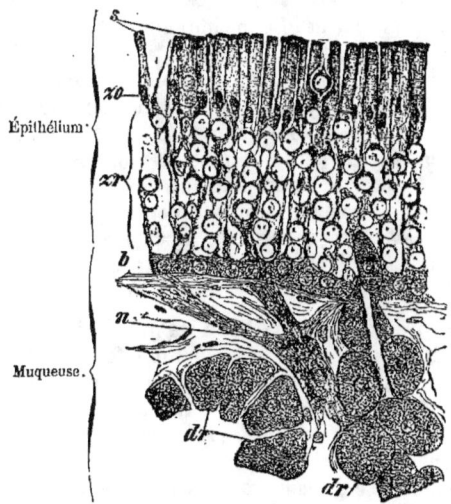

Fig. 278.

Coupe de la région olfactive du lapin (Gross. 560). — s. Bord libre. — zo. Zone des noyaux ovoïdes.
— zr. Zone des noyaux arrondis. — b. Cellules basales. — dr. Portion des glandes de Bowman ; à droite
l'extrémité inférieure du canal excréteur est comprise dans la coupe. — n. Rameau du nerf olfactif
(Technique n° 200).

Les *vaisseaux* de la muqueuse nasale fournissent des artérioles qui pénètrent dans la couche profonde de la tunique propre et se divisent en capillaires qui forment un réseau presque sous-épithélial (fig. 274 et 277). Les veines
sont remarquables par leur développement (fig. 274) ; elles forment surtout
vers l'extrémité postérieure du cornet inférieur un réseau si serré, que la
tunique propre prend à ce niveau l'aspect d'un tissu caverneux.

(1) Divers auteurs ont décrit dans la muqueuse nasale des formations analogues
aux bourgeons gustatifs. Il n'est pas certain que ces bourgeons olfactifs ne soient pas
simplement des plis de la muqueuse.

Les *lymphatiques* constituent dans la couche profonde de la tunique propre des réseaux à larges mailles. Les gaines que les enveloppes du cerveau fournissent aux rameaux de l'olfactif à travers la lame criblée, expliquent la possibilité d'injecter les lymphatiques de la région olfactive par l'espace sousarachnoïdien.

Il existe des fibres à myéline du trijumeau, aussi bien dans la région respiratoire que dans la région olfactive.

TECHNIQUE

Nᵒ 198. Cellules olfactives. — Sciez suivant la ligne médiane la tête d'un lapin récemment sacrifié. La membrane olfactive est facilement reconnaissable à sa coloration brune. On détache avec de fins ciseaux un lambeau d'environ 5 mm. carrés, en y comprenant le cartilage sous-jacent, et on le plonge dans 20 cent. cubes d'alcool au tiers de Ranvier. Après 5 à 7 heures on porte le fragment dans 5 cent. cubes de picro-carmin et le jour suivant dans 10 cent. cubes d'eau distillée. Après 10 minutes environ on le sort pour le porter sur une lame, sur laquelle on aura déposé une goutte de glycérine diluée. Il faut éviter de remuer la préparation avec une aiguille et la recouvrir d'une lamelle avec précaution. On rencontre, à côté de nombreux fragments de cellules, des cellules de soutènement bien conservées ; le prolongement central des cellules olfactives sera brisé le plus souvent (fig. 275)

Nᵒ 199. Muqueuse de la région respiratoire. — Circonscrivez un lambeau de 5 à 10 mm. de côté sur la moitié inférieure de la cloison du nez, détachez-le, fixez et durcissez-le dans environ 20 cent. cubes d'alcool absolu. Pour des coupes fines on se sert de la muqueuse nasale du lapin, dont on inclut les lambeaux dans du foie : les coupes sont colorées avec l'hématoxyline de Hansen et conservées dans le baume. Pour des vues d'ensemble on peut se servir de la muqueuse de cadavres humains, qu'on traite de la même manière ; il faut, dans ce cas, faire des coupes épaisses, non colorées, qu'on conserve dans la glycérine diluée (fig. 274).

Nᵒ 200. Muqueuse de la région olfactive. — On détache des fragments (de 3 à 6 mm. de côté) de la muqueuse olfactive brune de la partie supérieure de la cloison du lapin (**nᵒ 198**) et on les porte pendant 3 heures dans 20 cent. cubes d'alcool au tiers de Ranvier, qui dissocie légèrement les éléments de l'épithélium olfactif ; puis on plonge avec précaution les fragments dans 3 cent. cubes de la solution osmique à 2 0/0 additionnée de 3 cent. cubes d'eau distillée, et on les laisse à l'abri de la lumière pendant 15 à 24 heures. Au bout de ce temps, on reporte les fragments dans 20 cent. cubes d'eau distillée, et après les y avoir laissés pendant une demi-heure, on les durcit dans 30 cent. cubes d'alcool progressivement concentré. Inclusion des morceaux durcis dans du foie : les coupes sont laissées pendant 20 à 30 secondes dans l'hématoxyline de Hansen et conservées dans le baume.

Pour obtenir de bonnes préparations des glandes (fig. 277), faites des coupes épaisses, orientées perpendiculairement à la direction des fibres nerveuses. Pour étudier la disposition des fibres nerveuses et de l'épithélium, il est bon de faire des coupes minces parallèlement à la direction des fibres nerveuses (fig. 278).

N° 201. — On obtient des cellules olfactives avec des prolongements nerveux sur des préparations faites suivant la technique décrite au **n° 196**, assez souvent le système de conduits des glandes olfactives est également coloré en noir.

M. — ORGANES DU GOUT

Les organes gustatifs, bourgeons gustatifs (calices gustatifs) sont des corps ovoïdes allongés mesurant à peu près 80 μ de longueur et 40 μ de largeur, renfermés complètement dans l'épithélium de la cavité buccale ; leur base repose sur la tunique propre, leur extrémité supérieure arrive jusqu'à

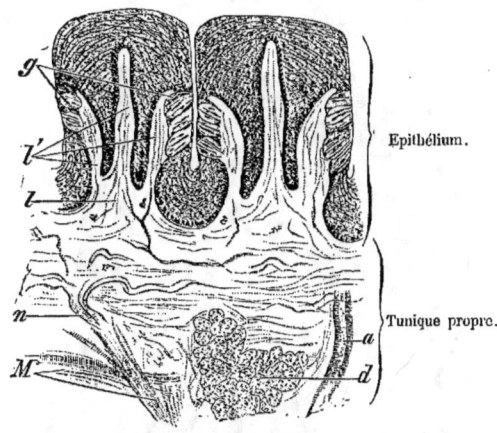

Fig. 279.

Coupe comprenant deux crêtes de la papille foliée du lapin (Gross. 80). — Chaque crête comprend trois crêtes secondaires. — *g.* Bourgeons gustatifs. — *n.* Nerfs à myéline. — *d.* Glandes séreuses. — *a.* Portion du tube excréteur d'une de ces glandes. — *M.* Fibres musculaires de la langue (**Technique n° 203**).

la surface de l'épithélium où elle est représentée par une dépression en forme d'entonnoir, le pore gustatif. Chaque bourgeon gustatif se compose de deux variétés de cellules épithéliales allongées ; les unes présentent partout le même diamètre, les autres sont effilées à leur extrémité basale, et quelquefois bifurquées, tandis que leur extrémité supérieure est filiforme ; leur protoplasma est clair. Ces cellules forment la masse principale du bourgeon gustatif ; elles se trouvent situées de préférence à la périphérie du bourgeon, et portent le nom de cellules de revêtement. Elles servent comme soutènement et comme revêtement aux cellules gustatives qui représentent à proprement parler l'épithélium sensoriel. Les *cellules gustatives* sont étroites, un peu

épaissies seulement au niveau du noyau (1). Leur portion supérieure est cylindrique ou, ce qui est plus fréquent, conique ; elle porte à son extrémité
libre un bâtonnet réfringent (fig. 280), une formation cuticulaire ; la portion
inférieure est tantôt plus mince, tantôt plus épaisse ; elle se termine brusquement, ou avec un pied triangulaire, sans s'étendre dans la muqueuse conjonctive. Le protoplasma de ces cellules est sombre.

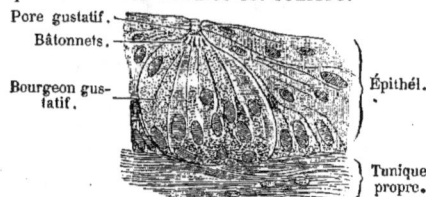

Fig. 280.

Coupe d'une papille foliée du lapin (Gross. 560. **Technique n⁰ 203**).

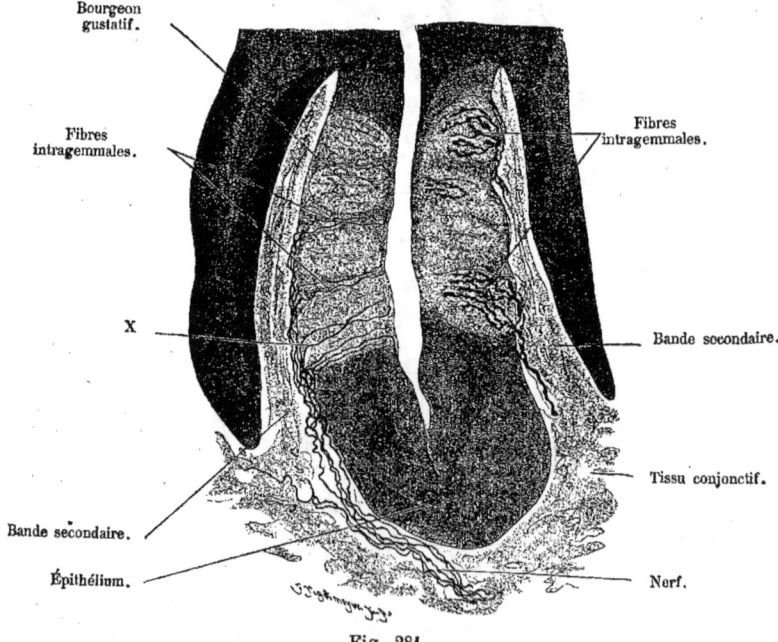

Fig. 281.

Portion d'une coupe verticale de la papille foliée d'un lapin (Gross. 220). — En X on voit les fibres intragemmales occupant un bourgeon gustatif. Pour l'orientation comparer avec la fig. 279 (**Technique n⁰ 204**).

(1) Le noyau est tantôt plus rapproché de l'extrémité inférieure de la cellule,
tantôt plus au milieu, plus rarement à l'extrémité supérieure. On trouve souvent
dans l'intérieur des bourgeons gustatifs des leucocytes en grande quantité.

Les bourgeons gustatifs se trouvent de préférence sur les parois latérales des papilles caliciformes (comp. encore fig. 141), et sur les bords des papilles foliées (fig. 279) (V. encore page 199), en nombre plus petit sur les papilles fongiformes, sur la partie membraneuse du voile du palais, et sur la face postérieure de l'épiglotte.

L'opinion d'après laquelle les ramifications du nerf glosso-pharyngien seraient réunies avec les cellules gustatives comme les fibres olfactives avec les cellules olfactives paraît être erronée.

Les branches terminales du nerf glosso-pharyngien pourvues de ganglions (1) microscopiques (sympathiques) se composent de fibres nerveuses avec et sans myéline, qui forment dans la tunique propre un réseau épais, d'où naissent de nombreuses ramifications. Les unes se terminent peut-être dans le tissu conjonctif (en forme de renflements terminaux), mais la plupart des fibres nerveuses (sans myéline) pénètrent dans l'épithélium. Ces dernières comprennent deux variétés. Les unes, fibres intragemmales (2), pénètrent dans le bourgeon gustatif (fig. 281) et forment là en se divisant un réseau avec de fortes varicosités ; ce réseau arrive jusqu'à la hauteur du pore gustatif : toutes les ramifications nerveuses intragemmales se terminent librement, sans se mettre en communication avec les cellules gustatives et sans s'anastomoser entre elles. Les autres fibres intergemmales, plutôt lisses, traversent les rangées épithéliales entre les bourgeons, et arrivent la plupart sans se diviser jusqu'à la couche superficielle de l'épithélium.

TECHNIQUE

Nᵒ 202. Bourgeons gustatifs. — Il suffira d'appliquer les méthodes indiquées au **nᵒ 101**. Les papilles caliciformes de n'importe quel animal et la papille foliée du lapin sont de bons matériaux d'étude. La papille foliée constitue un groupe saillant de replis de la muqueuse, qu'on rencontre sur le bord latéral de la racine de la langue. Des coupes moyennement fines, verticales, perpendiculaires à la direction des crêtes, permettent de reconnaître à un faible grossissement les bourgeons gustatifs sous forme de taches claires.

Nᵒ 203. Bourgeons du goût. — Pour l'étude de leur structure fine, on détache avec une paire de ciseaux plats la papille foliée d'un lapin récemment sacrifié en la séparant autant que possible du tissu musculaire sous-jacent. On épingle le lambeau sur une plaque de liège, en tournant la face musculaire contre la plaque, pour l'exposer durant une heure aux vapeurs

(1) On se demande si les grains gustatifs situés sous l'épithélium des papilles foliées sont des cellules nerveuses multipolaires. On n'est pas encore parvenu à leur trouver un prolongement nerveux.

(2) De *gemma*, bourgeon.

d'acide osmique. Inclusion dans du foie ; les coupes seront colorées pendant 30 secondes dans l'hématoxyline de Hansen et conservées dans le baume (fig. 279).

Nᵒ 204. Nerfs du goût. — On prend une papille foliée du lapin et on la met trois jours dans la solution osmio-bichromique, et deux jours dans la solution de nitrate d'argent. Je recommande également la méthode double. Les fibres intergemmales sont nombreuses et noircissent facilement (fig. 281), quelques cellules gustatives et quelques cellules de revêtement noircissent également.

Les exercices techniques indiqués dans les **204** numéros précédents sont d'une facilité d'exécution très inégale. Tandis que les uns sont si simples qu'on les réussit pleinement dès le premier essai, les autres au contraire exigent un certain tour de main qu'on n'acquiert que par l'expérience.

L'ordre dans lequel sont indiqués ces exercices est subordonné au texte du livre ; ils ne sont donc pas gradués d'après leur difficulté : bien au contraire, un grand nombre des exercices indiqués dans les premiers numéros sont d'entre les plus difficiles ; la préparation des éléments anatomiques, par exemple, compte parmi les exercices les plus difficiles de l'histologiste ; aussi ai-je cru bien faire de présenter ces exercices techniques dans un ordre tel que le commençant puisse, en passant graduellement de l'un à l'autre, arriver à les exécuter tous.

CHAPITRE PREMIER.

1re Série.

Coupes.

N^{os}	Pages		
17	70	Cartilage costal.	à l'état frais.
18	70	Cartilage élastique.	
13	69	Ligament élastique.	à l'état de dessiccation.
68	141	Tendon.	
17	70	Cartilage.	
134	268	Reins.	
103	239	Œsophage.	
139	268	Uretère.	
121	246	Foie.	Fixation dans le liquide de Müller
101	238	Papille et muqueuse de la langue.	ou de Zenker et durcissement dans l'alcool progressivement concentré.
151	298	Épididyme.	
55	116	Rate.	
167	318	Cuir chevelu.	
62	134	Os.	
64	135	Cartilage articulaire.	
113	243	Gros intestin.	Fixé dans l'acide azotique et durci dans l'alcool progressivement concentré.

2ᵉ Série.

Préparation fraîche sans dissociation.

3ᵉ Série.

Dissociation dans le liquide.

CHAPITRE II.

1re Série.

Coupes.

2e Série.

Préparation fraîche sans dissociation.

3e Série.

Dissociation dans le liquide.

4e Série.

Dissociation.

CHAPITRE III.

1re Série.

Coupes.

2ᵉ Série.

Préparation fraîche sans dissociation.

3e Série.

Dissociation dans les liquides.

Nᵒˢ	Pages		
147	297	Éléments du testicule.	avec l'alcool au tiers de Ranvier.
29	85	Cellules ganglionnaires multipolaires.	avec acide chromique étendu.
133 b	267	Canaux urinifères.	avec l'acide azotique.

4 Série.

Dissociation.

30	86	Fibres nerveuses à myé-	Dans la solution de chlorure de so-
30 a	86	line.	dium à 0,75 0/0.
31	86	Gaine de myéline.	avec addition d'eau.
32	86	Cylindraxe.	avec addition d'alcool.
28	85	Cellules ganglionnaires.	avec addition de picro-carmin.
34	87	Etranglements annulaires.	avec addition de nitrate d'argent.
35	87	Fibres nerveuses sans myé-line.	avec addition d'acide osmique.
33	86	Cylindre-axe.	avec emploi d'acide chromique.

5e Série.

Membranes.

161	317	Epiderme.	⎫
15	70	Réseau de faisceaux con-jonctifs.	⎬ avec l'alcool absolu.
83 b	181	Plexus choroïdien.	⎫
38	110	Petits vaisseaux sanguins.	
188 a	354	Capsule et épithélium du cristallin.	⎬ avec liquide de Müller.
41	111	Développement des capil-laires.	avec acide picrique.
125	247	Epithélium péritonéal.	Traitement par le nitrate d'argent.
185 b	353	Nerfs de la cornée.	Par le bleu de méthyle.

6e Série.

Coupes polies.

60	133	Os.
61	133	Fibres de Sharpey.
97	237	Dents.

7ᵉ SÉRIE.

Injections.

CHAPITRE IV

1ʳᵉ SÉRIE.

Coupes.

Fixation dans le liquide de Müller ou de Zenker, durcissement par l'alcool progressivement concentré.

Fixation et durcissement par l'alcool absolu.

Fixation dans l'acide chromique et durcissement par l'alcool progressivement concentré.

Fixation dans l'acide chromique et durcissement par l'alcool progressivement concentré.

Fixation à l'acide osmique et au bichromate d'après la méthode de Golgi.

2e Série.

Préparations fraîches sans dissociation.

3 Série.

Dissociation dans les liquides.

4e Série.

Dissociations.

5e Série.

Membranes.

6e Série.

Injections.

CHAPITRE V

1re Série.

Coupes.

N^{os}	Pages		
200	376	Région olfactive.	Acide osmique.
187	354	Cristallin.	Acide chromique.
177 c	350	Rétine.	
177 d	350	Ora serrata.	Fixation dans le liquide de Müller et durcissement par l'alcool progressivement concentré.
188 b	354	Capsule du cristallin.	
177 f	350	Macula et fovea.	
159	299	Poumon.	Nitrate d'argent.
128	257	Boutons gustatifs.	Chlorure d'or.
194	370	Limaçon.	Acide osmique.

2e Série.

Préparation fraîche sans dissociation.

179	350	Rétine.	Dans le corps vitré.

3e Série.

Dissociation dans les liquides.

177 b	349	Eléments de la rétine.	Liquide de Müller.
180	351	Eléments de la rétine.	Acide osmique.
198	376	Cellules olfactives.	Alcool au tiers de Ranvier.

4e Série.

Dissociation.

149	297	Taches de sperme.	Eau.

5e Série.

Membranes.

183	352	Cellules de la cornée.	Chlorure d'or.
91 b	186	Plaques terminales motrices.	Acide acétique.
193	369	Lame cochléaire.	Acide osmique.
89	184	Boutons nerveux terminaux.	Acide acétique.

6ᵉ Série.

APPENDICE

Technique du microtome.

———

1. — Microtomes.

Les microtomes les plus employés sont construits d'après deux principes différents.

Dans les uns l'objet à couper s'élève par glissement du porte-objet sur un plan incliné.

Dans les autres l'objet s'élève verticalement au moyen d'une vis micrométrique.

Les deux espèces de microtomes sont excellentes. Toutes les parties du microtome doivent être tenues le plus proprement possible. Quand on s'en sert souvent, il faut les enfermer dans une boîte en bois pour les protéger de la poussière. La rainure, sur laquelle glisse le porte-couteau, doit aussi être parfaitement propre ; on la nettoie de temps en temps avec un linge imbibé de benzine et on la graisse avec de l'huile de moelle de bœuf ou de la vaseline, de façon que le chariot glisse sans secousses (1). Il faut avoir un soin particulier du couteau, et ce n'est qu'avec un couteau très bien aiguisé qu'on peut faire des séries de coupes très fines.

Un couteau coupant vraiment bien doit couper un cheveu fin, que l'on tient entre les doigts par une de ses extrémités.

2. — Inclusions.

A. — Dans la paraffine.

On emploie pour cela :

1° La *paraffine*. Il y en a deux sortes, une plus molle (fondant à 45° cent.) et une plus dure (fondant à 52° cent.) ; on en fait un mélange, qui fond environ à 50°. Tout dépend de la proportion exacte de ces deux paraffines, et bien des insuccès proviennent d'un mauvais mélange.

On ne peut indiquer exactement les proportions, car la consistance de la paraffine dépend essentiellement de la température extérieure. De même, pour obtenir des coupes très fines avec des objets plus durs, il faut employer des

(1) Il faut au contraire huiler très peu la rainure du porte-objet du microtome Thomas, pour que le porte-objet ne soit pas repoussé par le couteau.

mélanges plus durs. Pendant l'hiver, à une température de chambre de 20° cent., on peut employer un mélange de 30 grammes de paraffine molle avec 25 grammes de paraffine dure.

2° Le *chloroforme*, 20 cent. cubes.

3° Une *solution de paraffine dans le chloroforme* (5 grammes du mélange dans 25 cent. cubes de chloroforme). Cette solution est liquide à la température de la chambre.

4° Une *étuve en fer blanc* à doubles parois séparées par un intervalle rempli d'eau. Sous la boîte brûle une petite flamme de gaz. Au-dessus sont deux ouvertures : l'une conduit dans l'intervalle mentionné, où se trouve un régulateur de Reichert. La deuxième ouverture conduit dans l'intérieur de la boîte, où se trouve un thermomètre. La paroi antérieure est formée d'une plaque de verre qui glisse dans une rainure verticale. L'intérieur est divisé en trois compartiments par deux cloisons mobiles. La boîte a 25 cent. de longueur, 23 de haut, 16 de profondeur.

Cette étuve est presque indispensable à ceux qui se servent beaucoup de la paraffine ; cependant on peut faire fondre la paraffine au bain-marie et la maintenir liquide sur une lampe à alcool.

5° Un *moule à inclusions*, composé de deux pièces métalliques coudées, qui sont ainsi juxtaposées

Au lieu de ce moule on peut se servir de petites boîtes de carton ou de papier dur (de vieilles cartes-postales).

Les objets à inclure doivent être complètement déshydratés par un séjour de 2 à 3 jours dans l'alcool absolu plusieurs fois renouvelé ; puis on les porte dans un flacon avec 20 cent. cubes de chloroforme, jusqu'au lendemain (1). Ensuite ils sont portés dans la solution de paraffine dans le chloroforme, et, après 2 à 8 heures, selon le volume des fragments, mis dans une capsule contenant de la paraffine fondue, mais pas trop chaude (2). Après une 1/2 heure on transporte les fragments dans une deuxième capsule (3) de paraffine fondue, où selon leur volume ils restent 1 à 5 heures. On prend ensuite une assiette creuse, on y place un porte-objet et on dispose sur ce dernier le moule à inclusions, dans lequel on verse en même temps la paraffine et l'objet. Puis, pendant que la paraffine est encore liquide, on donne à l'objet, au moyen des aiguilles, l'orientation voulue. Cela fait, on verse avec précaution dans l'assiette de l'eau froide, jusqu'au bord supérieur du moule ; la paraffine commence aussitôt à durcir ; l'on verse alors un peu plus d'eau, jusqu'à ce que le moule soit complètement immergé. Après cette manipulation la paraffine acquiert une consistance homogène, tandis qu'autrement elle devient facilement cristalline et est ensuite plus difficile à couper, en même temps que la structure de la pièce incluse peut être altérée.

(1) Pour les petits objets, 1 à 2 heures suffisent.

(2) La paraffine ne doit pas être chauffée à plus de 2 à 3 degrés au-dessus de son point de fusion ; pour le mélange indiqué plus haut, la température intérieure de l'étuve doit être de 50° cent.

Si l'on a fondu la paraffine au bain-marie, on règle la flamme de façon à maintenir à la surface de la paraffine une petite pellicule de paraffine solidifiée.

(3) Cela peut enlever de l'objet le dernier reste de chloroforme. Au bout d'un certain temps la première capsule contient beaucoup de chloroforme, dont on peut débarrasser la paraffine en la portant à une température plus élevée.

Après environ 10 minutes, les pièces de métal sont enlevées et le bloc de paraffine est laissé dans l'eau, sur le porte-objet, jusqu'à complet durcissement.

L'objet ainsi inclus est déjà bon à couper après 1/2 heure ; si l'on doit le débiter plus tard, on le marque avec une aiguille et il peut être conservé pendant un temps indéfini.

B. — DANS LA CELLOÏDINE.

Pour cela on se sert de :

a) Une solution faible de celloïdine. La celloïdine qui se vend chez le Dr Gübler a la consistance du fromage gras ; un morceau de 30 grammes est coupé en petits cubes et mis dans 30 cent. cubes d'alcool absolu additionné d'égale quantité d'éther.

b) Une solution un peu plus épaisse d'environ 30 grammes de celloïdine dans 20 cent. d'alcool absolu et 20 cent. cubes d'éther. Cette solution a la consistance d'un sirop épais.

Les deux solutions sont conservées dans des flacons à col large, bien bouchés, et peuvent, lorsqu'elles se sont trop épaissies, être rendues plus liquides par de l'alcool-éther (1).

Les pièces à inclure doivent être complètement déshydratées, et avoir séjourné 1 à 3 jours dans de l'alcool absolu plusieurs fois renouvelé. De là, les pièces sont portées dans la celloïdine faible et le lendemain dans la celloïdine épaisse, dans laquelle elles peuvent rester aussi longtemps que l'on veut. La plupart sont suffisamment imbibées après 24 heures ; seulement les objets volumineux, renfermant de nombreuses cavités, doivent séjourner plus longtemps (jusqu'à 8 jours) dans la solution épaisse. Puis la pièce est placée rapidement sur un bouchon de liège sur lequel on verse un peu de celloïdine. Il faut prendre garde d'appuyer la pièce trop fortement sur le bouchon, autrement elle se détache facilement. Il doit y avoir entre le bouchon et la pièce une couche épaisse de 1-2 mm., mais pas davantage, car, la celloïdine convenablement durcie étant élastique, une couche trop épaisse donnerait à la pièce une certaine mobilité sous le choc du couteau.

Le tout sera alors placé 1/2 à 4 heures sous une cloche de verre non hermétiquement close pour obtenir une dessiccation lente, et ensuite dans un cristallisoir avec 30 cent. cubes d'alcool à 80 0/0. Pour submerger la pièce, on colle le bouchon de liège par sa face inférieure, au moyen de celloïdine, à la face inférieure du couvercle du cristallisoir. Le lendemain l'alcool est remplacé par de l'alcool à 70°, dans lequel les pièces peuvent être conservées longtemps.

Pour obtenir des coupes fines on peut encore durcir la celloïdine. Pour cela on sort de l'alcool à 90° les pièces incluses dans la celloïdine et on les met pendant 2 jours dans un mélange d'alcool et de glycérine (alcool 80 0/0 1 partie, glycérine pure concentrée 6 à 10 parties). Plus la proportion de

---

(1) Au bout d'un certain temps, les solutions deviennent troubles et laiteuses, il est alors préférable de laisser complètement sécher la solution et de dissoudre à nouveau les morceaux dans l'alcool-éther.

glycérine pour la même quantité d'alcool est forte, plus la celloïdine devient dure (1). Pour éviter les bavures des blocs élastiques de celloïdine, on les sèche avec du buvard à la sortie du mélange d'alcool et de glycérine, on fait quelques échancrures latérales et on les plonge dans la paraffine liquéfiée. Dès lors les pièces ne peuvent plus se dessécher. On les met à nouveau dans le mélange d'alcool et glycérine. Les pièces traitées par la méthode de Golgi exigent des manipulations spéciales, car un séjour dans l'alcool absolu de plus d'une heure les altérerait. La pièce retirée du nitrate d'argent est durcie dans 30 cent. cubes d'alcool à 96 0/0 pendant 15 à 20 minutes, et ensuite pendant 15 minutes dans une même quantité d'alcool absolu, après quoi on la plonge pendant 5 minutes dans une solution faible de celloïdine.

Pendant ce temps on creuse un morceau de moelle de sureau en faisant une fossette aussi large que possible pour recevoir toute la pièce, on y adapte un second morceau de moelle et on verse sur le tout de la celloïdine. On garde la pièce 3 minutes sous la cloche de verre, pour obtenir la dessiccation, puis on la plonge pendant 7 minutes encore dans l'alcool à 80 0/0 et on fait des coupes à l'aide d'un rasoir arrosé d'alcool à 80 0/0. On n'a pas besoin du microtome, on peut faire facilement des coupes à main levée. Si on se sert du microtome, l'épaisseur de la coupe doit varier entre 40 à 120 μ. Je recommande d'enlever la moelle de sureau autour de la coupe et ne laisser qu'une bordure (1 mm.) autour de la celloïdine.

3. — Coupes.

A. — Objets dans la paraffine.

Le bloc de paraffine contenant l'objet est fixé dans le microtome de Yung sur un cylindre rempli de paraffine durcie, et dans le microtome de Schwanz sur une petite tablette (2) que l'on met en place de la pince. Sur la petite tablette l'adhérence s'établit simplement en appuyant le bloc de paraffine sur la tablette préalablement chauffée. Pour le cylindre creux rempli de paraffine on chauffe celle-ci ainsi que la face inférieure du bloc de paraffine, et on les appuie légèrement l'une contre l'autre ; on achève de fixer solidement en promenant une aiguille chaude tout autour de la base du bloc de paraffine. Pour obtenir un refroidissement rapide, on immerge le cylindre ou la petite tablette pendant 5 minutes dans l'eau froide. On régularise ensuite le bloc de paraffine en lui donnant la forme d'un prisme à base carrée et en enlevant la paraffine qui recouvre la partie supérieure de l'objet.

Le prisme ne doit pas avoir plus de 1 cent. de hauteur, et l'objet ne doit pas être entouré d'une couche de paraffine épaisse de plus de 1 à 2 millimètres.

(1) On peut varier davantage le mélange : comme limite extrême on pourrait indiquer 1 partie d'alcool et 30 parties de glycérine, des proportions plus fortes amènent l'enroulement des coupes.

(2) Au lieu de tablette je me sers d'un petit cylindre de bois tendre de 3 cent. environ de hauteur et de 1 cent. 1/2 de diamètre, qui est placé dans la pince du microtome.

Le cylindre ou la tablette est ensuite placé dans le microtome. On coupe avec une lame sèche.

La position du couteau dépend de la nature de l'objet.

Coupes avec le couteau placé obliquement.

S'agit-il d'objets volumineux de consistance inégale, le couteau doit être fixé à angle le plus aigu possible par rapport à l'axe du microtome. Le prisme de paraffine doit être placé par rapport à la lame du couteau, de manière à ce que celle-ci entame le prisme par une de ses arêtes. Le couteau doit glisser lentement, pour éviter toute secousse.

Coupes avec le couteau placé transversalement.

Le couteau est placé perpendiculairement à l'axe du microtome, et le bloc de paraffine est placé de façon que le tranchant de la lame entame le prisme par une de ses faces. Le couteau est promené rapidement comme si l'on rabotait, de telle façon que les coupes se collent les unes aux autres par leur bord en formant un long ruban. Avec une bonne consistance de paraffine la première coupe reste plate sur la lame du couteau et se trouve poussée par la deuxième coupe dans la direction du dos du couteau. Mais si les premières coupes ont une tendance à s'enrouler, il faut avec précaution les ramener dans la bonne direction à l'aide d'un pinceau fin. On réussit le mieux les coupes en ruban avec une épaisseur de 1/100 de mm., les coupes de plus de 1/100 de mm. se roulent facilement et se collent plus difficilement l'une à l'autre par leur bord.

Difficultés qu'on rencontre en coupant et moyens d'y remédier.

Toute personne qui a travaillé à la paraffine a eu à enregistrer quelques insuccès.

1°. — *Le couteau glisse sur l'objet* et fait une coupe soit incomplète, soit nulle. La raison réside le plus souvent dans le microtome, soit que la rainure où glisse le couteau soit sale, soit que le couteau ne soit pas assez tranchant, ou que la paraffine adhère à sa face inférieure. Dans ce cas il faut prendre un linge imbibé d'essence de térébenthine et nettoyer soigneusement le couteau.

Dans d'autres cas il faut chercher la raison dans l'objet, qui est peut-être trop dur, ou de consistance trop inégale ou mal inclus. Dans ce dernier cas cela tient à ce que l'objet n'a pas été suffisamment déshydraté, c'est alors qu'on voit des taches opaques ; ou bien à ce qu'il contient encore du chloroforme. Dans les deux cas il faut tout recommencer dans un ordre inverse jusqu'à l'alcool absolu, ou jusqu'au bain de paraffine. — Enfin la consistance de la paraffine peut être la cause des échecs.

2°. — *Les coupes se roulent*. On peut remédier à cela, au moyen d'un pinceau ou d'une aiguille recourbée que l'on tient contre la coupe qui s'enroule.

La raison de cet enroulement des coupes est dans la dureté trop grande de la paraffine, de même que la raison du troisième inconvénient.

3°. — *Les coupes s'émiettent*. La bonne consistance de la paraffine dépend essentiellement de la température extérieure. La paraffine est-elle trop dure, il ne faut pas chercher immédiatement à lui donner une consistance convenable par l'adjonction de paraffine molle, — ce qui ne doit être que le dernier remède, — mais l'on essaye d'abord un moyen plus simple. On coupe pour cela au voisinage d'un poêle ou auprès d'une lampe à gaz. Souvent on arrive au résultat en chauffant le couteau légèrement (1).

4°. — *Les coupes se plissent* et sont pressées les unes contre les autres, et la forme des objets coupés se trouve altérée. Cela tient à ce que la paraffine est trop molle. L'immersion répétée du bloc de paraffine dans l'eau froide, l'installation du microtome dans une pièce froide, remédient à cet inconvénient.

B. — Objets dans la celloïdine.

L'épaisseur de la couche de celloïdine entourant l'objet doit être de 1 à 2 mm.

On place le couteau à angle très aigu par rapport à l'axe du microtome. Le couteau doit être mouillé avec de l'alcool à 70 0/0, que l'on applique avec un pinceau chaque fois que l'on a fait 2 ou 3 coupes. — Les coupes sont recueillies avec un pinceau et portées dans un cristallisoir, contenant de l'alcool à 70 0/0.

On n'obtient pas de très fines coupes (de moins de 1/100 de mm.) avec des objets dans la celloïdine.

4. — Montage des coupes.

A. — Objets dans la paraffine.

Lorsqu'il ne s'agit pas de coupes en série ou de coupes très fines, on les porte dans une capsule avec 5 cent. cubes d'essence de térébenthine, et lorsque la paraffine est dissoute, on les porte dans une deuxième capsule d'essence de térébenthine. De là les coupes, lorsqu'elles proviennent d'objets colorés en masse, sont portées sur le porte-objet et montées suivant les règles énoncées. Mais si les coupes doivent encore être colorées, on les fait passer de l'essence de térébenthine dans environ 5 cent. cubes d'alcool absolu, qui doit être renouvelé après 2 minutes. Après 2 autres minutes les coupes se colorent parfaitement.

S'agit-il au contraire de séries et de coupes très fines, les coupes doivent d'abord être fixées. Les porte-objet dont on se sert dans ce cas doivent être absolument propres ; on les nettoie avec un peu d'alcool et un linge très propre. Sur le porte-objet bien sec on porte alors les coupes et l'on met sur leur bord, avec un pinceau fin, une goutte de solution de gomme très claire (2). Puis on place et on fixe de même à la gomme la coupe suivante ou le fragment suivant du ruban de coupes, et ainsi de suite. Il n'y a pas d'inconvénient

---

(1) La meilleure paraffine peut s'émietter, lorsqu'on la coupe avec un couteau froid.

(2) La solution doit être préparée fraîchement chaque fois. Une petite goutte de solution officinale de gomme arabique est mélangée dans un verre de montre avec 5 cent. cubes d'eau distillée.

à ce que les coupes flottent. On met alors le porte-objet sur la flamme d'une lampe à alcool ou bien pendant 1 à 3 minutes dans l'étuve (1). Ensuite on range encore une fois les coupes avec une aiguille, puis on enlève l'excès de gomme par une légère inclinaison du porte-objet ou avec un morceau de papier à filtre, et on laisse le tout sécher, à l'abri de la poussière.

Le lendemain, le porte-objet est arrosé avec de l'essence de térébenthine et, si les coupes sont déjà colorées, on monte dans le baume. Si au contraire les coupes ne sont pas encore colorées, l'essence de térébenthine est essuyée et le porte-objet porté dans l'alcool absolu (2). Après environ 5 minutes le porte-objet retiré de l'alcool est essuyé rapidement autour des coupes, puis placé dans le liquide colorant, ou bien on verse quelques gouttes du liquide colorant, d'hématoxyline par exemple, directement sur les coupes: De là le porte-objet est placé quelque temps dans un cristallisoir avec de l'eau distillée, puis monté soit dans la glycérine soit dans le baume après lavage à l'alcool et à l'huile de lavande.

B. — Objets dans la celloïdine.

Les coupes sont portées dans un cristallisoir avec 20 cent. cubes d'alcool à 90°. Si elles ne proviennent pas de fragments colorés en masse — qui sont à recommander — elles peuvent être encore colorées ; l'hématoxyline même donne à la celloïdine un ton légèrement bleuâtre. Les coupes ne doivent pas être portées dans l'alcool absolu, car celui-ci dissout la celloïdine. Elles sont portées de l'alcool à 90-95° dans environ 5 cent. cubes d'huile d'Origan et lorsqu'elles sont éclaircies, montées dans le baume.

Les séries de coupes d'objets dans la celloïdine sont utiles seulement pour des cas tout à fait spéciaux, par exemple pour le système nerveux central. On trouvera dans les articles de Weigert (*Zeitschrift für wissenschaftliche Mikroskopie*) des détails très intéressants à ce sujet (3).

(1) La paraffine ne doit pas fondre, le mélange de paraffine fondue et de gomme n'étant plus soluble dans l'essence de térébenthine.
(2) L'opération qui consiste à essuyer l'essence de térébenthine, aussi bien que l'alcool, sur le porte-objet, doit se faire lestement, car les coupes ne doivent pas sécher, sous peine d'être perdues.
(3) Vol. II, page 490 ; vol. III, page 480 ; vol. IV, page 209.

TABLE ANALYTIQUE

Imprimerie G. Saint-Aubin et Thevenot. — J. Thevenot, successeur, Saint-Dizier (Haute-Marne).

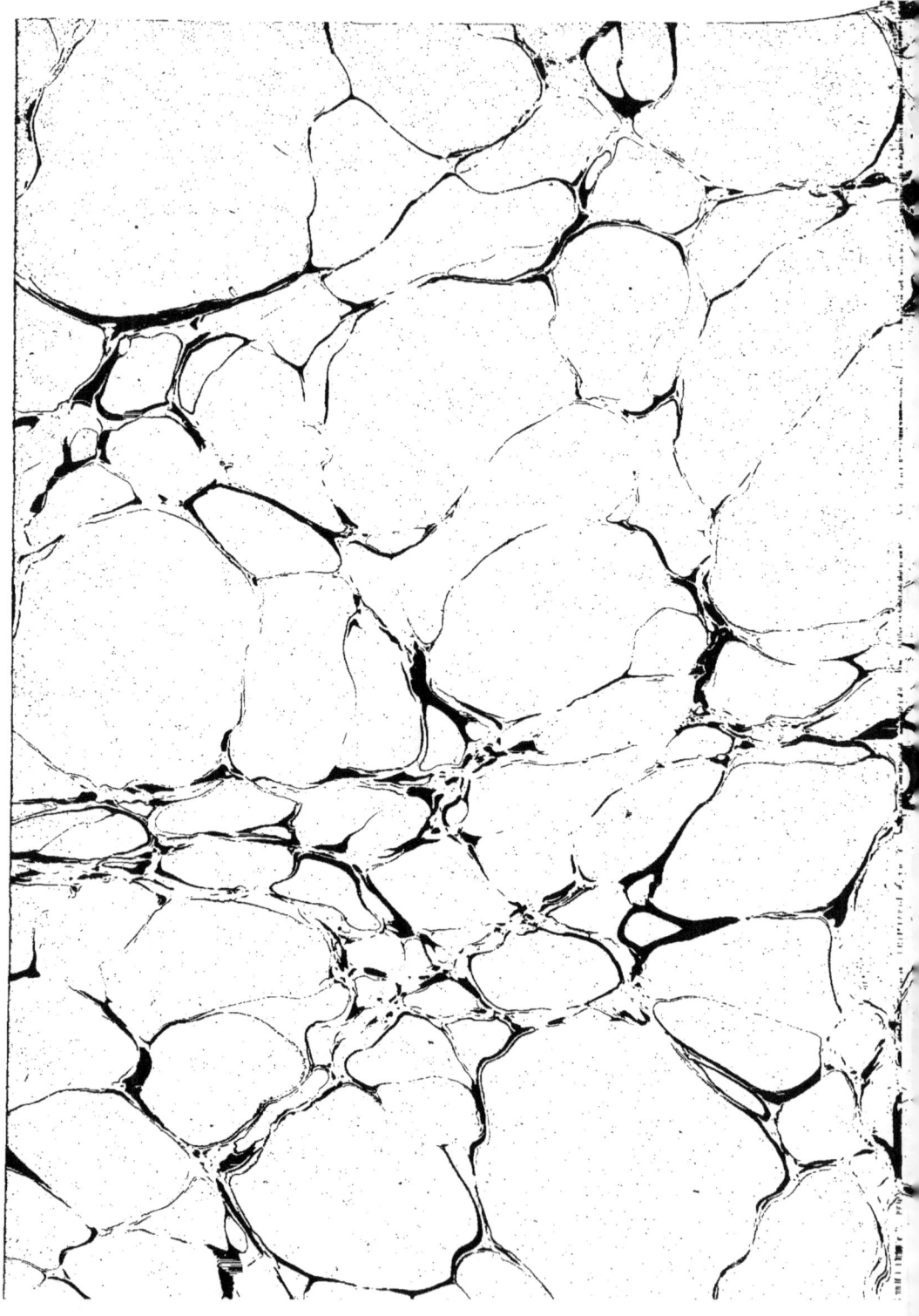